꿈틀 국어 교재

한눈에 알아보기

앞날을 향한 여러분의 힘찬 발걸음에 맞춰 '꿈을담는틀'이 함께 걷고 있습니다.

시리즈 및 구분	대상 학년 및 교재명				교재 성격
	중3	고1	고2	고3	
개념 기본서	국어 개념 완성 (중3~고2)				미리 공부하는 고1 국어, 쉽고 빠르게 완성하기
고고 시리즈	기본 / 문학 / 독서 / 문법 (중3~고2)				국어 공부에 꼭 필요한 개념, 문법, 어휘를 완성할 수 있는 교재
첫 기본완성 시리즈	수능 국어 / 수능 문학 / 수능 비문학 (중3~고2)				수능의 기초부터 완성까지, 수능 대비를 위한 친절한 지침서
모든 것 시리즈	현대시 / 고전시가 / 현대산문 / 고전산문 / 문법·어휘 (고1~고3)				내신과 수능을 1등급으로 만들어 줄 필수 자습서
국어는 꿈틀 시리즈	문학 / 비문학 독서 / 단기 언어와 매체 (고1~고3)				문이과 통합 수능 경향을 새롭게 반영한 실전 대비 수능서
명강 시리즈	고전시가 / 고전산문 (고1~고3)				갈래별 유형 학습과 실전 문제를 통해 고득점으로 안내하는 수능 내비게이션
밥 먹듯이 매일매일 시리즈	처음 문학 / 문학 / 처음 비문학 독서 / 비문학 독서 / 어휘력 / 언어와 매체 / 화법과 작문 (중3~고3)				밥 먹듯이 매일매일 국어 공부로 수능을 정복하는 기출문제집
내신·기본서	고등 국어 통합편 (중3~고2)				한 권으로 끝내는 일등 국어 문제집
	문학 비책 / 고전시가 비책 (고1~고3)				현존하는 최고의 문학 문제집

꿈틀 고등 국어 통합편

교재 개발에 도움을 주신 모든 선생님들께 깊이 감사드립니다.

김건용 서울
김태호 대전
박주환 인천
신상욱 서울
염선숙 서울
이효정 서울
조미연 성북
김상희 분당
문정화 파주
백승재 김해
안정광 순천, 광양
오지희 제주
장연희 대구
조선영 동탄
김유승 평택
박수미 안산
손석표 서울
양순열 서울
이승우 포항
정미정 서울
지상훈 대구
김 진 분당, 수원
박은정 평촌
송화진 김해(장유)
염병대 구미
이영지 평촌
정희숙 서울

꿈틀 고등 국어

통합편

구성과 특장점

이 책으로 공부해야 하는 이유!

1. 국어 교과서의 핵심 내용을 빠짐없이 수록

- 고등 국어 교과서에서 중요하게 다루어지거나 수록 빈도가 높은 작품을 엄선하여 수록하였습니다.
- 성취 기준에 따라 교육 과정 이론과 대표 지문을 꼼꼼하게 분석하여 제시하였습니다.
- 교과서의 학습 목표와 학습 활동을 분석하여 어떤 교과서로 공부하더라도 꼭 알아야 할 기본 개념과 학습 내용을 일목요연하게 제시하였습니다.

2. 단기간에 마스터할 수 있는 알찬 구성

- 고등 국어 교과서의 핵심 내용을 압축하여 단기간에 학습할 수 있습니다.
- 갈래별 · 성취 기준별 체계적 구성으로, 교과서의 내용을 한눈에 정리할 수 있습니다.

3. 선행 학습용으로 사용하기 좋은 교재

- 고등 국어 교과서의 내용을 압축해 수록하였으므로 선행 학습용으로 적합합니다.
- 수능형 문제를 배치하여 내신 대비는 물론, 수능 학습에 점차적으로 활용할 수 있습니다.

문학, 읽기

❶ 핵심 개념

갈래별·성취 기준별로 꼭 알아야 할 핵심 이론을 총망라하여 요약 정리하였습니다. 더불어 개념 확인 문제를 통해 꼭 알아야 할 개념을 문제로 확인하고 넘어갈 수 있도록 하였습니다.

❷ 대표 작품 및 지문 / 한눈에 콕 / 만점 노트 / PLUS+

국어 교과서에서 중요하게 다루어지거나 수록 빈도가 높은 작품 및 지문들을 엄선하여 선정하였습니다. 더불어 각 제재의 핵심 내용을 간결하게 정리하여 꼭 알아야 하는 내용이 무엇인지 한눈에 알 수 있도록 하였습니다.

❸ 학습 활동 응용 / 수능형 문제

성취 기준과 관련하여 교과서 학습 활동을 응용한 문제와 서술형 문제, 수능형 문제를 적절하게 배치하여 작품 및 지문을 완벽하게 정복할 수 있도록 하였습니다.

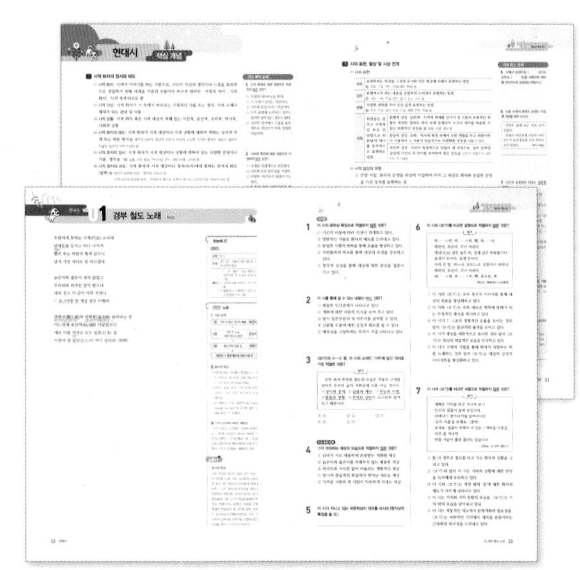

문법

❶ 중학 문법 다시 보기

중학교 때 배운 문법 내용을 다시 한번 총정리할 수 있도록 핵심만을 정리하였습니다.

❷ 핵심 이론 정리 / 개념 확인 문제

고등 국어 교과서의 내용을 완전 분석하여 4가지 영역으로 나눈 후 각 영역별로 꼭 알아야 할 핵심 이론을 압축하여 정리하였습니다. 더불어 개념 확인 문제를 통해 핵심 개념을 이해했는지 확인할 수 있도록 하였습니다.

❸ 수능형 문제 / 기출문제

교과서 학습 활동을 분석하여 출제한 수능형 실전 문제는 물론, 수능·모의평가·전국연합 기출문제를 적절하게 배치하여 내신과 수능 모두 대비할 수 있도록 하였습니다.

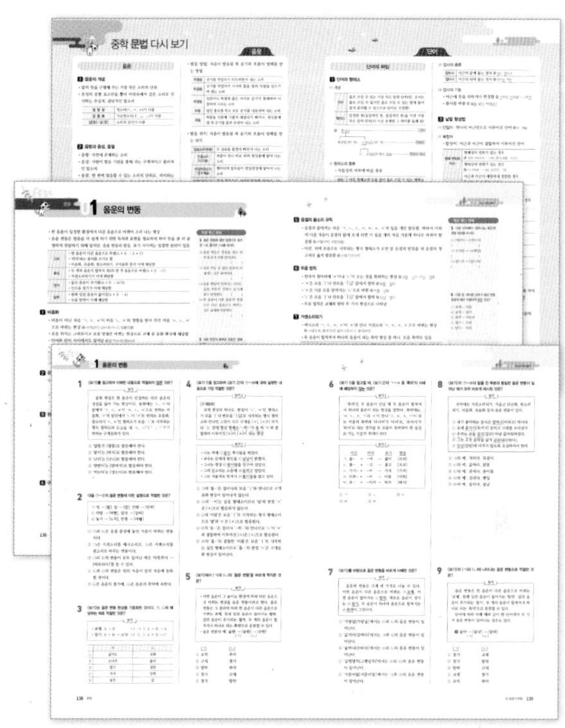

듣기·말하기, 쓰기

❶ 핵심 개념

고등 국어 교과서의 내용을 완전 분석하여 각 성취 기준별로 꼭 알아야 할 핵심 이론을 압축하여 정리하였습니다.

❷ 수능형 문제 / 기출문제

각 성취 기준의 내용과 관련된 수능·모의평가·전국연합 기출문제를 엄선·배치하여 내신은 물론 수능 대비에도 도움이 될 수 있도록 하였습니다.

✓ 일러두기 - 교과서 표기

[금성]–금성출판사 [동아]–동아출판 [미래엔]–미래엔 [비상 박Ⅰ]–비상교육 박영민 [비상 박Ⅱ]–비상교육 박안수
[신사고]–좋은책 신사고 [지학]–지학사 [창비]–창비교육 [천재 박]–천재교육 박영목 [천재 이]–천재교육 이성영 [해냄]–해냄에듀

차례

I. 문학

고등 국어 학습법

1 교과서 학습에 충실하자!

- 교과서의 성취 기준과 학습 목표를 이해한다.
- 해당 단원에서 배워야 할 내용은 학습 활동에 집약되어 있으므로 학습 활동의 내용에 주목한다.
- 같은 제재라도 학교에 따라 다르게 수업할 수 있으므로 수업 내용을 충실하게 들어야 한다.
- 수능 역시 교과서의 성취 기준을 바탕으로 출제되므로 교과서 학습에 충실하면 내신뿐만 아니라 수능도 대비할 수 있는 효과가 있다.

제재		성취 기준		학습 목표	
김유정의 〈봄 · 봄〉	➡	갈래의 특성에 따른 형상화 방법을 중심으로 작품을 감상한다.	➡	• 문학 갈래의 개념과 특징을 이해한다. • 작품의 구조와 형상화 방법을 이해하고 문학 활동을 할 수 있다.	➡

학습 활동 예시		수능 대비 / 내신 대비
• 소설의 사건 전개 과정을 정리하고 구성상 특징을 파악해 보자. • 소설 속 인물의 성격과 인물 간 관계를 알아보자. • 표현상 특징을 탐구해 보자.	➚	**수능 대비** 성취 기준을 참고로 작품을 꼼꼼히 분석하여 수능에 대비한다.
	➘	**내신 대비** 학습 목표와 학습 활동에 주목하여 내신에 대비한다.

2 작품과 지문 이해 능력을 기르자!

- 고등 국어 교과서 학습은 수능 시험 대비를 위한 1차 관문이다.
- 주어진 제시문을 독해하는 능력은 국어 학습의 가장 기본적인 요소이다.
- 제시문에 직접적으로 드러나지 않은 부분까지 유추하여 종합적으로 이해할 수 있어야 한다.

작품		작품 이해		종합적 감상과 이해
지금 눈 나리고 매화 향기 홀로 아득하니 내 여기 가난한 노래의 씨를 뿌려라. 다시 천고의 뒤에 백마 타고 오는 초인이 있어 이 광야에서 목 놓아 부르게 하리라. – 이육사, 〈광야〉	➡	• 시적 화자는 누구인가? • 시적 상황은 어떠한가? • 화자의 정서와 태도는 어떠한가? • 시어의 의미는 무엇인가? • 표현상의 특징은 무엇인가? • 시상 전개는 어떻게 이루어지고 있는가?	➡	• 외재적 감상: 대표적 저항 시인인 이육사가 일제 강점기의 현실에서 조국 광복에 대한 확신을 노래함 • 내재적 감상: 광야의 과거와 암담한 현재 상황을 제시하면서 초인이 오는 밝은 미래에 대한 확신을 노래함

3 다양한 유형에 대한 문제 해결력을 기르자!

- 요즘은 내신도 수능과 유사한 형태로 출제되고 있어 수능형 문제를 많이 풀어 보는 것이 필요하다.
- 여러 가지 유형의 다양한 문제를 풀면서 출제 의도를 파악하고 문제를 해결할 수 있는 능력을 길러야 한다.
- 지문의 내용, 문제의 질문 내용, 주어진 자료의 내용을 종합적으로 이해해야 문제를 해결할 수 있다.

국어 교과서 성취 기준

영역	성취 기준
문학	① 문학 작품은 구성 요소들과 전체가 유기적 관계를 맺고 있는 구조물임을 이해하고 문학 활동을 한다. ② 갈래의 특성에 따른 형상화 방법을 중심으로 작품을 감상한다. ③ 문학사의 흐름을 고려하여 대표적인 한국 문학 작품을 감상한다. ④ 문학의 수용과 생산 활동을 통해 다양한 사회 · 문화적 가치를 이해하고 평가한다. ⑤ 주체적인 관점에서 작품을 해석하고 평가하며 문학을 생활화하는 태도를 지닌다.
문법	① 국어가 변화하는 실체임을 이해하고 국어 생활을 한다. ② 음운의 변동을 탐구하여 올바르게 발음하고 표기한다. ③ 문법 요소의 특성을 탐구하고 상황에 맞게 사용한다. ④ 한글 맞춤법의 기본 원리와 내용을 이해한다. ⑤ 국어를 사랑하고 국어 발전에 참여하는 태도를 지닌다.
읽기	① 읽기는 읽기를 통해 서로 영향을 주고받으며 소통하는 사회적 상호 작용임을 이해하고 글을 읽는다. ② 매체에 드러난 필자의 관점이나 표현 방법의 적절성을 평가하며 읽는다. ③ 삶의 문제에 대한 해결 방안이나 필자의 생각에 대한 대안을 찾으며 읽는다. ④ 읽기 목적을 고려하여 자신의 읽기 방법을 점검하고 조정하며 읽는다. ⑤ 자신의 진로나 관심사와 관련된 글을 자발적으로 찾아 읽는 태도를 지닌다.
듣기 · 말하기	① 개인이나 집단에 따라 듣기와 말하기의 방법이 다양함을 이해하고 듣기 · 말하기 활동을 한다. ② 상황과 대상에 맞게 언어 예절을 갖추어 대화한다. ③ 논제에 따라 쟁점별로 논증을 구성하여 토론에 참여한다. ④ 협상에서 서로 만족할 만한 대안을 탐색하여 의사 결정을 한다. ⑤ 의사소통 과정을 점검하고 조정하며 듣고 말한다. ⑥ 언어 공동체의 담화 관습을 성찰하고 바람직한 의사소통 문화 발전에 기여하는 태도를 지닌다.
쓰기	① 쓰기는 의미를 구성하여 소통하는 사회적 상호 작용임을 이해하고 글을 쓴다. ② 주제, 독자에 대한 분석을 바탕으로 타당한 근거를 들어 설득하는 글을 쓴다. ③ 자신의 경험과 성찰을 담아 정서를 표현하는 글을 쓴다. ④ 쓰기 맥락을 고려하여 쓰기 과정을 점검 · 조정하며 글을 고쳐 쓴다. ⑤ 글이 독자와 사회에 끼치는 영향을 고려하여 책임감 있게 글을 쓰는 태도를 지닌다.

Ⅰ. 문학

현대시

고전 시가

1 시적 화자의 정서와 태도

(1) 시적 화자: 시에서 이야기를 하는 사람으로, 시인이 자신의 생각이나 느낌을 효과적으로 전달하기 위해 내세운 가공의 인물이자 허구적 대리인. '서정적 자아', '시의 화자', '시적 자아'라고도 함

(2) 시적 대상: 시적 화자가 시 속에서 바라보는 구체적인 사물 또는 청자, 시의 소재나 제재가 되는 관념 및 사물

(3) 시적 상황: 시적 화자 혹은 시적 대상이 처해 있는 시간적, 공간적, 심리적, 역사적, 사회적 상황

(4) 시적 화자의 태도: 시적 화자가 시적 대상이나 시적 상황에 대하여 취하는 심리적 자세 또는 대응 방식 예 예찬적, 비판적, 명상적, 관조적, 여성적, 남성적, 의지적, 풍자적, 체념적, 설득적, 직설적, 달관적, 자연 친화적 등

(5) 시적 화자의 정서: 시적 화자가 시적 대상이나 상황에 대하여 갖는 다양한 감정이나 기분, 생각 예 기쁨, 슬픔, 소망, 동경, 안타까움, 분노, 희망, 비애, 그리움 등

(6) 시적 화자의 어조: 시적 화자가 시적 대상이나 청자(독자)에게 취하는 언어적 태도(말투) 예 청자의 유무에 따라 – 독백체, 대화체 등
시적 화자의 유형에 따라 – 어린이의 목소리, 어른의 목소리, 남성적 어조, 여성적 어조 등

2 시어의 특성

(1) 시어의 음악성: 소리의 반복을 통해 형성되는 말의 가락인 운율을 통해 느껴짐
① 외형률: 일정한 규칙에 의해 시의 표면에 드러나는 운율
② 내재율: 일정한 규칙 없이 시의 내면에서 은근히 느껴지는 운율

(2) 시어의 함축성: 시 속에서 다양한 정서적 효과를 불러일으키는 시어의 내포적 의미. 한 편의 시에 사용된 똑같은 시어일지라도 문맥과 상황에 따라 서로 다른 함축적 의미를 지님

(3) 시어의 심상(이미지)
① 개념: 마음속에 떠오르는 감각적이고 구체적인 사물의 모습과 그와 관련된 추상적인 관념들을 언어적으로 표현한 것, 또는 그로부터 느껴지는 인상
② 심상의 종류

시각적 심상	눈으로 보는 듯이 표현한 이미지 예 하이얀 모시 수건을 마련해 두렴.
청각적 심상	귀로 소리를 듣는 것처럼 표현한 이미지 예 어디 닭 우는 소리 들렸으랴.
미각적 심상	혀로 맛을 보는 것처럼 표현한 이미지 예 겨울이면 시원한 동치미 맛
후각적 심상	코로 냄새를 맡는 듯이 표현한 이미지 예 매화 향기 홀로 아득하니
촉각적 심상	피부로 느낄 수 있는 감각으로 표현한 이미지 예 아버지의 서느런 옷자락
공감각적 심상	하나의 감각을 다른 감각으로 옮겨 표현하여 둘 이상의 감각이 동시에 떠오르게 하는 이미지 예 향기로운 임의 말소리(청각의 후각화)

③ 심상(이미지)의 형성 방법
• 묘사적 이미지: 묘사 또는 감각적 수식어로 이루어지는 이미지
• 비유적 이미지: 직유, 은유 등의 비유에 의해 이루어지는 이미지
• 상징적 이미지: 원관념은 숨기고 보조 관념만으로 추상적 내용을 구체적 대상으로 나타내어 이루어지는 이미지

개념 확인 문제

1 시적 화자에 대한 설명으로 적절하지 않은 것은?
① 서정적 자아라고도 한다.
② 시 속에서 말하는 사람이다.
③ 시인과 동일시되는 인물이다.
④ 시의 표면에 드러나는 경우도 있지만 숨어 있는 경우도 있다.
⑤ 시인의 생각이나 느낌을 효과적으로 전달하기 위해 설정된 인물이다.

2 시어의 특징에 대한 설명으로 적절하지 않은 것은?
① 주제를 직접적으로 전달한다.
② 산문과 달리 음악성을 가진다.
③ 다양한 이미지가 활용되기도 한다.
④ 사전적 의미 외에 함축적 의미를 갖는다.
⑤ 시적 효과를 위해 어법에 어긋나는 표현이 허용되기도 한다.

3 시구와 심상(이미지)의 연결이 잘못된 것은?
① 뜰에는 반짝이는 금모래 빛 – 시각
② 얼얼한 댕추가루를 좋아하고 – 미각
③ 푸른 노래 푸른 울음 울어 예으리 – 청각
④ 방 안에서는 새 옷의 내음새가 나고 – 후각
⑤ 바람이 서늘도 하여 뜰 앞에 나섰더니 – 촉각

4 다음 시구에서 나타나는 감각의 전이 형태로 알맞은 것은?

> 얼룩백이 황소가
> 해설피 금빛 게으른 울음을 우는 곳 – 정지용, 〈향수〉

① 시각의 청각화
② 청각의 시각화
③ 시각의 촉각화
④ 촉각의 청각화
⑤ 청각의 촉각화

3 시의 표현, 발상 및 시상 전개

(1) 시의 표현

비유	표현하려는 대상을 그것과 유사한 다른 대상에 빗대어 표현하는 방법 예 직유, 은유, 의인, 대유(제유, 환유) 등	
강조	표현하고자 하는 내용을 강렬하게 드러내어 표현하는 방법 예 과장, 반복, 연쇄, 영탄, 열거, 점층, 대조 등	
변화	다양한 변화를 주어 인상 깊게 표현하는 방법 예 도치, 인용, 설의, 대구, 돈호, 생략, 반어, 역설 등	
상징	원관념은 감추고 구체적인 보조 관념만으로 원관념의 의미를 암시적으로 표현하는 방법	원형적 상징: 문화적 · 지역적 한계를 넘어서 전 인류의 보편적인 체험이 축적된 결과로 의식 속에 잠재되어 누구나 의미를 떠올릴 수 있는 보편적인 상징 예 물: 죽음, 이별, 생성 등
		관습적 상징: 문화 · 역사적 배경 속에서 오랜 세월을 두고 되풀이하여 사용되어 그 내용이 관습적으로 보편화된 상징 예 비둘기: 평화
		개인적 상징: 시인이 독창적으로 만들어 낸 상징으로, 널리 알려진 상징에 시인이 새 의미를 부여하여 생긴 상징 예 십자가: 윤동주의 시에서는 자기희생

(2) 시적 발상의 유형

① 감정 이입: 화자의 감정을 대상에 이입하여 마치 그 대상도 화자와 동일한 감정을 가진 것처럼 표현하는 것

예 뒤안 이슥한 꽃가지에 / 잠 못 이루는 두견조차 / 저리 슬피 우는다.

② 관념의 구체화: 시적 대상인 추상적 관념을 구체적인 대상으로 변용하여 드러냄

예 어제를 동여맨 편지를 받았다.

③ 주객전도: 주체와 객체를 뒤바꾸어 표현함

예 산이 날 에워싸고 / 씨나 뿌리며 살아라 한다 / 밭이나 갈며 살아라 한다

(3) 시상 전개 방식

① 시간의 흐름에 따른 시상 전개: 과거 → 현재 → 미래, 봄 → 여름 → 가을 → 겨울과 같이 시간의 흐름에 따라 전개하는 방식

② 시선의 이동에 따른 시상 전개: 아래 → 위, 먼 곳 → 가까운 곳, 부분 → 전체 등으로 시선의 변화에 따라 전개하는 방식

4 시의 종합적 이해와 감상

(1) 내재적 접근 방법(절대론적 관점): 시를 작가, 독자, 시대와 분리된 독자적인 존재로 보고 작품을 이해하기 위한 모든 정보를 작품 내부에서만 찾으려는 방법. 시를 화자와 청자, 시어, 운율, 이미지, 표현 기법 등을 중심으로 파악하며 작품 속의 화자에 초점을 맞추어 정서나 태도, 어조를 파악함

(2) 외재적 접근 방법

① 표현론적 관점: 시와 작가와의 관련성을 중시하는 관점. 작가의 창작 의도나 동기에 주목하거나 작가의 또 다른 작품과 관련지어 시를 이해하고 파악함. 또는 작가의 내면 심리나 가치관, 성장 과정과 생활 환경, 영향 받은 사상 등을 통해 시를 파악함

② 반영론적 관점: 시와 현실 세계와의 관련성을 중시하는 관점. 화자나 시 속 인물이 처한 당시의 제도 혹은 생활상에 관심을 두고, 시대상, 역사적 상황, 사회상 등 현실 세계의 모습이 시 속에 어떻게 반영되었는가를 중심으로 파악함

③ 효용론적 관점: 시와 독자와의 관련 양상을 중시하는 관점. 시가 독자에게 미치는 교훈, 감동, 흥미 혹은 미적 쾌감에 주목함

개념 확인 문제

5 시에서 상징이란 (　　　)은/는 감추고 (　　　)만을 사용하여 의미를 암시적으로 표현하는 방법이다.

6 다음 시에서 화자의 감정이 이입된 대상을 찾아 쓰시오.

> 산꿩도 섧게 울은 슬픈 날이 있었다.
> 산절의 마당귀에 여인의 머리오리가 눈물방울과 같이 떨어진 날이 있었다. – 백석, 〈여승〉

____

7 시구와 표현법의 연결이 잘못된 것은?

① 이것은 소리 없는 아우성 – 역설법
② 푸른 산이 흰 구름을 지니고 살 듯 – 은유법
③ 어둠은 새를 낳고, 돌을 / 낳고, 꽃을 낳는다. – 활유법
④ 인제는 돌아와 거울 앞에 선 / 내 누님같이 생긴 꽃이여. – 직유법
⑤ 나 보기가 역겨워 / 가실 때에는 / 죽어도 아니 눈물 흘리우리다. – 반어법

8 시인의 생애나 시인의 다른 작품과 관련지어 작품을 파악하는 것은 효용론적 관점에 따른 감상이다. (○, ×)

9 다음 설명에 해당하는 시 감상의 관점을 쓰시오.

> 이 작품은 임금이 낮고 빈부 격차가 극심하던 1980년대 우리 사회의 모습을 사실적으로 담아내고 있다.

____

현대시 01

경부 철도 노래 - 최남선

우렁차게 토하는 기적(汽笛) 소리에
남대문을 등지고 떠나 나가서
(남대문: 서울역)
빨리 부는 바람의 형세 같으니
날개 가진 새라도 못 따르겠네

늙은이와 젊은이 섞여 앉았고
우리네와 외국인 같이 탔으나
내외 친소 다 같이 익히 지내니
㉠ 조그마한 딴 세상 절로 이뤘네

관왕묘(關王廟)와 연화봉(蓮花峰) 둘러보는 중
(관왕묘: 관우의 영정을 모신 사당 / 연화봉: 서울 용산구 청파동에 있는 산)
어느덧에 용산역(龍山驛) 다달았도다
새로 이룬 저자는 모두 일본(日本) 집
(저자: 시장)
이천여 명 일인(日人)이 여기 산다네 〈하략〉

한눈에 쏙

천재 이

갈래	창가
주제	경부 철도 개통에 대한 예찬과 기차 안팎의 풍경
특징	① 7·5조 3음보, 각절 4행으로 이루어진 전 67절의 장편 창가임 ② 가사에 따른 악보와 노래가 있음 ③ 일본에서 유행하던 〈철도가〉의 영향을 받아 지음

만점 노트

1 시상 전개

절	내용	태도
1절	기적 소리와 기차의 빠름	예찬적
2절	기차 안 노소, 내외 친소의 풍경	긍정적
3절	용산역의 일본 집	개방적

↓ 별천지 = 문명개화에 대해 낙관적

2 음악적 특성

- 이전의 개화 가사들이 한결같이 4·4조 4음보인 데 비해, 이를 깨뜨리고 7·5조 3음보 형식으로 쓰였다.
- 선율은 일본 창가 〈철도가〉를 본뜬 것이며, 가사 내용도 비슷하게 구성되었다.
- 스코틀랜드 민요 〈밀밭에서(Coming through the Rye)〉의 곡조를 빌려 노래로 부르기도 하였다.

3 '기적 소리'에 나타난 계몽성

'기적 소리'는 신문명과 개화를 대변하는 '기차'를 나타낸다. 화자는 새로운 시대의 산물인 기차의 빠르기와 기차로 인한 신풍속도를 예찬하면서 근대적 문물의 수용을 은연중에 계몽하고 있다.

plus

창가의 특성

서양 악곡의 형식을 빌려 지은 개화기의 간단한 노래. 개화 가사에서 지속되던 4(3)·4조 4음보의 율격에서 벗어나 차츰 7·5조 3음보의 율격으로 정리가 되었으나 정형적인 율격과 형식을 유지함으로써 기존 시가의 양상으로부터 완전히 벗어나지는 못했다. 대부분 문명개화의 필요성과 새 시대를 향한 의욕을 고취하고자 만들어졌으며, 개화 가사에서 신체시로 이어지는 과정의 중간 단계로 과도기적 모습을 보인다.

수능형

1 이 시의 표현상 특징으로 적절하지 않은 것은?

① 시선의 이동에 따라 시상이 전개되고 있다.
② 영탄적인 서술로 화자의 태도를 드러내고 있다.
③ 동일한 시행의 반복을 통해 운율을 형성하고 있다.
④ 자연물과의 비교를 통해 대상의 속성을 강조하고 있다.
⑤ 청각적 심상을 통해 대상에 대한 관심을 집중시키고 있다.

2 이 시를 통해 알 수 있는 내용이 아닌 것은?

① 평등한 인간관계가 나타나고 있다.
② 개화에 대한 낙관적 인식을 보여 주고 있다.
③ 당시 일본인들의 새 거주지를 짐작할 수 있다.
④ 신문물 수용에 대한 긍정적 태도를 알 수 있다.
⑤ 애국심을 고양하려는 목적이 직접 나타나고 있다.

3 〈보기〉의 ⓐ~ⓔ 중, 이 시의 소재인 '기차'에 담긴 의미로 가장 적절한 것은?

보기

문학 속에 투영된 철도의 모습은 격동의 근대를 살아온 우리의 삶의 자화상에 다름 아닐 것이다. ⓐ경이와 충격, ⓑ슬픔과 애수, ⓒ만남과 이별, ⓓ탈출과 방황, ⓔ추억과 낭만이 고스란히 담겨 있기 때문이다.

① ⓐ ② ⓑ ③ ⓒ ④ ⓓ ⑤ ⓔ

학습 활동 응용

4 ㉠이 의미하는 세상의 모습으로 적절하지 않은 것은?

① 남녀가 서로 대등하게 존중받는 개화된 세상
② 늙은이와 젊은이를 차별하지 않는 평등한 세상
③ 외국인과 거리낌 없이 어울리는 개방적인 세상
④ 당시의 관습적인 현실에서 벗어난 새로운 세상
⑤ 가까운 사람과 먼 사람이 익숙하게 지내는 세상

5 이 시가 지니고 있는 국문학상의 의의를 쓰시오. (형식상의 특징을 쓸 것)

6 이 시와 〈보기〉를 비교한 설명으로 적절하지 않은 것은?

보기

텨……ㄹ썩, 텨……ㄹ썩, 텩, 쏴……아,
때린다, 부순다, 무너 버린다.
태산(太山) 같은 높은 뫼, 집채 같은 바윗돌이나,
요것이 무어야, 요게 무어야.
나의 큰 힘, 아느냐, 모르느냐, 호통까지 하면서
때린다, 부순다, 무너 버린다.
텨……ㄹ썩, 텨……ㄹ썩, 텩, 튜르릉, 콱.

– 최남선, 〈해에게서 소년에게〉

① 이 시와 〈보기〉는 모두 청각적 이미지를 통해 대상의 위용을 형상화하고 있다.
② 이 시와 〈보기〉는 모두 새로운 변화에 방해가 되는 부정적인 대상을 제시하고 있다.
③ 이 시가 7 · 5조의 정형적인 운율을 보이는 것과 달리 〈보기〉는 불규칙한 율격을 보이고 있다.
④ 이 시가 대상을 예찬적으로 묘사한 것과 달리 〈보기〉는 대상의 위압적인 모습을 부각하고 있다.
⑤ 이 시가 구체적 사물을 통해 화자가 지향하는 바를 노래하는 것과 달리 〈보기〉는 대상의 상징적 이미지만을 형상화하고 있다.

7 이 시와 〈보기〉를 비교한 내용으로 적절하지 않은 것은?

보기

재빠른 기차를 타고 지나며 보니
인간의 집들이 슬퍼 보입니다.
안테나가 잠자리처럼 날아다니는
'승리 식품'을 보세요. 〈중략〉
보세요, 입술이 파래서 서 있는 / 새마을 이층집.
대전 좀 지나면
반쯤 가슴이 뚫린 돌산도 있습니다.

– 강은교, 〈신 경부 철도가〉

① 둘 다 경부선 철도를 타고 가는 화자의 상황을 그리고 있다.
② 〈보기〉와 달리 이 시는 시대적 상황에 대한 판단을 독자에게 유보하고 있다.
③ 이 시와 〈보기〉는 차창 밖의 '집'에 대한 화자의 태도가 다르게 나타나고 있다.
④ 이 시는 기차와 기차 안팎의 모습을, 〈보기〉는 기차 밖의 모습을 담아내고 있다.
⑤ 이 시는 계몽적인 의도에서 문명개화의 필요성을, 〈보기〉는 비판적인 시각에서 새마을 운동이라는 근대화의 허구성을 드러내고 있다.

현대시

02 광야(曠野) – 이육사

까마득한 날에
하늘이 처음 열리고
어데 닭 우는 소리 들렸으랴.

모든 산맥(山脈)들이
바다를 연모(戀慕)해 휘달릴 때도
차마 이곳을 범(犯)하던 못하였으리라.
(범(犯)하던: 침범하지는)

끊임없는 광음(光陰)을
(광음(光陰): 시간이나 세월)
부지런한 계절(季節)이 피어선 지고
큰 강물이 비로소 길을 열었다.

지금 ㉠눈 나리고
Ⓐ매화 향기(梅花香氣) 홀로 아득하니
내 여기 가난한 ㉡노래의 씨를 뿌려라.

다시 ㉢천고(千古)의 뒤에
백마(白馬) 타고 오는 ㉣초인(超人)이 있어
이 ㉤광야(曠野)에서 목 놓아 부르게 하리라.

한눈에 콕

천재 박

갈래	사유시, 서정시
주제	조국 광복에 대한 의지
특징	① '과거－현재－미래'의 시간의 흐름에 따라 시상을 전개함 ② 속죄양 모티프를 바탕으로 한 희생정신이 드러남 ③ 상징적 시어를 통해 주제를 형상화함

만점 노트

1 시상 전개

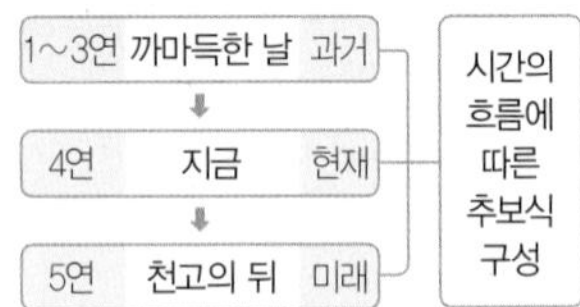

역사의 현장이자 삶의 터전인 '광야'의 신성스러운 과거와 암담한 현재 상황을 제시하며, 이에 대한 극복 의지를 미래 지향적 태도로 노래하고 있다.

2 화자의 어조와 태도

① '내 여기 가난한 노래의 씨를 뿌려라.': 일제 강점의 시련과 고통 속에서 조국 광복을 위한 자기희생의 의지를 드러낸 표현. 속죄양 모티프가 사용되었다.

② '목 놓아 부르게 하리라.': 암울한 현실 속에서도 조국 광복이 이루어질 미래에 대한 확신을 노래. 화자의 미래 지향적인 예언자적 태도가 드러나 있다.

plus

속죄양 모티프

인류를 구원하기 위해 십자가에 못 박혀 죽은 예수 그리스도의 삶에서 비롯된 것으로, 자신을 희생하여 민족이나 인류를 구원하려는 의식이 구조화된 것이다.

예 모가지를 드리우고 / 꽃처럼 피어나는 피를 / 어두워 가는 하늘 밑에 / 조용히 흘리겠습니다.

– 윤동주, 〈십자가〉

1 이 시에 대한 설명으로 적절하지 않은 것은?

① 시간의 흐름에 따라 시상을 전개하고 있다.
② 특정 감각을 다른 감각으로 전이시켜 표현하고 있다.
③ 추상적 개념을 구체적 사물에 빗대어 표현하고 있다.
④ 부정적 현실을 극복하고자 하는 태도가 나타나 있다.
⑤ 명령형 어미를 사용하여 화자의 의지를 강조하고 있다.

학습 활동 응용

2 이 시의 흐름을 크게 세 부분으로 나눌 때, 그 이유와 내용이 바르게 연결된 것은?

① 화자의 위치에 따라: '하늘' – '바다' – '광야'
② 시어의 성격에 따라: '산맥' – '매화 향기' – '광야'
③ 시간의 흐름에 따라: '까마득한 날' – '지금' – '천고의 뒤'
④ 심상의 사용에 따라: '닭 우는 소리' – '끊임없는 광음' – '매화 향기'
⑤ 인과적 흐름에 따라: '까마득한 날' – '부지런한 계절' – '백마 타고 오는 초인'

학습 활동 응용

3 이 시의 시대적 배경을 고려할 때, ㉠~㉤의 상징적 의미로 적절하지 않은 것은?

① ㉠: 부정적인 현실을 감싸는 역사적 순결함
② ㉡: 조국 광복에 대한 의지이자 강인한 생명력
③ ㉢: 해방의 기운이 찾아오는 절대적인 순간
④ ㉣: 조국 광복을 가져오는 민족의 구원자
⑤ ㉤: 우리 민족의 삶의 터전이자 역사의 현장

4 이 시의 각 요소에 대한 설명으로 적절하지 않은 것은?

① '~랴', '~라' 등의 어미 사용은 씩씩한 느낌이 드는 시의 음악성이라고 할 수 있어.
② 화자는 어두운 시대 상황을 '하늘이 처음 열리고'라고 표현하여 자신의 의지를 형상화하고 있어.
③ 시간의 흐름을 '부지런한 계절이 피어선 지고'라고 표현한 것은 형상성이 잘 드러난 표현이야.
④ '매화 향기 홀로 아득하니'는 시인의 지사적 면모를 함축적으로 표현한 것이라고 생각해.
⑤ 각 연을 3행씩 구성하고 1행에서 3행으로 가면서 길이가 길어지는 점도 음악성을 느끼게 하지.

학습 활동 응용

5 〈보기〉는 이 시의 작가에 대한 전기적 사실이다. 이러한 모습이 가장 잘 드러나 있는 연은?

보기

이육사는 1925년 항일 무장 단체인 의열단에 가입한 후 북경과 만주 등을 오가며 독립운동의 대열에 잠여하게 되있다. 이후 17치례에 걸친 옥고를 치르며 이국 땅 북경에서 옥사할 때까지 일제에 굴하지 않는 독립투사로서의 기개를 보여 주었다.

① 1연 ② 2연 ③ 3연 ④ 4연 ⑤ 5연

수능형

6 〈보기〉의 ⓐ~ⓔ 중, Ⓐ와 상징적 의미가 가장 유사한 것은?

보기

ⓐ매운 계절의 채찍에 갈겨
마침내 북방으로 휩쓸려 오다.

하늘도 그만 지쳐 끝난 고원
ⓑ서릿발 칼날진 그 위에 서다.

어데다 ⓒ무릎을 꿇어야 하나
한 발 재겨 디딜 곳조차 없다.

이러매 눈 감아 생각해 볼밖에
ⓓ겨울은 강철로 된 ⓔ무지갠가 보다.

– 이육사, 〈절정〉

① ⓐ ② ⓑ ③ ⓒ ④ ⓓ ⑤ ⓔ

7 이 시에 대한 감상 중, 문학 작품의 감상 관점이 나머지와 다른 것은?

① 이 시는 문학이 현실의 반영이라는 말이 그대로 적용되는 작품이다.
② 이 시는 저항적 삶을 살았던 이육사 시인의 삶을 바탕으로 감상해야 한다.
③ 일제 강점기와 관련지어 '가난한 노래의 씨' 등의 의미를 해석해 볼 수 있다.
④ '눈', '광야' 등의 시어는 상징성을 지니므로 시어의 의미를 분석해 보아야 한다.
⑤ 이 시는 개인주의적 성향이 강한 오늘날의 학생들에게 교훈을 줄 수 있는 작품이다.

03 절정(絕頂) - 이육사

매운 계절(季節)의 채찍에 갈겨
마침내 북방(北方)으로 휩쓸려 오다.

하늘도 그만 지쳐 끝난 ㉠ 고원(高原)
서릿발 칼날진 그 위에 서다.

어데다 무릎을 꿇어야 하나
한 발 재겨 디딜 곳조차 없다.
(재겨: 비집고 들어)

이러매 눈 감아 생각해 볼밖에
Ⓐ 겨울은 강철로 된 무지갠가 보다.

한눈에 콕

금성 신사고 지학

갈래	자유시, 서정시
주제	극한 현실 상황을 초극하려는 강한 의지
특징	① 강렬한 시어와 남성적 어조를 통해 내면의 강인한 의지를 표현함 ② 현재형 시제를 활용하여 시적 상황의 긴박감을 더하고 대결 의식을 형상화함 ③ 역설적 표현을 통하여 주제를 효과적으로 나타냄

만점 노트

1 시상 전개

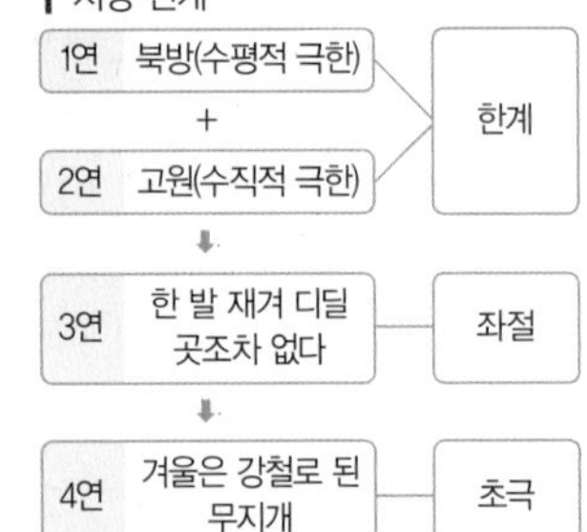

2 '강철로 된 무지개'의 역설적 표현

'강철'은 싸늘하고 비정하면서 강인한 인상을, '무지개'는 환상적이며 희망적인 인상을 준다. 이러한 '강철'과 '무지개'는 서로 어울리기 힘든 사물이지만, 서로 어울려 역설적 표현을 형성한다. 그리고 이를 통해 차가운 현실의 절망을 생명과 희망을 상징하는 '무지개'로 역전시키며 자신의 상황을 초극하고자 하는 의지를 드러내고 있다.

plus+

〈절정〉의 시대적 배경

이 시가 창작된 시기는 1940년대 일제 강점 말기로, 일제의 우리 민족에 대한 탄압이 극에 달하는 시기였다. 독립운동가들의 민족 운동이 모두 실패하게 되고, 국외적으로는 임시 정부를 중심으로 한 무장 투쟁의 활동이 미미하게 명맥만 유지하고 있었다. 그런 시기에 시인은 민족의 위기감을 몸소 느끼고 있었을 것이고, 이러한 위기감과 절박한 상황을 드러내고자 이 시를 쓰게 된 것이다.

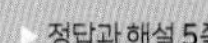

1 이 시에 대한 설명으로 적절한 것은?

① 삶에 대한 회의적인 시각으로 미래를 그리고 있다.
② 현실의 상황을 극복하려는 의지를 나타내고 있다.
③ 대립되는 가치들 사이에서 중립을 추구하는 태도를 드러내고 있다.
④ 절대자에 대한 믿음을 바탕으로 절망 속에서 희망을 꿈꾸고 있다.
⑤ 시적 대상에게 현실에서의 상실과 좌절에 대한 책임을 전가하고 있다.

2 이 시의 시적 형상화 방식에 대한 설명으로 적절하지 않은 것은?

① 이질적 사물들을 통해 시적 의미를 강조하고 있다.
② 현재형 시제를 활용하여 시적 긴장감을 조성하고 있다.
③ 독백적 어조를 통해 상황에 대한 화자의 인식을 드러내고 있다.
④ 다양한 이미지를 제시하여 대상의 특징을 객관적으로 묘사하고 있다.
⑤ 남성적 어조와 상징적 시어들을 활용하여 화자의 정서를 드러내고 있다.

3 〈보기〉의 ㉮~㉱ 중, 이 시에 나타난 시상 전개상의 특징으로 적절한 것은?

보기

㉮ 객관적 상황의 변화에 따라 어조를 달리하고 있다.
㉯ 한시(漢詩)의 전통적인 구성 방식을 보여 주고 있다.
㉰ 계절의 변화를 바탕으로 변화되는 정서를 대응시키고 있다.
㉱ 외적 현실에 대한 고찰에서 내적 심리에 대한 인식으로 전환하고 있다.

① ㉮, ㉯　② ㉮, ㉰　③ ㉯, ㉰
④ ㉯, ㉱　⑤ ㉰, ㉱

학습 활동 응용

4 〈보기〉의 빈칸에 들어갈 알맞은 말을 쓰시오.

보기

북방 → 고원 → 서릿발 칼날진 그 위

위와 같은 화자의 위치 변화는 화자가 처한 현실이 점점 (　　　　)을 의미하는 것이다.

학습 활동 응용

5 다음 중, Ⓐ와 동일한 표현법이 활용된 것은?

① 나 보기가 역겨워 / 가실 때에는 / 죽어도 아니 눈물 흘리우리다. – 김소월, 〈진달래꽃〉
② 산이 날 에워싸고 / 씨나 뿌리며 살아라 한다. / 밭이나 갈며 살아라 한다. – 박목월, 〈산이 날 에워싸고〉
③ 껍데기는 가라. / 한라에서 백두까지 / 향그러운 흙가슴만 남고 / 그, 모오든 쇠붙이는 가라. – 신동엽, 〈껍데기는 가라〉
④ 숨죽여 흐느끼며 / 네 이름을 남몰래 쓴다. / 타는 목마름으로 / 타는 목마름으로 / 민주주의여 만세. – 김지하, 〈타는 목마름으로〉
⑤ 우리들의 사랑을 위하여서는 / 이별이, 이별이 있어야 하네. // 높았다, 낮았다, 출렁이는 물살과 / 물살 몰아갔다 오는 바람만이 있어야 하네. – 서정주, 〈견우의 노래〉

6 〈보기〉의 ⓐ~ⓔ 중, ㉠과 함축적 의미가 유사한 것끼리 묶인 것은?

보기

북국에는 날마다 밤마다 눈이 내리느니
회색 하늘 속으로 흰 눈이 퍼부을 때마다
눈 속에 파묻히는 하아얀 ⓐ북조선이 보이느니 //
가끔 가다가 당나귀 울리는 눈보라가
ⓑ막북강(漠北江) 건너로 굵은 모래를 쥐어다가
추위에 얼어 떠는 백의인(白衣人)의 귓불을 때리느니 //
춥길래 멀리서 오신 손님을
부득이 만류도 못 하느니
봄이라고 개나리꽃 보러 온 손님을
눈 발귀에 실어 곱게 ⓒ남국에 돌려 보내느니 //
백웅(白熊)이 울고 북랑성(北狼星)이 눈 깜박일 때마다 / ⓓ제비 가는 곳 그리워하는 우리네는
서로 부둥켜안고 적성(赤星)을 손가락질하며 얼음 벌에서 춤추느니 //
모닥불에 비치는 이방인의 새파란 눈알을 보면서
북국은 추워라, 이 추운 밤에도
ⓔ강녘에는 밀수입 마차의 지나는 소리 들리느니
얼음장 트는 소리에 쇠방울 소리 잠겨지면서
– 김동환, 〈눈이 내리느니〉

① ⓐ, ⓒ　② ⓐ, ⓓ　③ ⓑ, ⓒ
④ ⓑ, ⓔ　⑤ ⓓ, ⓔ

현대시

04 진달래꽃 - 김소월

나 보기가 역겨워
가실 때에는
말없이 고이 보내 드리우리다.

영변(寧邊)에 약산(藥山)
진달래꽃
㉠아름 따다 가실 길에 뿌리우리다.

가시는 걸음걸음
놓인 그 꽃을
사뿐히 즈려밟고 가시옵소서.

나 보기가 역겨워
가실 때에는
㉡죽어도 아니 눈물 흘리우리다.

한눈에 콕

금성 동아 비상 박 I 비상 박 II 천재 박 해냄

갈래	자유시, 서정시
주제	이별의 정한과 승화
특징	① 7 · 5조, 3음보의 민요적 율격이 사용됨 ② 민족의 정서인 '한(恨)'의 정서를 표현함 ③ 반어적 표현으로 애이불비(哀而不悲)의 태도를 보임

만점 노트

1 시상 전개

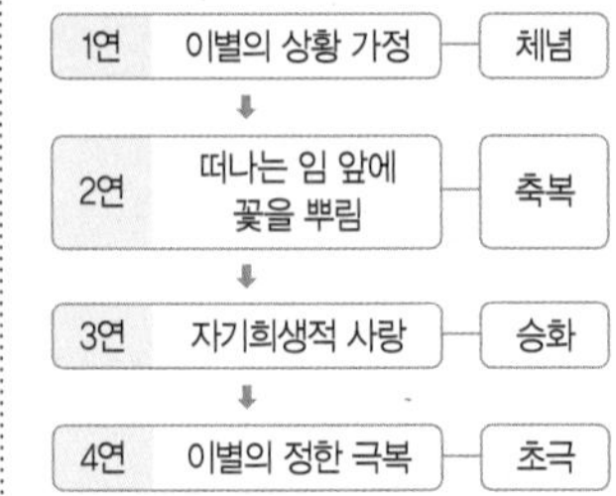

2 '진달래꽃'의 의미

① 시적 화자의 분신
② 임에 대한 화자의 사랑과 정성
③ 떠나는 임에게 축복의 의미로 뿌리는 소재
④ 버림받은 여인의 애절한 마음을 형상화한 소재

3 시의 음악성

① 7 · 5조, 3음보의 민요적 율격
② '~우리다'의 반복 – 각운 효과
③ 수미 상관식 구조

plus+

반어적 표현

반어법은 실제로 말하고자 하는 바와 반대로 말하는 표현 방법으로, 표면적 의미와 내면적 의미가 상반되는 것이다. 이 시에서 '죽어도 아니 눈물 흘리우리다.'는 표면적으로는 슬픔을 표현하지 않겠다는 의미이지만, 이면적으로는 임이 떠나 버리면 그 슬픔에 몹시 울 것이므로 떠나지 말라는 의미를 담고 있는 것이다.

▶ 정답과 해설 6쪽

1 이 시에 대한 설명으로 적절하지 않은 것은?

① 수미 상관의 구성 방식으로 안정감이 느껴진다.
② 임과 이별하는 상황을 설정하여 시상을 전개하고 있다.
③ 여성적 어조로 이별의 아픔을 애절하게 드러내고 있다.
④ 절망적인 상황을 희망적으로 바꾸려는 의지를 보이고 있다.
⑤ 특정 지명과 진달래꽃 등의 소재를 통해 토속적, 향토적 정서를 조성하고 있다.

학습 활동 응용

2 이 시의 화자에 대한 설명으로 적절한 것은?

① 이별의 이유를 남의 탓으로 돌리는 냉소적인 인물이다.
② 떠나는 임의 처지를 이해하고 동정하는 이성적인 인물이다.
③ 현실에 순응하며 재회의 날을 기다리는 낙천적인 인물이다.
④ 떠나는 임을 축복하며 이별의 슬픔을 승화하는 인고적인 인물이다.
⑤ 속으로는 슬퍼하면서도 겉으로는 표현하지 않는 이중적인 인물이다.

3 〈보기〉는 이 시의 짜임을 나타낸 것이다. ⓐ~ⓓ에 들어갈 말로 적절한 것은?

보기

[1연] – 이별에 대한 (ⓐ)
[2연] – 떠나는 임에 대한 (ⓑ)
[3연] – 원망을 초월한 (ⓒ) 사랑
[4연] – 인고의 의지로 슬픔을 (ⓓ)

	ⓐ	ⓑ	ⓒ	ⓓ
①	체념	축복	희생적	극복
②	슬픔	희생	소망적	극복
③	원망	슬픔	희생적	극복
④	체념	원망	희생적	승화
⑤	원망	축복	소극적	승화

수능형 학습 활동 응용

4 이 시와 〈보기〉를 비교한 내용으로 적절하지 않은 것은?

보기

가시리 가시리잇고 나는 / ᄇᆞ리고 가시리잇고 나는
위 증즐가 대평셩대(大平盛大) //
날러는 엇디 살라 ᄒᆞ고 / ᄇᆞ리고 가시리잇고 나는
위 증즐가 대평셩대(大平盛大) //
잡ᄉᆞ와 두어리마ᄂᆞᄂᆞᆫ / 선ᄒᆞ면 아니 올셰라
위 증즐가 대평셩대(大平盛大) //
셜온 님 보내옵노니 나는 / 가시는 ᄃᆞᆺ 도셔 오쇼셔 나는 / 위 증즐가 대평셩대(大平盛大)

– 작자 미상, 〈가시리〉

① 이 시와 〈보기〉 모두 3음보의 민요적 율격을 보인다.
② 이 시와 〈보기〉 모두 희생과 순종의 모습이 나타난다.
③ 이 시와 〈보기〉 모두 이별의 정한을 주제로 하고 있다.
④ 이 시는 반어적인 어조로, 〈보기〉는 직설적인 어조로 노래하고 있다.
⑤ 〈보기〉와 달리, 이 시에는 임이 돌아오기를 바라는 화자의 바람이 드러나 있다.

학습 활동 응용

5 이 시에 대한 학생들의 감상 중, 시의 아름다움에 대하여 바르게 이해하지 못한 것은?

① 낭송할 때는 3음보의 운율을 고려해 적절하게 끊어 읽어야 음악성을 잘 살릴 수 있겠군.
② '~우리다'의 반복은 음악적 효과와 함께 전통적 여인의 목소리를 듣는 것 같은 느낌을 줘.
③ 반어적 표현을 통해 화자의 정서를 강조함으로써 전통 시가의 고유한 특징을 잘 계승하고 있어.
④ 진달래꽃이라는 구체적 사물로 임에 대한 화자의 태도를 드러내고 있어 시가 더욱 돋보이는군.
⑤ 섬세한 여성적 어조로 이별의 정한을 표현해 슬픔이 더욱 절실하게 느껴지는 것이 이 시의 매력이지.

6 ㉠, ㉡과 관련된 한자 성어가 바르게 묶인 것은?

	㉠	㉡
①	산화공덕(散花功德)	맥수지탄(麥秀之嘆)
②	애이불비(哀而不悲)	산화공덕(散花功德)
③	산화공덕(散花功德)	애이불비(哀而不悲)
④	동병상련(同病相憐)	이심전심(以心傳心)
⑤	동병상련(同病相憐)	망운지정(望雲之情)

05 남신의주 유동 박시봉방 - 백석

어느 사이에 나는 아내도 없고, 또,
아내와 같이 살던 집도 없어지고,
그리고 살뜰한 부모며 동생들과도 멀리 떨어져서,
그 ㉠어느 바람 세인 쓸쓸한 거리 끝에 헤매이었다.
바로 날도 저물어서,
바람은 더욱 세게 불고, 추위는 점점 더해오는데,
나는 어느 목수(木手)네 집 헌 삿을 깐,
(삿: 갈대를 엮어서 만든 자리)
한 방에 들어서 쥔을 붙이었다.
(한 방: 방 한 칸 / 쥔을 붙이었다: 주인집에 세들었다)
이리하여 나는 이 습내 나는 춥고, 누긋한 방에서,
(누긋한: 메마르지 않고 좀 눅눅한)
㉡낮이나 밤이나 나는 나 혼자도 너무 많은 것같이 생각하며,
딜옹배기에 북덕불이라도 담겨 오면,
(딜옹배기: 질그릇 / 북덕불: 짚이나 풀 따위를 태워 피운 화톳불)
이것을 안고 손을 쬐며 재 우에 뜻 없이 글자를 쓰기도 하며,
또 문밖에 나가지두 않구 자리에 누워서,
머리에 손깍지 베개를 하고 굴기도 하면서,
㉢나는 내 슬픔이며 어리석음이며를 소처럼 연하여 쌔김질하는 것이었다.
내 가슴이 꽉 메어 올 적이며,
내 눈에 뜨거운 것이 핑 괴일 적이며,
또 내 스스로 화끈 낯이 붉도록 부끄러울 적이며,
나는 내 슬픔과 어리석음에 눌리어 죽을 수밖에 없는 것을 느끼는 것이었다.
그러나 잠시 뒤에 나는 고개를 들어,
허연 문창을 바라보든가 또 눈을 떠서 높은 천장을 쳐다보는 것인데,
이때 나는 내 뜻이며 힘으로, 나를 이끌어 가는 것이 힘든 일인 것을 생각하고,
㉣이것들보다 더 크고, 높은 것이 있어서, 나를 마음대로 굴려 가는 것을 생각하는 것인데,
이렇게 하여 여러 날이 지나는 동안에,
㉤내 어지러운 마음에는 슬픔이며, 한탄이며, 가라앉을 것은 차츰 앙금이 되어 가라앉고,
외로운 생각만이 드는 때쯤 해서는,
더러 나줏손에 쌀랑쌀랑 싸락눈이 와서 문창을 치기도 하는 때도 있는데,
(나줏손: 저녁 무렵)
나는 이런 저녁에는 화로를 더욱 다가 끼며, 무릎을 꿇어 보며,
어느 먼 산 뒷옆에 바우 섶에 따로 외로이 서서,
(바우 섶: 바위 옆)
어두워 오는데 하이야니 눈을 맞을, 그 마른 잎새에는,
쌀랑쌀랑 소리도 나며 눈을 맞을,
그 드물다는 굳고 정한 갈매나무라는 나무를 생각하는 것이었다.
(정한: 맑고 깨끗한)

한눈에 콕

미래엔

갈래	자유시, 서정시
주제	무기력한 삶에 대한 반성과 새로운 삶의 의지
특징	① 편지의 형식을 빌려 화자의 상황과 정서를 드러냄 ② 토속적 소재의 사용과 평안도 지방 사투리 구사로 향토적 분위기를 형성함 ③ 산문적 서술 형태이나 쉼표의 적절한 사용을 통해 운율을 형성함

만점 노트

1 시상 전개

1~8행 고향을 떠나 방황하는 처지
↓
9~19행 죽고 싶은 절망적 현실
↓
시상 전환 운명에 대한 인식
↓
20~32행 굳고 깨끗한 새 삶의 다짐

화자는 가족과 고향을 떠나와 고난과 시련 속에서 방황하고 절망하며 죽음을 떠올린다. 그러나 화자는 20~32행에서 운명론적인 체념을 바탕으로 슬픔과 한탄의 감정을 정화하고, 눈을 맞으며 서 있는 굳고 정한 갈매나무를 상상하며 새 삶에 대한 의욕과 현실 극복 의지를 다지고 있다.

2 제목의 의미

'남신의주 유동'이라는 마을에 살고 있는 '박시봉의 방'을 의미한다. 이 시는 편지 겉봉에 쓰는 발신인 주소를 제목으로 하여, 고향을 떠나 떠돌이 삶을 사는 화자 자신의 근황과 참담한 심경을 편지 쓰듯 솔직하게 고백하고 있다.

3 '갈매나무'의 상징적 의미

'갈매나무'는 굳세고 정결한 태도로 살아가겠다는 화자의 현실 극복 의지를 형상화한 소재이다. 흰 눈을 맞으며 의연하게 서 있는 갈매나무를 상상함으로써, 화자 자신도 현재의 시련과 고통을 이겨 낼 의지와 희망을 갖게 되는 것이다.

1 이 시에 대한 설명으로 적절하지 않은 것은?

① 상황을 열거하면서 화자의 처지를 강조하였다.
② 특정 접속 부사를 활용하여 시상을 전환하였다.
③ 예스러운 어휘를 사용하여 전통적 정서를 환기하였다.
④ 잦은 쉼표의 사용으로 의식의 흐름을 효과적으로 형상화하였다.
⑤ 시의 제목은 편지 주소의 형식을, 시의 내용은 자신의 근황을 전하는 서간문의 형식을 사용하였다.

학습 활동 응용

2 〈보기〉를 바탕으로 할 때, 이 시가 독자에게 주는 효용으로 가장 적절한 것은?

보기

이 시는 평이한 언어로 인간 누구나 겪을 수 있는 상실의 체험과 극복 과정을 담담하게 그려 냈다. 여기 담긴 감정의 추이 과정은 인간 체험의 보편성을 그대로 반영한다. 그러기에 이 시는 상실의 아픔을 지닌 사람들에게 공감을 주고 그들의 마음을 위안할 수 있었다.

① 절망적 상황에 공감하고 비관적 삶을 수용하게 한다.
② 누구나 좌절을 겪는다는 운명론적 사고에 젖게 한다.
③ 실의에 빠졌던 경험을 떠올려 현재 삶에 만족하게 한다.
④ 운명에 대한 성찰과 희망적인 존재를 바탕으로 현실을 이겨 내게 한다.
⑤ 절망적 상황에서 벗어나기 위해서는 행복했던 과거의 경험을 떠올려야 함을 깨닫게 한다.

3 이 시를 바탕으로 영화를 제작하고자 할 때, 요구할 내용으로 적절하지 않은 것은?

① 조명은 어두웠던 화면을 점점 밝게 해야 하므로 신경 써 주세요.
② 소품은 주인공이 처한 처지를 드러낼 수 있도록 허름한 것으로 준비해 주세요.
③ 배경 음악은 시작 부분에서는 슬프고 쓸쓸한 느낌이 드는 것으로 준비해 주세요.
④ 주인공 역의 배우는 처음부터 끝까지 외롭고 고뇌에 찬 표정으로 연기해 주세요.
⑤ 의상팀은 화려한 옷보다는 주인공에게 어울릴 만한 어둡고 낡은 옷으로 준비해 주세요.

4 이 시를 읽으며 인상적이라고 생각한 부분을 ㉠~㉤이라고 볼 때, 그 이유로 적절하지 않은 것은?

① ㉠: 객지에서 방황하고 있는 화자의 모습을 실감나게 표현해서
② ㉡: 화자의 어렵고 절박한 상황을 단적으로 표현해서
③ ㉢: 지나온 삶을 반성하고 있는 화자의 모습을 적합한 대상에 비유하여 표현해서
④ ㉣: 운명론적 인식과 사고의 변화 과정을 적절하게 표현해서
⑤ ㉤: 화자의 정서를 구체적으로 나열하여 해소되지 않고 남아 있는 감정을 효과적으로 표현해서

수능형

5 이 시와 〈보기〉의 공통점으로 적절한 것은?

보기

그가 아홉 살 되던 해
사냥개 꿩을 쫓아다니는 겨울
이 집에 살던 일곱 식솔이
어디론지 사라지고 이튿날 아침
북쪽을 향한 발자욱만 눈 위에 떨고 있었다. //
더러는 오랑캐령 쪽으로 갔으리라고
더러는 아라사로 갔으리라고
이웃 늙은이들은
모두 무서운 곳을 짚었다. – 이용악, 〈낡은 집〉

① 관찰자적 입장에서 시상을 전개하고 있다.
② 고향을 떠나 유랑하는 고달픈 현실이 드러나 있다.
③ 부정적인 상황을 견뎌 내려는 의지가 드러나 있다.
④ 화자의 정서를 대신 드러내는 소재를 사용하고 있다.
⑤ 화자가 아닌 타인이 경험한 암울한 현실이 드러나 있다.

학습 활동 응용

6 이 시에서 〈보기〉에 해당하는 시어를 찾아 쓰시오.

보기

• 현실 극복의 표상이자 희망을 상징
• 화자의 삶의 의지를 드러내는 객관적 상관물

06 서시(序詩) - 윤동주

죽는 날까지 ㉠하늘을 우러러
한 점 부끄럼이 없기를,
잎새에 이는 ㉡바람에도
나는 ⓐ괴로워했다.
㉢별을 노래하는 마음으로
모든 죽어 가는 것을 사랑해야지.
그리고 나한테 주어진 길을
ⓑ걸어가야겠다.

오늘 ㉣밤에도 별이 ㉤바람에 ⓒ스치운다.

한눈에 콕

금성 | 미래엔 | 비상 박 I

갈래	자유시, 서정시
주제	부끄러움 없는 삶에 대한 소망과 의지
특징	① '과거 – 미래 – 현재'의 시간에 따라 시상을 전개함 ② 내립석 시어를 통해 시적 상황과 주제를 제시함

만점 노트

1 시상 전개

1연 1~4행	결백한 삶을 살고자 했던 화자의 삶의 고백(과거)
1연 5~8행	미래의 삶에 대한 화자의 결의(미래)
2연	화자가 처한 현재의 상황을 제시(현재)

2 시어의 의미

하늘	윤리적 판단의 절대 기준
별	소망, 이상적 가치, 순결한 삶
길	화자의 운명, 삶의 과정, 사명
밤	일제 강점하의 어두운 현실
바람	• 1연 3행 – 화자의 내면적 갈등 • 2연 – 외부의 현실적 시련

plus

윤동주 시에서 '부끄러움'의 의미

윤동주 시의 화자는 끝없는 자기 성찰의 태도로 철저하게 자신을 돌아보면서 부끄러워하는 모습을 취할 때가 많다. 이는 섬세하고 투명한 정서를 지닌 식민지 지식인으로서의 시인 윤동주가 경험했을 정신적인 고통이나 양심의 번뇌를 보여 주는 단서가 된다.

1 이 시에 대한 설명으로 적절하지 않은 것은?

① 대립적 시어를 사용하고 있다.
② 상징적인 시어를 사용하고 있다.
③ 평이하고 일상적인 어휘를 사용하고 있다.
④ 시간의 흐름에 따라 시상을 전개하고 있다.
⑤ 화자가 처한 현실적 상황을 감각적으로 표현하고 있다.

2 이 시의 시상 전개 방식으로 적절한 것은?

① 과거 – 현재 – 미래
② 과거 – 미래 – 현재
③ 미래 – 과거 – 현재
④ 절망 – 희망 – 의지
⑤ 절망 – 의지 – 희망

3 ㉠~㉤의 함축적 의미로 적절하지 않은 것은?

① ㉠: 화자가 추구하는 이상향
② ㉡: 화자의 심리적 갈등
③ ㉢: 화자의 이상과 희망
④ ㉣: 화자의 현실적 상황
⑤ ㉤: 화자가 처한 현실적 고난

학습 활동 응용

4 〈보기〉의 ㉮~㉲ 중, 이 시의 ⓐ, ⓑ, ⓒ와 시제가 같은 것을 각각 찾아 모두 쓰시오.

보기

㉮ 효주는 예전에도 그곳에 갔었어요.
㉯ 오늘 저녁에는 형이 분명히 화를 낼 거야.
㉰ 강물은 끊임없이 흐르고, 하늘은 늘 푸르다.
㉱ 가을이 되자 나뭇잎은 아무 미련 없이 가지를 떠난다.
㉲ 나는 올해 수능에서 목표하는 점수를 반드시 달성하고야 말겠어.

• ⓐ: ____________
• ⓑ: ____________
• ⓒ: ____________

5 이 시의 화자(A)와 〈보기〉의 화자(B)가 대화를 나눈다고 할 때, 그 내용으로 적절하지 않은 것은?

보기

푸른 산이 흰 구름을 지니고 살 듯
내 머리 위에는 항상 푸른 하늘이 있다. //
하늘을 향하고 산림처럼 두 팔을 드러낼 수 있는 것이 얼마나 숭고한 일이냐. //
두 다리는 비록 연약하지만 젊은 산맥으로 삼고
부절히 움직인다는 둥근 지구를 밟았거니……. //
푸른 산처럼 든든하게 지구를 디디고 사는 것은 얼마나 기쁜 일이냐. //
뼈에 저리도록 생활은 슬퍼도 좋다.
저문 들길에 서서 푸른 별을 바라보자! //
푸른 별을 바라보는 것은 하늘 아래 사는 거룩한 나의 일과이거니…….

– 신석정, 〈들길에 서서〉

① A: 저는 안과 밖으로 저를 흔드는 현실이 무척 힘이 듭니다.
② B: 저 역시 제가 처한 현실이 고통스럽습니다.
③ A: 하지만 저는 한 치의 부끄러움도 용납하지 않고, 양심을 지킬 것입니다.
④ B: 저 또한 삶의 절망만 생각하진 않겠습니다. 희망을 가지고 패기 넘치게 살아야죠.
⑤ A: 삶에 대한 긍정적인 생각이 필요하겠죠. 어제와는 다른 오늘이 있으니 말입니다.

수능형

6 시인이 이 시를 쓴 후 〈보기〉를 창작했다고 가정할 때, 〈보기〉에 대한 반응으로 가장 적절한 것은?

보기

괴로웠던 사나이 / 행복한 예수 그리스도에게처럼 / 십자가가 허락된다면

모가지를 드리우고 / 꽃처럼 피어나는 피를 어두워 가는 하늘 밑에 / 조용히 흘리겠습니다.

– 윤동주, 〈십자가〉

① 자연 현상을 통해 내면적 깨달음을 얻고 있다.
② 자아 성찰을 통해 새로운 깨달음을 얻고 있다.
③ 현실의 상황에서 벗어나 새로운 삶을 다짐하고 있다.
④ 이상과 현실의 괴리에서 오는 갈등이 더욱 심화되고 있다.
⑤ 소망하는 바를 이루기 위한 자기희생의 신념이 드러나고 있다.

07 님의 침묵 - 한용운

님은 갔습니다. 아아, 사랑하는 나의 님은 갔습니다.

㉠푸른 산빛을 깨치고 단풍나무 숲을 향하여 난 작은 길을 걸어서 차마 떨치고 갔습니다.

㉡황금(黃金)의 꽃같이 굳고 빛나던 옛 맹서(盟誓)는 차디찬 티끌이 되어서 한숨의 미풍(微風)에 날아갔습니다.

미풍: 약한 바람

날카로운 첫 키스의 추억(追憶)은 나의 운명(運命)의 지침(指針)을 돌려놓고 뒷걸음쳐서 사라졌습니다.

㉢나는 향기로운 님의 말소리에 귀먹고, 꽃다운 님의 얼굴에 눈멀었습니다.

사랑도 사람의 일이라 만날 때에 미리 떠날 것을 염려하고 경계하지 아니한 것은 아니지만, 이별은 뜻밖의 일이 되고 놀란 가슴은 새로운 슬픔에 터집니다.

그러나 이별을 쓸데없는 눈물의 원천(源泉)을 만들고 마는 것은 스스로 사랑을 깨치는 것인 줄 아는 까닭에, 걷잡을 수 없는 슬픔의 힘을 옮겨서 새 희망의 정수박이에 들이부었습니다.

㉣우리는 만날 때에 떠날 것을 염려하는 것과 같이 떠날 때에 다시 만날 것을 믿습니다.

아아, ⓐ님은 갔지마는 나는 님을 보내지 아니하였습니다.

㉤제 곡조를 못 이기는 사랑의 노래는 님의 침묵(沈默)을 휩싸고 돕니다.

한눈에 콕

미래엔

갈래	자유시, 서정시
주제	임에 대한 영원한 사랑
특징	① 여성적 어조와 경어체를 사용함 ② 역설적 표현을 통해 주제 의식을 강조함 ③ 불교적 세계관을 바탕으로 함

만점 노트

1 시상 전개

1~4행	이별의 상황
5, 6행	이별의 슬픔
7, 8행	슬픔에서 희망으로 시상 전환
9, 10행	재회에 대한 확신

2 문학 감상의 관점에 따른 '님'의 의미

- 내재적 관점: 작품만을 본다면 이 시는 이별의 슬픔을 노래한 작품으로 이때 '님'은 연인이다.
- 반영론적 관점: 이 시가 일제 강점기 때 창작되었다는 점을 고려했을 때 이 시의 '님'은 빼앗긴 조국이다.
- 표현론적 관점: 이 시의 작가인 한용운이 승려였음을 고려했을 때 이 시의 '님'은 부처나 불교적 진리이다.
- 효용론적 관점: 독자의 개인적인 상황에 따라 친구나 돌아가신 부모님 등으로 다양하게 해석될 수 있다.

plus

〈님의 침묵〉에 나타난 불교 사상

- 윤회 사상: '만날 때에 떠날 것을 염려하는 것과 같이 떠날 때에 다시 만날 것을 믿습니다.'는 『열반경』에 나오는 '회자정리 거자필반'을 떠올리게 하는 구절로, 인간의 삶을 만남과 이별, 나아가 생(生)과 사(死)를 끊임없는 순환 구조로 파악하는 불교적 윤회 사상을 바탕으로 하고 있다.
- 공(空) 사상: '님은 갔지마는 나는 님을 보내지 아니하였습니다.'는 『반야심경』에 나오는 '색즉시공 공즉시색(色卽是空空卽是色; 존재함은 곧 없는 것과 같고, 없는 것은 곧 존재함과 같다.)'을 떠올리게 하는 구절로, 세상의 삼라만상을 '공(空)'으로 파악하는 불교적 공(空) 사상을 바탕으로 하고 있다.

▶ 정답과 해설 7쪽

1 **이 시에 대한 설명으로 적절하지 않은 것은?**

① 경어체를 사용하여 부드러운 여성적 어조를 느낄 수 있다.
② 감각적 이미지를 구사하여 화자의 정서를 형상화하고 있다.
③ '질문 – 대답'의 구조를 통해 상황 극복 의지를 드러내고 있다.
④ 대조적 이미지의 시어를 활용하여 시적 상황을 나타내고 있다.
⑤ 동일 어구의 점층적 반복을 통해 화자의 정서를 강조하고 있다.

2 **㉠~㉤에 대한 설명으로 적절하지 않은 것은?**

① ㉠: 임과의 이별이라는 부정적 상황을 보여 주고 있다.
② ㉡: 사랑의 약속이 보잘것없는 것으로 변해 버렸음을 의미하고 있다.
③ ㉢: 역설적 표현을 통해 임의 절대성을 드러내고 있다.
④ ㉣: '회자정리(會者定離) 거자필반(去者必返)'이라는 불교적 세계관을 보여 주고 있다.
⑤ ㉤: 임의 부재를 인식한 화자의 슬픔과 체념을 나타내고 있다.

학습 활동 응용

3 **시적 상황에 대한 화자의 태도가 이 시와 가장 유사한 것은?**

① 펄펄 나는 저 꾀꼬리 / 암수 서로 정다워라. / 외로워라 이 내 몸은 / 뉘와 함께 돌아갈꼬.
– 유리왕, 〈황조가〉
② 임아, 그 물을 건너지 마오. / 임은 끝내 그 물을 건너셨네. / 물에 빠져 돌아가시니 / 가신 임을 어찌할꼬. – 백수 광부의 아내, 〈공무도하가〉
③ 아리랑 아리랑 아라리요 / 아리랑 고개를 넘어간다. / 나를 버리고 가시는 님은 / 십 리도 못 가서 발병난다. – 작자 미상, 〈아리랑〉
④ 일오내 자갈 벌에서 / 낭이 지니시던 / 마음의 끝을 따르고 있노라. / 아아, 잣나무 가지가 높아 / 눈이라도 덮지 못할 화랑의 우두머리여.
– 충담사, 〈찬기파랑가〉
⑤ 어느 가을 이른 바람에 / 여기저기 떨어질 잎처럼 / 한 가지에 나고서도 / 가는 곳을 모르겠구나. / 아아, 극락세계에서 만날 나는 / 도를 닦으며 기다리겠노라. – 월명사, 〈제망매가〉

4 **ⓐ에 나타난 표현상의 특징이 드러나지 않는 것은?**

① 그런데 이상하기도 하지. / 위태로움 속에 아름다움이 스며 있다는 것이.
② 하나의 접시가 되리라. / 깨어져서 완성되는 / 저 절대의 파멸이 있다면
③ 바라보노라 온갖 것의 / 보이지 않는 움직임을 / 눈 내리는 하늘은 무엇인가.
④ 사랑할 수 없는 것을 사랑하기 위하여 / 용서받을 수 없는 것을 용서하기 위하여.
⑤ 철책 안에 갇힌 것은 나였다. / 문득 돌아다보면 / 사방에서 창살 틈으로 / 이방의 짐승들이 들여다본다.

5 **〈보기〉의 빈칸에 들어갈 말을 2음절로 쓰시오.**

보기

한용운의 시집 『님의 침묵』 서문에서, '기룬(찬양하는) 것은 다 님이다.'라고 했다. 따라서 우리는 한용운의 생애를 통해 '기루었던', '부처님'이나 '불교의 진리', '조국', '어느 여인' 등으로 그의 임을 생각해 볼 수 있으며, 포괄적 의미에서는 '절대자'라고 할 수도 있을 것이다. 특히 그가 일제에 대해 끝까지 저항한 의지적 독립지사임을 생각하면, 그것이 (　　)일 가능성이 높다.

수능형

6 **이 시의 화자를 ㉮라 하고 〈보기〉의 화자를 ㉯라 할 때, 두 화자가 상황에 대응하는 태도를 비교한 설명으로 가장 적절한 것은?**

보기

천만 리 머나먼 길에 고운 님 여의옵고
내 마음 둘 데 없어 냇가에 앉았으니
저 물도 내 마음 같아서 울어 밤길 흘러가는구나.
– 왕방연의 시조

① ㉮와 ㉯ 모두 현재 상황을 의지적으로 극복하려 하고 있다.
② ㉮와 달리 ㉯는 상황의 변화에 대한 믿음을 드러내고 있다.
③ ㉮와 달리 ㉯는 주어진 상황을 수용하며 감정을 토로하고 있다.
④ ㉯와 달리 ㉮는 현실에 대한 원망의 정서를 표출하고 있다.
⑤ ㉯와 달리 ㉮는 변하지 않는 상황에 대한 체념적 정서를 드러내고 있다.

08 향수(鄕愁) - 정지용

넓은 벌 동쪽 끝으로
옛이야기 지줄대는 실개천이 회돌아 나가고,
(지줄대는: 다정하고 나긋나긋한 소리를 내는)
얼룩백이 황소가
해설피 ⓐ금빛 게으른 울음을 우는 곳,
(해설피: ① 해가 저물 무렵 ② 소리가 느리고 슬픈 느낌이 들게)
㉠— 그곳이 차마 꿈엔들 잊힐 리야.

질화로에 재가 식어지면
비인 밭에 ㉡밤바람 소리 말을 달리고,
엷은 졸음에 겨운 늙으신 아버지가
짚베개를 돋아 고이시는 곳,
— 그곳이 차마 꿈엔들 잊힐 리야.

흙에서 자란 내 마음
파아란 하늘빛이 그리워
함부로 쏜 화살을 찾으려
풀섶 이슬에 함추름 휘적시던 곳,
(함추름: '함초롬'의 방언. 가지런하고 차분한 모양)
— 그곳이 차마 꿈엔들 잊힐 리야.

전설 바다에 춤추는 밤물결 같은
검은 귀밑머리 날리는 어린 누이와
아무렇지도 않고 예쁠 것도 없는
사철 발 벗은 아내가
따가운 햇살을 등에 지고 이삭 줍던 곳,
— 그곳이 차마 꿈엔들 잊힐 리야.

하늘에는 성근 별
알 수도 없는 모래성으로 발을 옮기고,
서리 까마귀 우지짖고 지나가는 초라한 지붕,
(서리 까마귀: 가을 까마귀)
흐릿한 불빛에 돌아앉아 도란도란거리는 곳,
— 그곳이 차마 꿈엔들 잊힐 리야.

한눈에 콕

동아 | 비상 박 I | 천재 박

갈래	자유시, 서정시
주제	고향에 대한 그리움
특징	① 향토적이고 토속적인 소재와 고유어를 사용함 ② 후렴구를 반복하여 통일성을 주면서 주제를 강소함

만점 노트

1 시상 전개

1연 평화롭고 한가한 고향 마을
↓
2연 늙은 아버지의 모습
↓
3연 꿈 많던 어린 시절 회상
↓
4연 어린 누이와 아내에 대한 회상
↓
5연 단란한 고향 마을의 정겨운 모습

2 이 시에 사용된 이미지

① 공감각적 이미지
- 금빛 게으른 울음
- 밤바람 소리 말을 달리고

→ 서정성을 강화하고, 고향에 대한 정서를 환기시키고 있다.

② 토속적 이미지
- 실개천, 얼룩백이 황소, 질화로, 짚베개

→ 고향에 대한 향수를 불러일으킨다.

3 이 시에 나타난 고향의 이미지

홀수 연인 1, 3, 5연에서는 평화롭고 순수하며, 정겹고 아름다운 고향의 모습을 제시하고, 짝수 연인 2, 4연에서는 가난하며 힘겹게 살아가고 있는 고향의 모습을 제시하고 있다. 이를 통해 가난하고 힘겹지만 동시에 아름답고 평화로운 고향의 모습을 표현하고 있는 것이다.

4 후렴구의 기능

- 고향에 대한 그리움이 절실함을 드러내고 있다.
- 동일한 내용의 반복을 통해 운율감을 주고 있다.
- 시 전체의 이미지에 통일성을 주고 있다.

1 이 시에 대한 설명으로 적절하지 않은 것은?

① 고향의 평화로움과 가난함이 모두 제시되어 있다.
② 외적인 풍경과 화자의 내면이 모두 표현되고 있다.
③ 다양한 감각적 표현으로 화자의 정서를 표현하고 있다.
④ 향토적 소재를 사용하여 시골의 정취를 보여 주고 있다.
⑤ 서정적인 시어를 사용하여 이국적인 느낌을 나타내고 있다.

학습 활동 응용

2 ㉠이 주는 효과로 적절하지 않은 것은?

① 작품의 주제 형상화에 기여하고 있다.
② 고향에 대한 화자의 정서를 강조하고 있다.
③ 작품의 전체적인 분위기를 조성해 주고 있다.
④ 각 연의 시상을 정리하고, 안정된 느낌을 주고 있다.
⑤ 화자가 현재 처한 현실을 구체적으로 보여 주고 있다.

3 ㉡과 같은 표현으로 가장 적절한 것은?

① 검은 내 떠돈다. 종소리 빗긴다.
② 머리맡에 찬물을 쏴아 퍼붓고는
③ 유리에 차고 슬픈 것이 어른거린다.
④ 어마씨 그리운 솜씨에 향그러운 꽃지짐
⑤ 오는 봄엔 분수처럼 쏟아지는 태양을 안고

4 다음 중, 시어의 성격이 다른 하나는?

① 실개천
② 얼룩백이 황소
③ 질화로
④ 짚베개
⑤ 함부로 쏜 화살

수능형

5 〈보기〉는 이 시의 작가가 쓴 다른 작품이다. 이 시와 〈보기〉를 비교한 내용으로 적절하지 않은 것은?

보기

고향에 고향에 돌아와도
그리던 고향은 아니러뇨.
산꿩이 알을 품고
뻐꾸기 제철에 울건만,
마음은 제 고향 지니지 않고
머언 항구로 떠도는 구름.
오늘도 뫼 끝에 홀로 오르니
흰 점 꽃이 인정스레 웃고,
어린 시절에 불던 풀피리 소리 아니 나고
메마른 입술에 쓰디쓰다.
고향에 고향에 돌아와도
그리던 하늘만이 높푸르구나.
– 정지용, 〈고향〉

① 승미: 시적 동기는 둘 다 고향에 대한 그리움이겠지.
② 태경: 둘 다 유년 시절에 대한 화자의 회상이 드러나고 있어.
③ 민준: 둘 다 토속적 시어로 정감 어린 분위기를 만들어 주는 듯해.
④ 영우: 이 시의 화자와는 달리, 〈보기〉의 화자는 고향의 변한 모습에 괴로워하고 있어.
⑤ 성희: 둘 다 앞뒤가 상응하는 방법으로 고향에 대한 그리움을 반복해서 강조하고 있어.

학습 활동 응용

6 〈보기〉를 참고할 때, 이미지를 드러내는 방식이 ⓐ와 다른 것은?

보기

일반적으로 공감각적 심상의 구체적 유형을 'A의 B화'라고 한다. 이때 'A'는 표현하고자 하는 원관념의 감각이며, 'B'는 그것이 전이된 다른 감각이다.

① 즐거운 지상의 잔치에 / 금(金)으로 타는 태양의 즐거운 울림 – 박남수, 〈아침 이미지〉
② 흔들리는 종소리의 동그라미 속에서 / 엄마의 치마 곁에 무릎을 꿇고 – 정한모, 〈가을에〉
③ 자욱한 풀벌레 소리 발길로 차며 / 호올로 황량한 생각 버릴 곳 없어 – 김광균, 〈추일 서정〉
④ 보리밭에 달 뜨면 / 애기 하나 먹고 // 꽃처럼 붉은 울음을 밤새 울었다. – 서정주, 〈문둥이〉
⑤ 우리가 '풀잎' 하고 그를 부를 때는, / 우리들의 입 속에서는 푸른 휘파람 소리가 나거든요. – 박성룡, 〈풀잎〉

현대시

09 유리창 - 정지용

㉠유리에 차고 슬픈 것이 어린거린다.
열없이 붙어 서서 입김을 흐리우니
길들은 양 언 날개를 파닥거린다.
지우고 보고 지우고 보아도
새까만 밤이 밀려 나가고 밀려와 부딪치고,
물 먹은 별이, 반짝, 보석처럼 박힌다.
밤에 홀로 유리를 닦는 것은
㉡외로운 황홀한 심사이어니,
고운 폐혈관이 찢어진 채로
아아, 늬는 ㉢산새처럼 날아갔구나!

한눈에 콕

천재 (이)

갈래	자유시, 서정시
주제	죽은 자식에 대한 그리움과 슬픔
특징	① 선명하고 감각적인 시어를 사용함 ② 모순 어법과 감정의 대위법을 통해 감정을 절제함

만점 노트

1 시상 전개

기	1~3행	유리창에 어린 영상
승	4~6행	창 밖의 저녁 풍경
전	7, 8행	유리를 닦는 마음
결	9, 10행	아이를 잃은 안타까움

2 시어의 의미

차고 슬픈 것	화자의 입김
언 날개	화자의 입김
물 먹은 별	눈물 고인 눈으로 바라본 별
산새	잠시 머물다가 허망하게 떠난 아이

3 '유리창'의 기능

'유리창'은 죽은 아이가 있는 '새까만 밤'이라는 창 밖의 세계와 화자가 있는 창 안의 세계를 단절시키고 있지만, 어른거리는 입김을 통해 아이의 형상을 느낄 수 있게 하는 이중적 기능을 한다. 즉, 단절과 동시에 만남의 이중적 매개체로서 기능하고 있다.

4 이 시에 사용된 역설적 표현

역설법이란, 명백하게 모순되고 이치에 맞지 않으나 그 속에 진실이 담겨 있는 표현을 말한다. 이 시에서 '외로운 황홀한 심사'라는 표현은 자식을 잃은 화자의 외로움과 죽은 아이의 모습을 볼 수 있는 황홀함이라는 모순된 감정을 나타내고 있다.

감정의 대위법

상호 모순되거나 대비되는 시어를 결합하여 감정을 객관화시키는 방법

수능형

1 **이 시에 대한 설명으로 적절하지 않은 것은?**

① 죽은 아이에 대한 그리움을 노래하고 있다.
② 자식을 잃은 괴로운 심정을 다양하게 형상화하고 있다.
③ 죽은 아이를 여러 가지 비유적 표현을 통해 형상화하고 있다.
④ 선명하고 감각적인 이미지를 사용하여 감정을 직설적으로 드러내고 있다.
⑤ 대립되는 시어나 모순되는 시어를 결합하는 방법으로 시적 화자의 감정을 표현하고 있다.

2 **㉠의 역할로 적절하지 않은 것은?**

① 연결과 단절의 이중적 매개체
② 시적 화자의 내면 심리를 드러내는 소재
③ 삶의 세계와 죽음의 세계를 가로지르는 경계선
④ 비정한 현실과 그 현실에 대한 저항을 표현하는 매개체
⑤ 시적 화자에게 양면적인 감정을 동시에 불러일으키는 대상

3 **㉡과 같은 표현 기법이 사용된 것은?**

① 선생님은 낙타처럼 늙으셨다. / 늙은 봄 햇살을 등에 지고 / 낙타는 항시 추억한다. – 이한직, 〈낙타〉
② 깊이깊이 새겨지는 네 이름 위에 / 네 이름의 외로운 눈부심 위에 / 살아오는 삶의 아픔 – 김지하, 〈타는 목마름으로〉
③ 즐거운 지상의 잔치에 / 금으로 타는 태양의 즐거운 울림 / 아침이면, / 세상은 개벽(開闢)을 한다. – 박남수, 〈아침 이미지〉
④ 나는 오늘 새 구두를 샀다. / 그것은 구름 위에 올려져 있다. / 내 구두는 아직 물에 젖지 않은 한 척의 배. – 송찬호, 〈구두〉
⑤ 지난 오월 단옷날, 처음 만나던 날 / 우리 둘이서 그늘 밑에 서 있던 / 그 무성하고 푸르던 나무같이 / 늘 안녕히 안녕히 계세요. – 서정주, 〈춘향 유문 – 춘향의 말 3〉

4 **이 시에서 〈보기〉의 밑줄 친 표현에 해당하는 시구를 모두 찾아 각각 3어절로 쓰시오.**

보기

<u>감정의 대위법</u>이란 상호 모순되거나 대비되는 시어를 결합하여 감정을 객관화시키는 방법이다.

5 **이 시와 〈보기〉에 대한 설명으로 적절하지 않은 것은?**

보기

지난해에는 사랑하는 딸을 여의고 / 올해에는 사랑하는 아들을 잃었네. / 슬프디 슬픈 광릉 땅에는 / 두 무덤이 마주 보고 서 있네. / 쓸쓸한 바람이 백양나무에서 불고 / 도깨비불이 솔숲에서 반짝인다. / 지전을 날리며 너의 혼을 부르고 / 제사 지낸 물을 너희 무덤에 붓는다. / 나는 안다, 너희 남매의 혼이 / 밤마다 서로 따르며 노는 줄을 / 비록 뱃속에 아이가 있다고 하더라도 / 어찌 제대로 자라기를 바라겠는가. / 하염없이 *황대의 노래를 부르며 / 피눈물 흘리며 슬픈 소리 삼킨다.

– 허난설헌, 〈곡자〉

* 황대의 노래: 당나라 장회 태자가 형의 죽음을 슬퍼하며 부른 노래

① 〈보기〉에 비해 이 시의 화자는 좀 더 슬픔을 절제하고 있다.
② 이 시와 〈보기〉는 모두 자식을 잃은 상실감에서 창작되었다.
③ 이 시에서는 화자의 탄식을 통해, 〈보기〉에서는 배경을 통해 화자의 슬프고 쓸쓸한 심정을 드러내고 있다.
④ 이 시에서는 창에 서리는 '입김'을, 〈보기〉에서는 '두 무덤'을 보며 아이에 대한 그리움과 상실감을 떠올리고 있다.
⑤ 이 시에서 입김을 계속 내뿜는 행위와 〈보기〉에서 지전을 날리는 행위는 죽은 아이의 명복을 비는 제의적 성격을 나타내고 있다.

학습 활동 응용

6 **㉢과 관련된 표현의 의미를 상상해 보는 활동을 하였다. 활동 내용으로 적절하지 않은 것은?**

시어 및 시구	구체적 의미 상상
차고 슬픈 것	따뜻한 방 안의 현실 세계로 들어올 수 없는 차갑고 슬픈 느낌의 죽은 존재를 의미하는 것 같아. ············ ①
어린거린다	화자의 눈에 보일 듯 말 듯 하는 것으로 보아, 그립지만 다시 볼 수 없는 존재를 표현하는 것 같아. ············ ②
파닥거린다	힘찬 날갯짓을 하는 새의 이미지를 통해, 슬픔과 고통에서 벗어나고 싶은 화자의 마음을 드러내는 것 같아. ·· ③
폐혈관이 찢어진 채	죽음의 고통이 전해지는 표현으로, 대상이 떠날 수밖에 없었던 원인을 의미하는 것 같아. ························ ④
날아갔구나	돌아올 수 없는 존재라는 느낌이 강하게 부각돼서, 대상에 대한 화자의 그리움과 탄식을 드러내는 것 같아. ·· ⑤

현대시

10 너를 기다리는 동안 - 황지우

네가 오기로 한 그 자리에
내가 미리 가 너를 기다리는 동안
[A] 다가오는 모든 발자국은
내 가슴에 쿵쿵거린다
바스락거리는 나뭇잎 하나도 다 내게 온다
기다려 본 적이 있는 사람은 안다
세상에서 기다리는 일처럼 가슴 애리는 일 있을까
네가 오기로 한 그 자리, 내가 미리 와 있는 이곳에서
문을 열고 들어오는 모든 사람이
[B] 너였다가
너였다가, 너일 것이었다가
다시 문이 닫힌다
사랑하는 이여
오지 않는 너를 기다리며
마침내 나는 너에게 간다
아주 먼 데서 나는 너에게 가고
아주 오랜 세월을 다하여 너는 지금 오고 있다
[C] 아주 먼 데서 지금도 천천히 오고 있는 너를
너를 기다리는 동안 나도 가고 있다
남들이 열고 들어오는 문을 통해
내 가슴에 쿵쿵거리는 모든 발자국 따라
㉠ 너를 기다리는 동안 나는 너에게 가고 있다.

한눈에 콕

금성 지학

갈래	사유시, 서정시
주제	기다림의 절실함과 만남의 의지
특징	① '너'에 대한 기다림을 절실하고 안타까운 어조로 형상화함 ② 반복적 표현을 통해 화자의 의지를 강조함 ③ 청각적 심상을 활용하여 기다림의 절실함을 드러냄

만점 노트

1 시상 전개

너를 기다림		너에게로 감
1~12행	전환	13~22행
소극적 태도		적극적 태도

화자는 '너'가 오기로 한 그 자리에 미리 가 설렘 속에 너를 참고 기다리는 일방적이고 소극적인 태도를 보이지만, 끝내 오지 않는 '너'로 인하여 태도를 바꾸어 기다리는 동안 너에게로 다가가는 능동적이고 적극적인 태도를 보이고 있다.

2 시적 대상인 '너'의 의미

- 내재적 관점: 현재는 부재하여 간절히 기다리며 만남을 소망하는 대상, 사랑하는 사람
- 착어(시에 붙이는 평)를 바탕으로 할 때: 민주, 자유, 평화, 숨결 더운 사랑

plus

역설법

표면적으로는 모순되거나 부조리한 것 같지만 그 표면적인 진술 너머에서 진실을 드러내고 있는 표현 방법. 표현 자체가 모순된다는 점에서 사실과 반대가 되게 표현하는 반어와는 구별된다.

예 • 이것은 소리 없는 아우성
• 결별이 이룩하는 축복

1 이 시의 표현상의 특징으로 적절하지 <u>않은</u> 것은?

① 시어를 변형, 반복하여 화자의 정서와 태도를 강조하였다.
② 현재 시제와 청유형 문장을 사용하여 독자의 공감을 유도하였다.
③ 의문형 어미를 사용하여 기다림의 고통을 효과적으로 드러내었다.
④ 청각적 심상의 시어를 통해 화자의 간절함을 감각적으로 표현하였다.
⑤ 일상적이고 쉬운 단어를 사용하여 화자의 정서를 효과적으로 형상화하였다.

수능형 학습 활동 응용

2 [A]~[C]에서 알 수 있는 화자의 정서 및 태도로 적절하지 <u>않은</u> 것은?

① [A]에서는 '너'를 설레며 기다리고 있다면, [B]에서는 설렘으로 기다리다가 실망하고 있다.
② [B]에서와는 달리, [C]에서의 화자는 만남에 대한 적극적 의지를 보이고 있다.
③ [A]에서 [C]로의 변화는 만남의 대상인 '너'가 화자를 향해 오고 있다는 믿음에서 나온 것이다.
④ '[A] → [B] → [C]'로 진행될수록 화자의 정서는 고조되고 태도는 단계별로 적극적으로 바뀌고 있다.
⑤ [A]~[C] 모두에서 화자는 오지 않는 '너'를 기다리고 있다.

3 다음 중, ㉠과 같은 발상이 나타나 있지 <u>않는</u> 것은?

① 길이 끝나는 곳에서도 / 길이 있다. – 정호승, 〈봄길〉
② 바라보노라 온갖 것의 / 보이지 않는 움직임을. – 고은, 〈눈길〉
③ 아아, 님은 갔지마는 나는 님을 보내지 아니하였습니다. – 한용운, 〈님의 침묵〉
④ 우리들의 사랑을 위하여서는 / 이별이, 이별이 있어야 하네. – 서정주, 〈견우의 노래〉
⑤ 나 보기가 역겨워 / 가실 때에는 / 죽어도 아니 눈물 흘리우리다. – 김소월, 〈진달래꽃〉

학습 활동 응용

4 이 시를 〈보기〉의 각 요소에 관련지어 설명한 내용으로 적절하지 <u>않은</u> 것은?

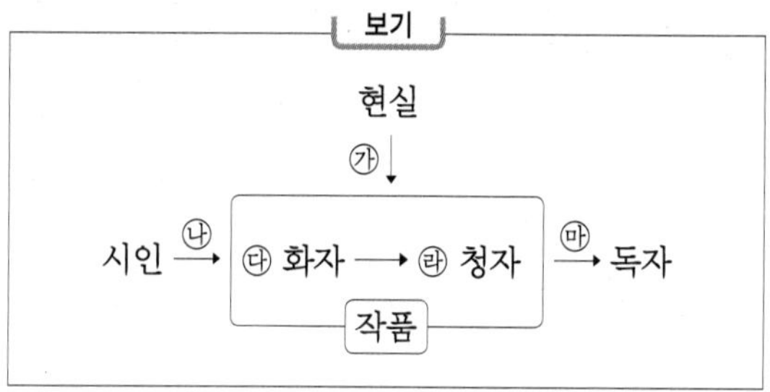

① ㉮: 독재의 억압이 심했던 1980년대의 현실을 반영하여 절실함을 강조했어.
② ㉯: 시인은 민주화 운동에 앞장섰던 인물이므로 민주주의에 대한 갈망을 노래한 것이겠군.
③ ㉰: 화자는 '너'와의 만남을 간절히 바라고 있어.
④ ㉱: '너'를 구체적인 청자로 제시함으로써 우리 모두에게 말하고 있다는 느낌이 들어.
⑤ ㉲: 이별의 슬픔을 노래하고 있기 때문에 이별을 경험한 사람들은 쉽게 공감할 수 있겠어.

수능형 학습 활동 응용

5 이 시를 쓴 뒤에 덧붙인 〈보기〉의 '착어'의 효과와 기능으로 적절하지 <u>않은</u> 것은?

> 보기
>
> ***착어(着語)**: 기다림이 없는 사랑이 있으랴. 희망이 있는 한, 희망을 있게 한 절망이 있는 한, 내 가파른 삶이 무엇인가를 기다리게 한다. 민주, 자유, 평화, 숨결 더운 사랑. 이 늙은 낱말들 앞에 기다리기만 하는 삶은 초조하다. 기다림은 삶을 녹슬게 한다. 두부 장수의 *핑경 소리가 요즘은 없어졌다. 타이탄 트럭에 채소를 싣고 온 사람이 핸드 마이크로 아침부터 떠들어 대는 소리를 나는 듣는다. 어디선가 병원에서 또 아이가 하나 태어난 모양이다. 젖소가 제 젖꼭지로 그 아이를 키우리라. 너도 이 녹 같은 기다림을 네 삶에 물들게 하리라.
>
> *착어: 짤막한 평(評) *핑경: '풍경'의 전라도 사투리

① '착어'는 시적 진술에 일정한 맥락을 제공한다.
② '착어'를 통해 작가의 창작 의도를 추측할 수 있다.
③ '착어'를 통해 시에 대한 이해의 폭을 넓힐 수 있다.
④ '착어'의 반영 여부에 따라 시의 해석이 달라질 수 있다.
⑤ '착어'는 독자로 하여금 시를 한 방향으로만 감상하게 이끌어 준다.

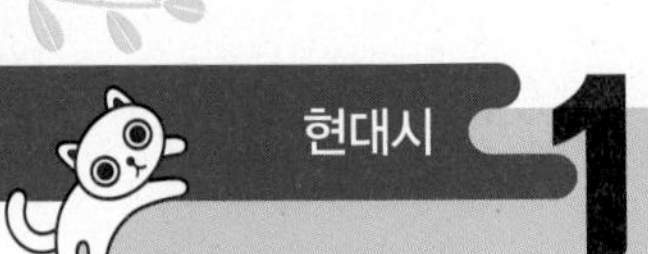

11 슬픔이 기쁨에게 - 정호승

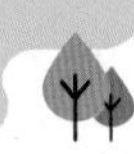

㉮나는 이제 너에게도 슬픔을 주겠다.
㉠사랑보다 소중한 슬픔을 주겠다.
겨울밤 거리에서 귤 몇 개 놓고
살아온 추위와 떨고 있는 할머니에게
귤 값을 깎으면서 기뻐하던 ㉡너를 위하여
나는 슬픔의 평등한 얼굴을 보여 주겠다.
내가 어둠 속에서 너를 부를 때
단 한 번도 평등하게 웃어 주질 않은
가마니에 덮인 동사자가 다시 얼어 죽을 때
가마니 한 장조차 덮어 주지 않은
㉢무관심한 너의 사랑을 위해
흘릴 줄 모르는 너의 ㉣눈물을 위해
나는 이제 너에게도 기다림을 주겠다.
이 세상에 내리던 ㉤함박눈을 멈추겠다.
보리밭에 내리던 봄눈들을 데리고
추워 떠는 사람들의 슬픔에게 다녀와서
눈 그친 눈길을 너와 함께 걷겠다.
슬픔의 힘에 대한 이야길 하며
기다림의 슬픔까지 걸어가겠다.

한눈에 콕

미래엔

갈래	자유시, 서정시
주제	소외된 이웃과 더불어 살아가는 삶의 추구
특징	① '슬픔'이 '기쁨'에게 말을 건네는 형식으로 시상을 전개함 ② 역설적 표현을 사용하여 주제를 강조함 ③ 서술어(~겠다)의 반복을 통해 의지적 자세를 드러냄

만점 노트

1 시상 전개

1~6행
사랑보다 소중한 슬픔을 주겠다.
슬픔의 새로운 의미

↓

7~13행
무관심한 너의 사랑을 위해 기다림을 주겠다.
이기적인 본성에 대한 비판

↓

14~19행
기다림의 슬픔까지 걸어가겠다.
기다림에 대한 새로운 인식과 사랑의 회복

2 시어의 의미

겨울밤	힘겨운 삶의 상황
어둠	고통스럽고 힘겨운 상황
가마니 한 장	최소한의 관심, 인정
눈물	타인에 대한 배려, 사랑, 연민
기다림	소외된 이웃들에게 진정한 사랑으로 다가서기 위한 시간
함박눈	가진 자만이 누리던 풍요와 기쁨, 행복

3 '기쁨'과 '슬픔'의 의미

기쁨('너')	←	슬픔('나')
소외된 이웃에 무관심한 존재		소외된 이웃을 사랑하는 존재

'기쁨'을 소외된 사람들에게 무관심한 이기적인 존재로, '슬픔'을 소외된 사람들의 아픔을 함께할 수 있는 아름다운 존재로 설정하여, 남의 아픔에 무관심한 세태를 비판하고 있다.

1 이 시에 대한 설명으로 적절하지 않은 것은?

① 화자의 적극적인 태도가 나타나고 있다.
② 공간의 이동에 따라 시상이 전개되고 있다.
③ 대상에게 말을 건네는 방식을 취하고 있다.
④ 역설적 표현을 통해 화자의 의도를 드러내고 있다.
⑤ 동일한 어구의 반복을 통해 운율감을 형성하고 있다.

2 ㉠~㉤ 중, 의미가 이질적인 것은?

① ㉠ ② ㉡ ③ ㉢ ④ ㉣ ⑤ ㉤

학습 활동 응용

3 이 시의 제목을 고려할 때, ㉮와 동일한 표현 방법이 사용된 것은?

① 풀이 눕는다. / 비를 몰아오는 동풍에 나부껴 / 풀은 눕고 / 드디어 울었다. – 김수영, 〈풀〉
② 이것은 소리 없는 아우성. / 저 푸른 해원(海原)을 향하여 흔드는 / 영원한 노스탤지어의 손수건. – 유치환, 〈깃발〉
③ 삶은 언제나 / 은총(恩寵)의 돌층계의 어디쯤이다. / 사랑도 매양 / 섭리(攝理)의 자갈밭의 어디쯤이다. – 김남조, 〈설일〉
④ 아직도 우리는 모르고 있다. / 오른쪽과 왼쪽 또는 왼쪽과 오른쪽으로 / 결코 나눌 수 없는 / 도다리가 도대체 무엇을 닮았는지를. – 김광규, 〈도다리를 먹으며〉
⑤ 팔다 못해 파장떨이로 넘기고 오는 아낙네들 / 시오릿길 한밤중이니 / 십릿길 더 가야지 / 빈 광주리야 가볍지만 / 빈 배 요기도 못하고 오죽이나 가벼울까 – 고은, 〈선제리 아낙네들〉

4 이 시에서 〈보기〉의 설명에 해당하는 시어를 찾아 2음절로 쓰시오.

보기

- 화자의 가치관을 드러내는 의인화된 대상
- 소외된 이웃과 함께하는 이타적인 삶의 태도 상징

수능형

5 이 시를 영화로 제작한다고 할 때, 그 계획으로 적절하지 않은 것은?

① S#1: 눈 오는 밤거리를 배경으로 할머니가 노점에서 귤을 팔고 있는 장면을 보여 준다.
② S#2: S#1과 같은 장소에서 귤을 사고 귤 값을 깎으면서 즐거워하는 '너'의 얼굴을 클로즈업한다.
③ S#3: 노숙자 한 사람이 가마니에 덮인 채로 골목에 웅크린 채 누워 있는 장면으로 전환한다.
④ S#3: 가마니에 덮인 노숙자의 화면 위로 귤 장수 할머니를 떠올리는 '너'의 모습을 오버랩한다.
⑤ S#4: 눈 그친 길을 이야기하며 걷는 '나'와 '너'의 모습으로 장면을 끝맺는다.

학습 활동 응용

6 〈보기〉의 ⓐ, ⓑ에 들어갈 말로 가장 적절한 것은?

보기

이 시에서 '함박눈'은 '너'와 같이 이기적인 행복을 누리는 존재들에게는 (ⓐ)을/를 주지만, 소외된 이웃들에게는 (ⓑ)을/를 주는 의미의 시어로 사용되었다.

	ⓐ	ⓑ
①	기쁨	희망
②	기쁨	체념
③	슬픔	상처
④	즐거움	고통
⑤	깨달음	만족감

7 이 시를 통해 얻을 수 있는 교훈으로 가장 적절한 것은?

① 항상 희망적인 미래를 꿈꾸며 노력해야 한다.
② 자신과 다른 삶을 사는 사람을 존중해야 한다.
③ 모든 일에 성실한 자세로 최선을 다해야 한다.
④ 자기 성찰을 통해 현실의 고통을 참고 견뎌야 한다.
⑤ 소외된 사람들과 더불어 사는 삶의 자세가 필요하다.

현대시

12 첫사랑 - 고재종

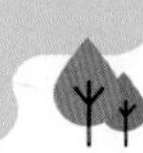

흔들리는 나뭇가지에 꽃 한 번 피우려고
눈은 얼마나 많은 도전을 멈추지 않았으랴

싸그락 싸그락 두드려 보았겠지
[A] 난분분 난분분 춤추었겠지
미끄러지고 미끄러지길 수백 번,

바람 한 자락 불면 휙 날아갈 사랑을 위하여
햇솜 같은 마음을 다 퍼부어 준 다음에야
마침내 피워 낸 저 황홀 보아라

봄이면 가지는 그 한 번 덴 자리에
세상에서 가장 아름다운 상처를 터뜨린다

한눈에 콕

금성 비상 박 II 신사고

갈래	자유시, 서정시
주제	아름다운 사랑의 결실을 위한 시련과 고난, 헌신의 의미
특징	① 시간의 흐름에 따라 시상을 전개함 ② '눈'을 의인화하여 사랑을 이루는 모습을 표현함 ③ 역설적 표현을 통해 주제를 효과적으로 드러냄

만점 노트

1 시상 전개

겨울 눈의 도전과 노력
↓
겨울 | 눈의 성취 – 눈꽃
↓
봄 | 나무의 상처 – 꽃

2 시어의 의미

눈	사랑을 이루기 위해 끊임없이 도전하는 존재
나뭇가지	눈이 사랑하는 대상
바람	시련과 고난, 눈꽃을 소멸시킬 수 있는 존재
황홀(=눈꽃)	눈이 이루어 낸 사랑, 순간적, 소멸적 속성
한 번 덴 자리	눈꽃이 녹은 자리, 희생과 헌신
상처	봄꽃, 눈꽃의 헌신으로 인해 이루어 낸 사랑의 결실

3 '눈꽃'의 역할

바람만 불어도 날아가는 눈의 특성상 나뭇가지에 눈이 쌓여야 되는 눈꽃은 만들어지기 매우 어렵다. 이러한 눈꽃의 속성을 통해 첫사랑을 이루는 것이 쉽지 않음을 보여 주고 있으며, 그 사랑도 순간적일 수 있음을 나타낸다. 그러나 눈꽃이 피었던 자리에 봄꽃이 피는 모습을 통해 사랑의 결실을 위해서 인내와 헌신이 절대적으로 필요함을 보여 주고 있다.

4 '세상에서 가장 아름다운 상처'의 의미

봄이 되어 눈이 녹은 후 꽃을 터뜨리는 나무의 모습을 형상화한 역설적인 표현이다. 겨울은 봄꽃이 피어나기 위한 인내와 헌신의 계절이며, 그 과정을 거쳐 태어난 '봄꽃'은 '가장 아름다운 상처'인 것이다.

1 이 시에 대한 설명으로 적절하지 않은 것은?

① 설의법으로 사랑을 위한 노력의 과정을 강조하고 있다.
② 계절의 변화에 따라 시상이 전개되는 방식을 취하고 있다.
③ 역설의 방식을 통해 사랑의 오묘한 진리를 드러내고 있다.
④ 음성 상징어를 통해 사랑을 위한 노력을 형상화하고 있다.
⑤ 대화 형식을 활용해 자연으로부터 인생의 교훈을 얻고 있다.

학습 활동 응용

2 [A]에서 운율을 형성하는 요소에 해당하는 것을 〈보기〉에서 모두 골라 묶은 것은?

보기

ㄱ. 동어 반복
ㄴ. 대구의 사용
ㄷ. 감각적 이미지의 사용
ㄹ. 동일한 종결 어미 반복
ㅁ. 규칙적인 음보율의 사용

① ㄱ, ㄴ, ㄷ ② ㄱ, ㄴ, ㄹ
③ ㄱ, ㄴ, ㅁ ④ ㄱ, ㄷ, ㄹ
⑤ ㄱ, ㄹ, ㅁ

3 이 시의 4연에 대한 설명으로 적절하지 않은 것은?

① '봄'은 사랑의 아름다운 결실을 맺는 계절이다.
② '가지'는 '눈'과 아름다운 사랑을 나눴던 존재이다.
③ '상처'는 1연의 '꽃'을 비유적으로 표현하고 있는 것이다.
④ '덴 자리'는 짧지만 황홀한 사랑이 남긴 강렬함을 의미한다.
⑤ 논리상 모순된 표현을 사용하여 봄꽃의 아름다움을 나타내고 있다.

4 이 시를 읽고 깨달은 점으로 볼 수 없는 것은?

① 인내와 헌신은 소중한 가치를 지닌다.
② 시행착오를 없애기 위해 노력해야 한다.
③ 실패는 또 다른 성숙의 토대가 될 수 있다.
④ 어려운 과정을 통해 좋은 성과를 얻을 수 있다.
⑤ 이별의 두려움 때문에 사랑을 꺼려 하면 안 된다.

수능형

5 이 시와 〈보기〉를 비교한 내용으로 적절하지 않은 것은?

보기

어린 눈발들이, 다른 데도 아니고
강물 속으로 뛰어내리는 것이
그리하여 형체도 없이 녹아 사라지는 것이
강은,
안타까웠던 것이다 〈중략〉
그런 줄도 모르고
계속 철없이 철없이 눈은 내려,
강은,
어젯밤부터
눈을 제 몸으로 받으려고
강의 가장자리부터 살얼음을 깔기 시작한 것이었다

– 안도현, 〈겨울 강가에서〉

① 두 시 모두 의인화된 표현을 사용하고 있다.
② 두 시 모두 진정한 사랑의 의미에 대해 탐구하고 있다.
③ 이 시와 달리 〈보기〉에서는 희생의 모습을 보여 주고 있다.
④ 이 시와 달리 〈보기〉에서는 '눈'이 사랑의 대상으로 표현되고 있다.
⑤ 〈보기〉와 달리 이 시에서는 겨울에서 봄으로의 변화가 나타나고 있다.

학습 활동 응용

6 다음은 이 시를 감상하기 위한 활동이다. 그 내용으로 가장 적절한 것은?

과제	활동 내용
시어의 의미에 대하여 생각해 보자.	• '눈'은 도전하고 시련을 겪으며 실현 불가능한 이상을 추구하는 존재야. ······ ① • '바람'과 '햇솜'은 사랑의 위태롭고 불안한 이미지를 형상화하기 위한 소재로 볼 수 있어. ······ ② • '황홀'은 원숙한 사랑을 이루었을 때의 기쁨을 표현한 것으로 볼 수 있어. ··· ③
시의 표현과 효과에 대하여 생각해 보자.	• '싸그락 싸그락'과 같은 의성어는 음악적 효과를 통해 생동감을 느끼게 해. ···· ④ • '난분분 난분분'은 꽃잎이 어지럽게 흩어지며 떨어지는 풍경을 아름답게 묘사하고 있어. ······ ⑤

현대시

13 동승(同乘) - 하종오

㉠국철 타고 앉아 가다가
문득 알아들을 수 없는 말이 들려 살피니
㉡아시안 젊은 남녀가 건너편에 앉아 있었다
늦은 봄날 더운 공휴일 오후
나는 잔무 하러 사무실에 나가는 길이었다
㉢저이들이 무엇 하려고
국철을 탔는지 궁금해서 쳐다보면
서로 마주 보며 떠들다가 웃다가 귓속말할 뿐
나를 쳐다보지 않았다
모자 장사가 모자를 팔러 오자
천 원 주고 사서 번갈아 머리에 써 보고
만년필 장사가 만년필을 팔러 오자
천 원 주고 사서 번갈아 손바닥에 써 보는 저이들
문득 나는 천박한 호기심이 발동했다는 생각이 들어서
㉣황급하게 차창 밖으로 고개 돌렸다
[A] 국철은 강가를 달리고 너울거리는 수면 위에는
깃털 색깔이 다른 새 여러 마리가 물결을 타고 있었다
나는 아시안 젊은 남녀와 천연하게
동승하지 못하고 있어 낯짝 부끄러웠다
국철은 회사와 공장이 많은 노선을 남겨 두고 있었다
㉤저이들도 일자리로 돌아가는 중이지 않을까

천연하게: 태연하게. 모습 그대로 꾸밈이 없게

한눈에 쏙

금성 비상 박Ⅰ

갈래	자유시, 서정시
주제	외국인 노동자에 대한 차별적 시각에 대한 반성과 부끄러움
특징	① 일상생활의 경험을 소재로 사용함 ② 시선의 이동에 따라 시상이 전개됨 ③ 화자의 행동과 대비되는 대상의 행동이 드러남

만점 노트

1 시상 전개

국철에 동승한 아시안 젊은 남녀에 대한 호기심

↓

차창 밖으로 깃털 색깔이 다른 새들이 물결을 타는 모습을 봄

↓

- 천박한 호기심에 대한 부끄러움을 느낌
- 아시안 젊은 남녀가 우리의 이웃임을 깨달음

2 화자의 '부끄러움'의 의미

화자는 다른 피부색과 낯선 언어에 대한 편견으로 인해 동승한 아시안 젊은 남녀의 모습을 보면서 '천박한 호기심'을 갖게 된다. 그러다가 깃털 색깔이 다른 새들이 차창 밖에서 어울리는 모습을 보고 외국인을 차별적으로 바라본 자신의 모습에 대해 부끄러움을 느끼며 스스로를 반성하게 된다.

3 제목 '동승'의 의미

'동승'은 일정한 목적지를 향하는 길을 함께함을 의미한다. 이 시의 화자는 아시안 젊은 남녀와 동승하고 있는 상황이지만, 그들을 호기심 어린 시선으로 바라볼 뿐 동질감이나 연대 의식을 느끼지는 못한다. 그러다가 깃털 색깔이 다른 여러 마리의 새들의 모습을 보고 천박한 호기심을 가졌던 자신에 대해 부끄러움을 느끼고, 그들도 우리 이웃임을 깨닫게 된다. 이를 통해 화자는 그들에게 동질감과 연대 의식을 느끼며 진정한 의미의 동승을 하게 된다.

1 이 시에 대한 설명으로 적절하지 않은 것은?

① 화자의 반성과 깨달음의 정서를 표현하고 있다.
② 자연 현상에서 느끼는 경이로움을 바탕으로 한다.
③ 외국인 노동자에 대해 느끼는 이질감이 나타나 있다.
④ 다문화 시대에 바람직한 삶의 모습을 생각하게 하고 있다.
⑤ 화자와 시적 대상의 서로에 대한 시각 차이가 드러나 있다.

수능형

2 이 시의 표현상 특징으로 적절하지 않은 것은?

① 시선의 이동에 따라 시상이 전개된다.
② 유사한 문장 구조의 반복이 나타난다.
③ 과거와 현재의 모습을 대비시키고 있다.
④ 대조를 통해 화자의 부정적 모습을 부각한다.
⑤ 물음의 형식으로 화자의 시각과 태도를 드러낸다.

3 ㉠~㉤에 대한 해석으로 적절하지 않은 것은?

① ㉠: 시의 공간적 배경이며, 평범한 일상의 공간이다.
② ㉡: 화자가 관찰하게 되는 대상이다.
③ ㉢: 외국인 노동자에 대한 호기심에 해당한다.
④ ㉣: 부끄러움 때문에 보이는 행동이다.
⑤ ㉤: 화자와 대상 간의 거리감이 심화되는 표현이다.

4 [A]에 대한 설명으로 적절하지 않은 것은?

① 비유적 표현을 통해 주제 의식을 나타내고 있다.
② 화자의 위치 이동에 따라 정서가 변화하고 있다.
③ 화자가 느끼는 부끄러움의 감정이 직접 표출되고 있다.
④ 색깔이 다른 새들이 물결을 타는 광경은 인종 간의 조화로운 모습을 보여 주고 있다.
⑤ 화자는 외국인 노동자를 이질적 존재로 보았기 때문에 천연하게 동승하지 못한 것이다.

5 이 시에서 말하고자 하는 진정한 '동승'의 의미로 적절한 것은?

① 외국인 노동자의 비참한 처지에 대해 공감하는 것
② 외국인 노동자의 복지와 처우 개선에 적극 나서는 것
③ 한국인에 대한 외국인 노동자의 오해를 풀어 주는 것
④ 외국인 노동자를 우리 주변의 평범한 이웃으로 대하는 것
⑤ 한국인 노동자와 외국인 노동자 사이의 우호를 증진하는 것

학습 활동 응용

6 〈보기〉를 참고하여 이 시를 감상한 내용으로 적절하지 않은 것은?

보기

한국 사회는 다양한 문화적 배경을 가진 사람들이 모여 사는 다문화 사회를 이루고 있다. 하지만 외국인들과 언어의 소통 문제, 종족과 문화 차이에서 오는 갈등, 외국인에 대한 편견과 차별은 여전히 존재하고 있다. 이러한 문제 상황이 극복되기 위해서는 이주 외국인들의 인간다운 삶이 보장될 수 있는 제도적 장치의 마련과 문화와 인종의 장벽을 넘어 모두가 함께 사는 새로운 공동체를 지향하고자 하는 국민들의 인식 전환이 절실히 필요하다.

① 이 시는 외국인에 대한 차별과 편견 문제를 소재로 삼고 있다.
② 이 시는 다문화 시대를 맞이한 우리 사회가 직면한 현실 문제를 다루고 있다.
③ 이 시는 새로운 공동체의 연대와 실현 방안을 탐색하는 계기를 제공하고 있다.
④ 이 시는 다문화 시대에 공동체 구성원들이 가져야 할 자세를 돌아보게 하고 있다.
⑤ 이 시는 국가와 민족에 대한 긍지와 자부심이 새로운 공동체 건설에 필요한 요소임을 강조하고 있다.

학습 활동 응용

7 이 시의 화자가 '아시안 젊은 남녀'를 바라보던 시선을 표현하는 말로 자기반성적 태도를 드러내고 있는 시어를 찾아 2어절로 쓰시오.

현대시

14 원어(原語) - 하종오

동남아인 두 여인이 소곤거렸다
고향 가는 열차에서
나는 말소리에 귀 기울였다
각각 무릎에 앉아 잠든 아기 둘은
두 여인 닮았다
맞은편에 앉은 나는
짐짓 차창 밖 보는 척하며
한마디쯤 알아들어 보려고 했다
[A] 휙 지나가는 먼 산굽이(산이 휘어서 구부러진 부분)
나무 우거진 비탈에
산그늘(산에 가려서 지는 그늘) 깊었다
두 여인이 잠잠하기에
내가 슬쩍 곁눈질하니
㉮ 머리 기대고 졸다가 언뜻 잠꼬대하는데
여전히 알아들을 수 없는 외국말이었다
두 여인이 동남아 어느 나라 시골에서
우리나라 시골로 시집왔든 간에
내가 왜 공연히 호기심 가지는가
한잠 자고 난 아기 둘이 칭얼거리자
두 여인이 깨어나 등 토닥거리며 달래었다
[B] 한국말로,
울지 말거레이
집에 다 와 간데이

한눈에 콕

천재 이

갈래	자유시, 서정시
주제	원어를 두고 한국어를 사용해야 하는 동남아 여인들에 대한 연민
특징	① 기차 안의 경험을 일인칭 시점으로 서술함 ② 꿈과 현실에서 사용하는 언어의 차이를 통해 주제를 부각함

만점 노트

1 시상 전개

열차 안	두 여인의 대화	외국말
	잠꼬대	외국말
	아기와의 대화	한국말

↓

상황에 따른 언어 사용에서 오는 존재감의 괴리

↓

화자의 연민 의식

2 '원어'의 상징적 의미

'원어(原語)'의 사전적 의미는 번역하거나 고치기 전의 말인데, 이 시에서는 정체성을 유지하거나 형성하는 언어라는 의미를 가지고 있다. 동남아인 두 여인이 외국말을 사용하기도 하고 우리나라 말을 사용하기도 하는 모습에서 화자는 그들의 정체성이 혼란을 겪고 있는 것은 아닌지 생각하게 되고 그들에 대한 연민 의식을 드러낸다.

3 이 시에 사용된 객관적 상관물

이 시에서 '산그늘 깊었다'는 차창 밖의 풍경으로, 애상적이고 쓸쓸한 느낌을 주고 있다. 이와 같은 풍경은 화자의 심리 상태와 관련하여 객관적 상관물의 역할을 하고 있는데, 동남아 여인들의 서글픈 현실에 대한 화자의 연민 의식을 드러내 준다.

plus

이주 여성들이 겪는 이중 언어의 고통

언어는 단순한 의사소통의 수단만이 아니라 사고와 의식 세계에도 커다란 영향을 미친다. 따라서 다른 언어를 사용하는 나라로 이주한 사람들은 언어로 인해 고통을 겪게 마련이다. 이 시의 두 동남아 여인과 같은 이주 여성들은 그들의 의식 전반을 지배해 왔던 모국어와 새로 배우는 한국어 사이에서 자신들의 존재와 정체성에 대한 혼란을 겪을 수밖에 없었을 것이다.

▶ 정답과 해설 12쪽

1 이 시에 대한 설명으로 적절하지 않은 것은?

① 화자의 목소리가 표면에 등장하고 있다.
② 화자의 개인적 경험을 소재로 제시하고 있다.
③ 대상에 대한 화자의 애정 어린 시선을 보이고 있다.
④ 현실을 극복하고자 하는 강한 의지가 드러나고 있다.
⑤ 정체성의 괴리가 언어 사용과 관련해서 나타나고 있다.

2 이 시의 표현상 특징으로 적절하지 않은 것은?

① 시간의 흐름에 따라 시상이 전개되고 있다.
② 평이한 시어를 사용해 상황을 드러내고 있다.
③ 여인들의 말을 인용해 현장감을 나타내고 있다.
④ 문답법을 통해 화자의 깨달음을 제시하고 있다.
⑤ 객관적 상관물을 사용해 정서를 효과적으로 전달하고 있다.

3 [A]에서 사용된 것과 같은 표현 방법이 드러나지 않는 것은?

① 펄펄 나는 저 꾀꼬리는 / 암수 서로 정다운데 / 외로운 이 내 몸은 / 뉘와 함께 돌아갈꼬.
– 유리왕, 〈황조가〉
② 저 산(山)에도 가마귀, 들에 가마귀 / 서산에는 해 진다고 / 지저귑니다.
– 김소월, 〈가는 길〉
③ 산꿩도 섧게 울은 슬픈 날이 있었다. / 산 절의 마당귀에 여인의 머리오리가 눈물방울과 같이 떨어진 날이 있었다.
– 백석, 〈여승〉
④ 붉은 해는 서산(西山) 마루에 걸리었다. / 사슴의 무리도 슬피 운다. / 떨어져 나가 앉은 산 위에서 / 나는 그대의 이름을 부르노라.
– 김소월, 〈초혼〉
⑤ 우리들도 우리들끼리 / 낄낄대면서 / 깔쭉대면서 / 우리의 대열을 이루며 / 한 세상 떼어 메고 / 이 세상 밖 어디론가 날아갔으면 / 하는데 대한 사람 대한으로 / 길이 보전하세로 / 각각 자리에 앉는다. / 주저앉는다.
– 황지우, 〈새들도 세상을 뜨는구나〉

4 [B]에 대한 해석으로 적절하지 않은 것은?

① 잠이 깬 아기들을 엄마들이 달래고 있다.
② 두 여인에게 한국어는 이방의 언어이다.
③ 엄마와 아기의 원어가 다름을 나타낸다.
④ 아기들에게는 한국어가 원어임을 알 수 있다.
⑤ 두 여인이 자신들의 원어를 바꾸려 함을 보여 준다.

수능형

5 ㉮에 나타나는 '두 여인'의 정서와 가장 유사한 것은?

① 꽃이 피네, 한 잎 한 잎. / 한 하늘이 열리고 있네. // 마침내 남은 한 잎이 / 마지막 떨고 있는 고비
– 이호우, 〈개화〉
② 송아지 몰고 오며 바라보던 진달래도 / 저녁 노을처럼 산을 둘러 퍼질 것을 / 어마씨 그리운 솜씨에 향그러운 꽃지짐.
– 김상옥, 〈사향〉
③ 설워라 설워라해도 아들도 딴 몸이라 / 무덤풀 욱은 오늘 이 살붙어 있단 말가 / 빈 말로 설운 양함을 뉘나 믿지 마옵소.
– 정인보, 〈자모사〉
④ 본디 그 마음은 깨끗함을 즐겨 하여 / 정한 모래 틈에 뿌리를 서려 두고 / 미진(微塵)도 가까이 않고 우로(雨露) 받아 사느니라.
– 이병기, 〈난초〉
⑤ 손톱으로 툭 튀기면 / 쨍 하고 금이 갈 듯. // 새파랗게 고인 물이 / 만지면 출렁일 듯. // 저렇게 청정무구를 / 드리우고 있건만.
– 이희승, 〈벽공〉

학습 활동 응용

6 〈보기〉는 어느 이주 여성의 생활담이다. 〈보기〉를 참고하여 이 시를 이해한 내용으로 적절하지 않은 것은?

보기

저는 베트남에서 한국으로 시집온 여성입니다. 얼마 전부터 아이와 같은 어린이집에 다니는 한국 엄마를 만나 친분을 쌓아 가며 지냈습니다. 그런데 어느 날 아이를 데리러 갔다가 '왜 이주 여성과 가깝게 지내냐?'라고 그 엄마에게 따지듯 말하는 다른 엄마의 말을 우연히 듣게 되었습니다. 처음엔 애들 때문에 그 엄마를 만났지만 만날수록 성격이 잘 맞아서 친하게 지냈을 뿐인데 색안경을 끼고 저를 바라보는 듯한 말을 듣고 너무 속이 상했고 앞으로 그 엄마와 어떻게 지내야 할지 막막하기만 합니다.

① 이 시와 〈보기〉 모두 더불어 사는 삶의 중요성을 전달하고 있다.
② 이 시와 〈보기〉 모두 이주 여성들이 겪는 현실적 고통이 드러나 있다.
③ 이 시는 이주 여성들이 처한 이중 언어의 문제를, 〈보기〉는 차별 인식의 문제를 보여 주고 있다.
④ 이 시의 화자는 〈보기〉의 '다른 엄마'와 달리 이주 여성에 대한 연민을 드러내고 있다.
⑤ 〈보기〉의 이주 여성은 이 시의 '두 여인'과 달리 주체적인 삶의 의지를 다지고 있다.

1 고대 가요

(1) 개념 : 향찰로 표기된 향가가 나타나기 전까지의 시가

(2) 특징

① 배경 설화 속에 삽입되어 구전되다가 후대에 한역됨

② 구전되다가 후대에 한자나 이두, 한글로 기록되면서 변형되었을 가능성이 있음

③ 집단적인 서사 가요에서 점차 개인적 서정을 노래한 개인 서정 가요로 발달함

(3) 주요 작품 : 〈공무도하가〉, 〈구지가〉, 〈황조가〉, 〈정읍사〉 등

2 향가

(1) 개념 : 한자의 음과 뜻을 빌려 우리말 어순대로 적는 향찰로 표기한 신라의 노래

(2) 특징

① 승려, 화랑 등 귀족 계층이 주요 작가층으로 분포함

② 초기 형태인 4구체에서 8구체로 발전, 10구체로 완성됨

(3) 주요 작품 : 〈서동요〉, 〈처용가〉, 〈찬기파랑가〉, 〈안민가〉 등

3 고려 가요

(1) 개념 : 향가의 쇠퇴 후 고려의 평민층이 즐겨 부르던 민요적 시가로, '고려 속요', '여요', '장가'라고도 함

(2) 특징

① 구전되다가 한글 창제 후에 문자로 기록되어 창작 연대, 작가 등을 알기 어려움

② 3 · 3 · 2조의 3음보 율격이 많이 나타나며, 대체로 분절체이고 후렴구가 발달함

③ 평민들이 부르던 노래로 서민들의 소박하고 풍부한 정서가 진솔하게 드러남

(3) 주요 작품 : 〈동동〉, 〈가시리〉, 〈청산별곡〉, 〈서경별곡〉, 〈정석가〉 등

4 경기체가

(1) 개념 : 고려 중엽부터 조선 초기까지 귀족층 사이에서 향유되던 교술적 성격의 노래. 노래의 끝 부분에 '경(景) 긔 엇더ᄒᆞ니잇고'나 '경기하여'라는 후렴구가 붙어 '경기하여가(景幾何如歌)'라고도 하고, 제목에 '별곡'이라는 말이 붙어 있어 '별곡체(別曲體)'라고도 함

(2) 특징

① 각 장은 전후 양절로 나뉘어 전절은 길고 후절은 짧은 분절 형식. 1~3행은 3음보이며, 5행은 2음보가 반복되는 4음보가 원칙임

② 선비들의 학식, 체험, 사물이나 경치 등을 노래하면서 신흥 사대부의 호탕한 기상과 자부심을 드러냄

③ 가사 문학에 영향을 줌

(3) 주요 작품 : 〈한림별곡〉, 〈죽계별곡〉 등

5 한시

(1) 개념 : 한문으로 이루어진 정형시로, 원래 중국의 시가 양식이지만 우리나라에도 유입되어 한문을 사용하는 상류 계층에서 주로 창작함

(2) 주요 작품 : 〈여수장우중문시〉, 〈제가야산독서당〉, 〈송인〉, 〈보리타작〉 등

개념 확인 문제

1 가락국의 건국 신화에 삽입되어 전하는 노래로, 현전하는 가장 오래된 집단 무요를 쓰시오.

____

2 〈황조가〉는 작가와 연대가 뚜렷하며, 집단 가요에서 (　　　　)로 넘어가는 단계의 작품이다.

3 다음 중, 향가에 대한 설명으로 적절하지 않은 것은?

① '사뇌가'라고도 불린다.
② 향찰로 표기한 신라의 노래이다.
③ 민요가 정착된 4구체가 초기의 형태이다.
④ 현전하는 작품의 작가로는 여성이 가장 많다.
⑤ 현전하는 가장 오래된 향가는 〈서동요〉이다.

4 다음 작품에 대한 설명으로 적절하지 않은 것은?

> 가시리 가시리잇고 나는
> ᄇᆞ리고 가시리잇고 나는
> 위 증즐가 대평셩ᄃᆡ //
> 날러는 엇디 살라 ᄒᆞ고
> ᄇᆞ리고 가시리잇고 나는

① 3 · 3 · 2조의 3음보 율격으로 되어 있다.
② 이별의 정한을 노래한 고려 가요이다.
③ 민간에서 불리다가 궁중 음악으로 채택되었다.
④ 구전되다가 한글 창제 후에 문자로 기록되었다.
⑤ 후렴구를 통해 화자의 정서를 강조해 드러내고 있다.

5 '별곡체'라는 말은 고려 가요를 부르는 다른 이름이다. (○, ×)

6 정지상의 〈송인〉은 우리나라 최초의 한시이다. (○, ×)

6 악장

(1) 개념 : 조선 시대 궁중의 여러 의식과 행사, 종묘의 제악(祭樂) 등에 쓰이던 송축가

(2) 특징 : 조선 초기에 발생하여 성종 이후 소멸한 갈래로 대부분 조선조의 권신(權臣)들이 창작하고 향유함. 조선 건국의 정당성을 강조하고 문물제도를 찬양하는 내용, 임금의 만수무강과 왕가의 번창을 기원하는 내용 등이 주를 이룸

(3) 주요 작품 : 〈용비어천가〉, 〈월인천강지곡〉, 〈신도가〉, 〈상대별곡〉 등

7 언해

(1) 개념 : 한문으로 된 것을 조선 시대 한글 창제 이후 우리말로 번역한 것

(2) 특징 : 중세 국어 연구의 중요한 문헌적 자료이자, 한문학의 소개와 대중화로 우리 문학의 영역을 넓히는 데 영향을 줌

8 시조

(1) 개념 : 고려 중엽에 발생하여 고려 말엽에 완성된 정형시. '단가(短歌)', '신조(新調)', '가요(歌謠)' 등으로 불려오다가, 이세춘에 의해 '시절가조(時節歌調)', 즉 '시조(時調)'라 불리게 됨

(2) 특징

① 3장 6구 45자 내외가 일반적인 형식. 3 · 4조 또는 4 · 4조의 음수율, 4음보가 기본이며 1, 2음절의 가감이 가능하나 종장의 첫 음보는 3음절로 고정되어 있음

② 임금부터 양반, 부녀자, 기녀에 이르기까지 향유 계층이 다양함

③ 우리나라 고유의 정형시 형태이며, 현대 시조로 계승됨

(3) 종류

① 평시조 : 3장 6구 45자 내외의 글자로 구성된 정형시. 평시조가 한 수로 되어 있으면 '단시조'라 하고 2수 이상이 모여 한 작품을 이루면 '연시조'라 함

② 엇시조 : 평시조의 형식에서 종장의 첫 구를 제외하고 어느 한 구절이 길어지는 형태

③ 사설시조 : 평시조의 형식에서 두 구절 이상이 길어지는 형태

9 가사

(1) 개념 : 고려 말에서 조선 초에 형태를 갖춘 갈래로, 고려 후기에서 조선 후기까지 주로 사대부들이 창작하여 부른, 운문과 산문의 중간 형태의 노래

(2) 특징

① 3(4) · 4조의 연속체, 4음보. 마지막 행은 대체로 시조 종장의 율격(3 · 5 · 4 · 3)과 일치함

② 조선 전기에는 자연 속에서 유유자적하는 심정, 임금에 대한 연모의 정, 기행을 통해 얻게 된 견문 등을 다룬 작품들이 주였다면, 조선 후기에는 작가층이 확대되면서 평민들이 자신들의 생활을 사실적으로 표현한 작품들도 나타남

(3) 주요 작품 : 〈상춘곡〉, 〈면앙정가〉, 〈관동별곡〉, 〈사미인곡〉, 〈속미인곡〉 등

10 민요

(1) 개념 : 예부터 민중들 사이에서 불려온 소박한 노래로, 작사가 · 작곡가가 따로 없으며 서민들의 진솔하고 소박한 정서가 직접 표출되어 있음

(2) 특징 : 입에서 입으로 전승되는 구전성, 정서를 직접적으로 표출하는 서정성, 서민의 일상생활을 바탕으로 하는 서민성 등의 특징이 있음

(3) 주요 작품 : 〈시집살이 노래〉, 〈논매기 노래〉, 〈아리랑 타령〉 등

개념 확인 문제

7 조선 초기에 발생한 (　　　)은/는 궁중의 의식이나 종묘의 제악 등에 쓰이던 송축가이다.

8 다음 작품에 대한 설명으로 적절하지 않은 것은?

> 불휘 기픈 남ᄀᆞᆫ ᄇᆞᄅᆞ매 아니 뮐ᄊᆡ, 곶 됴코 여름 하ᄂᆞ니.
>
> – 〈용비어천가〉

① 15세기 고어 연구의 귀중한 자료이다.
② 조선 건국의 송축가이며 영웅 서사시이다.
③ 구전되다가 한글 창제 이후 문자로 기록되었다.
④ 주로 조선 시대 권신들이 창작하고 향유한 문학 갈래이다.
⑤ 조선 초기에 발생했으나 후대에까지 계속 창작되지는 않았다.

9 다음 중, 시조에 대한 설명으로 적절하지 않은 것은?

① 3장 6구 45자 내외, 4음보가 기본 형태이다.
② 10구체 향가와 민요 등의 영향을 받고 발생하였다.
③ 조선 영조 때 가객 이세춘에 의해 '시조'라고 불리게 되었다.
④ 엇시조는 평시조와 달리 어느 한 구절이 길어진 형태의 시조이다.
⑤ 발생 초기에는 왕과 귀족층에서 향유되었으나 조선 후기에는 서민층에서만 창작되었다.

10 가사 문학의 효시로, 송순의 〈면앙정가〉와 정철의 〈성산별곡〉으로 이어지는 강호가도의 시풍 형성에 영향을 준 작품을 쓰시오.

____

11 가사의 마지막 행이 시조 종장의 율격과 일치하면 정격 가사, 그렇지 않으면 변격 가사라고 한다. (○, ×)

12 민요는 2음보, 3음보, 4음보로 구성되어 있는데, 이 중 3음보가 가장 많다. (○, ×)

01 제망매가(祭亡妹歌) - 월명사

생사(生死) 길은
예 있으매 ㉠ 머뭇거리고,
㉡ 나는 간다는 말도
못다 이르고 어찌 갑니까.
어느 가을 ㉢ 이른 바람에
이에 저에 떨어질 잎처럼,
㉣ 한 가지에 나고
가는 곳 모르온저.
㈎ 아아, ⓐ 미타찰(彌陀刹)에서 만날 나
도(道) 닦아 ㉤ 기다리겠노라.

삶과 죽음의 길은
이승에 있으므로 머뭇거리고,
나(죽은 누이)는 간다는 말도
못 다 이르고 어찌 갑니까.
어느 가을 이른 바람에
여기저기 떨어지는 잎처럼,
한 가지에 나서도
가는 곳을 모르는구나.
아아, 미타찰에서 만나 볼 나는
도 닦으며 기다리겠노라.

한눈에 콕

동아 | 미래엔 | 비상 박Ⅰ | 비상 박Ⅱ | 신사고

갈래	10구체 향가
주제	죽은 누이에 대한 추모
특징	① 뛰어난 비유와 상징이 사용됨 ② 불교적 윤회 사상이 드러남

만점 노트

1 시상 전개

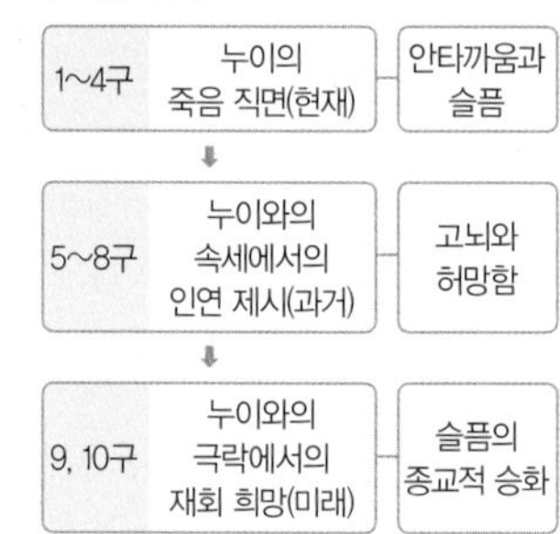

'기-서-결'의 3단 구성에 의해 시상이 전개된다.

2 시어의 상징적 의미

이른 바람	누이의 때이른 죽음, 요절
떨어질 잎	죽은 누이
한 가지	같은 부모

plus

10구체 향가와 시조의 형식적 유사성

10구체 향가는 향가의 완성된 형태로 '기-서-결'의 시상 전개를 4+4+2구의 형식으로 나타낸다. 이러한 3단계 형식은 이후 시조에까지 영향을 미친 것으로 추정되는데, 특히 '결'에 해당하는 낙구 첫머리의 감탄사는 시조의 종장 첫 구에서도 그대로 나타나 향가와 시조의 형식적 유사성을 보여 주고 있다.

1 이 작품에 대한 설명으로 적절하지 않은 것은?

① 향찰식 표기로 이루어진 10구체 향가이다.
② 부정적 상황에 대해 종교를 통해 승화하고 있다.
③ 세 부분으로 나뉘지며 낙구에서 시상이 전환되고 있다.
④ 인생에 대한 무상감에 빠진 절망적 어조가 지배적이다.
⑤ 감탄적 어법을 통해 죽음에 대한 고뇌를 잘 드러내고 있다.

수능형 학습 활동 응용

2 이 작품의 전개 방식을 〈보기〉와 같이 나누어 정리할 때, 이에 대한 이해로 적절하지 않은 것은?

보기

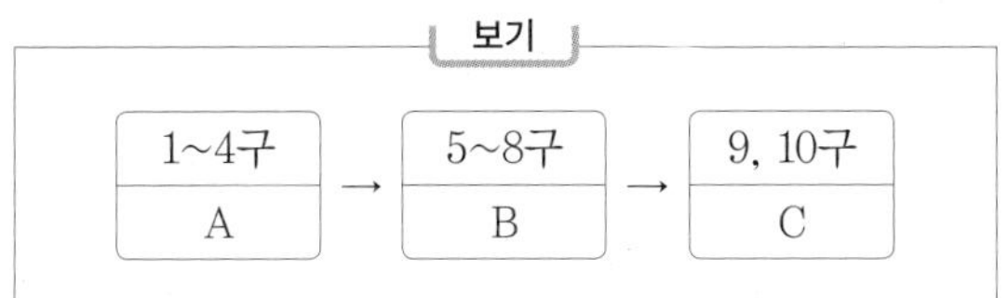

1~4구	→	5~8구	→	9, 10구
A		B		C

① A에서는 혈육이 갑작스럽게 죽은 상황이 드러나 있다.
② A, B와 달리 C에서는 화자의 인식 전환이 이루어지고 있다.
③ C에서는 감탄사를 사용하여 화자의 정서를 집약적으로 드러내고 있다.
④ A에서는 작품의 창작 동기가 드러나 있고, C에서는 정서를 마무리하고 있다.
⑤ B에서는 A의 상황으로 인한 화자의 정서를 비유적으로 표현하여 무상감, 상실감을 드러내고 있다.

3 〈보기〉의 밑줄 친 시어 중, ⓐ와 함축적 의미가 유사한 것은?

보기

눈물 아롱아롱
피리 불고 가신 임의 밟으신 길은
진달래 꽃비 오는 서역 삼만 리.
흰 옷깃 여며 여며 가옵신 임의
다시 오진 못하는 파촉 삼만 리.

신이나 삼아 줄 걸 슬픈 사연의
올올이 아로새긴 육날 메투리.
은장도 푸른 날로 이냥 베어서
부질없는 이 머리털 엮어 드릴걸.

– 서정주, 〈귀촉도〉

① 진달래 ② 서역 ③ 흰 옷깃
④ 육날 메투리 ⑤ 은장도

4 ㉠~㉤에 대한 설명으로 적절하지 않은 것은?

① ㉠: 죽음을 거부하는 화자의 태도를 나타낸다.
② ㉡: 죽은 누이를 가리킨다.
③ ㉢: 누이가 일찍 죽었음을 나타낸다.
④ ㉣: 화자와 누이가 한 동기간임을 의미한다.
⑤ ㉤: 누이와의 재회에 대한 화자의 의지를 나타낸다.

5 다음 중, ㉮에 나타나는 화자의 정서 및 태도와 가장 유사한 것은?

① 설움에 겹도록 부르노라. / 설움에 겹도록 부르노라. / 부르는 소리는 비껴가지만 / 하늘과 땅 사이가 너무 넓구나. – 김소월, 〈초혼〉
② 밤에 홀로 유리를 닦는 것은 / 외로운 황홀한 심사이어니 / 고운 폐혈관이 찢어진 채로 / 아아, 늬는 산ㅅ새처럼 날아갔구나! – 정지용, 〈유리창〉
③ 산이 저문다. / 노을이 잠긴다. / 저녁 밥상에 애기가 없다. / 애기 앉던 방석에 한 쌍의 은수저 / 은수저 끝에 눈물이 고인다. – 김광균, 〈은수저〉
④ 뭐락카노, 저편 강기슭에서 / 니 뭐락카노, 바람에 불려서 // 이승 아니믄 저승으로 떠나는 뱃머리에서 / 나의 목소리도 바람에 날려서 – 박목월, 〈이별가〉
⑤ 견우직녀도 이날만은 만나게 하는 칠석날 / 나는 당신을 땅에 묻고 돌아오네. / 〈중략〉 / 내 남아 밭 갈고 씨 뿌리고 땀 흘리며 살아야 / 한 해 한 번 당신 만나는 길임을 알게 하네. – 도종환, 〈옥수수밭 옆에 당신을 묻고〉

수능형 학습 활동 응용

6 이 작품에 대한 감상으로 적절하지 않은 것은?

① 화자는 불교의 윤회 사상을 바탕으로 대상과의 재회를 소망하고 있군.
② 화자는 삶과 죽음이 서로 멀리 떨어져 있는 것이 아니라고 인식하고 있군.
③ 혈육에 대한 애증으로 인한 심리적 갈등을 바탕으로 시상이 전개되고 있군.
④ 내용으로 볼 때, 제목 '제망매가'는 '죽은 누이에 대한 제를 올리며 부른 노래'라는 뜻이겠군.
⑤ 이 작품은 10행이고 낙구 첫머리에 감탄사를 사용하고 있으므로 10구체 향가로 볼 수 있겠군.

7 이 작품에서 누이의 죽음을 시각적으로 형상화한 부분을 찾아 2어절로 쓰시오.

고전 시가

02 가시리 - 작자 미상

가시리 가시리잇고 나ᄂᆞᆫ
ᄇᆞ리고 가시리잇고 나ᄂᆞᆫ
　㉠위 증즐가 대평셩ᄃᆡ(大平盛代)

날러는 엇디 살라 ᄒᆞ고
ⓐᄇᆞ리고 가시리잇고 나ᄂᆞᆫ
　위 증즐가 대평셩ᄃᆡ(大平盛代)

ⓑ잡ᄉᆞ와 두어리마ᄂᆞᄂᆞᆫ
ⓒ선ᄒᆞ면 아니 올셰라
　위 증즐가 대평셩ᄃᆡ(大平盛代)

셜온 님 ⓓ보내ᄋᆞᆸ노니 나ᄂᆞᆫ
가시ᄂᆞᆫ ᄃᆞᆺ ⓔ도셔 오쇼셔 나ᄂᆞᆫ
　위 증즐가 대평셩ᄃᆡ(大平盛代)

가시렵니까, 가시렵니까.
나를 버리고 가시렵니까.

나더러는 어찌 살라 하고
버리고 가시렵니까.

붙잡아 두고 싶지마는
서운하면 아니 올까 두렵습니다.

서러운 임을 보내오니
가시자마자 돌아서서 오십시오.

한눈에 콕

비상 박 II | 신사고 | 지학 | 천재 박 | 천재 이 | 해냄

갈래	고려 가요
주제	이별의 설움과 재회의 소망
특징	① 3 · 3 · 2조의 3음보 ② 후렴구의 사용

만점 노트

1 시상 전개

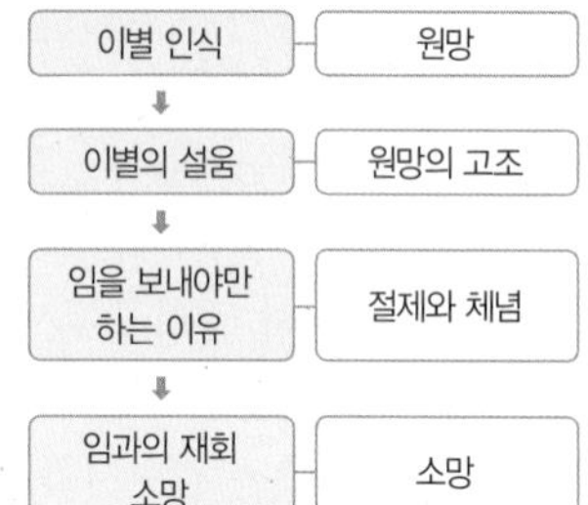

화자의 정서 변화에 따라 시상이 전개되면서 이별의 정한을 드러낸다.

2 후렴구의 기능

- 악률을 맞추기 위한 여음구
- 반복적인 사용으로 리듬감 형성
- 통일성 부여와 형태적 안정감
- 분연의 기능

plus

이별의 정한

이별로 인한 슬픔과 한(恨)은 우리 문학에서 이어 온 전통적인 정서이다. 고구려의 〈황조가〉나 고대 가요인 〈공무도하가〉, 고려 가요인 〈서경별곡〉, 조선 시대 황진이의 시조, 현대 김소월의 〈진달래꽃〉 등에서 이와 같은 정서가 잘 드러난다.

1 이 작품에 대한 설명으로 적절하지 않은 것은?

① 3음보를 기본 율격으로 하고 있다.
② 고려 시대 평민들이 부르던 노래이다.
③ 분연체 형식으로 기승전결의 구조를 갖추고 있다.
④ 구전되어 오다가 조선 시대에 한글로 기록되었다.
⑤ 자연물을 통해 화자의 삶의 태도를 드러내고 있다.

학습 활동 응용

2 다음 중, 이 작품에 나타나는 화자의 상황 및 정서와 가장 거리가 먼 것은?

① 나 보기가 역겨워
가실 때에는
말없이 고이 보내 드리우리다. – 김소월, 〈진달래꽃〉

② 이화우 흣뿌릴 제 울며 잡고 이별훈 님,
추풍낙엽에 저도 날 싱각는가.
천 리에 외로운 쑴만 오락가락 ᄒᆞ노매. – 계랑의 시조

③ 펄펄 나는 저 꾀꼬리는
암수 서로 정다운데
외로운 내 몸은
뉘와 함께 돌아갈꼬. – 유리왕, 〈황조가〉

④ 임아 그 물을 건너지 마오.
임은 끝내 그 물을 건너셨네.
물에 빠져 돌아가시니
가신 임을 어찌할꼬. – 백수 광부의 아내, 〈공무도하가〉

⑤ 가위로 싹둑싹둑 옷 마르노라면
추운 밤에 손끝이 호호 불리네.
시집살이 길옷은 밤낮이건만
이 내 몸은 해마다 새우잠인가. – 허난설헌, 〈빈녀음〉

3 ㉠의 기능으로 적절하지 않은 것은?

① 연을 구분 짓는다.
② 통일성이 느껴지게 한다.
③ 주제를 효과적으로 드러낸다.
④ 시 전체에 운율감을 부여한다.
⑤ 형태적으로 안정감이 느껴지게 한다.

4 ⓐ~ⓔ의 행위 주체가 바르게 연결되지 않은 것은?

① ⓐ: 임 ② ⓑ: 화자
③ ⓒ: 화자 ④ ⓓ: 화자
⑤ ⓔ: 임

5 〈보기〉는 이 작품의 일부분이다. 〈보기〉와 운율 형성 방법이 다른 것은?

보기

> 가시리 가시리잇고 나는
> ᄇᆞ리고 가시리잇고 나는

① 접동 접동 아우래비 접동
② 살어리 살어리랏다. 청산에 살어리랏다.
③ 형님 온다 형님 온다 분고개로 형님 온다.
④ 거북아 거북아 머리를 내어라. 내놓지 않으면 구워 먹으리.
⑤ 창(窓) 내고자 창(窓)을 내고자 이 내 가슴에 창(窓) 내고자.

수능형 학습 활동 응용

6 이 작품과 〈보기〉의 화자가 이별을 대하는 태도를 비교한 내용으로 적절한 것은?

보기

> 서경이 서울이지마는
> 새로 닦은 곳인 작은 서울을 사랑하지마는
> 임과 이별하기보다는 길쌈하던 베를 버리고라도
> 사랑만 해 주신다면 울면서 따르렵니다.
> – 작자 미상, 〈서경별곡〉

① 이 작품과 〈보기〉의 화자는 모두 끝까지 임을 따르겠다는 의지를 보이고 있다.
② 이 작품과 〈보기〉의 화자는 모두 이별의 슬픔을 재회에 대한 믿음으로 극복하고 있다.
③ 이 작품의 화자는 떠나는 임을 원망하는 반면, 〈보기〉의 화자는 떠나는 임을 축복하고 있다.
④ 이 작품의 화자는 이별이 일시적이라고 생각하지만, 〈보기〉의 화자는 이별이 영원하리라고 예감하고 있다.
⑤ 이 작품의 화자는 이별의 상황을 체념하고 받아들이는 반면, 〈보기〉의 화자는 이별을 적극적으로 거부하고 있다.

고전 시가

03 청산별곡(靑山別曲) - 작자 미상

살어리 살어리랏다 청산(靑山)애 살어리랏다
멀위랑 ᄃᆞ래랑 먹고 청산(靑山)애 살어리랏다
머루와 다래
얄리얄리 얄랑셩 얄라리 얄라

> 살겠노라 살겠노라. 청산에서 살겠노라.
> 머루와 다래를 먹고, 청산에서 살겠노라.

우러라 우러라 새여 자고 니러 우러라 새여
널라와 시름 한 나도 자고 니러 우니노라
너보다
얄리얄리 얄라셩 얄라리 얄라

> 우는구나 우는구나 새여, 자고 일어나 우는구나 새여.
> 너보다 근심이 많은 나도 자고 일어나 울며 지내노라.

가던 새 가던 새 본다 믈 아래 가던 새 본다
㉠잉 무든 장글란 가지고 믈 아래 가던 새 본다
얄리얄리 얄라셩 얄라리 얄라

> 가던 새 가던 새 본다. 물 아래 가던 새 본다.
> 이끼 묻은 쟁기를 가지고, 물 아래 가던 새 본다.

이링공 뎌링공 ᄒᆞ야 나즈란 디내와손뎌
이럭저럭
오리도 가리도 업슨 바므란 ᄯᅩ 엇디 호리라
올 사람도 갈 사람도
얄리얄리 얄라셩 얄라리 얄라

> 이럭저럭하여 낮은 지내 왔지만,
> 올 사람도 갈 사람도 없는 밤은 또 어찌하리오.

어듸라 더디던 돌코 누리라 마치던 돌코
믜리도 괴리도 업시 마자셔 우니노라
미워할 사람도 사랑할 사람도
얄리얄리 얄라셩 얄라리 얄라

> 어디에다 던지던 돌인가? 누구를 맞히려던 돌인가?
> 미워할 사람도 사랑할 사람도 없이 맞아서 우노라.

㉡살어리 살어리랏다 바ᄅᆞ래 살어리랏다
ᄂᆞᄆᆞ자기 구조개랑 먹고 바ᄅᆞ래 살어리랏다
나문재와 굴·조개
얄리얄리 얄라셩 얄라리 얄라

> 살겠노라 살겠노라. 바다에서 살겠노라.
> 나문재(해초)와 굴, 조개를 먹고, 바다에서 살겠노라.

가다가 가다가 드로라 에정지 가다가 드로라
외따로 떨어져 있는 부엌
사ᄉᆞ미 짒대예 올아셔 ᄒᆡ금(奚琴)을 혀거를 드로라
얄리얄리 얄라셩 얄라리 얄라

> 가다가 가다가 듣노라. 외딴 부엌을 지나가다가 듣노라.
> 사슴(사슴으로 분장한 광대)이 장대에 올라 가서 해금을 켜는 것을 듣노라.

가다니 ᄇᆡ브른 도긔 설진 강수를 비조라
조롱곳 누로기 ᄆᆡ와 잡ᄉᆞ와니 내 엇디 ᄒᆞ리잇고
조롱박꽃 모양의 누룩이
얄리얄리 얄라셩 얄라리 얄라

> 가다 보니 배부른 독에 덜 익은 술을 빚는구나.
> 조롱박꽃 같은 누룩이 매워 붙잡으니, 내 (안 마시고) 어찌하리오.

한눈에 콕

금성 비상 박Ⅰ 창비

갈래	고려 가요
주제	삶의 고뇌와 비애에서 벗어나고 싶은 욕구
특징	① 어구의 반복을 통해 의미를 강조함 ② 후렴구를 통해 밝고 경쾌한 리듬감을 형성함 ③ 고려인들의 인생관이 잘 반영되어 있음

만점 노트

1 운율적 특징

① 3·3·2조, 3음보

② a-a-b-a 구조

③ 후렴구: 각 연마다 반복되어 통일감과 안정감, 리듬감을 형성. 'ㄹ, ㅇ' 등의 울림소리를 사용하여 밝고 경쾌한 느낌
→ 작품 전체의 애상적 분위기와는 상반

2 시어의 상징적 의미

청산, 바룰	현실과 대조되는 공간, 화자의 이상향
새	화자의 고독감이 감정 이입된 동병상련의 대상
믈 아래	'청산'과 대조를 이루는 속세
밤	고독과 절망의 시간
돌	피할 수 없는 인간의 숙명
강술	현실적 고통을 일시적으로 잊게 하는 매개체

plus

화자에 따른 시어의 의미

화자	가던 새	잉 무든 장글
유랑민	갈던 밭	녹슨 쟁기
실연한 여인	떠나는 임	녹슨 은장도
좌절한 지식인	날아가던 새	녹슨 병기

정답과 해설 14쪽

1 이 작품에 대한 설명으로 적절하지 않은 것은?

① 3·3·2조, 3음보의 운율이 나타난다.
② 구전되다가 한글 창제 이후 문자로 정착되었다.
③ 삶의 시름에 잠긴 애상적 어조로 노래하고 있다.
④ 경쾌한 후렴구는 작품 전체의 분위기와 잘 어울린다.
⑤ 고도의 상징과 비유적 표현으로 뛰어난 문학성을 지닌다.

2 다음 중, 소재의 함축적 의미가 바르게 연결되지 않은 것은?

① 청산: 이상향
② 밤: 화자의 정서가 심화되는 시간
③ 돌: 화자에게 닥친 운명적인 시련
④ 바다: 번뇌가 가득한 속세
⑤ 강술: 잠시나마 현실을 잊게 하는 소재

3 다음 밑줄 친 시어 중, 2연의 '새'와 유사한 역할을 하는 것은?

① 펄펄 나는 저 꾀꼬리는 / 암수 서로 정다운데 / 외로운 이 내 몸은 / 뉘와 함께 돌아갈꼬.

– 유리왕, 〈황조가〉

② 천만 리 머나먼 길에 고운 님 여의옵고 / 내 마음 둘 데 없어 냇가에 앉았으니 / 저 물도 내 안 같아서 울어 밤길 예놋다. – 왕방연의 시조

③ 추강(秋江)에 밤이 드니 물결이 차노매라. / 낚시 드리치니 고기 아니 무노매라. / 무심한 달빛만 싣고 빈 배 저어 오노라. – 월산 대군의 시조

④ ᄒᆞᆫ 손에 막ᄃᆡ 잡고 또 ᄒᆞᆫ 손에 가싀 쥐고, / 늙는 길 가싀로 막고 오는 백발 막ᄃᆡ로 치려터니, / 백발이 제 몬져 알고 즈럼길로 오더라. – 우탁의 시조

⑤ 산촌(山村)에 눈이 오니 돌길이 무쳐셰라. / 시비(柴扉)를 여지 마라, 날 ᄎᆞ즈리 뉘 이시리. / 밤중만 일편명월(一片明月)이 긔 벗인가 ᄒᆞ노라.

– 신흠의 시조

수능형

4 이 작품을 감상한 독자의 반응으로 가장 적절한 것은?

① 고통스러운 현실에서 벗어나 자연을 벗삼는 모습이 아름다워.
② 현실에 만족하며 그 속에서 보람을 느끼는 모습은 우리에게 본보기가 될 수 있어.
③ 이상적인 삶을 동경하면서도 고통스러운 현실 때문에 괴로워하는 모습이 안타까워.
④ 암담한 현실에 비관하지 않고 자신의 삶을 적극적으로 개척해 가는 모습이 멋있어 보여.
⑤ 현실이 고통스럽더라도 마음이 통하는 이웃들과 더불어 살아가는 공동체적 삶의 자세는 배울 점이 많아.

학습 활동 응용

5 ㉠에 대한 〈보기〉의 해석 중, ⓐ와 같이 해석할 때 이 작품의 화자로 볼 수 있는 것은?

보기

'잉 무든 장글'은 화자에 따라 ⓐ이끼 묻은 쟁기, 날이 무딘 병기, 이끼 묻은 은장도 등으로 해석할 수 있다.

① 실연당한 여인
② 변방을 지키는 병사
③ 삶의 터전을 잃은 유랑민
④ 일을 하지 않는 게으른 농민
⑤ 현실에서 좌절하여 고뇌하는 지식인

6 운율 구조가 ㉡과 동일하지 않은 것은?

① 노세 노세 젊어서 노세.
② 산에는 꽃 피네. 꽃이 피네. 갈 봄 여름 없이 꽃이 피네.
③ 해야 솟아라. 해야 솟아라. 말갛게 씻은 얼굴 고운 해야 솟아라.
④ 나두야 간다. 나의 이 젊은 나이를 눈물로야 보낼거냐. 나두야 간다.
⑤ 나는 왕이로소이다. 나는 왕이로소이다. 어머님의 가장 어여쁜 아들, 나는 왕이로소이다.

7 화자가 떠나온 세계이며, '청산'과 대비를 이루는 시어를 찾아 쓰시오.

04 송인(送人) - 정지상

雨歇長堤草色多	우헐장제초색다
送君南浦動悲歌	송군남포동비가
大同江水何時盡	대동강수하시진
別淚年年添綠波	별루년년첨록파

㉠ 비 갠 긴 언덕에는 풀빛이 푸른데,
㉡ 남포로 임 보내며 ㉢ 슬픈 노래 울먹이네.
대동강 물이야 어느 때 ㉣ 마를 거나,
이별의 눈물은 해마다 ㉤ 푸른 물결에 보태질 터인데.

한눈에 콕

금성

갈래	한시(7언 절구), 서정시
주제	이별의 슬픔
특징	① 자연 현상과 인간사를 대조함 ② 대동강 물을 통해 슬픔의 깊이를 극대화함 ③ 시각적 이미지를 효과적으로 사용함 ④ 이별의 상황을 공간적으로 형상화함 ⑤ 우리나라 이별시의 백미로, 전통적인 이별의 정한이 드러남

만점 노트

1 시상 전개

기(1구)	비 온 뒤의 싱그러운 강둑
승(2구)	임을 보내는 슬픈 상황
전(3구)	유유히 흐르는 대동강 물
결(4구)	이별의 슬픔으로 인해 흘리는 눈물

2 자연 현상과 인간사의 대조

자연 현상(기구)	슬픔의 부각	인간사(승구)
생명력 넘침	↔	이별의 상황
희망, 밝음		슬픔, 어둠

3 과장된 표현과 정서의 극대화

눈물이 물결에 보태어짐(결구)	→	대동강 물이 마르지 않음(전구)
원인		결과
이별의 상황 확장		슬픔의 크기 극대화

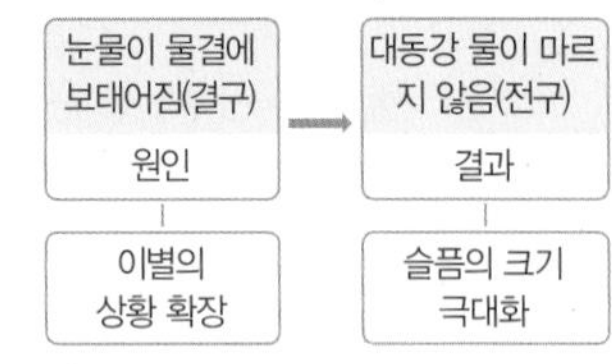

plus

'물(강)'이 이별의 이미지로 드러나는 작품

〈공무도하가〉	임이 '물'을 건너는 행위는 화자와의 이별을 상징
〈서경별곡〉	'대동강'이 화자와 임을 갈라놓는 이별의 공간
박목월, 〈이별가〉	'강'의 이쪽은 이승을, 저쪽은 저승을 상징

1 이 작품에 대한 감상으로 적절하지 않은 것은?

① 과장을 통해 이별의 정한을 극대화하고 있다.
② 의문형 진술로 화자의 정서를 부각시키고 있다.
③ 자연 현상과 화자의 처지가 대조적으로 나타나고 있다.
④ 무정물에 감정을 이입하여 화자 자신과 동일시하고 있다.
⑤ 색채감이 강하게 드러나는 시각적 심상이 나타나고 있다.

수능형

2 이 작품을 영상 시로 만들려고 할 때, 촬영 계획으로 적절하지 않은 것은?

① 잔잔하고 애절한 느낌이 드는 곡조의 배경 음악이 어울리겠군.
② 비가 내리고 물결이 넘실대며 흐르는 강변을 중심 배경으로 삼아야겠어.
③ 공간적 배경의 아름다움과 주인공의 슬픈 상황을 교차하면서 보여 주어야겠군.
④ 주인공이 흘리는 눈물이 대동강의 푸른 물결과 오버랩되는 장면이 필요하겠네.
⑤ 도입부에서 풀빛이 짙은 강둑의 정경을 보여 주면서 풀잎을 클로즈업하면 좋겠군.

수능형

3 ㉠~㉤에 대한 설명으로 적절하지 않은 것은?

① ㉠: 화자의 정서를 더욱 부각시키는 배경이다.
② ㉡: 구체적 지명을 통해 상황에 사실성을 부여한다.
③ ㉢: 화자의 정서가 청각적 이미지로 드러난다.
④ ㉣: 대동강 물은 결코 마르지 않을 것이라는 의미이다.
⑤ ㉤: 부정적 상황에 대한 극복 의지가 투영된 자연물이다.

4 이 작품과 〈보기〉에서 공통적으로 드러나는 '물'의 상징적 의미를 2음절로 쓰시오.

보기

임아 그 물을 건너지 마오.
임은 끝내 그 물을 건너셨네.
물에 빠져 돌아가시니
가신 임을 어찌할꼬. — 백수 광부의 아내, 〈공무도하가〉

학습 활동 응용

5 이 작품과 〈보기〉의 운율 형성 방법으로 적절한 것은?

보기

가시리 가시리잇고 나ᄂᆞᆫ
ᄇᆞ리고 가시리잇고 나ᄂᆞᆫ
위 증즐가 대평셩ᄃᆡ //
날러는 엇디 살라 ᄒᆞ고 / ᄇᆞ리고 가시리잇고 나ᄂᆞᆫ
위 증즐가 대평셩ᄃᆡ //
잡ᄉᆞ와 두어리마ᄂᆞᄂᆞᆫ / 선ᄒᆞ면 아니 올셰라
위 증즐가 대평셩ᄃᆡ //
셜온 님 보내ᄋᆞᆸ노니 나ᄂᆞᆫ
가시ᄂᆞᆫ ᄃᆞᆺ 도셔 오쇼셔 나ᄂᆞᆫ
위 증즐가 대평셩ᄃᆡ // — 작자 미상, 〈가시리〉

① 이 작품과 〈보기〉 모두 수미 상관을 사용하였다.
② 〈보기〉와 달리 이 작품은 후렴구를 사용하였다.
③ 이 작품과 〈보기〉 모두 4음보의 율격을 보이고 있다.
④ 이 작품은 〈보기〉와 달리 일정한 곳에 무의미한 여음을 반복하여 사용하였다.
⑤ 이 작품은 각 구마다 같은 음절 수를 사용하였고, 〈보기〉는 3·3·2조의 음수율을 사용하였다.

6 이 작품에 대해 이해한 내용으로 적절한 것은?

① 이 작품은 여러 대에 걸쳐 입에서 입으로 전승된 구비 문학이다.
② 1구에서는 자연의 모습이, 2구에서는 화자의 정서가 드러나 있다.
③ 3구에서는 이별의 상황에서 느끼는 정서를 일반화하여 삶의 무상감을 드러내었다.
④ 우리 민족의 전통적인 정서를 담고 있지만 한문으로 기록되어 한국 문학으로 보기 어렵다.
⑤ 2구에서는 많은 이들이 이별하였던 지명을 사용하여 이별이 빈번했던 시대 상황을 드러내고 있다.

7 〈보기〉의 설명에 해당하는 시어를 이 작품에서 찾아 우리말로 쓰시오.

보기

시인은 자신의 정서를 구체적인 사물이나 상황을 통해 간접적으로 표현하는 경우가 많다. 이때 동원되는 구체적인 대상을 객관적 상관물이라고 한다. 이 작품에도 봄의 싱그러운 분위기를 형성하면서 이와 대조되는 화자의 애상적 정서를 부각하는 객관적 상관물이 나타나 있다.

05 용비어천가(龍飛御天歌) - 정인지, 안지, 권제 등

〈제1장〉

해동(海東) ㉠육룡(六龍)이 ᄂᆞᄅᆞ샤 일마다 천복(天福)[하늘이 내린 복]이시니.

고성(古聖)이 동부(同符)[짝이 되어 일치함]ᄒᆞ시니.

우리나라의 여섯 임금이 뜻을 펴고 하시는 일마다 하늘의 복을 받으시니.
중국의 옛 개국 성군들이 하신 일과 똑같이 일치하시니.

〈제2장〉

㉡불휘 기픈 남ᄀᆞᆫ ᄇᆞᄅᆞ매 아니 뮐ᄊᆡ, ㉢곶[꽃] 됴코 여름[열매] 하ᄂᆞ니.

㉣ᄉᆡ미 기픈 ᄆᆞᄅᆞᆫ ㉤ᄀᆞᄆᆞ래 아니 그츨ᄊᆡ, 내히 이러 바ᄅᆞ래 가ᄂᆞ니.

뿌리가 깊은 나무는 바람이 불어도 흔들리지 아니하므로, 좋은 꽃이 피고 열매가 많이 열리니.
샘이 깊은 물은 가뭄에 그치지 아니하므로, 내가 이루어져 바다에 가나니.

〈제3장〉

주국 대왕(周國大王)이 빈곡(豳谷)애 사ᄅᆞ샤 제업(帝業)을 여르시니.

우리 시조(始祖)ㅣ 경흥(慶興)에 사ᄅᆞ샤 왕업(王業)을 여르시니.

주국 대왕이 빈곡에 사시며 큰 제업(帝業)을 여시니.
우리 시조가 경흥에 사시며 큰 왕업을 여시니.

〈제125장〉

천 세(千世) 우희 미리 정(定)ᄒᆞ샨 한수(漢水) 북(北)에, 누인개국(累仁開國)ᄒᆞ샤 복년(卜年)[하늘이 정한 운수]이 ᄀᆞᇫ업스시니.

성신(聖神)[훌륭한 왕손]이 니ᅀᆞ샤도 경천근민(敬天勤民)[하늘을 공경하고 백성을 부지런히 다스림]ᄒᆞ샤ᅀᅡ, 더욱 구드시리이다.

님금하, 아ᄅᆞ쇼셔. 낙수(洛水)예 산행(山行) 가 이셔 하나빌[할아버지, 하나라 우왕] 미드니잇가.

천 년 전에 미리 정하신 한강 북쪽 땅에, 여러 대를 걸쳐 어진 덕을 쌓아 나라를 여시어, 점지 받은 왕조의 운수가 끝이 없으시니.
훌륭한 왕손이 대를 이으셔도 하늘을 공경하고 백성을 다스리는 데에 부지런히 힘 쓰셔야, (왕권이) 더욱 굳건할 것입니다.
임금이시여, 아소서. 낙수에 사냥하러 가 있다가 할아버지(조상)만 믿으시겠습니까?

한눈에 쏙

동아 | 미래엔 | 비상 박 II | 신사고 | 창비 | 천재 이

갈래	악장
주제	조선 창업의 정당성과 후대 왕에 대한 권계
특징	① 훈민정음으로 지어진 최초의 작품임 ② 상징과 대구, 설의법 등의 표현법이 사용되었음

만점 노트

1 전체 구성

서사	제1장: 조선 창업의 천명성과 당위성 강조
	제2장: 조선 왕조의 무궁한 발전을 송축하고 기원
본사	제3~8장: 태조의 선조인 4조의 행적 노래
	제9~89장: 익조의 사적과 태조의 인품, 영웅적 행적 노래
	제90~109장: 태종의 위업 찬양
결사	제110장~125장: 후대 왕에 대한 권계

2 형식적 특징

- 전절: 중국 역대 성왕의 사적 찬양
- 후절: 조선 왕조의 사적 찬양

plus

창작 동기

- 민심을 안정시키고 왕조 창업의 정당성을 알리기 위한 목적
- 후대 왕에게 부지런히 백성과 정사를 돌보는 군주가 되라는 경천근민(敬天勤民)의 교훈을 주기 위한 목적
- 훈민정음의 쓰임새를 점검하고 국가의 문자로 정착시키기 위한 목적

악장의 특성

- 조선 시대 궁중에서 종묘 제향 때 부르던 송축가
- 조선 건국의 천명성을 드러내고 나라를 건국한 사람들의 공덕을 찬양하며, 임금의 만수무강과 자손의 번창을 기원하고 후대 임금을 권계하는 등의 내용을 담고 있다.
- 조선 건국 초기 특권층 사이에서 주로 창작되어 향유층이 넓지 못하다.

정답과 해설 15쪽

1 이 작품을 통해 짐작할 수 있는 갈래의 특성으로 적절한 것은?

① 읽는 이의 흥을 돋우기 위해서 후렴구를 넣는 것이 일반적이었나 보군.
② 구성이나 형식은 엄격하게 정해져 있어서 고정된 글자 수를 지켜야 했군.
③ 대구와 같은 표현을 통해 운율감이 느껴지는 것으로 보아 노래로 불렸음을 알 수 있어.
④ 모든 사람들이 공감할 만한 내용을 담고 있어 오랫동안 국민 문학으로 사랑받았을 거야.
⑤ 한글로 기록된 것을 보니 그 당시에는 한글을 사용한 작품이 많이 지어졌음을 알 수 있어.

2 이 작품에 대한 설명으로 적절한 것은?

① 불특정 다수가 참여하여 오랜 시간에 걸쳐 완성된 작품이다.
② 당시 백성들이 여흥을 즐기기 위해 즐겨 불렀던 대중가요이다.
③ 오로지 우리말로만 쓰인 작품으로 한글의 우수성이 잘 드러난다.
④ 당시에 훈민정음이 민간에까지 널리 사용되었음을 보여 주는 자료이다.
⑤ 조선 왕조의 창업을 송축하고 번영을 기원하기 위한 목적으로 창작되었다.

3 이 작품에 대해 이해한 내용으로 적절하지 않은 것은?

① 제1장은 작품 제목의 의미를 드러내며 조선 건국의 정당성을 밝히고 있다.
② 제1장과 제2장은 조선의 건국 자체를, 제3장은 인물의 사적을 중심으로 찬양하고 있다.
③ 제1장과 제3장은 중국과 조선을 대등하게 비교함으로써 조선의 위상을 높이는 효과를 주고 있다.
④ 제3장은 조선 왕조 창업의 기틀이 된 공간을 중심으로 한 목조의 행적을 다루고 있어 영웅 서사시의 성격을 보이고 있다.
⑤ 제1장~제3장에서는 조선이 기초가 튼튼하고 오랜 전통을 지닌 유서 깊은 나라임을 밝혀 조선 왕조가 무궁하게 발전할 것임을 제시하고 있다.

수능형

4 〈보기〉를 바탕으로 이 작품을 설명한 내용으로 적절하지 않은 것은?

보기

〈용비어천가〉는 훈민정음 창제 이후 훈민정음으로 기록된 최초의 문학이다. 이 작품은 대부분 2절 4구 형식으로 되어 있으며, 전절에는 중국의 역대 성왕의 사적이, 후절에는 조선 왕조의 사적이 대구 형식으로 배치되어 있다. 또한 비유, 상징, 설의법 등이 다양하게 사용되어 우리말의 묘미를 느낄 수 있다.

① 제1장은 2절 4구체의 형식에서 벗어나 있다.
② 제2장은 중국의 역대 성왕의 사적이 드러나 있지 않다.
③ 제2장은 비유와 상징 등을 사용하여 우리말의 묘미를 보여 주고 있다.
④ 제3장은 전절과 후절을 대구의 형식으로 배치하고 있다.
⑤ 제1장과 제3장은 전절에는 중국 성왕의 사적을, 후절에는 조선 왕조의 사적을 배치하고 있다.

5 ㉠~㉤에 대한 설명으로 적절하지 않은 것은?

① ㉠: 조선의 창업 주역인 육조를 비유한 말로 조선 왕조의 위엄과 권위를 나타낸다.
② ㉡: '뿌리 깊은 나무'라는 뜻으로 기초가 튼튼한 나라를 의미한다.
③ ㉢: 백성들이 살기 좋은 세상에서 살고 있음을 의미한다.
④ ㉣: 조선이 전통 있는 나라임을 의미한다.
⑤ ㉤: 'ᄇᆞᄅᆞ매'와 같은 의미로 고난이나 시련을 의미한다.

학습 활동 응용

6 '제125장'과 관련된 한자 성어로 가장 적절한 것은?

① 온고지신(溫故知新) ② 타산지석(他山之石)
③ 각주구검(刻舟求劍) ④ 고진감래(苦盡甘來)
⑤ 새옹지마(塞翁之馬)

06 상춘곡(賞春曲) - 정극인

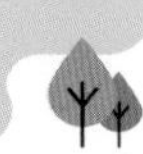

가 홍진(紅塵)에 뭇친 분네 이내 생애(生涯) 엇더ᄒᆞᆫ고. 넷 사ᄅᆞᆷ 풍류(風流)를 미ᄎᆞᆯ가 못 미ᄎᆞᆯ가. 천지간(天地間) 남자(男子) 몸이 날만ᄒᆞᆫ 이 하건마ᄂᆞᆫ, 산림(山林)에 뭇쳐 이셔 지락(至樂)[자연에 묻혀 사는 즐거움]을 ᄆᆞᄅᆞᆯ 것가. 수간모옥(數間茅屋)을 벽계수(碧溪水)[푸른 시냇물] 앏픠 두고, 송죽(松竹) 울울리(鬱鬱裏)예 풍월주인(風月主人) 되어셔라.

속세에 묻혀 사는 사람들이여 이 나의 생활이 어떠한가? 옛사람의 풍류에 미치겠는가, 못 미치겠는가. 세상에 남자의 몸으로 태어나 나와 비슷한 사람이 많건마는, 그들은 왜 자연에 묻혀 지내는 지극한 즐거움을 모르는 것인가? 작은 초가를 푸른 시냇물 앞에 두고, 소나무와 대나무가 울창한 속에서 자연의 주인이 되어 살고 있도다.

나 엇그제 겨을 지나 새봄이 도라오니, 도화행화(桃花杏花)ᄂᆞᆫ 석양리(夕陽裏)예 퓌여잇고, 녹양방초(綠楊芳草)[푸른 버드나무와 향기로운 풀]ᄂᆞᆫ 세우 중(細雨中)에 프르도다. 칼로 ᄆᆞᆯ아 낸가, 붓으로 그려 낸가, 조화신공(造化神功)이 물물(物物)마다 헌ᄉᆞ롭다. 수풀에 ㉠우ᄂᆞᆫ 새ᄂᆞᆫ 춘기(春氣)를 ᄆᆞᆺ내 계워 소ᄅᆡ마다 교태(嬌態)로다. 물아일체(物我一體)어니, 흥(興)이ᄋᆡ 다ᄅᆞᆯ소냐. 시비(柴扉)[사립문]예 거러 보고, 정자(亭子)애 안자 보니, 소요음영(逍遙吟詠)[천천히 거닐며 나직이 시를 읊조림]ᄒᆞ야, 산일(山日)이 적적(寂寂)ᄒᆞᆫᄃᆡ, 한중진미(閑中眞味)[한가로움 속에 느끼는 참된 맛]를 알 니 업시 호재로다.

엊그제 겨울이 지나고 새봄이 돌아오니, 복숭아꽃과 살구꽃은 석양 속에 피어 있고, 푸른 버드나무와 향기로운 풀은 가랑비 속에 푸르구나. 칼로 마름질해 내었는가? 붓으로 그려 내었는가? 조물주의 신비로운 재주가 사물마다 야단스럽다. 수풀에서 우는 새는 봄기운을 끝내 못 이겨 소리마다 교태로구나. 자연과 내가 한 몸이 되니, 흥겨움이 다르겠는가? 사립문 주변을 걸어 보기도 하고, 정자에도 앉아 보며, 천천히 거닐고 나직이 시를 읊조려, 산속의 하루가 적막한데, 한가로움 속에서 느끼는 참다운 맛을 알 사람 없이 나 혼자로구나.

다 이바 니웃드라, ⓐ산수(山水) 구경 가쟈스라. 답청(踏靑)[봄에 파란 풀을 밟고 노는 것]으란 오ᄂᆞᆯ ᄒᆞ고, 욕기(浴沂)[개울에 멱 감기]란 내일(來日) ᄒᆞ새. 아ᄎᆞᆷ에 채산(採山)[나물을 캠]ᄒᆞ고, 나조ᄒᆡ 조수(釣水)[낚시]ᄒᆞ새. ᄀᆞᆺ 괴여 닉은 술을 갈건(葛巾)[칡으로 짠 베로 만든 두건]으로 밧타 노코, 곳나모 가지 것거, 수 노코 먹으리라. 화풍(和風)[화창한 봄바람]이 건ᄃᆞᆺ 부러 ⓑ녹수(綠水)를 건너오니, ㉡청향(淸香)은 잔에 지고, 낙홍(落紅)은 옷새 진다. 준중(樽中)[술독]이 뷔엿거ᄃᆞᆫ 날ᄃᆞ려 알외여라. 소동(小童) 아ᄒᆡᄃᆞ려 주가(酒家)에 술을 믈어, 얼운은 막대 집고, 아ᄒᆡᄂᆞᆫ 술을 메고, 미음완보(微吟緩步)[작은 소리로 읊으며 천천히 거닒]ᄒᆞ야 시냇ᄀᆞ의 호자 안자, 명사(明沙) 조ᄒᆞᆫ 믈에 잔 시어 부어 들고, 청류(淸流)를 굽어보니, ᄠᅥ오ᄂᆞ니 도화(桃花)ㅣ로다. 무릉(武陵)이 갓갑도다. 져 ᄆᆡ이 긘 거이고. 송간(松間)[소나무 숲 사이] 세로(細路)[가느다란 길]에 두견화(杜鵑花)[진달래꽃]를 부치 들고, 봉두(峰頭)에 급피 올나 구름 소긔 안자 보니, 천촌만락(千村萬落)이 곳곳이 버려 잇ᄂᆡ. ㉢연하일휘(煙霞日輝)ᄂᆞᆫ 금수(錦繡)[수놓은 비단]를 재폇ᄂᆞᆫ ᄃᆞᆺ. 엇그제 검은 들이 봄빗도 유여(有餘)ᄒᆞᆯ샤.

여보게 이웃 사람들아, 산수 구경 가자꾸나. 풀 밟기는 오늘 하고, 개울에 멱 감기는 내일 하세. 아침에는 산에서 나물을 캐고, 저녁에는 낚시하세. 이제 막 익은 술을 칡베로 만든 두건으로 걸러 놓고, 꽃나무 가지 꺾어, 술잔을 세어 가며 마시리라. 화창한 봄바람이 문득 불어 푸른 물을 건너오니, 맑은 향기는 잔에 스미고, 붉은 꽃잎은 옷에 떨어진다. 술동이 비었거든 나에게 알려라. 심부름하는 아이에게 술집에 술이 있는지 물어, 어른은 지팡이 짚고, 아이는 술동이 메고, 시를 나직이 읊조리며 천천히 걸어가 시냇가에 혼자 앉아, 고운 모래 맑은 물에 잔을 씻어 들고, 맑은 물을 바라보니, 떠오는 것이 복숭아꽃이로구나. 무릉도원이 가까운 듯하다. 저 들이 그곳인가? 소나무 사이로 난 좁은 길에 진달래꽃을 붙들고, 산봉우리에 급히 올라 구름 속에 앉아 보니, 수많은 촌락이 곳곳에 벌여져 있네. 안개와 노을, 빛나는 햇살은 수놓은 비단을 펼쳐 놓은 듯. 엊그제까지만 해도 거뭇거뭇했던 들에 이제 봄빛이 흘러넘치는구나.

라 ⓓ공명(功名)도 날 ᄭᅴ우고, 부귀(富貴)도 날 ᄭᅴ우니, ⓔ청풍명월(淸風明月) 외(外)예 엇던 벗이 잇ᄉᆞ올고. 단표누항(簞瓢陋巷)에 흣튼 혜음 아니 ᄒᆞᄂᆡ. 아모타, 백년행락(百年行樂)[평생을 즐겁게 지냄]이 이만ᄒᆞᆫᄃᆞᆯ 엇지ᄒᆞ리.

공명도 날 꺼리고, 부귀도 날 꺼리니, 맑은 바람과 달 외에 어떤 벗이 있겠는가? 소박한 시골 생활에도 헛된 생각 아니 하네. 아무튼 평생 누리는 즐거움이 이만하면 만족스럽지 아니한가?

한눈에 콕

천재 박 | 해냄

갈래	가사(서정 가사, 정격 가사, 양반 가사)
주제	봄의 완상(玩賞)과 안빈낙도
특징	① 서사–본사–결사의 3단 구성 ② 공간의 이동에 따라 시상을 전개함

만점 노트

1 시상 전개

서사	수간모옥	자연에 묻혀 사는 즐거움
본사	정자 → 시냇가 → 봉두	봄의 흥취와 풍류
결사	봉두	안빈낙도하는 삶의 만족감

공간의 이동에 따라 시상이 전개되고 있는데, 공간은 좁은 곳에서 점차 넓은 곳으로 확장되고 있다.

2 자연에 대한 화자의 인식과 태도

이 작품에서 자연은 완상의 대상이면서 속세와 대립되는 공간이고 친화의 대상이다. 화자는 이런 자연에 묻혀 사는 소박하고 편안한 자신의 삶에 대한 자부심과 만족감을 드러내고 있다. 그리고 봄을 맞이한 자연의 흥취에 빠져 자연과 물아일체(物我一體)된 모습을 보이고 있다.

plus+

고전 시가 속 선인들의 가치관

우리 고전 시가 속에서 선인들은 초가삼간을 짓고 보리밥에 풋나물을 먹는 등 안빈낙도의 삶을 추구하고, 자연에 묻혀 자연과 하나가 되는 물아일체의 경지에 오르고자 하였다. 또한 세속의 시름을 잊고 풍월주인이 되어 풍류를 즐기는 삶을 추구하기도 하였다. 이처럼 선인들은 속세를 떠나 자연 속에서 자연과 동화된 삶을 자랑스럽게 여기며, 안분지족하는 이상적인 삶을 추구하였다.

학습 활동 응용

1 이 작품에 대한 설명으로 적절하지 않은 것은?

① 공간의 이동에 따라 시상을 전개하고 있다.
② 설의적 표현을 통해 화자의 자부심을 드러내고 있다.
③ 감정 이입을 통해 봄에 대한 화자의 흥취를 드러내고 있다.
④ 봄의 경치와 흥취를 시각적 이미지를 사용하여 표현하고 있다.
⑤ 대상에 대한 화자의 태도를 풍자적 표현을 통해 드러내고 있다.

2 (가)에서 번거롭고 속된 세상, 즉 속세를 가리키는 시어를 찾아 쓰시오.

____

3 다음 밑줄 친 시어 중, ㉠과 시적 기능이 가장 유사한 것은?

① ᄃᆞᆯ하 노피곰 도ᄃᆞ샤 / 어긔야 머리곰 비취오시라 – 어느 행상인의 아내, 〈정읍사〉
② 구스리 아즐가 구스리 바회예 디신ᄃᆞᆯ / 긴힛ᄃᆞᆫ 아즐가 긴힛ᄃᆞᆫ 그치리잇가 – 작자 미상, 〈서경별곡〉
③ 대동강(大同江) 아즐가 대동강(大同江) 건너편 고즐여 / ᄇᆡ 타들면 아즐가 ᄇᆡ 타들면 것고리이다 – 작자 미상, 〈서경별곡〉
④ 천만 리(千萬里) 머나먼 길에 고은 님 여희옵고, / 내 ᄆᆞ음 둔 ᄃᆡ 업서 냇ᄀᆞ의 안자시니, / 져 물도 ᄂᆡ온 ᄀᆞᆺᄒᆞ여 우러 밤길 녜놋다. – 왕방연의 시조
⑤ ᄆᆞ음이 어린 후(後)ㅣ니 ᄒᆞᄂᆞᆫ 일이 다 어리다. / 만중운산(萬重雲山)에 어ᄂᆡ 님 오리마ᄂᆞᆫ, / 지ᄂᆞᆫ 닙 부ᄂᆞᆫ ᄇᆞ람에 힝여 귄가 ᄒᆞ노라. – 서경덕의 시조

4 ㉡에 대한 설명으로 적절하지 않은 것은?

① 대구를 통해서 운율이 형성된다.
② '낙홍(落紅)'은 '붉은 노을'을 가리킨다.
③ 물아일체(物我一體)된 경지가 드러난다.
④ 후각과 시각 등 감각적 표현이 나타난다.
⑤ 봄을 맞이한 자연에서의 풍류가 드러난다.

5 ⓐ~ⓔ 중, 의미가 이질적인 것은?

① ⓐ ② ⓑ ③ ⓒ ④ ⓓ ⑤ ⓔ

학습 활동 응용

6 다음 중, (라)에 드러나는 화자의 삶의 태도와 가장 유사한 것은?

① 선인교 흘러내린 물이 자하동에 흘러들어, / 반천 년 왕업이 물소리뿐이로다. / 아이야 고국흥망을 물어 무엇하리오. – 정도전의 시조
② 구름이 무심하다는 말이 아마도 허랑하다. / 중천에 떠 있어 임의로 다니면서 / 구태여 광명한 날빛을 따라가며 덮나니. – 이존오의 시조
③ 어버이 살아계실 때 섬길 일을 다하여라. / 지나간 후면 애달프다 어찌하리. / 평생에 다시 못할 일이 이뿐인가 하노라. – 정철의 시조
④ 삭풍은 나무 끝에 불고 명월은 눈 속에 찬데, / 만리변성에 일장검을 짚고 서서 / 긴 휘파람 큰 한 소리에 거칠 것이 없어라. – 김종서의 시조
⑤ 짚방석 내지 마라, 낙엽엔들 못 앉겠느냐. / 솔불 켜지 마라, 어제 진 달 돋아온다. / 아이야, 박주산채라도 없다 말고 내여라. – 한호의 시조

수능형 학습 활동 응용

7 이 작품에 드러나는 '자연'(A)과 〈보기〉의 밑줄 친 '산'(B)을 비교 감상한 내용으로 가장 적절한 것은?

보기

말에 내려 인가를 찾아가 보니 / 아낙네 문간에 나와 맞이하네. / 띠집 처마 아래 손을 앉게 하고 / 나를 위해 밥과 반찬 내어 오네. / 남편은 어디에 나가 있냐 하니 / 아침에 따비를 메고 산에 올라 / 산밭을 일구느라 고생을 하며 / 저물도록 돌아오지 못한다네. – 김창협, 〈산민〉

① A와 B는 모두 현실과 대립되는 이상적인 공간이다.
② A와 B는 모두 화자가 벗어나고 싶은 절망의 공간이다.
③ A는 풍류를 즐기는 공간이고, B는 고달픈 삶의 공간이다.
④ A는 이별을 하는 공간이고, B는 소망을 실현하는 공간이다.
⑤ A는 학문 수양의 공간이고, B는 상실의 아픔을 느끼는 공간이다.

07 관동별곡(關東別曲) ❶ - 정철

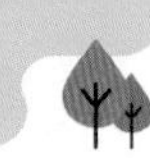

가 營영中듕이 無무事ᄉᆞᄒᆞ고 時시節졀이 三삼月월인 제
花화川쳔 시내길히 楓풍岳악으로 버더 잇다.
行ᄒᆡᆼ裝장을 다 ᄯᅥᆯ티고 石셕逕경의 막대 디퍼
(石셕逕경: 돌이 많은 오솔길)
百ᄇᆡᆨ川쳔洞동 겨ᄐᆡ 두고 萬만瀑폭洞동 드러가니
[A] 銀은 ᄀᆞᄐᆞᆫ 무지게, 玉옥 ᄀᆞᄐᆞᆫ 龍룡의 초리
섯돌며 ᄲᅮᆷᄂᆞᆫ 소ᄅᆡ 十십 里리의 ᄌᆞ자시니
들을 제ᄂᆞᆫ 우레러니 보니ᄂᆞᆫ 눈이로다.

감영 안이 무사하고, 시절이 3월인 때 화천의 시냇길이 금강산으로 뻗어 있다. 행장을 간편히 하고 돌길에 지팡이를 짚고 백천동을 지나 만폭동 계곡으로 들어가니 은 같은 무지개, 옥 같은 용의 꼬리 (같은 폭포가) 섞어 돌며 내뿜는 소리가 십 리 밖까지 퍼졌으니 멀리서 들을 때에는 우렛소리 같더니 가까이서 보니 눈이 날리는 것 같구나.

나 小쇼香향爐노 大대香향爐노 눈 아래 구버보고
(小쇼香향爐노 大대香향爐노: 향로처럼 생긴 두 봉우리)
正졍陽양寺ᄉᆞ 眞진歇헐臺ᄃᆡ 고텨 올나 안존마리
(안존마리: 앉으니)
廬녀山산 眞진面면目목이 여긔야 다 뵈ᄂᆞ다.
어와 造조化화翁옹이 헌ᄉᆞ토 헌ᄉᆞ홀샤.
(造조化화翁옹: 조물주 / 헌ᄉᆞ토 헌ᄉᆞ홀샤: 야단스럽기도 야단스럽구나)
ᄂᆞᆯ거든 뛰디 마나 셧거든 솟디 마나.
芙부蓉용을 고잣ᄂᆞᆫ 듯 白ᄇᆡᆨ玉옥을 믓것ᄂᆞᆫ 듯
東동溟명을 박ᄎᆞᄂᆞᆫ 듯, 北븍極극을 괴왓ᄂᆞᆫ 듯.
(東동溟명: 동해 / 北븍極극: 북극성)
[B] 놉흘시고 望망高고臺ᄃᆡ 외로올샤 穴혈望망峰봉이
하ᄂᆞᆯ의 추미러 무ᄉᆞ 일을 ᄉᆞ로리라
千쳔萬만 劫겁 디나ᄃᆞ록 구필 줄 모ᄅᆞᄂᆞᆫ다.
(千쳔萬만 劫겁: 영원한 시간)
어와 너여이고 너 ᄀᆞᄐᆞ니 ᄯᅩ 잇ᄂᆞᆫ가.

소향로봉과 대향로봉을 눈 아래 굽어보고 정양사가 있는 진헐대에 다시 올라앉으니 여산같이 아름다운 금강산의 참모습이 여기서야 다 보인다. 아아, 조물주의 솜씨가 야단스럽기도 야단스럽구나. 나는 듯하면서도 뛰는 듯하고, 우뚝 섰으면서도 솟은 듯하구나. 연꽃을 꽂아 놓은 듯, 백옥을 묶어 놓은 듯 동해를 박차는 듯, 북극성을 괴어 놓은 듯. 높기도 하구나 망고대여, 외롭기도 하구나 혈망봉이 하늘에 치밀어 무슨 일을 아뢰려고 오랜 세월이 지나도록 굽힐 줄 모르는가. 아, 너로구나. 너같이 높은 지조와 절개를 지닌 것이 또 있겠는가.

다 圓원通통골 ᄀᆞᄂᆞᆫ 길로 獅ᄉᆞ子ᄌᆞ峰봉을 ᄎᆞ자가니,
(ᄀᆞᄂᆞᆫ 길: 좁은 길)
그 알ᄑᆡ 너러바회 化화龍룡쇠 되여셰라.
(너러바회: 넓고 평평한 바위)
千쳔年년 老노龍룡이 구ᄇᆡ구ᄇᆡ 서려 이셔,
晝듀夜야의 흘녀 내여 滄창海ᄒᆡ예 니어시니,
(晝듀夜야: 밤낮으로, 늘 / 滄창海ᄒᆡ: 넓은 바다)
風풍雲운을 언제 어더 三삼日일雨우ᄅᆞᆯ 디련ᄂᆞᆫ다.
(風풍雲운: 바람과 구름 / 三삼日일雨우: 농사에 흡족한 비)
陰음崖애예 이온 플을 다 살와 내여ᄉᆞ라.
(陰음崖애예 이온 플: 그늘진 벼랑에 시든 풀)

원통골의 좁은 길로 사자봉을 찾아가니, 그 앞의 넓은 바위가 화룡소가 되었구나. 마치 천 년 묵은 늙은 용이 굽이굽이 서려 있는 것같이 밤낮으로 물을 흘려 내어 넓은 바다에 이었으니, (저 용은) 바람과 구름을 언제 얻어 흡족한 비를 내리려느냐? 그늘진 벼랑에 시든 풀을 다 살려 내려무나.

라 山산中듕을 ᄆᆡ양 보랴 東동海ᄒᆡ로 가쟈ᄉᆞ라.
藍남輿여 緩완步보ᄒᆞ야 山산映영樓누의 올나ᄒᆞ니
玲녕瓏농 碧벽溪계와 數수聲셩 啼뎨鳥됴ᄂᆞᆫ 離니別별을 怨원ᄒᆞᄂᆞᆫ 듯
(玲녕瓏농 碧벽溪계: 눈부시게 반짝이는 맑은 시냇물 / 數수聲셩 啼뎨鳥됴: 여러 아름다운 소리로 우는 새들)
旌졍旗기를 ᄯᅥᆯ티니 五오色ᄉᆡᆨ이 넘노ᄂᆞᆫ 듯
(旌졍旗기: 관찰사의 행렬을 상징하는 여러 가지 깃발)
鼓고角각을 섯부니 海ᄒᆡ雲운이 다 것ᄂᆞᆫ 듯.
(鼓고角각: 군중에서 쓰던 북과 나발)
鳴명沙사길 니근 ᄆᆞᆯ이 醉취仙션을 빗기 시러
바다ᄒᆞᆯ 겻ᄐᆡ 두고 海ᄒᆡ棠당花화로 드러가니
白ᄇᆡᆨ鷗구야 ᄂᆞ디 마라 네 버딘 줄 엇디 아ᄂᆞᆫ.

산중의 경치만 매양 보겠는가, 동해로 가자꾸나. 남여를 타고 천천히 걸어 산영루에 오르니 영롱한 푸른 시냇물과 여러 소리로 우는 새들은 이별을 원망하는 듯 깃발을 휘날리니 오색이 넘나드는 듯하며 북과 나발을 섞어 부니 바다 구름이 다 걷히는 듯하다. 모랫길에 익숙한 말이 취한 신선을 비스듬히 태우고 바다를 곁에 두고 해당화가 핀 꽃밭으로 들어가니 흰 갈매기야 날지 마라, (내가) 네 벗인 줄 어찌 아느냐.

한눈에 콕

금성 | 신사고 | 천재 이

갈래	가사(양반 가사, 기행 가사, 정격 가사)
주제	관동 지방 유람과 연군 및 애민 정신
특징	① 3 · 4조, 4음보의 연속체로 이루어짐 ② 여정에 따른 정서의 변화를 노래함 ③ 우아미, 숭고미, 비장미 등 다양한 미적 범주의 표현이 사용됨 ④ 다양한 비유적 표현과 생동감 있는 문체가 나타남

만점 노트

1 '만폭동 폭포'의 묘사

구절	표현
은 ᄀᆞᄐᆞᆫ 무지게, 옥 ᄀᆞᄐᆞᆫ 룡의 초리	직유법, 은유법, 대구법을 사용하여 폭포의 역동적이고 고결한 모습 묘사
들을 제ᄂᆞᆫ 우레러니 보니ᄂᆞᆫ 눈이로다.	청각적 이미지(원경)와 시각적 이미지(근경)를 사용하여 폭포의 모습 묘사

2 소재의 비유적 의미

북극, 하ᄂᆞᆯ	임금
망고ᄃᆡ, 혈망봉	충신, 직간신
쳔년 노룡	화자 자신
풍운	선정의 기회, 여건
삼일우	선정
음애예 이온 플	헐벗고 굶주린 백성

3 여정의 변화에 따른 화자의 태도 변화

금강산		관동 팔경
폭포(백색)		파도(청색)
위정자로서의 책임 의식	➡	인간 내면의 욕망 표출
유교적 충의 사상		도교적 신선 사상

1 이 작품에 대한 설명으로 적절하지 않은 것은?

① 여정에 따라 내용이 전개되고 있다.
② 다양한 비유적 표현을 사용하고 있다.
③ 3·4조, 4음보의 율격으로 구성되어 있다.
④ 유교·도교·불교의 사상을 배경으로 하고 있다.
⑤ 형식은 운문이나 내용은 산문의 성격이 드러난다.

2 [A]에 대한 설명으로 적절하지 않은 것은?

① 대상의 역동적인 모습을 묘사하고 있다.
② 구절과 구절이 율격적인 대응을 이루고 있다.
③ '무지게'와 '룡의 초리'는 폭포를 비유한 것이다.
④ 공감각적 이미지를 통해 대상을 형상화하고 있다.
⑤ '은'과 '옥'은 대상의 고결한 이미지를 표현한 것이다.

학습 활동 응용

3 화자가 대상을 대하는 태도가 [B]와 가장 유사한 것은?

① 잔 들고 혼자 앉아 먼 뫼를 바라보니,
그리던 임이 오다 반가움이 이러하랴.
말씀도 웃음도 아녀도 못내 좋아하노라.
– 윤선도, 〈만흥〉

② 추강(秋江)에 밤이 드니 물결이 차노매라.
낚시 드리치니 고기 아니 무노매라.
무심(無心)한 달빛만 싣고 빈 배 저어 오노라.
– 월산 대군의 시조

③ 눈 맞아 휘어진 대를 뉘라서 굽다 하던고.
굽을 절(節)이면 눈 속에 푸를소냐.
아마도 세한고절(歲寒孤節)은 너뿐인가 하노라.
– 원천석의 시조

④ 십 년을 경영하여 초려 삼간(草廬三間) 지어 내니,
나 한 간 달 한 간에 청풍(淸風) 한 간 맡겨 두고,
강산은 들일 데 없으니 둘러 두고 보리라.
– 송순의 시조

⑤ 초암(草庵)이 적료한데 벗 없이 혼자 앉아
평조(平調) 한 잎에 백운(白雲)이 절로 존다.
어느 뉘 이 좋은 뜻을 알 이 있다 하리오.
– 김수장의 시조

4 (나)에 대한 설명으로 적절하지 않은 것은?

① '북극'은 임금을 상징하는 표현이다.
② 직유, 대구, 의인법이 쓰인 표현이 보인다.
③ 원근(遠近)에 따른 시선의 이동을 느낄 수 있다.
④ 산봉우리를 흰색으로 표현하여 고결함을 나타내고 있다.
⑤ 화자는 진헐대에서 산봉우리의 변화무쌍한 모습을 조망하고 있다.

5 (다)를 〈보기〉와 같이 정리할 때, ⓐ~ⓒ에 해당하는 말로 적절한 것은?

보기

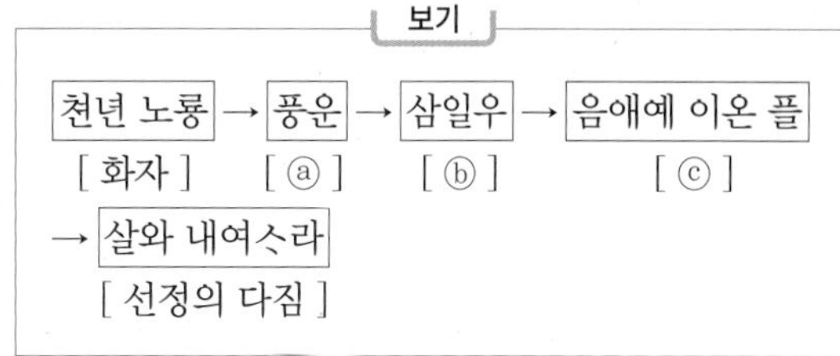

	ⓐ	ⓑ	ⓒ
①	은총	선정	임금
②	기회	완성	백성
③	풍류	은총	간신
④	선정	숭고	임금
⑤	기회	선정	백성

학습 활동 응용

6 (라)에 나타나는 여정의 변화가 지니는 의미로 적절하지 않은 것은?

① 화자가 있는 공간이 산에서 바다로 변화한다.
② 화자의 모습이 사회적 자아에서 개인적 자아로 변화한다.
③ 화자가 위정자의 모습에서 인간 본연의 모습으로 변화한다.
④ 자연과 대상에 대한 묘사가 역동적 분위기에서 정적인 분위기로 변화한다.
⑤ 화자의 태도가 유교 사상보다 도교 사상을 추구하고자 하는 것으로 변화한다.

7 (라)에서 〈보기〉의 밑줄 친 시어와 유사한 역할을 하는 시어 2개를 찾아 쓰시오.

보기

산꿩도 섧게 울은 슬픈 날이 있었다.
산절의 마당귀에 여인의 머리오리가 눈물방울과 같이 떨어진 날이 있었다. – 백석, 〈여승〉

07 관동별곡(關東別曲) ❷

가

梨리花화(배꽃)는 불셔 디고 졉동새 슬피 울 제

洛낙山산 東동畔반으로 義의相샹臺ᄃᆡ예 올라 안자

日일出츌을 보리라 밤듕만 니러ᄒᆞ니

祥샹雲운(상서로운 구름)이 집픠ᄂᆞᆫ 동(마구 피어나는 듯) 六뉵龍뇽이 바퇴ᄂᆞᆫ 동(떠받치는 듯)

바다희 ᄯᅥ날 제ᄂᆞᆫ 萬만國국(온 세상)이 일위더니

天텬中듕의 티ᄯᅳ니 毫호髮발을 혜리로다.

Ⓐ아마도 녈구름 근쳐의 머믈셰라.

詩시仙션은 어ᄃᆡ 가고 咳해唾타만 나맛ᄂᆞ니.

天텬地디間간 壯장ᄒᆞᆫ 긔별 ᄌᆞ셔히도 ᄒᆞᆯ셔이고.

배꽃은 벌써 지고 소쩍새 슬피 울 때
낙산사 동쪽 언덕으로 의상대에 올라앉아
해돋이를 보려고 한밤중에 일어나니
상서로운 구름이 뭉게뭉게 피어나는 듯
여섯 용이 떠받치는 듯
바다에서 솟아오를 때에는 온 세상이 흔들리는 듯하더니
하늘에 치솟아 뜨니 가는 터럭도 헤아릴 만큼 밝도다.
혹시나 지나가는 구름이 근처에 머물까 두렵구나.
이백은 어디 가고 훌륭한 시구만 남았느냐.
천지간 굉장한 소식이 자세히도 표현되었구나.

나

眞진珠쥬館관(삼척) 竹듁西셔樓루 五오十십川쳔 ᄂᆞ린(흘러내리는) 믈이

太태白ᄇᆡᆨ山산 그림재ᄅᆞᆯ 東동海ᄒᆡ로 다마 가니

ᄎᆞᆯ하리 漢한江강의 木목覓멱(한양의 남산)의 다히고져(닿게 하고 싶다).

王왕程뎡이 有유限ᄒᆞᆫ ᄒᆞ고 風풍景경이 못 슬믜니

幽유懷회(마음속에 품은 회포)도 하도 할샤, 客ᄀᆡᆨ愁수도 둘 ᄃᆡ 업다.

仙션槎사(신선이 타는 뗏목)ᄅᆞᆯ ᄯᅴ워 내여 斗두牛우(북두성과 견우성)로 向향ᄒᆞ살가

仙션人인을 ᄎᆞᄌᆞ려 丹단穴혈(신라의 사선(四仙)이 놀았다는 굴)의 머므살가.

진주관 죽서루 아래 오십천의 흘러내리는 물이
태백산 그림자를 동해로 담아 (흘러) 가니
차라리 (그 물줄기를 임금 계신) 한강의 남산에 대고 싶구나.
관원의 여정이 유한하고, 풍경은 볼수록 싫증 나지 않으니
그윽한 회포가 많기도 많고 나그네의 시름도 달랠 길이 없구나.
신선이 타는 뗏목을 띄워 내어 북두성과 견우성으로 향할까.
신라의 사선을 찾으러 단혈에 머무를까.

다

松숑根근(소나무의 뿌리)을 볘여 누어 픗ᄌᆞᆷ을 얼픗 드니

㉠ᄭᅮᆷ애 ⓐᄒᆞᆫ 사ᄅᆞᆷ이 ⓑ날ᄃᆞ려 닐온 말이

ⓒ그ᄃᆡᄅᆞᆯ 내 모ᄅᆞ랴 上샹界계(하늘나라)예 ⓓ眞진仙션이라.

黃황庭뎡經경 一일字ᄌᆞᄅᆞᆯ 엇디 그ᄅᆞᆺ 닐거 두고

人인間간의 내려와셔 우리ᄅᆞᆯ ᄯᆞᆯ오ᄂᆞᆫ다.

져근덧 가디 마오 이 술 ᄒᆞᆫ 잔 머거 보오.

北븍斗두星셩(북두칠성) 기우려 滄창海ᄒᆡ水슈(푸른 바닷물) 부어 내여

저 먹고 ⓔ날 머겨ᄂᆞᆯ 서너 잔 거후로니(기울이니)

和화風풍이 習습習습ᄒᆞ야(온화한 봄바람이 산들산들하여) 兩냥腋ᄋᆡᆨ(양 겨드랑이)을 추혀드니

九구萬만 里리 長댱空공(아득히 높고 넓은 하늘)애 져기면 ᄂᆞᆯ리로다.

㉡ 이 술 가져다가 四ᄉᆞ海ᄒᆡ(온 세상)예 고로 ᄂᆞᆫ화
億억萬만 蒼창生ᄉᆡᆼ(세상의 수많은 백성들)을 다 醉취케 ᄆᆡᆼᄀᆞᆫ 후의
그제야 고텨(다시) 맛나 ᄯᅩ ᄒᆞᆫ 잔 ᄒᆞ쟛고야.

말 디쟈(끝나자) 鶴학을 ᄐᆞ고 九구空공(구만리장천)의 올나가니

空공中듕 玉옥簫쇼 소ᄅᆡ 어제런가 그제런가.

나도 ᄌᆞᆷ을 ᄭᅵ여 바다ᄒᆞᆯ 구버보니

기픠ᄅᆞᆯ 모ᄅᆞ거니 ᄀᆞ인ᄃᆞᆯ(끝인들) 엇디 알리.

㉢明명月월이 千쳔山산萬만落낙의 아니 비쵠 ᄃᆡ 업다.

소나무 뿌리를 베고 누워 선잠이 얼핏 들었는데
꿈에 한 사람이 나에게 이르기를
"그대를 내가 모르랴. (그대는) 하늘나라의 참 신선이라.
황정경 한 글자를 어찌 잘못 읽고
인간 세상에 내려와서 우리를 따르는가.
잠깐 가지 말고 이 술 한 잔 먹어 보오."
북두칠성 같은 국자를 기울여 푸른 바닷물 같은 술을 부어 내어
저 먹고 나에게도 먹이거늘 서너 잔을 기울이니
온화한 봄바람이 산들산들 불어 양 겨드랑이를 추켜올리니
구만 리 높고 먼 하늘에 웬만하면 날 것 같구나.
"이 신선주를 가져다가 온 세상에 고루 나누어
온 백성들을 다 취하게 만든 후에
그때에야 다시 만나 또 한 잔 하자꾸나."
말이 끝나자 (신선은) 학을 타고 높은 하늘에 올라가니
공중의 옥피리 소리가 어제던가 그제던가 어렴풋하네.
나도 잠을 깨어 바다를 굽어보니
깊이를 모르는데 그 끝인들 어찌 알리.
명월이 온 세상에 아니 비친 곳이 없다.

만점 노트

1 임금과 화자의 관계

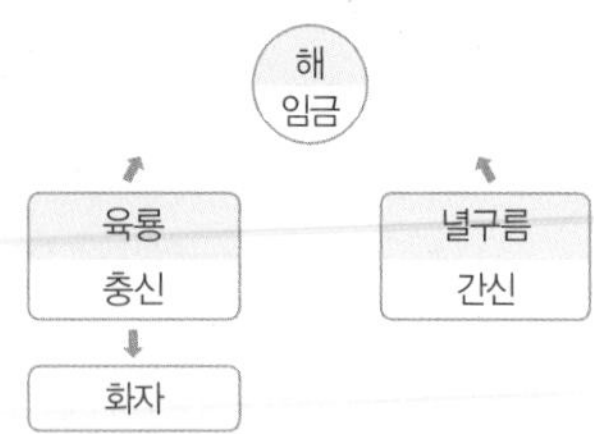

2 'ᄭᅮᆷ'의 기능

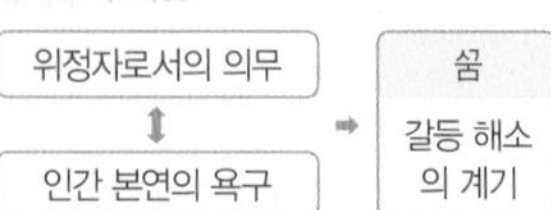

3 결사의 특징

명월이 쳔산만낙의 아니 비쵠 ᄃᆡ 업다.
⬇
시조의 종장과 같은 3·5·4·3의 음수율을 보임
⬇
정격 가사의 특징

plus

〈관동별곡〉에 나타나는 화자의 내면 갈등

이 작품에는 관리로서의 사회적 자아와 자연인으로서의 본능적 자아 사이의 갈등이 나타나 있다. 화자는 관찰자로서의 공적인 임무와 개인적으로 자연을 즐기고 싶은 신선적인 풍류 사이에서 갈등을 겪고 있다. 이는 탈속의 세계를 추구하는 신선 사상과 충의, 우국, 애민을 지향하는 유교적 현실 사이에서 겪는 갈등이라 할 수 있다.

'동방의 이소(離騷)'

정철은 1580년(선조 13) 1월 강원도 관찰사가 되어 원주에 부임한 후, 3월에 관동 팔경과 내금강과 외금강, 해금강을 유람하며 느낀 감상을 이 작품에 담았다. 총 4부분으로 이루어져 있는데, 1부분은 원주로 부임받아 가는 과정, 2부분은 내금강의 경치와 감상, 3부분은 해금강, 동해안의 경치와 감상, 4부분은 신선과 같은 자신의 풍류를 담고 있다. 직유법, 은유법, 대구법 등 많은 표현 기법과 화려한 문체를 사용해 김만중이 '동방의 이소'라고 찬양하였다.

▶ 정답과 해설 18쪽

수능형

1 Ⓐ에 나타나는 화자의 심정과 유사한 것은?

① 고인(古人)도 날 몯 보고 나도 고인(古人) 몯 뵈.
고인(古人)을 몯 뵈도 녀던 길 알ᄑᆡ 잇ᄂᆡ.
녀던 길 알ᄑᆡ 잇거든 아니 녀고 엇뎔고.
– 이황의 시조

② 구룸이 무심(無心)ᄐᆞᆫ 말이 아마도 허랑(虛浪)ᄒᆞ다.
중천(中天)에 ᄯᅧ 이셔 임의(任意)로 ᄃᆞᆫ니면셔
구ᄐᆡ야 광명(光明)ᄒᆞᆫ 날빗출 ᄯᅡ라가며 덥ᄂᆞ니.
– 이존오의 시조

③ 오백 년 도읍지(都邑地)를 필마(匹馬)로 도라드니,
산천(山川)은 의구(依舊)ᄒᆞ되 인걸(人傑)은 간 듸 업다.
어즈버, 태평연월(太平烟月)이 ᄭᅮᆷ이런가 ᄒᆞ노라.
– 길재의 시조

④ 춘산(春山)에 눈 녹인 ᄇᆞ람 건듯 불고 간 듸 업다.
져근덧 비러다가 마리 우희 불니고져.
귀 밋ᄐᆡ ᄒᆡ 묵은 서리ᄅᆞᆯ 녹여 볼가 ᄒᆞ노라.
– 우탁의 시조

⑤ ᄒᆞᆫ 손에 막ᄃᆡ 잡고 ᄯᅩ ᄒᆞᆫ 손에 가싀 쥐고,
늙ᄂᆞᆫ 길 가싀로 막고 오ᄂᆞᆫ 백발(白髮) 막ᄃᆡ로 치려터니,
백발(白髮)이 제 몬져 알고 즈럼길로 오더라.
– 우탁의 시조

학습 활동 응용

2 (나)에 나타나는 화자의 갈등 양상으로 적절한 것은?

① 개인의 성취욕과 그것을 이룰 수 없는 현실적 한계 사이의 갈등
② 금강산을 떠나는 아쉬움과 관동 팔경을 향하는 기대감 사이의 갈등
③ 임금의 뜻을 따라야 하는 현실과 백성을 사랑하는 마음 사이의 갈등
④ 관찰사로서의 책임감과 아름다운 경치를 계속 즐기고 싶은 욕망 사이의 갈등
⑤ 한양으로 돌아가고 싶은 소망과 관찰사의 소임을 다해야 하는 현실 사이의 갈등

3 ⓐ~ⓔ 중, 지시하는 대상이 <u>다른</u> 것은?

① ⓐ ② ⓑ ③ ⓒ ④ ⓓ ⑤ ⓔ

4 ㉠의 기능으로 가장 적절한 것은?

① 화자가 지녔던 욕망이 얼마나 허무한 것인가를 깨닫게 한다.
② 화자가 이상을 실현할 수 있는 방법을 구체적으로 제시해 준다.
③ 화자가 두 자아 사이에서 겪고 있던 갈등을 해소하는 계기가 된다.
④ 화자가 속세에 대한 미련에서 벗어나 초월적 세계를 지향하게 한다.
⑤ 화자가 현실과 꿈이 결코 다른 세계가 아님을 이해하는 계기가 된다.

학습 활동 응용

5 ㉡과 같은 태도가 드러나는 구절로 적절한 것은?

① 일이 됴흔 世셰界계 ᄂᆞᆷ대되 다 뵈고져.
② 어와 造조化화翁옹이 헌ᄉᆞ토 헌ᄉᆞᄒᆞᆯ샤.
③ ᄎᆞᆯ하리 漢한江강의 木목覓멱의 다히고져.
④ 千쳔萬만 劫겁 디나ᄃᆞ록 구필 줄 모ᄅᆞᄂᆞᆫ다.
⑤ 白ᄇᆡᆨ鷗구야 ᄂᆞ디 마라 네 버딘 줄 엇디 아ᄂᆞᆫ.

6 ㉢에 대한 설명으로 적절하지 <u>않은</u> 것은?

① 평온함을 되찾은 화자의 내면과 조응하고 있다.
② 가사와 시조의 형식적 유사성을 보여 주고 있다.
③ 시상을 마무리하고 작품을 끝내는 역할을 하고 있다.
④ 임금의 은혜가 온누리에 퍼지고 있음을 암시하고 있다.
⑤ 도교적 풍류를 지향하는 작가의 심리를 드러내어 강조하고 있다.

수능형

7 이 작품을 읽고 난 후의 감상으로 적절하지 <u>않은</u> 것은?

① 수원: 율격의 대응을 이루는 표현이 사용되어 낭독할 때 경쾌하고 흥겨웠어.
② 다영: 아름다운 자연의 경관을 노래하면서, 연군과 애민의 정을 드러낸 것이 인상 깊어.
③ 보라: 화자가 갈등을 해소하고 난 후 바라본 세상은 명월이 온 세상을 비추는 평온한 모습으로 그려지고 있네.
④ 지현: 마치 서사 문학처럼 갈등의 양상을 드러내는 점이 참 특이해. 심리적 갈등을 종교를 통해 해결하고 있잖아.
⑤ 정훈: 자연의 모습을 다양하고 뛰어난 비유적 표현으로 나타내는 점 등을 보면 이 작품을 왜 가사 문학의 백미라고 칭송하는지를 알 수 있어.

08 속미인곡(續美人曲) - 정철

뎨 가ᄂᆞᆫ 뎌 각시 본 듯도 ᄒᆞᆫ뎌이고.
텬샹(天上) ᄇᆡᆨ옥경(白玉京)을 엇디ᄒᆞ야 니별(離別)ᄒᆞ고,
ᄒᆡ 다 뎌 져믄 날의 눌을 보라 가시ᄂᆞᆫ고.
어와 네여이고 내 ᄉᆞ셜 드러 보오
내 얼굴 이 거동이 님 괴얌즉(사랑받음직) ᄒᆞᆫ가마ᄂᆞᆫ
엇뎐디 날 보시고 네로다 녀기실ᄉᆡ
나도 님을 미더 군ᄠᅳ디 전혀 업서 / 이ᄅᆡ야 교ᄐᆡ야 어ᄌᆞ러이 ᄒᆞ돗썬디 / 반기시ᄂᆞᆫ ᄂᆞᆺ비치 녜와 엇디 다ᄅᆞ신고.
누어 ᄉᆡᆼ각ᄒᆞ고 니러 안자 혜여ᄒᆞ니(헤아리니)
내 몸의 지은 죄 뫼ᄀᆞ티 빠혀시니
하ᄂᆞᆯ히라 원망ᄒᆞ며 사ᄅᆞᆷ이라 허믈ᄒᆞ랴.
셜워 플텨 혜니 조믈(造物)의 타시로다. 〈중략〉
잡거니 밀거니 놉픈 뫼ᄒᆡ 올라가니
ⓐ구롬은ᄏᆞ니와 ⓑ안개ᄂᆞᆫ 므ᄉᆞ 일고.
산쳔(山川)이 어둡거니 일월(日月)을 엇디 보며
지쳑(咫尺)을 모ᄅᆞ거든 쳔 리(千里)ᄅᆞᆯ ᄇᆞ라보랴.
출하리 믈ᄀᆞ의 가 ᄇᆡ 길히나 보쟈 ᄒᆞ니
ⓒᄇᆞ람이야 ⓓ믈결이야 어둥졍(어수선하게) 된뎌이고.
샤공은 어ᄃᆡ 가고 ⓔ빈 ᄇᆡ만 걸렷ᄂᆞ니
강텬(江天)의 혼자 셔셔 디ᄂᆞᆫ ᄒᆡᄅᆞᆯ 구버보니
님다히 쇼식(消息)이 더옥 아득ᄒᆞᆫ뎌이고.
모쳠(茅簷)(초가집 처마) ᄎᆞᆫ 자리의 밤듕만 도라오니
반벽쳥등(半壁靑燈)은 눌 위ᄒᆞ야 ᄇᆞᆰ갓ᄂᆞᆫ고.
㉠오ᄅᆞ며 ᄂᆞ리며 헤ᄯᅳ며 바니니
져근덧 녁진(力盡)ᄒᆞ야 픗ᄌᆞᆷ을 잠간 드니
정셩(精誠)이 지극ᄒᆞ야 ᄭᅮᆷ의 님을 보니
옥(玉) ᄀᆞᄐᆞᆫ 얼굴이 반(半)이나마 늘거셰라.
ᄆᆞ음의 머근 말ᄉᆞᆷ 슬ᄏᆞ장(실컷) ᄉᆞᆲ쟈(사뢰려고, 아뢰려고) ᄒᆞ니
눈믈이 바라 나니 말ᄉᆞᆷ인ᄃᆞᆯ 어이 ᄒᆞ며
졍(情)을 못다ᄒᆞ야 목이조차 메여ᄒᆞ니
오뎐된(방정맞은) 계셩(鷄聲)의 ᄌᆞᆷ은 엇디 ᄭᆡ돗던고.
어와 허ᄉᆞ(虛事)로다 이 님이 어ᄃᆡ 간고
결의 니러 안자 창(窓)을 열고 ᄇᆞ라보니
어엿븐(불쌍한, 가련한) 그림재 날 조ᄎᆞᆯ ᄲᅮᆫ이로다
출하리 ᄉᆡ여디여(죽어서) ㉮낙월(落月)이나 되야이셔
님 겨신 창(窓) 안ᄒᆡ 번드시 비최리라
각시님 ᄃᆞᆯ이야ᄏᆞ니와 ㉯구ᄌᆞᆫ비나 되쇼셔.

저기 가는 저 각시 본 듯도 하구나.
천상 백옥경(임이 계시는 궁궐)을 어찌하여 이별하고,
해 다 져서 저문 날에 누구를 만나러 가시는가?
어와, 너로구나. 내 이야기를 좀 들어 보오.
내 모습과 이 행동이 임에게 사랑을 받음직한가마는
어찌된 일인지 나를 보시고 너로구나 하며 특별히 여겨 주시기에
나도 임을 믿어 딴 생각이 전혀 없어 / 아양도 부리고 교태도 떨며 어지럽게 하였던지 / 반기시는 얼굴빛이 옛날과 어찌 달라졌는가?
누워 생각하고 일어나 앉아 생각해 보니
내 몸의 지은 죄가 산처럼 쌓였으니
하늘을 원망하며 사람을 탓할 수 있으랴.
서러워 여러 가지를 풀어내어 생각해 보니 조물주의 탓이로구나. 〈중략〉

(나무와 바위 등을) 잡기도 하고 밀기도 하면서 높은 산에 올라가니
구름은 물론이거니와 안개는 또 무슨 일로 끼어 있는가?
산천이 어두운데 일월을 어찌 바라보며
바로 앞도 분간할 수 없는데 천 리나 되는 먼 곳을 바라볼 수 있으랴.
차라리 물가에 가서 뱃길이나 보려고 하니
바람과 물결 때문에 어수선하게 되었구나.
뱃사공은 어디 가고 빈 배만 걸려 있는가?
강가에 혼자 서서 지는 해를 굽어보니
임 계신 곳 소식이 더욱 아득하기만 하구나.

초가집 찬 자리에 한밤중에 돌아오니
벽 가운데 걸려 있는 청사초롱은 누구를 위하여 밝혀 놓았는가?
(산을) 오르내리며 (강가를) 헤매며 방황하니
잠깐 사이에 힘이 다하여 풋잠을 잠깐 드니
정성이 지극했던지 꿈에 임을 보니
옥같이 곱던 얼굴이 반도 넘게 늙어 있구나.
마음속에 품은 생각을 실컷 사뢰려 하니
눈물이 바로 쏟아져 말도 하지 못하고
정을 풀지도 못하여 목조차 메니,
방정맞은 닭 소리에 잠은 왜 깬단 말인가?

아아, 헛된 일이로다. 이 임이 어디 갔는가?
잠결에 일어나 앉아 창을 열고 바라보니
불쌍한 그림자만이 나를 따를 뿐이로다.
차라리 죽어서 지는 달이나 되어
임 계신 창 안에 환하게 비치리라.
각시님, 달은커녕 궂은비나 되십시오.

한눈에 콕

[동아] [비상 박 Ⅱ] [지학]

갈래	가사(서정 가사, 양반 가사)
주제	임금을 그리는 정(연군지정)
특징	① 〈사미인곡〉과 더불어 가사 문학의 극치를 이룬 작품 ② 대화체 형식으로 화자의 슬픔을 일반화함 ③ 우리말의 구사가 뛰어남

만점 노트

1 전체의 시상 전개

갑녀의 질문	백옥경을 떠난 이유를 물음
을녀의 답변	조물주의 탓이라고 답함(자책의 의미)
갑녀의 위로	을녀에게 위로의 말을 함
을녀의 하소연	임에 대한 충정, 임의 소식에 대한 궁금증, 독수공방의 외로움, 임에 대한 사모의 정을 말함
갑녀의 위로	을녀에게 위로의 말을 함

2 시어의 의미

낙월	멀리서 임을 바라보다 사라지는 달 – 소극적
구존비	오랫동안 내리며 임의 옷을 적시는 비 – 적극적

3 이 작품의 두 화자

갑녀	• 보조적 위치에 있는 화자 • 을녀에게 질문을 하고, 하소연을 유도함 • 작품의 전개와 종결을 위한 기능적 역할을 하는 인물
을녀	• 작가의 처지를 대변하는 중심 화자 • 갑녀의 질문에 대답하고 하소연을 함 • 작품의 주제를 구현하는 중심적 역할을 하는 인물

1 이 작품에 대한 설명으로 적절하지 <u>않은</u> 것은?

① 두 인물의 대화 형식으로 내용을 전개하고 있다.
② 여성의 목소리를 통해 화자의 정서를 드러내고 있다.
③ 임에 대한 화자의 그리움을 반어적으로 드러내고 있다.
④ 자연물에 상징적인 의미를 부여하여 화자의 심정을 표현하고 있다.
⑤ 우리말의 아름다움을 살려 화자의 정서를 진실하고 소박하게 표현하고 있다.

학습 활동 응용

2 〈보기〉를 바탕으로 하여 이 작품을 감상한 내용으로 적절하지 <u>않은</u> 것은?

보기

이 작품은 송강 정철이 반대파인 동인의 탄핵을 받고 선조 18년(1585)에 고향인 전남 창평에서 4년 간 은거할 때 지은 가사이다. 정철은 이 작품에서 임과 이별한 여인의 애달픈 마음에 의탁하여 연군의 정을 표현하고 있다.

① '텬샹 ᄇᆡᆨ옥경'은 임금이 있던 한양(궁궐)을 의미하는 것이군.
② '뎌 각시'는 작가인 정철을, '임'은 선조 임금을 의미하는 것이군.
③ '텬샹 ᄇᆡᆨ옥경을 니별'한 것은 벼슬에서 물러나 창평에 은거하던 작가의 상황을 나타내는 것이군.
④ '내 ᄉᆞ셜'은 반대파의 탄핵을 받게 된 원인을 의미하는 것으로, 작가의 억울함을 나타내는 것이군.
⑤ 이별의 원인을 자신의 운명으로 돌리는 태도는 임금을 원망하지 않는 유학자적인 태도로군.

3 ㉠에 드러나는 화자에 대한 설명으로 가장 적절한 것은?

① 임을 떠나 먼 곳으로 가려고 애쓰고 있다.
② 임에 대한 그리움으로 여기저기 헤매고 있다.
③ 임의 소식을 알 수 없는 슬픔에 좌절하고 있다.
④ 임으로 인한 괴로움을 극복하려 노력하고 있다.
⑤ 임에 대한 그리움을 잊기 위해 몸부림치고 있다.

수능형

4 ⓐ~ⓔ 중, 시적 기능이 나머지 넷과 <u>다른</u> 것은?

① ⓐ ② ⓑ ③ ⓒ ④ ⓓ ⑤ ⓔ

5 이 작품의 화자 '뎌 각시'(A)와 〈보기〉의 화자(B)가 대화를 나눈다고 할 때 그 내용으로 적절하지 <u>않은</u> 것은?

보기

ᄭᅮᆷ의나 님을 보려 턱 밧고 비겨시니, 앙금(鴦衾)도 ᄎᆞ도 ᄎᆞᆯ샤 이 밤은 언제 샐고. ᄒᆞᄅᆞ도 열두 ᄣᅢ, ᄒᆞᆫ ᄃᆞᆯ도 셜흔 날 〈중략〉 ᄎᆞᆯ하리 ᄉᆡ어디여 범나뷔 되오리라. 곳나모 가지마다 간 ᄃᆡ 죡죡 안니다가, 향 므든 ᄂᆞᆯ애로 님의 오ᄉᆡ 올므리라. 님이야 날인 줄 모ᄅᆞ셔도 내 님 조ᄎᆞ려 ᄒᆞ노라.

– 정철, 〈사미인곡〉

① A: 하루 종일 산과 강가를 헤매고 다니다가 지쳐 잠깐 든 잠에서 임을 만났습니다.
② B: 꿈속에서나마 임을 만난 당신이 부럽습니다. 잠도 오지 않는 긴 밤이 너무나도 외롭습니다.
③ A: 하지만 그토록 그리워하던 임을 꿈속에서 만났으면서도 눈물이 계속 쏟아져 아무런 말도 하지 못했습니다.
④ B: 이렇게 임을 만날 수 없다면 차라리 죽어서 임에게 가까이 닿을 수 있는 범나비가 되고 싶습니다.
⑤ A: 그래요. 저도 차라리 죽어서 오랫동안 내리면서 임에게 가까이 닿을 수 있는 궂은비가 되고 싶습니다.

학습 활동 응용

6 이 작품의 시어 중, 〈보기〉의 밑줄 친 시어들과 의미가 가장 유사한 것은?

보기

ᄎᆞᆯ하리 잠을 드러 ᄭᅮᆷ의나 보려 ᄒᆞ니, 바람의 <u>디ᄂᆞᆫ 닢</u>과 <u>풀 속에 우는 즘생</u>, 므스 일 원수로서 잠조차 ᄭᆡ오ᄂᆞᆫ다.

– 허난설헌, 〈규원가〉

① 일월 ② 모쳠 ③ 반벽청등
④ 계셩 ⑤ 그림재

학습 활동 응용

7 ㉮, ㉯에 대한 설명으로 적절하지 <u>않은</u> 것은?

	㉮	㉯
①	소극적 태도를 보임	적극적 태도를 보임
②	대상을 밝게 비춰 줌	대상에게 슬픔을 전달함
③	대상과 거리감이 존재함	대상에게 밀착됨
④	일시적으로 스쳐 지나감	지속적으로 상대에게 남아 있음
⑤	욕망의 이미지를 지님	눈물의 이미지를 지님

고전 시가

09 오우가(五友歌) - 윤선도

〈제1수〉

내 버디 몃치나 ᄒᆞ니 수석(水石)과 송죽(松竹)이라.
동산(東山)의 ᄃᆞᆯ 오르니 긔 더옥 반갑고야.
두어라, 이 다ᄉᆞᆺ 밧긔 또 더ᄒᆞ야 머엇ᄒᆞ리.

내 친구가 몇인가 하니 물과 돌, 소나무와 대나무로구나.
동산에 달 떠오르니 그 또한 반가운 친구로다.
두어라, 이 다섯 외에 친구가 더 있어서 무엇하리.

〈제2수〉

구룸 비치 조타[깨끗하다] ᄒᆞ나 검기를 ᄌᆞ로 ᄒᆞᆫ다.
ᄇᆞ람 소리 ᄆᆞᆰ다 ᄒᆞ나 그칠 적이 하노매라[많도다].
조코도 그칠 뉘 업기ᄂᆞᆫ 믈뿐인가 ᄒᆞ노라.

구름 빛이 깨끗하다고 하지만 검어지는 것이 잦구나.
바람 소리가 맑다고 하지만 그칠 적이 많구나.
깨끗하면서도 그칠 때 없는 것은 물뿐인가 하노라.

〈제3수〉

고즌 므스 일로 퓌며셔 쉬이 디고,
플은 어이ᄒᆞ야 프르ᄂᆞᆫ ᄃᆞᆺ 누르ᄂᆞ니.
아마도 변티 아닐손 바회뿐인가 ᄒᆞ노라.

꽃은 무슨 일로 피자마자 쉽게 지고,
풀은 어찌하여 푸르러지자마자 곧 누런빛을 띠는가.
아마도 변하지 않는 것은 바위뿐인가 하노라.

〈제4수〉

더우면 곳 퓌고 치우면 닙[잎] 디거ᄂᆞᆯ,
솔아, 너ᄂᆞᆫ 얻디 눈서리를 모ᄅᆞᄂᆞᆫ다.
구천(九泉)[땅속 깊은 밑바닥]에 불휘[뿌리] 고ᄃᆞᆫ 줄을 글로 ᄒᆞ야 아노라.

더우면 꽃 피고 추우면 잎 지거늘,
솔아, 너는 어찌 눈서리를 모르느냐?
깊은 땅속까지 뿌리가 곧은 줄을 그것으로 미루어 알겠노라.

〈제5수〉

나모도 아닌 거시, 플도 아닌 거시,
곳기ᄂᆞᆫ 뉘 시기며, 속은 어이 뷔연ᄂᆞᆫ다.
뎌러코 사시(四時)예 프르니 그를 됴하ᄒᆞ노라.

나무도 아닌 것이 풀도 아닌 것이,
곧은 것은 누가 시킨 것이며, 속은 어이 비어 있느냐.
그러면서도 일 년 내내 푸르니 대나무를 좋아하노라.

〈제6수〉

쟈근 거시 노피 떠서 만믈(萬物)을 다 비취니,
밤듕의 광명(光明)이 너만ᄒᆞ니 또 잇ᄂᆞ냐.
보고도 말 아니 ᄒᆞ니 내 벋인가 ᄒᆞ노라.

작은 것이 높이 떠서 만물을 다 비추니,
밤중에 밝은 빛이 너만 한 이가 또 있겠느냐.
(세상의 온갖 더러운 것을) 보고도 말하지 않으니 내 친구가 될 만하구나.

한눈에 콕

동아 | 천재 이

갈래	평시조, 연시조(전 6수)
주제	자연의 다섯 벗에 대한 예찬
특징	① 주요 소재인 자연물을 의인화한 후 그 속성을 예찬함 ② 영탄적이고 설의적인 종결 표현을 활용하여 대상에 대한 화자의 태도를 드러냄 ③ 우리말의 아름다움이 잘 나타남

만점 노트

1 작품의 구성

제1수	'오우'를 소개함(서장)
제2수	깨끗하면서 그침이 없는 '물' – 불변성
제3수	변하지 않는 '바위' – 불변성, 영원성
제4수	눈서리를 모르는 굳센 '소나무' – 불굴의 기상
제5수	사철 푸른 '대나무' – 지조와 절개
제6수	세상 만물을 비추고 말을 하지 않는 '달' – 광명과 침묵의 미덕

2 표현상의 특징

① 자연물의 의인화를 통한 심리 전달: 다섯 가지의 자연물을 '오우(五友: 다섯 벗)'로 지칭하거나 천체의 하나인 '달'을 인격화함으로써 대상과 동화하고 싶은 심리를 자연스럽게 드러내고 있다.

② 수사 의문문이나 영탄법을 통한 태도 표출: '머엇ᄒᆞ리', '잇ᄂᆞ냐' 등의 수사 의문문적인 종결 표현과 '반갑고야', 'ᄒᆞ노라' 등의 감탄형 종결 표현을 통해 대상에 대한 예찬적 태도를 드러내고 있다.

③ 다른 대상과의 대조를 통한 소재의 특성 제시: '물, 바위, 소나무' 등의 불변성이나 영원성, 지조 등을 드러내기 위해 이들 각각과 대비되는 '구름과 바람, 꽃과 풀, 일반적인 자연물' 등을 대조적으로 보여 주고 있다.

plus+

〈오우가〉의 창작 배경

작가 윤선도가 오랜 유배 생활을 끝내고 전남 해남에서 은거 생활을 하며 지낼 무렵에 지은 연시조이다. 좌천과 파직 등으로 벼슬살이의 오르내림이 극심했던 작가가 정계와 거리를 두고 자기 수양에 힘쓸 무렵에 지은 작품이다.

1 이 작품에 대한 설명으로 적절한 것은?

① 자연을 현실 도피의 공간으로 바라보고 있다.
② 대상의 특성을 바탕으로 덕성을 예찬하고 있다.
③ 인생에 대한 초월적인 세계관을 보여 주고 있다.
④ 대상에 대한 풍자적 태도로 교훈을 전달하고 있다.
⑤ 자연 친화적인 태도로 냉혹한 현실을 비판하고 있다.

2 이 작품의 표현상 특징을 〈보기〉에서 모두 골라 묶은 것은?

보기

ㄱ. 묻고 답하는 방식으로 시상을 전개하고 있다.
ㄴ. 감탄형 어미를 활용하여 화자의 태도를 드러내고 있다.
ㄷ. 의인화한 표현으로 대상에 대한 친근감을 드러내고 있다.
ㄹ. 의태어를 활용하여 대상의 모습을 생생하게 전달하고 있다.

① ㄱ, ㄴ, ㄷ ② ㄱ, ㄴ, ㄹ
③ ㄱ, ㄷ, ㄹ ④ ㄴ, ㄷ, ㄹ
⑤ ㄱ, ㄴ, ㄷ, ㄹ

3 각 수에 대한 이해로 적절하지 않은 것은?

① 제1수에는 화자의 무욕적, 자족적 태도가 드러난다.
② 제2수의 '구름', 제3수의 '꽃'은 가변적인 존재이다.
③ 제4수의 '솔'은 굳은 심지를 통해 시련을 이겨 낸다.
④ 제5수의 '그'는 정체성이 불분명한 비판의 대상이다.
⑤ 제6수의 '너'는 고고(孤高)한 이미지를 지닌 존재이다.

4 〈제1수〉를 참고할 때 〈제5수〉에서 노래하고 있는 대상이 무엇인지 쓰시오.

수능형 학습 활동 응용

5 〈보기〉를 참고할 때 이 작품에서 유추할 수 있는 작가 윤선도의 삶의 자세로 적절하지 않은 것은?

보기

이 작품의 작가는 당대의 집권 세력인 서인과 타협 없는 투쟁을 하다 여러 차례 귀양살이를 했던 조선 중기의 문신 윤선도이다. 노년에 혼탁한 세상과 거리를 두고 은거지에서 자기 수양을 하던 윤선도는 이 작품을 통해 자신이 추구하는 삶의 자세가 변함이 없음을 드러내었다.

① 역경에 굴복하지 않는 의지적 자세
② 부정한 세상에 물들지 않는 청렴한 자세
③ 권력의 유혹에 흔들리지 않는 굳건한 자세
④ 현실을 초월해 절대적 가치를 추구하는 자세
⑤ 불의와 타협하지 않고 탐욕 없이 살아가는 자세

수능형

6 〈보기〉는 이 작품을 자료로 한 수업의 일부이다. 학생들의 탐구 결과로 적절하지 않은 것은?

보기

선생님: 이 작품은 다음과 같이 나눌 수 있습니다. 이를 바탕으로 작품에 대해 탐구해 보세요.

㉮	㉯	㉰	㉱
〈제1수〉	〈제2수〉, 〈제3수〉	〈제4수〉, 〈제5수〉	〈제6수〉

학생: ____________________

① ㉮는 시상 전개의 단서를 제시하는 역할을 하고 있어요.
② ㉯, ㉰는 ㉱와 달리 대구법과 대조법을 사용하고 있어요.
③ ㉰는 ㉯, ㉱와 달리 지상의 생물을 대상으로 다루고 있어요.
④ ㉯, ㉰, ㉱는 ㉮와 달리 대상의 특징을 구체적으로 제시하고 있어요.
⑤ ㉯, ㉰, ㉱는 모두 종장을 동일한 어미로 마무리하여 리듬을 형성하고 있어요.

7 〈제6수〉의 종장에서 추리할 수 있는 '달'의 속성을 2음절의 한자어로 쓰시오.

10 이화에 월백ᄒᆞ고 – 이조년 | 이 몸이 주거 가셔 – 성삼문 | 눈 마ᄌᆞ 휘여진 ᄃᆡ를 – 원천석

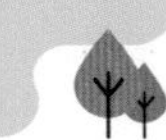

가 이화(梨花)에 ㉠ 월백(月白)ᄒᆞ고 은한(銀漢)이 ㉡ 삼경(三更)인 제
㉢ 일지춘심(一枝春心)을 ㉣ 자규(子規)야 알랴마는
㉤ 다정(多情)도 병(病)인 양하여 잠 못 드러 하노라.

> 하얀 배꽃에 달이 환하고 은하수는 깊은 밤을 알리는 때에
> 배나무 가지에 어린 봄날의 정서를 소쩍새가 알고 우는 것이라마는
> 다정도 병인 듯하여 잠을 이루지 못하노라.

나 이 몸이 주거 가셔 무어시 될고 ᄒᆞ니
봉래산(蓬萊山) 제일봉(第一峰)에 낙락장송(落落長松) 되야 이셔
백설(白雪)이 만건곤(滿乾坤)ᄒᆞᆯ 제 독야청청(獨也靑靑)ᄒᆞ리라.

> 이 몸이 죽은 뒤에 무엇이 될까 하니
> 봉래산 제일 높은 봉우리에 낙락장송이 되어서
> 흰 눈이 온 세상을 뒤덮을 때 홀로 푸른빛을 발하리라.

다 눈 마ᄌᆞ 휘여진 ᄃᆡ를 뉘라셔 굽다턴고.
구블 절(節)이면 눈 속에 프를소냐.
아마도 세한 고절(歲寒孤節)은 너ᄲᅮᆫ인가 ᄒᆞ노라.

> 눈을 맞아 휘어진 대나무를 누가 굽었다고 하던가.
> 굽힐 절개라면 눈 속에서 푸르겠느냐?
> 아마도 한겨울의 추위를 이겨 내는 절개를 가진 것은 너뿐인가 하노라.

한눈에 콕

가 금성 천재 박

갈래	평시조, 단시조
주제	봄밤의 애상감
특징	① 선경 후정(先景後情)의 구성 ② 백색의 시각적 심상과 청각적 심상을 통해 감각적으로 표현

나 미래엔 지학

갈래	평시조, 단시조
주제	죽어서도 변함없는 지조와 절개
특징	① 관습적 상징물의 사용 ② 색채 대비를 통해 시적 의미 강조

다 비상 박 I

갈래	평시조, 단시조
주제	고려 왕조에 대한 지조
특징	① 설의법, 의인법, 상징법 사용 ② 색채감으로 주제 강조

만점 노트

가 표현상의 특징
초장과 중장에서 배경을 묘사하고, 종장에서 화자의 정서를 제시하는 구성으로 전형적인 선경 후정의 시상 전개 방식이다.

배경	삼경 – 봄날의 깊은 밤을 통해 고요하고 우수 어린 분위기를 살리고 있음
시각적 심상	이화, 월백, 은한 – 백색의 이미지로서, 순수함과 애상감을 자아냄
청각적 심상	자규 – 고독과 한의 정서를 환기하는 소재로, 잠 못 이루는 화자의 우수 어린 심정을 잘 드러냄

나 대조적인 소재의 상징성
'소나무(낙락장송)'는 늘 푸르다는 속성으로 인해 변함없는 지조나 절개를 상징하고, '눈(백설)'은 차가움이라는 속성으로 인해 시련과 고통을 상징한다.

다 '대'의 상징성
'대'는 예로부터 선비의 변치 않는 지조와 절개를 상징하는 소재로 사용되었다. 이 작품에서도 고려 왕조에 대한 화자의 굳은 절의를 상징한다.

수능형

1 (가)~(다)의 공통점으로 가장 적절한 것은?

① 색채 대비를 통해 시어에 담긴 함축적 의미를 강조하고 있다.
② 계절감을 드러내는 자연물을 활용하여 화자의 정서를 드러내고 있다.
③ 인격을 부여한 대상과의 대화 형식을 사용하여 친근감을 부각하고 있다.
④ 구체적인 공간을 배경으로 하여 대상에 대한 비판적 태도를 드러내고 있다.
⑤ 일반적인 상식을 뒤집는 창의적 발상을 통해 시적 긴장감을 형성하고 있다.

2 (가)~(다)의 화자에 대한 이해로 가장 적절한 것은?

① (가)~(다) 모두 자신의 삶을 돌아보며 삶의 태도를 반성하고 있다.
② (가)에서는 자연에서의 삶을, (나)에서는 유교적 이상 실현을 바라고 있다.
③ (가), (나)에서는 자신의 신념을 지키겠다는 굳은 의지를 표명하고 있다.
④ (가)에서는 시대 상황에 대한 안타까움을, (다)에서는 부재하는 대상에 대한 그리움을 드러내고 있다.
⑤ (나), (다)에서는 부정적 현실 상황 속에서도 꿋꿋하게 지조와 절개를 지키려는 의지를 드러내고 있다.

학습 활동 응용

3 (가)~(다)의 시어 및 시구에 대한 이해로 적절하지 <u>않은</u> 것은?

① '이화', '월백', '은한'은 순수하고 깨끗한 느낌의 시각적 이미지로 서정적인 분위기를 형성하고 있다.
② 청각적 이미지인 '자규'는 봄밤의 애상감으로 잠을 이루지 못하고 있는 화자에게 위안을 주고 있다.
③ '이 몸이 주거 가셔 무어시 될고 ᄒᆞ니'는 화자가 자신이 죽은 이후의 모습을 가정하고 있음을 드러내고 있다.
④ '낙락장송'과 '딕'는 '백설', '눈'과 대비되는 이미지의 시어로 화자가 지향하는 바를 간접적으로 드러내고 있다.
⑤ '세한 고절(歲寒孤節)'은 추운 계절에도 혼자 푸르른 대나무를 뜻하는 말로 대상에 대한 화자의 태도를 드러내고 있다.

4 (가)의 ㉠~㉤에 대한 설명으로 적절하지 <u>않은</u> 것은?

① ㉠: 백색 이미지를 드러내면서 계절적 배경을 나타낸다.
② ㉡: 작품의 고요하고 쓸쓸한 분위기를 살리는 시간적 배경이다.
③ ㉢: 추상적 대상을 구체적이고 감각적으로 드러낸다.
④ ㉣: 청각적 심상을 환기하면서 봄밤의 애상을 불러일으킨다.
⑤ ㉤: 봄밤에 느끼는 화자의 심정을 내포하고 있다.

학습 활동 응용

5 (나)에 사용된 소재의 속성과 상징적 의미를 바르게 정리한 것은?

	소재	속성	의미
①	소나무	늘 푸르다.	생명
②	소나무	우뚝 솟아 있다.	고독
③	눈	모든 것을 덮는다.	포용
④	눈	차갑고 춥다.	시련
⑤	눈	새하얗다.	순수

6 (다)에 대한 설명으로 적절하지 <u>않은</u> 것은?

① 관습적인 상징물을 사용하여 주제를 형상화하고 있다.
② 계절의 속성을 활용하여 시적 상황을 암시하고 있다.
③ 사물에 감정을 이입하여 화자의 의지를 드러내고 있다.
④ 설의적 표현을 통해 대상에 대한 인식을 강조하고 있다.
⑤ 색채적 이미지를 사용하여 상징적 의미를 부각하고 있다.

7 (다)의 '휘다'와 '굽다'의 함축적 의미를 바르게 연결한 것은?

① 고려의 멸망 – 조선의 건국
② 내면의 갈등 – 외적인 갈등
③ 자연적 현상 – 인위적 조작
④ 항구적인 본질 – 일시적인 현상
⑤ 현실적인 시련 – 자발적인 변절

11 묏버들 갈히 것거 | 동지ㅅ달 기나긴 밤을 | 두터비 파리를 물고

- 홍랑 - 황진이 - 작자 미상

가 ㉠묏버들 갈히 것거 보내노라 님의손듸
자시는 창(窓) 밧긔 심거 두고 보쇼셔.
밤비예 새닙곳 나거든 나린가도 너기쇼셔.

> 산버들을 골라 꺾어서 임에게 보내노라.
> 주무시는 창밖에 심어 놓고 보소서.
> 밤비에 새잎이라도 나거든 마치 나를 보는 것처럼 여겨 주소서.

나 동지(冬至)ㅅ달 기나긴 밤을 한 허리를 버혀 내여
춘풍(春風)(봄바람) 니불 아레 서리서리 너헛다가
어론 님 오신 날 밤이여든 구뷔구뷔 펴리라.

> 동짓달 기나긴 밤의 한가운데를 베어 내어,
> 봄바람처럼 따뜻한 이불 아래 서리서리 넣었다가
> 정든 임 오신 날 밤에 구비구비 펴리라.

다 두터비 파리를 물고 두험 우희 치다라 안자
것넌산(山) 바라보니 백송골(白松骨)이 떠 잇거늘 가슴이 금즉하여 풀덕 뛰여 내닷다가 두험 아래 잣바지거고
모쳐라 날낸 낼싀만졍 에헐질 번 하괘라.

> 두꺼비가 파리를 물고 두엄 위에 뛰어올라가 앉아
> 건너편 산을 바라보니 흰 송골매가 떠 있거늘 가슴이 섬뜩하여 펄쩍 뛰어 내닫다가 두엄 아래 자빠졌구나.
> 마침 날랜 나였기에 망정이지 (하마터면) 피멍들 뻔했구나.

한눈에 콕

가 금성

갈래	평시조, 단시조
주제	① 임에게 보내는 사랑 ② 이별의 정한
특징	① 상징법, 도치법을 사용하여 화자의 정서를 강조함 ② 여성적 어조를 사용하여 간절한 그리움을 드러냄

나 미래엔 비상 박 I 비상 박 II 신사고 지학

갈래	평시조, 단시조
주제	임을 기다리는 마음
특징	① 비유적 표현을 사용하여 화자의 정서를 절실하게 드러냄 ② 추상적인 시간을 구체적인 사물로 형상화하여 표현

다 비상 박 I

갈래	사설시조
주제	탐관오리의 이중성 풍자
특징	① 대상을 희화화함 ② 화자가 바뀌는 구조를 통해 작가의 표현 의도를 반대로 나타냄 ③ 탐관오리의 횡포와 허장성세를 풍자함

만점 노트

가 '묏버들'의 의미와 기능
임을 그리워하는 화자의 분신이자 화자의 정서를 대변하는 자연물로, 화자의 마음을 임에게 전달하는 매개물이다.

나 자연물의 주관적 변용
'시간'이라는 추상적 개념을 잘라 사용할 수 있는 구체적인 사물처럼 표현하였다. 이는 자연물을 주관적으로 변용한 것으로 임이 없는 겨울밤을 '한 허리를 버혀 내여' → 봄 이불 아래 '서리서리 너헛다가' → 임이 오신 밤에 '구뷔구뷔 펴리라'고 하였다. 추상적 개념인 시간을 구체적 대상으로 변용한 발상이 참신하다.

다 창작 당시의 사회상
'두꺼비'는 탐관오리를 상징하는데, '파리'로 비유된 힘없는 백성에게는 횡포를 부리면서도 '백송골'로 비유된 자신보다 강한 자 앞에서는 비굴한 모습을 보인다. (다)는 이러한 두꺼비의 의인화를 통해 탐관오리들의 이중성을 풍자하고 이로 인해 고통을 받으며 살았던 백성들의 모습과 부패했던 사회상을 드러내고 있다.

[1~2] 〈보기〉를 읽고 두 물음에 답하시오.

보기

'시조'는 정형 시가이며 개인 정서를 드러낸 서정 갈래이다. 조선 전기에는 주로 사대부 계층이 유교 이념이나 자연 친화를 3장 6구의 형식에 담아 ⓐ가락을 붙여 노래하였다. 조선 후기에는 주제가 다양해지고 사설시조라는 파격적인 형식까지 등장하였다.

학습 활동 응용

1 〈보기〉를 바탕으로 (가)~(다)를 이해한 내용으로 적절하지 않은 것은?

① (가)~(다)는 모두 3장 형식의 시조이다.
② (가)~(다)는 모두 내용면에서 사대부가 추구한 자연 친화를 노래한 것으로 보기 어렵다.
③ (가), (나)는 유교 이념을, (다)는 대상을 풍자하고 있어 주제가 다양해졌음을 알 수 있다.
④ (가)~(다)는 모두 대상에 대한 화자의 정서를 노래하고 있으므로 서정 갈래라고 판단할 수 있다.
⑤ (가), (나)는 3장 6구의 형식이지만 (다)는 파격적으로 중장이 길어져 후대에 지어졌음을 알 수 있다.

학습 활동 응용

2 (가)~(다)에서 〈보기〉의 ⓐ가 이루어질 수 있는 근거를 찾아 바르게 설명한 것은?

① (가), (나)는 일정한 음수율을 사용하여 4음보를 이루고 있다.
② (가)~(다) 모두 울림소리의 우리말을 사용하여 운율감을 주고 있다.
③ (가), (다)는 말의 순서를 바꾸어 음이 부드럽게 이어지도록 하고 있다.
④ (가)~(다) 모두 고유어와 한자어를 적절히 사용하여 음수율에 변화를 주었다.
⑤ (나), (다)는 단어를 반복하거나 구를 늘려 가락을 붙여 노래하기 쉽게 하였다.

수능형

3 (가)의 ㉠에 대한 설명으로 가장 적절한 것은?

① 화자의 또 다른 모습으로 임에 대한 사랑을 드러내고 있다.
② 화자의 정서와 대비시킴으로써 임과의 사랑을 강조하고 있다.
③ 감정 이입의 대상으로 임과의 이별에 대한 원인을 제공하고 있다.
④ 의인화된 표현으로 임을 그리워하는 화자의 순수함을 상징하고 있다.
⑤ 화자의 정서를 대변하는 자연물로 화자를 떠난 임에 대한 원망을 드러내고 있다.

학습 활동 응용

4 다음 중, (나)와 같은 시적 발상 및 표현이 사용된 것은?

① 향료를 뿌린 듯 곱-다란 노을 위에 / 전신주 하나하나 기울어지고 – 김광균, 〈데생〉
② 겨울나무와 / 바람 / 머리채 긴 바람들은 투명한 빨래처럼 / 진종일 가지 끝에 걸려 – 김남조, 〈설일〉
③ 해마다 봄바람이 남으로 오네 // 꽃 피는 사월이면 진달래 향기 / 밀 익는 오월이면 보리 내음새 – 김동환, 〈산 너머 남촌에는〉
④ 어둠 속에서 곱게 풍화 작용(風化作用)하는 / 백골을 들여다보며 / 눈물짓는 것이 내가 우는 것이냐 / 백골이 우는 것이냐 / 아름다운 혼이 우는 것이냐 – 윤동주, 〈또 다른 고향〉
⑤ 내 마음속 우리 임의 고운 눈썹을 / 즈믄 밤의 꿈으로 맑게 씻어서 / 하늘에다 옮기어 심어 놨더니 / 동지섣달 나는 매서운 새가 / 그걸 알고 시늉하며 비끼어 가네. – 서정주, 〈동천〉

5 (다)와 〈보기〉에 대한 설명으로 적절하지 않은 것은?

보기

제비 한 마리 처음 날아와 / 지지배배 그 소리 그치지 않네. / 말하는 뜻 분명히 알 수 없지만 / 집 없는 서러움을 호소하는 듯 / "느릅나무 홰나무 묵어 구멍 많은데 / 어찌하여 그곳에 깃들지 않니?" / 제비 다시 지저귀며 / 사람에게 말하는 듯 / "느릅나무 구멍은 황새가 쪼고 / 홰나무 구멍은 뱀이 와서 뒤진다오." – 정약용, 〈고시 8〉

① (다)의 '두터비'와 〈보기〉의 '황새, 뱀'은 비판을 받는 부정적 대상이다.
② (다)와 〈보기〉는 모두 대상이 하는 말을 직접 인용하는 표현이 사용되고 있다.
③ (다)와 〈보기〉는 모두 부정적 대상에 대한 희화화를 통해 풍자의 효과를 높이고 있다.
④ (다)에는 부정적 대상이 두려워하는 대상이 등장하지만, 〈보기〉에는 등장하지 않는다.
⑤ (다)와 〈보기〉에서는 모두 동물을 의인화하여 피지배층에 대한 지배층의 횡포를 우의적으로 비판하고 있다.

1 소설의 개념

작가가 현실에 있을 법한 일을 상상하여 꾸며 낸 줄글 형식의 산문 문학으로, 갑오개혁(1894년) 이후에 창작된 소설을 현대 소설이라고 함. 우리나라 최초의 현대 소설은 이광수의 〈무정〉(1917년)임

2 소설의 특징

(1) 허구성: 작가가 상상력을 통해 꾸며 낸 이야기임
(2) 개연성: 실제로 현실에서 있을 법한 이야기를 다룸
(3) 진실성: 허구의 세계를 그리지만, 인생의 진실이 담겨 있음
(4) 서사성: 인물, 사건, 배경을 갖추고, 대체로 시간의 흐름에 따라 사건이 전개됨
(5) 산문성: 서술, 묘사, 대화 등에 의해 표현되는 줄글 형식의 산문 문학임
(6) 예술성: 문체나 구성, 표현 등을 통해 아름다움과 감동을 느낄 수 있음

3 소설의 3요소

주제	작가가 작품을 통해 전달하고자 하는 중심 생각
구성	인과 관계나 일정한 흐름에 의해 얽힌 이야기의 짜임새
문체	작가의 개성적인 문장 표현 방식

4 소설 구성의 3요소

(1) 인물

① 인물의 특징

- 갈등을 일으켜 사건을 전개하고, 주제를 효과적으로 드러냄
- 작가의 상상력으로 창조되어 등장하는 사람이지만 현실의 인간상을 반영함

② 인물의 유형

역할	주동 인물	주인공. 사건을 주도해 나가는 인물
	반동 인물	주동 인물의 의지와 행동에 맞서 갈등을 일으키는 인물
중요도	중심인물	작품에서 중심적인 역할을 하는 인물
	주변 인물	작품에서 보조적인 역할을 하는 인물
성격 변화	평면적 인물	작품의 처음부터 끝까지 성격이 변하지 않는 인물
	입체적 인물	사건의 진행 과정이나 주변 상황에 따라 성격이 변화하는 인물
집단의 대표성	전형적 인물	사회의 특정 계층이나 집단을 대표하는 인물
	개성적 인물	자신만의 뚜렷한 개성을 지니고 있는 인물

③ 인물 제시 방법

직접 제시 (말하기)	서술자가 등장인물의 성격이나 심리를 직접적으로 제시하는 방법 예 재석이는 선생님의 칭찬에 부끄러우면서도 많이 기뻤다.
간접 제시 (보여 주기)	인물의 행동, 대화, 외양 묘사 등을 통해 독자가 등장인물의 성격이나 심리를 짐작하게 하는 방법 예 홍철이는 갑자기 얼굴 표정이 굳어지면서 아무 말도 하지 않았다.

개념 확인 문제

1 다음 설명에 해당하는 소설의 특징은 무엇인가?

> 문학은 현실 세계와 동일하지는 않지만, 현실 세계에서 있을 법한 사건과 인간 체험을 다룬다.

① 허구성 ② 진실성
③ 개연성 ④ 서사성
⑤ 산문성

2 소설의 요소 중, 문장에 나타난 작가의 개성적인 표현 방식을 의미하는 것은?

① 인물 ② 배경
③ 주제 ④ 구성
⑤ 문체

3 다음에서 설명하는 인물의 유형은 무엇인가?

> 같은 계층이나 집단의 사람들 중에서 그 부류의 사람들이 지닌 일반적이고 본질적인 특징을 가장 많이 지닌 인물을 의미한다.

① 주변 인물 ② 반동 인물
③ 평면적 인물 ④ 입체적 인물
⑤ 전형적 인물

4 다음에 나타난 인물 제시 방법을 각각 쓰시오.

> (가) "바쁜 일을 받아 놓고 온 사람을 붙잡는다고 들을 일이 겄나." 〈중략〉 말을 끝내고 무연스런 표정으로 장죽 끝에 풍년초를 꾹꾹 눌러 담기 시작한다. – 이청준, 〈눈길〉
> (나) 만득이는 총명하여 하나를 가르치면 열을 알았고, 생긴 것 또한 관옥 같았다. 촌구석에서는 드문 인물이었다. – 박완서, 〈그 여자네 집〉

(2) 사건

등장인물들을 중심으로 벌어지는 일들

① 갈등의 개념: 인물의 내면이나 다른 대상과의 사이에서 일어나는 대립

② 갈등의 유형

	내적 갈등	한 인물의 마음속에서 일어나는 심리적 갈등
외적 갈등	개인과 개인의 갈등	등장인물들의 성격이나 생각이 대립되면서 겪는 갈등
	개인과 사회의 갈등	등장인물이 사회 제도, 관습 등과 대립하면서 겪는 갈등
	개인과 운명의 갈등	등장인물이 자신에게 주어진 운명에 의해 겪는 갈등
	개인과 자연의 갈등	등장인물이 자연재해를 겪거나 자연에 도전하면서 겪는 갈등

(3) 배경

① 배경의 역할

- 작품의 전반적인 분위기를 형성하고, 주제를 뚜렷이 드러냄
- 인물과 사건에 사실성을 부여하고, 인물의 심리나 앞으로 일어날 사건을 암시함
- 인물의 의식과 성격, 태도 형성에 영향을 미침

② 배경의 종류

시간적 배경	어떤 행동이나 사건이 발생하는 시간이나 시대 등
공간적 배경	어떤 행동이나 사건이 발생하는 장소나 지역 등
시대적 · 사회적 배경	• 인물이 처한 시대적 상황이나 사회적 상황, 역사적 사건 등 • 시대를 드러내는 소재나 인물들의 말과 행동을 통해 파악함 예 남북 이산가족 상봉, 징용, 신작로, 폭격, 통일벼, 인력거, 활동사진 등

5 소설의 구성 단계

갈등이 일어나고 심화되며, 해결되는 과정

발단	인물과 배경이 소개되고 사건의 실마리가 드러남
전개	사건이 본격적으로 전개되며 갈등이 시작됨
위기	갈등이 심화되면서 긴장감이 고조됨
절정	갈등과 긴장감이 최고조에 이르고 사건 해결의 실마리가 나타남
결말	갈등이 해소되고 주인공의 운명이 결정되면서 사건이 마무리됨

6 소설의 시점

서술자가 인물이나 사건을 바라보거나 이야기를 서술하여 나가는 관점

1인칭 (작품 안)	1인칭 주인공 시점	• 주인공인 '나'가 자신의 경험과 내면세계를 서술함 • 독자에게 신뢰감과 친근감을 줌 예 김유정의 〈동백꽃〉
	1인칭 관찰자 시점	• 주변 인물인 '나'가 관찰자의 입장에서 주인공의 이야기를 서술함 • 주인공의 내면이 드러나지 않기 때문에 긴장감이 생김 예 주요섭의 〈사랑손님과 어머니〉
3인칭 (작품 밖)	3인칭 관찰자 시점	• 소설 밖의 서술자가 관찰자의 입장에서 인물들의 말과 행동을 객관적인 태도로 서술함 • 독자의 상상력이 개입할 여지가 많음 예 황순원의 〈소나기〉
	전지적 작가 시점	• 소설 밖의 서술자가 신과 같은 위치에서 인물의 행동과 심리까지 서술함 • 서술자가 많은 정보를 제공하기 때문에 독자의 상상력이 제한됨 예 박완서의 〈자전거 도둑〉

개념 확인 문제

5 다음에 나타난 갈등의 유형을 쓰시오.

> 김동리의 〈역마〉는 주인공 성기의 출생 이전에 할머니와 어머니에게 있었던 만남들이 성기의 삶을 결정짓는 필연적 요소가 되도록 사건을 전개하면서, 유랑과 정착이라는 대립적 운명 가운데에 놓인 성기의 삶 전체에 긴장감을 부여하고 있다.

6 다음에서 주로 드러나는 소설의 구성 요소를 쓰시오.

> 사람들은 누구도 입을 열지 않는다. 대합실 벽에 붙은 시계가 도착 시간을 한 시간 반이나 넘긴 채 꾸준히 재깍거리고 있었지만 누구 하나 눈여겨보는 사람은 없다. 창밖엔 싸륵싸륵 송이눈이 쌓여 가고 유리창마다 흰보랏빛 성에가 톱밥 난로의 불빛을 은은하게 되비추어 내고 있을 뿐. - 임철우, 〈사평역〉

7 소설의 각 구성 단계에 대한 설명으로 적절하지 않은 것은?

① 발단: 인물, 배경 등이 소개된다.
② 전개: 사건이 본격적으로 전개된다.
③ 위기: 갈등과 긴장감이 최고조에 이른다.
④ 절정: 사건 해결의 실마리가 나타난다.
⑤ 결말: 모든 갈등이 해소되면서 사건이 마무리된다.

8 다음 설명에 알맞은 소설의 시점을 각각 쓰시오.

(1) 소설 밖의 서술자가 객관적인 입장에서 인물들의 말과 행동을 전달함 (　　)

(2) '나'가 주인공을 관찰하여 서술하기 때문에 주인공의 내면이 잘 드러나지 않음 (　　)

봄·봄 ❶ - 김유정

"장인님! 인젠 저 ……."

내가 이렇게 뒤통수를 긁고, 나이가 찼으니 성례(혼인의 예식을 지냄)를 시켜 줘야 하지 않겠느냐고 하면, 그 대답이 늘 / "이 자식아! 성례구 뭐구 미처 자라야지!"
하고 만다.

이 자라야 한다는 것은 내가 아니라 장차 내 안해(아내)가 될 점순이의 키 말이다.

내가 여기에 와서 돈 한 푼 안 받고 일하기를 삼 년 하고 꼬박이 일곱 달 동안을 했다. 그런데도 미처 못 자랐다니까 이 키는 언제야 자라는 겐지 짜증('짜장'의 방언. 과연, 정말로) 영문 모른다. 일을 좀 더 잘 해야 한다든지, 혹은 밥을(많이 먹는다고 노상(항상) 걱정이니까) 좀 덜 먹어야 한다든지 하면 나도 얼마든지 할 말이 많다. 허지만, 점순이가 안죽(아직) 어리니까 더 자라야 한다는 여기에는 어째 볼 수 없이 고만 벙벙하고 만다.

이래서 나는 애최(애당초) 계약이 잘못된 걸 알았다. 이태면 이태, 삼 년이면 삼 년, 기한을 딱 작정하고 일을 해야 원, 할 것이다. 덮어놓고 딸이 자라는 대로 성례를 시켜 주마 했으니, 누가 늘 지키고 섰는 것도 아니고, 그 키가 언제 자라는지 알 수 있는가. 그리고 난 사람의 키가 무럭무럭 자라는 줄만 알았지 붙배기('붙박이'의 방언) 키에 모로만 벌어지는 몸도 있는 것을 누가 알았으랴. 때가 되면 장인님이 어련하랴 싶어서 군소리 없이 꾸벅꾸벅 일만 해왔다. 그럼 말이다, 장인님이 제가 다 알아채려서,"어 참, 너 일 많이 했다. 고만 장가들어라." 하고 살림도 내주고 해야 나도 좋을 것이 아니냐. 시치미를 딱 떼고 도리어 그런 소리가 나올까 봐서 지레(미리) 펄펄 뛰고 이 야단이다. 명색(허울만 좋은 이름)이 좋아 데릴사위지(처가에서 데리고 사는 사위) 일하기에 승겁기도 할뿐더러 이건 참 아무것도 아니다.

숙맥(어리석고 못난 사람)이 그걸 모르고 점순이의 키 자라기만 까맣게 기달리지 않었나. 〈중략〉

"구장님, 우리 장인님과 츰에(처음에) 계약하기를 ……."

먼저 덤비는 장인님을 뒤로 떼다밀고 내가 허둥지둥 달겨들다가 가만히 생각하고,

"아니, 우리 빙장님과 츰에 ……."

하고 첫 번부터 다시 말을 고쳤다. 장인님은 빙장님 해야 좋아하고 밖에 나와서 장인님 하면 괜스리 골(성질, 화)을 낼라구 든다. 뱀두 뱀이래야 좋냐구, 창피스러우니 남 듣는 데는 제발 빙장님, 빙모님(장모) 하라구 일상 말조짐(말조심)을 받아 오면서 난 그것두 자꾸 잊는다. 당장두 장인님 하다 옆에서 내 발등을 꾹 밟고 곁눈질을 흘기는 바람에야 겨우 알았지만 …….

구장님도 내 이야기를 자세히 듣드니 퍽 딱한(안타까운, 가엾은) 모양이었다. 하기야 구장님뿐만 아니라 누구든지 다 그럴 게다. 길게 길러 둔 새끼손톱으로 코를 후벼서 저리 탁 튀기며

"그럼 봉필 씨! 얼른 성례를 시켜 주구려, 그렇게까지 제가 하구 싶다는 걸 ……."

하고 내 짐작대루 말했다. 그러나 이 말에 장인님이 삿대질로 눈을 부라리고

"아, 성례구 뭐구 기집애년이 미처 자라야 할 게 아닌가?"

하니까 고만 멀쑤룩해서(머쓱해져서) 입맛만 쩍쩍 다실 뿐이 아닌가 …….

"그것두 그래!"

"그래, 거진 사 년 동안에도 안 자랐다니 그 킨 은제 자라지유? 다 그만두구 사경 내슈……."

"글쎄, 이 자식아! 내가 크질 말라구 그랬니, 왜 날 보구 떼냐?"

한눈에 콕

금성 | 동아 | 비상 박 I | 지학 | 천재 박 | 해냄

갈래	단편 소설, 순수 소설, 농촌 소설
시점	1인칭 주인공 시점
배경	시간 – 1930년대 봄 공간 – 강원도 산골의 어느 마을
주제	우직한 데릴사위와 교활한 장인의 성례를 둘러싼 해학적 갈등
특징	① 우직하고 어수룩한 서술자인 '나'의 이야기를 통해 해학성을 유발함 ② 비속어, 토속어, 의성어, 의태어 등을 다양하게 사용하여 사실감과 생동감을 유발함 ③ 역순행적 구성을 통해 사건의 긴밀한 짜임을 보여 주고 있음

만점 노트

1 서술상의 특징

① 1인칭 주인공 시점: 서술자인 주인공의 심리를 생생하게 묘사하고 있다.

② 토속적 방언 사용: 작품에 생동감과 사실성을 부여하고 있다.

2 인물 간의 갈등 양상

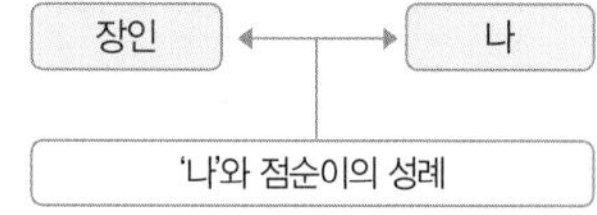

3 인물의 성격

나	순박함, 어수룩함, 무던함, 우직함
장인	인색함, 몰인정함

4 제목의 의미

봄·봄	• 계절적 배경 • 만물이 소생하는 계절 • '나'와 점순이의 봄 → 이성을 그리워하는 젊은 남녀의 춘정 • 이 상황이 내년에도 계속 이어질 것임을 암시

5 구장의 처지와 태도

처지	소작인의 처지이므로 마름인 장인의 눈치를 봄
태도	우유부단함

"빙모님은 참새만 한 것이 그럼 어떻게 앨 낳지유?(사실 장모님은 점순이보다도 귓배기 하나가 적다.)"

장인님은 이 말을 듣고 껄껄 웃드니(그러나 암만해두 돌 씹은 상이다.) 코를 푸는 척하고 날 은근히 골리려고 팔꿈치로 옆 갈비께를 퍽 치는 것이다. 더럽다. 나두 종아리의 파리를 쫓는 척하고 허리를 구부리며 그 궁둥이를 콱 떼밀었다.

---

1 이 글에 대한 설명으로 적절하지 않은 것은?

① 1930년대 강원도의 어느 시골 마을을 배경으로 하고 있다.
② 비속어와 과장된 표현으로 흥미와 웃음을 불러일으키고 있다.
③ 토속적인 방언의 사용으로 작품에 사실성과 현장감을 부여하고 있다.
④ 익살스런 표현과 인물의 어수룩한 말투를 통해 해학성을 유발하고 있다.
⑤ 소작농과 지주 사이의 계급 갈등을 드러내어 당대 농촌 사회의 문제점을 직접 비판하고 있다.

수능형

2 이 글의 서술상의 특징으로 적절하지 않은 것은?

① 서술자인 '나'의 내면 심리가 상세히 드러나 있다.
② 서술자와 독자의 거리가 가까워 독자에게 친근감을 주고 있다.
③ 독백체로 서술하여 독자에게 직접 말하는 듯한 느낌을 주고 있다.
④ 서술자가 서민들의 생활상을 객관적으로 관찰하여 서술하고 있다.
⑤ 인물의 소개 없이 바로 사건이 전개되어 독자의 흥미와 호기심을 유발하고 있다.

학습 활동 응용

3 이 글에 드러나는 '나'의 성격으로 적절하지 않은 것은?

① 돈 한 푼 안 받고 삼 년 칠 개월을 일한 것으로 보아서 우직한 성격의 인물이다.
② 장인과의 계약이 잘못된 것을 알고 있는 것으로 보아서 상황 판단이 빠른 인물이다.
③ 점순이의 키가 자라야만 성례를 올릴 수 있다는 생각을 하는 것으로 보아서 어수룩한 인물이다.
④ 장인이 때가 되면 혼례를 시켜 줄 것이라 믿고 꾸준히 일한 것으로 보아서 무던한 성격의 인물이다.
⑤ 장인에게 뒤통수를 긁으며 이야기하는 것으로 보아서 자신의 주장을 제대로 펼치지 못하는 순박한 인물이다.

학습 활동 응용

4 '나'와 장인이 갈등하는 근본 원인을 이 글에 나오는 단어를 사용하여 15자 내외의 한 문장으로 쓰시오.

---

5 이 글에서 '나'의 처지에 어울리는 속담으로 적절한 것은?

① 누워서 떡 먹기.
② 모기 보고 칼 빼기.
③ 다 된 죽에 코 풀기.
④ 밑 빠진 독에 물 붓기.
⑤ 마파람에 게 눈 감추듯.

6 〈보기〉의 설명에 해당하는 단어를 이 글에서 찾아 쓰시오.

보기

- 서술자가 자신의 어리석음을 자각하여 스스로를 지칭한 말
- 콩과 보리를 구별 못한다는 뜻으로 어리석고 못난 사람을 비유하는 말

학습 활동 응용

7 이 글의 등장인물을 〈보기〉에 제시한 인물형과 관련지었을 때, 바르게 짝지어진 것은?

보기

김유정의 소설 속에는 Ⓐ소박하고 우직한 인물들이 많이 나온다. 그러나 이러한 인물들 이외에도 Ⓑ기회주의적이고 타산적인 인물이나 Ⓒ교활하고 약삭빠른 인물도 등장한다.

	Ⓐ	Ⓑ	Ⓒ
①	'나'	장인	구장
②	장인	'나'	구장
③	장인	구장	'나'
④	'나'	구장	장인
⑤	구장	장인	'나'

"밤낮 일만 해 주구 있을 테냐?"

"영득이는 일 년을 살구두 장갈 들었는데 넌 사 년이나 살구두 더 살아야 해?"

"네가 세 번째 사윈줄이나 아니, 세 번째 사위."

"남의 일이라두 분하다, 이 자식아. 우물에 가 빠져 죽어."

나중에는 겨우 손톱으로 목을 따리구까지 하고, 제 아들같이 함부루 훅닥이었다(세차게 다그치며 들볶았다). 별의별 소리를 다 해서 그대로 옮길 수는 없으나 그 줄거리는 이렇다 …….

우리 장인님이 딸이 셋이 있는데 맏딸은 재작년 가을에 시집을 갔다. 정말은 시집을 간 것이 아니라 그 딸도 데릴사위를 해 가지고 있다가 내보냈다. 그런데 딸이 열 살 때부터 열아홉, 즉 십 년 동안에 데릴사위를 갈아들이기를, 동리에선 ㉠사위 부자라고 이름이 났지마는 열네 놈이란 참 너무 많다. 장인님이 아들은 없고 딸만 있는고로(까닭에) 그 담 딸을 데릴사위를 해 올 때까지는 부려 먹지 않으면 안된다. 물론 머슴을 두면 좋지만 그건 돈이 드니까, 일 잘 하는 놈을 고르누라고 연팡(연방) 바꿔 들였다. 또 한편, 놈들이 욕만 줄창 퍼붓고 심히도 부려 먹으니까 뱀이 상해서 달아나기도 했겠지. 점순이는 둘째 딸인데, 내가 일테면(말하자면) 그 세 번째 데릴사위로 들어온 셈이다. 내 담으로 네 번째 놈이 들어올 것을 내가 일두 참 잘 하구, 그리고 사람이 좀 어수룩하니까 장인님이 잔뜩 붙들고 놓질 않는다. 셋째 딸이 인제 여섯 살, 적어두 열 살은 돼야 데릴사위를 할 테므로 그 동안은 죽도록 부려 먹어야 된다. 그러니 인제는 속 좀 채리고(차리고) 장가를 들여 달라구 떼를 쓰고 나자빠져라 이것이다.

나는 건으로 '엉, 엉.' 하며 귓등으로(건성으로) 들었다. 뭉태는 땅을 얻어 부치다가 떨어진 뒤로는 장인님만 보면 공연히 못 먹어서 으릉거린다. 그것두 장인님이 저 달라구 할 적에 제 집에서 위한다는 그 감투(예전에 원님이 쓰든 것이라나, 옆구리에 뽕뽕 좀먹은 걸레)를 선뜻 주었드면 그럴 리도 없었든 걸 …….

그러나 나는 뭉태란 놈의 말을 전수히(모두) 곧이듣지 않었다. 꼭 곧이들었다면 간밤에 와서 장인님과 싸웠지 무사히 있었을 리가 없지 않은가. 그러면 딸에게까지 인심을 잃은 장인님이 혼자 나뻤다.

실토이지((숨기고 있던 일을) 사실대로 말함) 나는 점순이가 아츰상(아침상)을 가지고 나올 때까지는 오늘은 또 얼마나 밥을 담었나 하고 이것만 생각했다. 상에는 된장찌개하고 간장 한 종지(간장, 고추장 따위를 담아서 상에 놓는, 종발보다 작은 그릇), 조밥 한 그릇, 그리고 밥보다 더 수부룩하게 담은 산나물이 한 대접, 이렇다. 나물은 점순이가 틈틈이 해 오니까 두 대접이고 네 대접이고 멋대루 먹어도 좋나, 밥은 장인님이 한 사발 외엔 더 주지 말라고 해서 안 된다. 그런데 점순이가 그 상을 내 앞에 나려놓며 제 말로 지껄이는 소리가

"구장님한테 갔다 그냥 온담 그래!"

하고 엊그제 산에서와 같이 되우(아주 몹시) 쫑알거린다(투덜거린다). 딴은(하긴) 내가 더 단단히 덤비지 않고 만 것이 좀 어리석었다, 속으로 그랬다. 나도 저 쪽 벽을 향하야 외면하면서 내 말로

"안 된다는 걸 그럼 어떻건담!"

하니까,

㉡"쇰을 잡아채지 그냥 둬, 이 바보야!"

하고 또 얼굴이 빨개지면서 성을 내며 안으로 샐죽하니 튀들어가지 않느냐. 이때 아무도 본 사람이 없었게 망정이지, 보았다면 내 얼굴이 [㉢]처럼 가여웁다 했을 것이다.

전체 줄거리

스물 여섯의 '나'는 점순이네 집에 데릴사위로 와서 삼 년 하고 꼬박 일곱 달을 일을 해 주었으나 장인어른은 점순이의 키가 미처 자라지 않았다는 핑계로 혼인은 미루기만 한다. '나'는 혼인을 시켜 달라고 떼를 써 보기도 하고, 구장님께 찾아가 탄원도 해 보지만 시원한 결정은 내려지지 않는다. '나'를 보고 바보 같다고 하는 점순이의 말에 '나'는 다시 장인어른에게 떼를 쓰게 되고, 장인과 서로 사타구니를 잡아당기며 한바탕 활극을 벌인다. 그러나 점순이는 장인의 편을 들고, 힘이 빠진 '나'는 장인어른에게 맞아 머리가 터진다. 장인어른은 '나'의 터진 머리에 약을 발라 주며 올 가을에는 꼭 성례를 시켜 줄테니 열심히 일을 하라고 한다. 그 말에 '나'는 다시 일터로 간다.

만점 노트

1 뭉태의 역할과 '나'의 태도

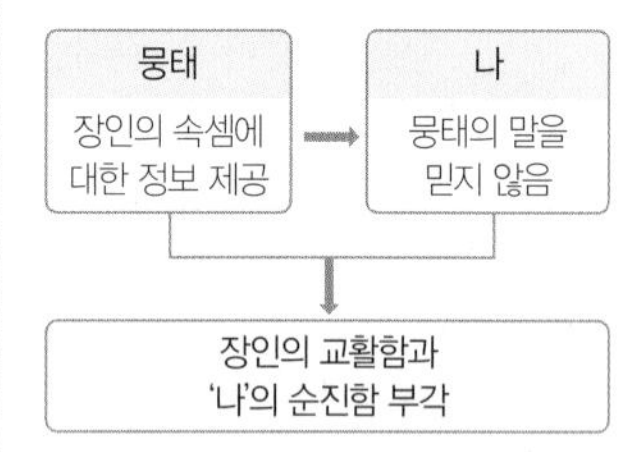

2 점순이의 역할

① 점순이의 충동질: 장인과 '나'의 싸움의 결정적 계기를 제공한다.

② 남녀의 전도된 성격: 일반적 남녀 관계와는 다른 역할 설정을 통해 작품의 해학성이 효과적으로 드러난다.

3 갈등의 시간적 흐름

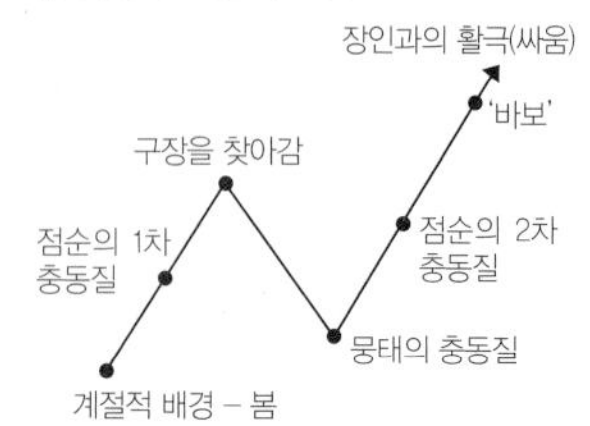

1 '뭉태'에 대한 설명으로 적절한 것은?

① 장인에 대해 호감을 지닌 인물이다.
② '나'와 장인 사이에서 갈등하는 인물이다.
③ 점순이를 사이에 두고 '나'와 갈등하는 인물이다.
④ 데릴사위에 대해 부정적으로 생각하는 인물이다.
⑤ 장인에 대한 객관적 정보를 제공해 주는 인물이다.

학습 활동 응용

2 〈보기〉는 이 글에 드러나는 인물 간의 태도를 정리한 것이다. ⓐ~ⓔ에 대한 내용으로 적절하지 않은 것은?

보기

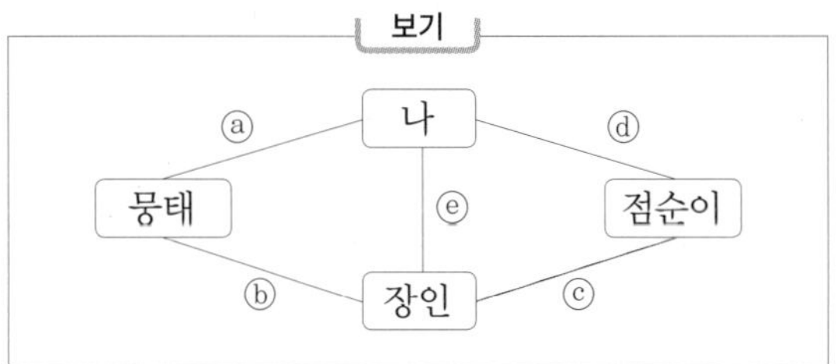

① ⓐ: 뭉태는 '나'를 충동질하고 있지만 '나'는 뭉태의 말을 그대로 믿지 않는다.
② ⓑ: 뭉태는 과거의 일로 인해 장인에 대한 좋지 않은 감정을 가지고 있다.
③ ⓒ: 점순이가 장인의 수염을 잡아채라는 것으로 보아 점순이는 장인을 미워한다.
④ ⓓ: '나'는 점순이에게 '바보' 취급을 당하여 절망감을 느끼고 있다.
⑤ ⓔ: '나'는 장인이 자신의 딸인 점순이에게 인심을 잃었다고 생각한다.

학습 활동 응용

3 이 글에 나타나는 갈등의 유형과 원인을 바르게 제시한 것은?

① 개인의 내면적 갈등: '나'는 점순이를 영원히 사랑할 자신이 없다.
② 개인과 사회의 갈등: 소작인과 마름의 딸은 신분이 달라 결혼할 수 없다.
③ 개인과 운명의 갈등: '나'는 소작인으로 살아갈 운명에서 벗어날 수 없다.
④ 개인과 자연의 갈등: '나'의 마음을 울렁이게 만드는 봄기운에 견딜 수가 없다.
⑤ 개인과 개인의 갈등: 장인은 성례를 미루려고 하지만, '나'는 빨리 점순이와 결혼하고 싶다.

수능형 학습 활동 응용

4 이 글에 대한 발표 수업을 위해 조사할 항목과 내용을 작성한다고 할 때, 그 내용으로 적절하지 않은 것은?

① 문체: 사투리와 비속어, 구어체 사용 등과 이 작품의 해학성의 관계를 파악해 봐야겠어.
② 시대적 배경: 주인공의 고통스러운 처지와 일제 강점의 시대적 상황의 연관성을 따져 봐야겠군.
③ 인물의 심리: 장인과 '나'의 욕망의 차이를 알아보고 거기서 비롯되는 갈등 양상을 정리해야겠군.
④ 시점: 서술자의 작품 내에서의 위치와 역할을 살펴서 독자에게 어떤 효과를 주는지 파악해야겠군.
⑤ 구성: 과거를 회상하는 형식으로 이야기가 전개되는 역순행적 구성이 어떤 효과를 주는지 살펴봐야겠군.

5 ㉠과 같은 표현 기법이 사용된 것은?

① 밤에 홀로 유리를 닦는 것은 / 외로운 황홀한 심사이어니 – 정지용, 〈유리창〉
② 나의 마음은 고요한 물결. / 바람이 불어도 흔들리고, 구름이 지나가도 그림자 지는 곳. – 김광섭, 〈마음〉
③ 바람도 달빛도 아닌 것. / 갈대는 저를 흔드는 것이 제 조용한 울음인 것을 / 까맣게 몰랐다. – 신경림, 〈갈대〉
④ 죽는 날까지 하늘을 우러러 / 한 점 부끄럼이 없기를, 잎새에 이는 바람에도 / 나는 괴로워했다. – 윤동주, 〈서시〉
⑤ 한 줄의 시는커녕 / 단 한 권의 소설도 읽은 바 없이 / 그는 한 평생을 행복하게 살며 / 많은 돈을 벌었고 / 높은 자리에 올라 / 이처럼 훌륭한 비석을 남겼다. – 김광규, 〈묘비명〉

6 ㉡의 발화 의도를 15자 내외의 명령형 문장으로 서술하시오.

---

7 ㉢에 들어갈 말로 가장 적절한 것은?

① 그늘에 앉은 소
② 생선 훔친 고양이
③ 바람 앞의 촛불
④ 한밤에 우는 부엉이
⑤ 에미 잃은 황새 새끼

한번은 장인님이 헐떡헐떡 기어서 올라오드니 내 바지가랭이를 요렇게 노리고서 담박(즉시, 단번에) 웅켜잡고 매달렸다. 악, 소리를 치고 나는 그만 세상이 다 팽그르 도는 것이

"빙장님! 빙장님! 빙장님!"

"이 자식! 잡아먹어라, 잡아먹어!"

"아! 아! 할아버지! 살려 줍쇼, 할아버지!"

하고 두 팔을 허둥지둥 내절 적에는 이마에 진땀(몹시 애쓰거나 힘들 때 흐르는 끈끈한 땀)이 쭉 내솟고 인젠 참으로 죽나 부다 했다. 그래두 장인님은 놓질 않드니 내가 기어히 땅바닥에 쓰러져서 거진(거의) 까무러치게 되니까 놓는다. 더럽다, 더럽다. 이게 장인님인가? 나는 한참을 못 일어나고 쩔쩔맸다(어찌할 줄 몰라서 정신을 못 차리고 헤매다). 그러나 얼굴을 드니(눈에 참 아무것도 보이지 않었다.) 사지(사람의 팔과 다리)가 부르르 떨리면서 나도 엉금엉금 기어가 장인님의 바지가랭이를 꽉 웅키고 잡아나꿨다.

내가 머리가 터지도록 매를 얻어맞은 것이 이 때문이다. 그러나 여기가 또한 우리 장인님이 유달리 착한 곳이다. 여느(보통) 사람이면 사경을 주어서라도 당장 내쫓았지, 터진 머리를 불솜(상처를 소독하기 위하여 불에 그슬린 솜방망이)으로 손수 지져 주고, 호주머니에 히연(일제 강점기 때의 담배 이름) 한 봉을 넣어 주고, 그리고

"올 갈엔 꼭 성례를 시켜 주마. 암말 말구 가서 뒷골의 콩밭이나 얼른 갈아라."

하고 등을 뚜덕여(격려할) 줄 사람이 누구냐.

나는 장인님이 너무나 고마워서 어느덧 눈물까지 났다. 점순이를 남기고 인젠 내쫓기려니 하다 뜻밖의 말을 듣고,

"빙장님! 인제 다시는 안 그러겠어유 ……."

이렇게 맹서를 하며 불랴살야(부랴부랴, 매우 급하게 서두르는 모양) 지게를 지고 일터로 갔다.

그러나 이때는 그걸 모르고 장인님을 원수로만 여겨서 잔뜩 잡아다렸다(당겼다).

"아! 아! 이놈아! 놔라, 놔, 놔 ……."

장인님은 헷손질을 하며 솔개미에 챈 닭의 소리(솔개에 채여 가는 닭의 비명 소리)를 연해 질렀다. 놓긴 왜, 이왕이면 호되게 혼을 내주리라 생각하고 짓궂이 더 댕겼다마는, 장인님이 땅에 쓰러져서 눈에 눈물이 피잉 도는 것을 알고 좀 겁도 났다.

"할아버지! 놔라, 놔, 놔, 놔놔."

그래도 안되니까,

"얘, 점순아! 점순아!"

[A]

이 악장(악을 쓰는 것)에 안에 있었든 장모님과 점순이가 헐레벌떡하고 단숨에 뛰어나왔다.

나의 생각에 장모님은 제 남편이니까 역성을 할는지도(옳고 그름에는 관계없이 무조건 한쪽 편을 들어 주는 일) 모른다. 그러나 점순이는 내 편을 들어서 속으로 고수해서 하겠지……. 대체 이게 웬 속인지(지금까지도 난 영문을 모른다.), 아버질 혼내 주기는 제가 내래 놓고(혼내라고 해 놓고) 이제 와서는 달겨들며

"에그머니! 이 망할 게 아버지 죽이네!"

하고 내 귀를 뒤로 잡어댕기며 마냥 우는 것이 아니냐. 그만 여기에 기운이 탁 꺾이어 나는 얼빠진 등신이 되고 말었다. 장모님도 덤벼들어 한쪽 귀마저 뒤로 잡아채면서 또 우는 것이다.

이렇게 꼼짝 못 하게 해 놓고 장인님은 지게막대기를 들어서 사뭇(거리낌 없이 마구) 나려조겼다. 그러나 나는 구태여 피할랴지도 않고 암만 해도 그 속 알 수 없는 ㉠점순이의 얼굴만 멀거니 들여다보았다.

"이 자식! 장인 입에서 할아버지 소리가 나오도록 해?"

만점 노트

1 '결말'을 '절정'에 삽입한 효과

절정 : '나'와 장인의 희극적 싸움
결말 : '나'와 장인의 갈등 해소

↓

- 작품의 해학성 강조
- 갈등의 근본 원인이 해결되지 않음(갈등의 반복 암시)

2 해학성의 요인

① 서로 바짓가랭이를 잡는 장인과 사위의 비상식적 행동
② 장인과 사위의 부적절한 호칭 사용
③ 점순이의 태도로 인한 상황의 반전
④ 점순이를 이해 못하는 '나'의 어수룩함

3 점순이의 이중적 태도

① 아버지에게 적극적으로 성례를 요구하라고 '나'를 충동질한다.
② '나'와 아버지의 싸움에서는 아버지 편을 든다.
→ 점순이는 시집을 가고 싶은 마음과 아버지를 생각하는 마음 사이에서 갈등하고 있다.
→ '나'는 점순이의 진의를 제대로 파악하지 못한다.

plus

역순행적 구성의 이해

이 작품은 현재의 시점에서 과거를 회상하는 형식을 취하고 있다. 즉, 사건의 원인을 뒤에 배치하여 사건의 서술 순서가 뒤바뀐 역순행적 구성으로 이루어져 있다. 이를 통해 장인과 '나'의 근본적인 갈등(성례 문제)이 해결되지 않고, 이후에도 '성례의 요구 – 장인의 회유'의 형태로 갈등이 반복될 것임을 알 수 있다.

1930년대 농촌의 현실과 〈봄 · 봄〉

1910년부터 1930년대 후반까지 이어지는 식민지 농업 정책(토지 조사 및 산미 증식 계획 등)은 1930년대 농촌을 몰락의 길로 몰아넣었다. 농민들은 점차 소작농화되었으며, 열심히 농사를 지어도 빈곤과 부채에 시달리게 되었다. 그럼에도 불구하고 이 작품의 초점은 이러한 계급적 갈등을 폭로하는 데 있는 것이 아니라 '장인'과 '나'의 해학적 갈등을 그려 내는 데 있다. 이는 이 작품이 당시의 사회 현실에 대한 비판 의식을 담아내지 못하고 있다는 비판의 주요한 근거가 된다.

1 이 글의 서술상 특징으로 가장 적절한 것은?

① 인물의 행위보다는 주로 대사를 통해 사건을 전개시키고 있다.
② 서술자가 자신의 이야기를 들려줌으로써 독자의 연민을 얻고 있다.
③ 성격과 행위의 차이를 드러내어 인물의 심리적 갈등을 부각시키고 있다.
④ 독자들로 하여금 인물과 사건에 대해 객관적으로 접근할 수 있도록 하고 있다.
⑤ 서술자인 '나'가 인물과 사건을 권위적으로 논평하여 주제를 선명하게 드러내고 있다.

학습 활동 응용

2 [A]를 〈보기〉와 같이 시나리오로 바꾸었을 때, 이에 대한 설명으로 가장 적절한 것은?

보기

S# 19. 점순네 마당

점순: (조금 떨어져 팔짱을 낀 채로) 그럴 줄 알았어요. 고인 물도 밟으면 솟구친다잖아요.
장모: (다급한 목소리로) 뭐어! 얘, 얘, 점순아!
덕삼: (더 세게 힘주어 잡아당기며) 어서 혼례시켜 주세요!
장인: (충격을 받은 듯, 고통스런 어조로) 저, 저, 저, 저것이 미쳤나…….
덕삼: (조르는 듯한 어조로) 장인님 혼례 안 시키려면 차라리 징역을 보내세요. 어서유.
장인: (체념한 듯) 알았어. 알았다고. 당장 성례시켜 주마. 됐지? 이젠 놔라, 놔.
(C. U.) 점순 얼굴이 환하게 밝아지며, 얼굴에 웃음이 번진다.

① 작품의 공간적 배경을 추가로 설정하였다.
② 대화로 결말을 처리하여 여운을 남기고 있다.
③ 주요 인물의 태도가 바뀌어 갈등이 해소되었다.
④ 상징적 소재를 동원하여 주제를 부각시키고 있다.
⑤ 등장인물을 추가하여 사건의 개연성을 강화하고 있다.

3 ㉠에 담긴 '나'의 심정을 속담으로 표현할 때, 적절하지 않은 것은?

① 세상에 믿을 사람 없다더니.
② 못 먹는 감 찔러나 본다더니.
③ 믿는 도끼에 발등 찍히는 꼴이군.
④ 나무에 오르라고 하고 흔드는 격이군.
⑤ 열 길 물 속은 알아도 한 길 사람 속은 모른다더니.

학습 활동 응용

4 〈보기〉는 이 글의 사건들을 정리한 것이다. 사건들이 일어난 순서대로 배열한 것은?

보기

㉮ '나'는 기운을 차리고 일하러 나갔다.
㉯ 장인이 '나'의 바짓가랑이를 붙잡고 늘어졌다.
㉰ 점순이가 장인 편을 들어 '나'는 그만 맥이 풀렸다.
㉱ '나'는 장인의 바짓가랑이를 움켜쥐고 놓아주질 않았다.
㉲ 장인이 '나'를 치료해 주고, 성례를 약속하며 달래 주었다.

① ㉯ – ㉱ – ㉲ – ㉰ – ㉮
② ㉯ – ㉱ – ㉰ – ㉲ – ㉮
③ ㉰ – ㉱ – ㉲ – ㉯ – ㉮
④ ㉱ – ㉯ – ㉰ – ㉲ – ㉮
⑤ ㉲ – ㉯ – ㉱ – ㉰ – ㉮

5 이 글은 절정 사이에 결말이 삽입된 독특한 구성으로 이루어져 있다. 그 이유로 가장 적절한 것은?

① '나'의 심경 변화를 다양한 방식으로 형상화하려고
② 장인의 승리를 통해 마름과 소작인의 갈등을 극대화하려고
③ '나'와 장인의 화해가 모든 등장인물들의 합의로 이루어졌음을 극적으로 제시하려고
④ 인물 간의 갈등이 가장 고조된 순간에 소설을 마무리하여 독자들에게 긴장감을 조성하려고
⑤ '나'와 장인의 화해가 일시적인 것임과 '나'와 장인의 희극적인 싸움이 주는 해학성을 부각시키려고

수능형

6 〈보기〉의 밑줄 친 부분을 중심으로 이 글에 대해 토의할 때, 그 내용으로 적절하지 않은 것은?

보기

한국 문학의 세계화는 두 가지 관점에서 접근할 수 있다. 첫째, <u>한국 문학의 특수성을 어떻게 이해시킬 것인가</u>, 둘째, 우리 문학이 지니고 있는 보편성을 어떻게 찾아서 드러낼 것인가이다.

① '데릴사위'에 대해 어떻게 이해시킬 것인가?
② 역순행적 구성의 특성을 어떻게 이해시킬 것인가?
③ 당대 농촌 사회에서의 '마름'의 역할을 어떻게 이해시킬 것인가?
④ '나'와 '점순이'의 독특한 애정 표현 방식을 어떻게 이해시킬 것인가?
⑤ 번역을 할 때, 사투리의 느낌과 토속적 분위기를 어떻게 살려 낼 수 있을까?

현대 소설

02 동백꽃 - 김유정

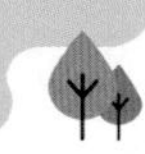

가 나흘 전 감자 쪼간만 하더라도 나는 저에게 조금도 잘못한 것은 없다.

계집애가 나물을 캐러 가면 갔지 남 울타리 엮는데 쌩이질을 하는 것은 다 뭐냐. 그것도 발소리를 죽여 가지고 등 뒤로 살며시 와서

쌩이질: 한창 바쁠 때에 쓸데없는 일로 남을 귀찮게 구는 짓

ⓐ"얘! 너 혼자만 일하니?" / 하고 긴치 않은 수작을 하는 것이었다.

어제까지도 저와 나는 이야기도 잘 않고 서로 만나도 본척만척하고 이렇게 점잖게 지내던 터이련만, 오늘로 갑작스레 대견해졌음은 웬일인가. 항차 망아지만 한 계집애가 남 일하는 놈 보구…….

"그럼 혼자 하지 떼루 하디?"/ 내가 이렇게 내뱉는 소리를 하니까

"너, 일하기 좋니?"/ 또는

ⓑ"한여름이나 되거든 하지 벌써 울타리를 하니?"

나 잔소리를 두루 늘어놓다가 남이 들을까 봐 손으로 입을 틀어막고는 그 속에서 깔깔댄다. 별로 우스울 것도 없는데, 날씨가 풀리더니 이놈의 계집애가 미쳤나 하고 의심하였다. 게다가 조금 뒤에는 즈 집께를 할금할금 돌아보더니 행주치마의 속으로 꼈던 바른손을 뽑아서 나의 턱밑으로 불쑥 내미는 것이다. 언제 구웠는지 아직도 더운 김이 확 끼치는 ㉠감자 세 개가 손에 뿌듯이 쥐였다. / ⓒ"느 집엔 이거 없지?"

하고 생색 있는 큰소리를 하고는, 제가 준 것을 남이 알면 큰일 날 테니 여기서 얼른 먹어 버리란다. 그리고 또 하는 소리가

ⓓ"너, 봄 감자가 맛있단다." / ⓔ"난 감자 안 먹는다, 니나 먹어라."

나는 고개도 돌리려 하지 않고 일하던 손으로 그 감자를 도로 어깨너머로 쑥 밀어 버렸다.

그랬더니 그래도 가는 기색이 없고, 뿐만 아니라 쌔근쌔근하고 심상치 않게 숨소리가 점점 거칠어진다. 이건 또 뭐야, 싶어서 그 때에야 비로소 돌아다보니 나는 참으로 놀랐다. 우리가 이 동리에 온 것은 근 삼 년째 되어 오지만, 여태껏 가무잡잡한 점순이의 얼굴이 이렇게까지 홍당무처럼 새빨개진 법이 없었다. 게다 눈에 독을 올리고 한참 나를 요렇게 쏘아보더니 나중에는 눈물까지 어리는 것이 아니냐. 그리고 바구니를 다시 집어 들더니 이를 꼭 악물고는 엎디어질 듯 자빠질 듯 논둑으로 횡하게 달아나는 것이다.

다 설혹 주는 감자를 안 받아먹는 것이 실례라 하면 주면 그냥 주었지 '느 집엔 이거 없지?'는 다 뭐냐. 그렇잖아도 저희는 마름이고 우리는 그 손에서 배재를 얻어 땅을 부치므로 일상 굽실거린다. 우리가 이 마을에 처음 들어와 집이 없어서 곤란으로 지낼 제 집터를 빌리고 그 위에 집을 또 짓도록 마련해 준 것도 점순네의 호의였다. 그리고 우리 어머니 아버지도 농사 때 양식이 딸리면 점순네한테 가서 부지런히 꾸어다 먹으면서 인품 그런 집은 다시 없으리라고 침이 마르도록 칭찬하고 하는 것이다. 그러면서도 열일곱씩이나 된 것들이 수군수군하고 붙어다니면 동리의 소문이 사납다고 주의를 시켜 준 것도 또 어머니였다. 왜냐하면 내가 점순이하고 일을 저질렀다가는 점순네가 노할 것이고, 그러면 우리는 땅도 떨어지고 집도 내쫓기고 하지 않으면 안 되는 까닭이었다.

배재: 땅을 소작할 권리

한눈에 콕

천재 이

갈래	단편 소설, 순수 소설
시점	1인칭 주인공 시점
배경	시간 – 1930년대 어느 봄 공간 – 어느 산골 마을
주제	산골 마을 청춘 남녀의 순박한 사랑
특징	현재를 중심으로 하여 과거를 넘나드는 역순행적 구성을 취함

전체 줄거리

점순이는 자기네 씨암탉을 이용해 약한 '나'의 수탉과 닭싸움을 붙이면서 '나'를 괴롭힌다. 나흘 전 울타리를 엮고 있는 '나'에게 점순이가 다가와서 감자를 주지만 자존심이 상한 '나'가 거절하자, 점순이는 분노한다. 점순이가 '나'의 수탉을 괴롭히고 '나'를 배냇병신이라 놀리자, 화가 난 '나'가 닭에 고추장까지 먹이며 반격을 시도하나 실패한다. 어느 날 나무를 하고 오는 길에 또다시 점순이가 닭싸움을 시켜 놓은 것을 보고 화가 난 '나'는 점순이네 닭을 죽여 버린다. 절망에 빠진 '나'를 점순이가 위로하고, 점순이와 '나'가 함께 동백꽃 속으로 쓰러지면서 화해가 이루어진다.

만점 노트

1 '감자'의 의미와 기능

점순이가 '나'를 위해 몰래 준비한 것으로, 점순이의 은밀한 사랑의 속마음을 드러내는 매개물이다. 동시에 그런 점순이의 마음을 '나'가 거부함으로써 감자는 '나'와 점순이의 갈등을 유발하는 매개물이 되기도 한다.

2 서술자 '나'의 효과

서술자인 '나'는 상황에 대한 판단 능력이 떨어지고 모든 것을 지나치게 단순화하여 해석해서 사건을 사실적으로 전달하지 못한다는 한계를 가진다. 그러나 이러한 설정은 작가가 해학성을 효과적으로 전달하기 위한 전략으로, 독자는 서술자의 판단에 의지하지 않고 사건을 능동적으로 이해하면서 작가가 의도하는 해학적 상황에 적극적으로 참여하게 된다.

▶정답과 해설 23쪽

1 이 글의 서술상의 특징에 대한 설명으로 적절하지 않은 것은?

① 일어난 상황에 대한 서술자의 판단을 먼저 제시하고 사건을 서술하고 있다.
② 정제되지 않은 언어를 사용함으로써 친근하고 토속적인 분위기를 살리고 있다.
③ 1인칭 서술자의 설정으로 다른 인물들의 심리를 완벽하게 서술하지 못하고 있다.
④ 대비되는 두 인물의 성격을 드러내는 상황 설정을 통해 해학성을 드러내고 있다.
⑤ 상황에 대한 왜곡을 통해 독자로 하여금 현실의 모순을 파악하도록 유도하고 있다.

2 이 글에서 해학성을 유발하는 요인이 아닌 것은?

① '나'의 우식함과 어수룩함
② 점순이와 '나'의 전도된 성 역할
③ 토속적 어휘를 사용한 과장된 표현
④ 사건에 대한 '나'의 엉뚱한 원인 분석
⑤ 역설적 상황 제시와 모순 어법의 적절한 사용

학습 활동 응용

3 ⓐ~ⓔ에 담긴 의도를 추측한 내용으로 적절하지 않은 것은?

① ⓐ: '나'와 단둘만의 시간을 가지고 싶어 하는 점순이의 마음이 엿보이는군.
② ⓑ: 대답을 기대한다기보다는 '나'와 대화하기 위해 던지는 질문이라고 봐야겠지.
③ ⓒ: '나'의 자존심을 건드려 관심을 끌려는 점순이의 의도가 숨어 있다.
④ ⓓ: '나'를 생각하는 점순이의 마음을 알 수 있는 부분이라고 할 수 있겠지.
⑤ ⓔ: 점순이의 말에 '나'가 마음이 많이 상했다는 걸 알 수 있어.

4 ㉠에 대한 설명으로 적절하지 않은 것은?

① '나'의 열등감을 자극하는 소재
② 점순이의 태도 변화의 원인이 되는 소재
③ 향토적이고 토속적인 분위기를 조성하는 소재
④ '나'에 대한 점순이의 사랑과 정성을 드러내는 소재
⑤ 인물 간의 계층 차이와 시대적 배경을 드러내는 소재

5 이 글에 나타나는 '나'의 성격으로 적절하지 않은 것은?

① 단순함 ② 순박함 ③ 소극적임
④ 우직스러움 ⑤ 의뭉스러움

수능형

6 〈보기〉를 참고하여 이 글을 감상한 내용으로 적절하지 않은 것은?

보기

김유정 문학은 방언이나 구어와 같은 토속적인 언어 구사를 통해 전통적인 해학을 계승했다는 문학적인 의의와 동시에, 직접 농촌 계몽 운동에 참여하며 지켜본 농촌의 현실을 고스란히 담아낸 사실주의적 문학으로서의 가치를 지닌다. 김유정은 계층 간 억압과 핍박이 만연한 사회를 살아가는 하층민들의 삶을 해학적으로 그림으로써 오히려 그들의 삶을 더욱 비극적으로 형상화했다는 평가를 받는다.

① 작품의 배경은 김유정이 실제로 겪은 농촌의 모습을 바탕으로 한 것이라고 볼 수 있겠어.
② 점순이네로 대표되는 마름 계층의 부조리를 드러내어 당시 농촌 사회의 문제점을 고발하고 있군.
③ 소작을 하면서 근근이 살아가는 '나'의 모습은 농촌의 하층민을 대표하는 것이라고 볼 수 있겠지.
④ 작품 속에 드러나는 '나'의 사투리와 비속어는 전통적인 해학을 계승하려는 의도가 담긴 것이라고 볼 수 있겠어.
⑤ 마름의 눈치를 보는 '나'의 모습을 통해 계층 간의 대립과 갈등이 엄연히 존재하고 있었던 당시의 사회를 엿볼 수 있어.

수능형

7 이 글을 읽고 난 독자의 반응으로 적절하지 않은 것은?

① 성범: 점순이는 '나'에 대한 자신의 마음을 사람들에게 들키지 않으려고 조심했던 것 같아.
② 은희: '나'가 점순이의 감자를 받지 않은 것은 점순이의 마음은 알지만 어머니가 주의를 주었기 때문이야.
③ 예림: '나'가 점순이네에게 많은 도움을 받았으니 점순이에게 퉁명스럽게 대꾸하지는 않았어야 한다고 생각해.
④ 현정: 물론 그 의견에 동의하지만 어머니에게 주의를 들었던 '나'의 입장에서는 어쩔 수 없는 상황이었겠지.
⑤ 지혁: 난 사랑을 쟁취하기 위해 적극적으로 자신을 표현한 점순이가 어쩌면 요즘 시대에나 볼 수 있는 여성상이라는 생각이 들어.

03 레디메이드 인생 ❶ - 채만식

가 1934년의 이 세상에도 기적이 있다. / 그것은 P가 굶어 죽지 아니한 것이다. 그는 최근 일주일 동안 돈이 생긴 데가 없다. 잡힐 것도 없었고 어디서 벌이한 적도 없다.

그렇다고 남의 집 문 앞에 가서 밥 한 술 주시오 하고 구걸한 일도 없고 남의 것을 훔치지도 아니하였다.

그러나 그동안 굶어 죽지 아니하였다. 야위기는 하였지만 그래도 멀쩡하게 살아 있다. P와 같은 인생이 이 세상에 하나도 없이 싹 치운다면 근로하는 사람이 조금은 편해질는지도 모른다.

P가 소부르주아(소시민) 축에 끼이는 인텔리가 아니요 노동자였더라면 그동안 거지가 되었거나 비상수단을 썼을 것이다. 그러나 그에게는 그러한 용기도 없다. 그러면서도 죽지 아니하고 살아 있다. 그렇지만 죽기보다도 더 귀찮은 일은 그를 잠시도 해방시켜 주지 아니한다.

그의 아들 창선이를 올려 보낸다고 어제 편지가 왔고 오늘은 내일 아침에 경성역에 당도한다는 전보까지 왔다.

오정 때 전보를 받은 ⓐ P는 갑자기 정신이 난 듯이 쩔쩔매고 돌아다니며 돈 마련을 하였다. 최소한도 20원은…… 하고 돌아다닌 것이 석양 때 겨우 15원이 변통되었다.

나 종로에서 풍로니 냄비니 양재기니 숟갈이니 무어니 해서 살림 나부랭이를 간단하게 장만해 가지고 올라오는 길에 전에 잡지사에 있을 때 알은 ×× 인쇄소의 문선 과장을 찾아갔다.

월급도 일없고 다만 일만 가르쳐 주면 그만이니 어린아이 하나를 써 달라고 졸라 대었다.

A라는 그 문선 과장은 요리조리 칭탈(무엇 때문이라고 핑계를 댐)을 하던 끝에 — 그는 P가 누구 친한 사람의 집 어린애를 천거하는 줄 알았던 것이다. — / ㉠ "보통학교나 마쳤나요?" / 하고 물었다.

"아니요." / P는 솔직하게 대답하였다. / "나이 몇인데?" / "아홉 살." / ㉡ "아홉 살?"

A는 놀라 반문을 하는 것이다. / "기왕 일을 배울 테면 아주 어려서부터 배워야지요."

"그래도 너무 어려서 원……. 뉘집 애요?" / ㉢ "내 자식놈이랍니다."

P는 그래도 약간 얼굴이 붉어짐을 깨달았다. A는 이 말에 가장 놀라운 일을 보겠다는 듯이 입만 벌리고 한참이나 P를 물끄러미 바라다본다.

다 "왜? 내 자식이라고 공장에 못 보내란 법 있답디까?" / "아니, 정말 그래요?"

"정말 아니고?" / ㉣ "괜히 실없는 소리……! 자제라고 해야 들어줄 테니까 그러시지?"

"아니, 그건 그렇잖애요. 내 자식놈야요." / "그럼 왜 공부를 시키잖구?"

"인쇄소 일 배우는 것도 공부지." / "그건 그렇지만 학교에 보내야지."

"학교에 보낼 처지도 못 되고 또 보낸댔자 사람 구실도 못할 테니까……."

㉤ "거 참 모를 일이오……. 우리 같은 놈은 이 짓을 해 가면서도 자식을 공부시키느라고 애를 쓰는데 되려 공부시킬 줄 아는 양반이 보통학교도 아니 마친 자제를 공장엘 보내요?"

"내가 학교 공부를 해 본 나머지 그게 못쓰겠으니까 자식은 딴 공부를 시키겠다는 것이지요." / "글쎄 정 그러시다면 내가 내 자식 진배없이 잘 데리고 있으면서 일이나 착실히 가르쳐 드리리다마는……. 원 너무 어린데 애차랍잖애요(애처롭잖아요)?"

"애차라운 거야 애비 된 내가 더하지오만 그것이 제게는 약이니까……."

한눈에 콕

천재 이

갈래	단편 소설, 풍자 소설
시점	전지적 작가 시점
배경	시간 – 일제 강점기(1930년대) 공간 – 경성
주제	식민지 현실을 살아가는 지식인의 좌절과 고통, 식민지 사회의 구조적 병폐에 대한 비판
특징	① 냉소적이고 비꼬는 듯한 어조를 통해 풍자의 효과를 높임 ② 사회의 구조적 모순으로 인해 고등 실업자로 전락할 수밖에 없었던 식민지 지식인을 공장에서 만들어져 나와 팔리기만 기다리는 기성품에 빗대어 풍자함

만점 노트

1 등장인물

P	• 식민지 지식인 • 고등 실업자의 전형 • 레디메이드 인생
학교 ×(교육, 지식에 대한 부정) 인쇄소 ○(기술을 배워 취직하는 것이 사람 구실을 할 수 있음)	
+	
P의 아들	• 아홉 살 • 인쇄소에 무료 견습공으로 보내짐
⬇	
식민지 현실의 구조적 병폐에 대한 소극적 저항	

2 P가 아들을 인쇄소에 보내려는 이유

P는 아홉 살 난 아들을 레디메이드 인생으로 만들지 않기 위해 학교에 보내 공부를 시키는 대신 인쇄소의 공원으로 취직시킨다. 그는 고등 교육을 받고도 제대로 된 일자리를 구하지 못해 곤궁한 삶에서 벗어나지 못하는 자신과 같이 될 바에야 어려서부터 기술을 배우는 것이 사람 구실이라도 하고 사는 것이라고 말한다. 어린 아들을 인쇄소 공원으로 취직시키려는 P의 극단적인 결정은 결국 식민지 교육의 의미 자체에 대한 부정에서 비롯된 것이다. 따라서 P의 이러한 선택은 식민지 현실에 대한 소극적 저항이자 자조적 풍자로 볼 수 있다.

1 이 글에 대한 설명으로 가장 적절한 것은?

① 장면에 따라 서술 시점에 변화를 주고 있다.
② 내적 독백을 통해 시간의 흐름을 지연시키고 있다.
③ 인물의 심리 변화에 초점을 맞춰 서사가 전개되고 있다.
④ 과거와 현재를 교차하여 사건을 입체적으로 전개하고 있다.
⑤ 구체적인 시대 배경을 제시하여 사건의 개연성을 강화하고 있다.

2 이 글을 통해 알 수 있는 사실이 아닌 것은?

① P는 인맥을 이용하여 아들의 취직을 부탁하고 있군.
② P가 아들을 인쇄소에 보내려는 이유가 단지 경제적 문제 때문만은 아니군.
③ P는 지식인으로, 한때 학생들을 가르치는 교사였으나 현재는 실직 상태이군.
④ P는 아들을 인쇄소에 견습공으로 맡기는 자신의 무능에 대해 부끄러워하는군.
⑤ P가 풍로와 냄비 등을 새로 준비하는 것으로 보아 혼자 지내는 동안에는 거의 살림을 하지 않았군.

수능형

3 이 글에서 '편지'와 '전보'의 기능으로 가장 적절한 것은?

① 과거 회상의 매개체 역할을 하고 있다.
② 새로운 사건을 전개시키는 역할을 하고 있다.
③ P가 새로운 삶을 개척하게 되는 계기를 제공하였다.
④ P가 고민하던 정체성의 문제가 해결되는 계기가 된다.
⑤ 사건의 전모를 요약적으로 제시하는 역할을 하고 있다.

4 이 글을 희곡으로 재구성할 때, ㉠~㉤의 지시문으로 적절하지 않은 것은?

① ㉠: 지친 듯이 마지못해
② ㉡: 눈을 동그랗게 뜨며 놀란 듯이
③ ㉢: 시선을 다른 데로 돌리며
④ ㉣: 눈을 흘기면서 다 안다는 듯
⑤ ㉤: 목소리를 높여 화를 내며

5 <보기>를 통해 (가)와 (나)를 이해한 내용으로 적절하지 않은 것은?

보기

> 1929년부터 1939년까지 있었던 대공황은 세계 경제에 치명타를 안겼다. 미국에서조차 수많은 회사가 도산하고, 그로 인해 실업률은 급격하게 치솟았다. 일본 역시 심각한 경제 위기를 겪었고 이는 일본의 식민지였던 우리나라에도 영향을 미쳐 많은 국민들이 실업, 빈부 격차 등으로 인한 경제적 고통을 받았다. 교육을 통해 가난을 극복할 수 있다고 믿었던 당시 일반 민중들의 기대와는 달리, 직장을 구하지 못하는 고학력 실업자가 급증하면서 교육의 역할에 대한 회의가 지식인들로부터 고개를 들기 시작했다.

① P는 세계 경제 대공황 시대를 살아가는 식민지 지식인을 대표하는 인물이라 볼 수 있겠어.
② 고등 교육을 받았음에도 경제적으로 무능력한 P의 처지를 개인의 탓으로 돌리기는 어렵겠어.
③ 무일푼인 P가 A에게 굽실거리는 모습은 빈부의 차이로 인한 계층 간의 갈등을 보여 주는 것이라 볼 수 있어.
④ P가 자신의 아들에게 공부 대신 일을 시키는 것은 지식인들의 교육에 대한 회의를 반영한 것이라 볼 수 있겠어.
⑤ 어린 자식을 취직시키려는 P를 이해하지 못하는 A를 통해 교육을 중시했던 당시 일반 민중들의 인식을 엿볼 수 있어.

6 ⓐ의 상황을 나타내는 말로 가장 적절한 것은?

① 경거망동(輕擧妄動) ② 혼비백산(魂飛魄散)
③ 각골난망(刻骨難忘) ④ 동분서주(東奔西走)
⑤ 연목구어(緣木求魚)

학습 활동 응용

7 P가 아들을 인쇄소에 보내려는 이유로 적절하지 않은 것은?

① 지식만 강조하는 학교 교육에 대한 불신 때문
② 자신과 똑같은 처지로 만들고 싶지 않았기 때문
③ 취직을 하는 것이 실질적으로 낫다고 생각했기 때문
④ 아들의 학비를 댈 만한 경제적 형편이 못 되었기 때문
⑤ 현실의 구조적 병폐에 대해 비판적으로 인식했기 때문

가 P는 당부와 치하를 하고 인쇄소를 나왔다. 한짐 벗어 놓은 것같이 몸이 거뜬하고 마음이 느긋하였다. / 그는 집으로 올라가는 길에 싸전에 쌀 한 말을 부탁하고 호배추도 몇 통 사들였다. 그렁저렁 5원을 썼다.

(치하: 고마움이나 칭찬의 뜻을 표시함 / 싸전: 쌀과 그 밖의 곡식을 파는 가게 / 호배추: 중국종의 배추)

10원 남은 중에 주인 노인에게 6원을 내주니 입이 귀밑까지 째어진다. 그 끝에 P가 사 온 호배추를 내주며 김치를 담가 달라고 하니 선선히 응낙한다.

나 이튿날 전에 없이 첫새벽에 일어난 P는 ㉠ 서투른 솜씨로 화롯밥을 지어 놓고 정거장으로 나갔다. / 그의 형에게서 온 편지에 S라는 고향 사람이 서울 올라오는 길에 따라 보낸다고 했으니까 P는 칭신이보다도 더 낯이 익은 S를 찾았다. / 과연 차가 식식거리고 들어서매 인간을 뱉어 내놓는 찻간에서 S가 창선이를 데리고 두리번거리며 내려왔다.

(화롯밥: 화로(火爐)에 지은 밥)

어디서 생겼는지 새까만 고구라 양복을 입고 이화표 붙은 학생 모자를 쓰고 거기다가 보따리를 하나 지고 무엇 꾸린 것을 손에 들고 차에서 내리는 어린아이……. 저게 내 자식이니라 생각하니 P는 어쩐지 속으로 얼굴이 붉어지며 한편 가엾기도 하였다.

S가 두 손에 짐을 가득 들고 두리번거리다가 가까이 온 P를 보고 반겨 소리를 지른다. ㉡ 창선이가 모자를 벗고 학교식으로 경례를 한다. 얼굴을 자세히 보니 네댓 살 적에 보던 것보다 한층 더 저의 외가를 닮았다. P는 그것이 몹시 불만이었다.

다 "그새 재미나 좋았나?" / S의 하는 첫인사다.

"뭘 그저 그렇지……. 괜한 산 짐을 지고 오느라고 애썼네."

P는 이렇게 인사 겸 치하를 하였다.

"원 천만에!…… 그 애가 나이는 어려도 어떻게 속이 찼는지……. 너 늬 아버지 알어보겠니?"

S는 창선이를 돌아보며 웃는다. 창선이는 고개를 숙이고 수줍은지 아무 대답도 아니한다. / P는 S와 창선이를 데리고 구름다리로 올라왔다.

"저의 외할머니가 저 양복이야 떡이야 모다 해 가지고 자네 댁에까지 오셨더라네……. 오서서 어제 떠나는데 정거장까지 나오셨는데 여러 가지 신신당부를 하시데……. 자네에게 전하라고." / S는 P가 그다지 듣고 싶지도 아니한 이야기를 뒤따라오며 늘어놓는다. ㉢ 그의 가슴에는 옛날의 반감이 솟쳐 올랐다.

"별걱정 다 하든 게로군……. 내 자식 내가 어련히 할까 버 쫓아다니며 그래!"

"그래도 노인들이야 어데 그런가……. 객지에서 혼자 있는데 데리고 있기 정 불편하거든 당신에게로 도루 보내게 하라고 그러시데……." / "그 집에 내 자식이 무슨 상관이 있어서 보내라는 거야?…… ㉣ 보낼 테면 그때 데려왔을라구……."

P는 그것이 모두 그와 갈린 아내의 조종인 줄 알기 때문에 더구나 심정이 났다. 화가 나는 대로 하면 어린아이가 입고 온 양복도 벗겨 내던지고 싶었으나 꿀꺽 참았다.

라 ㉤ 일찍 맛보아 보지 못한 새 살림을 P는 시작하였다.

창선이가 도착한 날 밤. / 창선이는 아랫목에서 색색 잠을 자고 있다. 외롭게 꿈을 꾸고 있으려니 생각하매 전에 없던 애정이 솟아오르는 듯하였다.

이튿날 아침 일찍 창선이를 데리고 ××인쇄소에 가서 A에게 맡기고 안 내키는 발길을 돌이켜 나오는 P는 혼자 중얼거렸다.

ⓐ "레디메이드 인생이 비로소 겨우 임자를 만나 팔렸구나."

전체 줄거리

P는 동경 유학까지 마쳤으나 번번이 구직에 실패하고 신문사에 취직하기 위해 K 사장을 찾아가나 거절당한다. P는 자신이 인텔리인 것을 원망하기도 하고 또한 자신과 같은 지식인 실업자를 양산해 낸 사회를 원망하기도 한다. P와 M은 H를 졸라 그의 법률책을 전당포에 잡혀 돈 육 원을 만들어 가지고 술집을 전전하다 집으로 돌아온다. 그러다 고향의 형으로부터 이흡 살짜리 아들 창선이를 올려 보낼 테니 아비 구실을 하고 기르라는 내용의 편지가 오고, P는 아들만은 자신과 같은 인텔리 실직자를 만들지 않겠다고 생각하며 아들을 인쇄소 무료 견습공으로 맡기고 돌아온다.

만점 노트

1 '레디메이드 인생'의 의미

'레디메이드(ready-made)'란 기성품으로, 맞춤 제작과 달리 공장에서 대량 생산된 제품을 이르는 말이다. 대량 생산된 기성품들은 소비자에게 팔려 나갈 때까지 쇼윈도를 채우고 주인이 나타나기를 기다려야 하는 운명을 가지고 있다. P는 일본 유학까지 마치고 돌아왔지만 취직을 못하여 궁핍한 생활을 면하지 못하고 있는 자신의 처지를 '레디메이드 인생'으로 표현하였으며 이는 결국 식민지 지식인의 자조와 자기 모멸감을 나타내는 표현이다.

2 P의 마지막 혼잣말에 담긴 의미

P는 마지막에 "레디메이드 인생이 비로소 겨우 임자를 만나 팔렸구나."라고 말한다. 여기에는 고등 교육을 받아봤자 제대로 된 일자리 하나 얻기 어려운 현실에서 아들을 취직시키었다는 안도감과 어린 나이에 아들을 공장 노동자로 만들었다는 서글픔이 교차하고 있다. 즉, 식민지 현실에 대한 비판과 무능한 지식인인 자신에 대한 자조적 비판을 함께 드러내고 있는 것이다.

plus

채만식 문학의 특징

채만식은 당대 현실에 대한 치열한 고민과 날카로운 풍자 정신을 보여 준 작가로, 주로 식민지 시대의 현실에서 소외되어 버린 지식인 계층의 냉소적인 의식과 태도를 통해 식민지 지배 세력의 기만적인 행태와 허위로 가득 찬 민족의 현실을 비판적으로 폭로한다.

1 〈보기〉를 바탕으로 이 글을 감상한 내용으로 적절한 것은?

보기

소설 속의 모든 인물은 자아이면서 동시에 세계의 일부가 된다. 자아를 작품 속에서 행동하는 주체라고 한다면, 그 주체를 둘러싸고 있는 모든 것은 세계가 되기 때문이다. 이러한 자아와 세계의 대립과 갈등으로 전개되는 것이 서사의 본질이다.

① 자아로서의 P는 세계의 부정적 속성들을 적극적으로 고발하고 있다.
② 자아로서의 P를 실업자로 만든 당대 현실은 P와 대립하는 부정적 세계이다.
③ 자아로서의 P는 세계와 대립하지만 작품의 결말 부분에서 화해에 이르고 있다.
④ 자아로서의 P가 겪는 세계와의 대립은 조력자에 의해 일시적 화해에 이르고 있다.
⑤ 자아로서의 P는 창선이와 학교 문제로 갈등하고 있으므로 창선이는 P와 갈등하는 세계이다.

2 (다)에 드러나는 P와 S의 말하기 방식에 대한 설명으로 가장 적절한 것은?

① S는 완곡어법을 통해 상대의 단점을 지적하고 있다.
② P는 관용적인 표현을 사용하여 S의 안부를 묻고 있다.
③ P는 즉흥적으로 둘러대기의 방식으로 S의 비난을 피하고 있다.
④ P는 빗대어 표현하기 방법을 통해 S의 노고에 고마움을 전하고 있다.
⑤ S는 자신을 낮추고 상대를 높이는 방식으로 P에 대한 존경을 표하고 있다.

수능형

3 ㉠~㉤에 대한 설명으로 적절하지 않은 것은?

① ㉠: 자식을 생각하는 아버지로서의 마음을 알 수 있다.
② ㉡: 창선이가 아버지로부터 가정 교육을 철저하게 받았음을 알 수 있다.
③ ㉢: 처가에 대한 P의 반감이 오래 되었음을 알 수 있다.
④ ㉣: 외가에 창선이를 맡겨 기른 적이 있음을 알 수 있다.
⑤ ㉤: 아들이 상경한 후 P의 일상에 변화가 생겼음을 알 수 있다.

4 이 글의 P와 〈보기〉의 화자(B)가 대화를 나눈다고 할 때, 그 내용으로 적절한 것은?

보기

문(門)을암만잡아다녀도안열리는것은안에생활이모자라는까닭이다. 밤이사나운꾸지람으로나를졸른다. 나는우리집내문패(門牌)앞에서여간성가신게아니다. 나는밤속에들어서서제웅처럼자꾸만감(減)해간다. 식구(食口)야봉(封)한창호(窓戶)어데라도한구석터놓아다고내가수입(收入)되어들어가야하지않나. 지붕에서리가내리고뾰족한데는침(鍼)처럼월광(月光)이묻었다. 우리집이앓나보다그러고누가힘에겨운도장을찍나보다. 수명(壽命)을헐어서전당(典當)잡히나보다. 나는그냥문(門)고리에쇠사슬늘어지듯매어달렸다. 문을열려고안열리는문을열려고.

– 이상, 〈가정〉

① B: 저처럼 가족들로부터 소외감을 느끼고 있군요.
② P: 가난 때문에 가족들과 소통하기가 어려워요.
③ B: 가장으로서의 무력감 때문에 점점 초라해지는 것은 당신도 마찬가지군요.
④ P: 그런데 당신은 저와 달리 현실 극복의 의지가 전혀 느껴지지 않네요.
⑤ B: 어차피 노력해도 안 될 것 같아 포기했어요.

학습 활동 응용

5 〈보기〉를 고려할 때, ⓐ를 통해 드러내고자 했던 작가의 의도로 가장 적절한 것은?

보기

• 일제는 조선의 식민 통치를 안정적으로 유지하기 위해 대학 교육을 이용하였기 때문에 당시 고등 교육을 받은 지식인들은 통제되고 관리되었으며, 지식인들이 민족의식 고취와 같은 민족 자강에 기여할 수 있는 기회가 원천적으로 차단되었다.
• 레디메이드(Ready-made): 기성품(旣成品). 맞춤 제작과 달리 공장에서 대량 생산된 제품

① 자식마저 물질적 가치로 환산하는 비인간적 사회에 대한 비판
② 아이들마저 일터로 내모는 자본주의 사회의 인간 소외 현상에 대한 비판
③ 자신들에게 협력하지 않으면 무조건 배척하는 일제의 폭력성에 대한 비판
④ 교육을 한답시고 인간을 소모품으로 만들어 버린 일제의 기만적 행위에 대한 비판
⑤ 삶에 대한 주체성을 잃어버리고 자포자기하며 살아가는 지식인 계층에 대한 비판

04 태평천하(太平天下) - 채만식

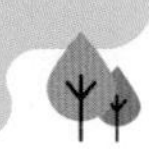

가 초리가 길게 째져 올라간 봉의 눈, 준수하니 복이 들어 보이는 코, 뿌리가 추욱 처진 귀와 큼직한 입모, 다아 수부귀다남자의 상입니다. / ㉠나이……? 올해 일흔두 살입니다. 그러나 시뻐 여기진 마시오. 심장 비대증으로 천식(喘息)기가 좀 있어 망정이지, 정정한 품이 서른 살 먹은 장정 여대친답니다. 무얼 가지고 겨루든지 말이지요.

수부다남자: 오래 살고 부유하며 아들이 많음
시뻐: 별로 대수롭지 않은 듯하게

그 차림새가 또한 혼란스럽습니다. 옷은 안팎으로 윤이 지르르 흐르는 모시 진솔 것이요, 머리에는 탕건에 받쳐 죽영(竹纓) 달린 통영갓[統營笠]이 날아갈 듯 올라앉았습니다.

진솔: 옷이나 버선 따위가 한 번도 빨지 않은 새것 그대로인 것
죽영: 댓가지와 구슬로 만든 갓끈

발에는 크막하니 솜을 한 근씩은 두었음 직한 흰 버선에, 운두 새까만 마른신을 조그맣게 신고, 바른손에는 은으로 개대가리를 만들어 붙인 화류 개화장이요, 왼손에는 서른네 살배기 묵직한 합죽선입니다.

운두: 그릇이나 신 등의 둘레
마른신: 마른땅에서만 신는 신
개화장: 단장(짧은 지팡이)

[A] 이 풍신이야말로 아까울사, 옛날 세상이었더면 일도(一道)의 방백(方伯)일시 분명합니다. 그런 것을 간혹 입이 비뚤어진 친구는 광대로 인식 착오를 일으키고, 동경 · 대판의 사탕 장수들은 캐러멜 대장 감으로 침을 삼키니 통탄할 일입니다.

나 마침 이때, 마당에서 밭은기침 소리가 납니다. 창식이 윤 주사가 조금 아까야 일어나서, 간밤에 동경서 온 전보 때문에 억지로 큰댁 행보를 하던 것입니다.

밭은기침: 병이나 버릇으로 소리도 크지 아니하고 힘도 그다지 들이지 않으며 자주 하는 기침

"해가 서쪽에서 뜨겠구나?" / 윤 직원 영감은 아들의 이렇듯 부르지도 않은 걸음을, 더욱이나 안방에까지 들어온 것을, 이상타고 꼬집는 소립니다.

"……멋하러 오냐? 돈 달라러 오지?" / "동경서 전보가 왔는데요……."

지체를 바꾸어 윤 주사를 점잖고 너그러운 아버지로, 윤 직원 영감을 속 사납고 경망스런 어린 아들로 둘러놓았으면 꼬옥 맞겠습니다.

"동경서? 전보?" / "종학이 놈이 경시청에 붙잡혔다구요!" / ㉡"으엉?"

외치는 소리도 컸거니와 엉덩이를 꿍 찧는 바람에, 하마 방구들이 내려앉을 뻔했습니다. 모여 선 온 식구가 제가끔 정도에 따라 제각기 놀란 것은 물론이구요.

㉢윤 직원 영감은 마치 묵직한 몽치로 뒤통수를 얻어맞은 양, 정신이 멍해서 입을 벌리고 눈만 휘둥그랬지, 한동안 말을 못 하고 꼼짝도 않습니다.

그러다가 이윽고 으르렁거리면서 잔뜩 쪼글트리고 앉습니다.

다 ㉣"……오죽이나 좋은 세상이여? 오죽이나……." / 윤 직원 영감은 팔을 부르걷은 주먹으로 방바닥을 땅 치면서 성난 황소가 영각을 하듯 고함을 지릅니다.

영각: 소가 길게 우는 소리

"화적패가 있너냐아? 부랑당 같은 수령(守令)들이 있더냐……? 재산이 있대야 도적놈의 것이요, 목숨은 파리 목숨 같던 말세넌 다 지내가고오…… 자 부아라, 거리거리 순사요, 골골마다 공명헌 정사(政事), 오죽이나 좋은 세상이여……. 남은 수십만 명 동병(動兵)을 히여서, 우리 조선 놈 보호히여 주니, 오죽이나 고마운 세상이여? 으응……? 제 것 지니고 앉아서 편안허게 살 태평 세상, 이걸 태평천하라구 허는 것이여, 태평천하……! 그런디 이런 태평천하에 태어난 부자 놈의 자식이, 더군다나 왜 지가 떵떵거리구 편안허게 살 것이지, 어찌서 지가 세상 망쳐 놀 부랑당 패에 참섭(參涉)을 헌담 말이여, 으응?" / 땅— 방바닥을 치면서 벌떡 일어섭니다. 그 몸짓이 어떻게도 요란스럽고 괄괄한지, 방금 발광이 되는가 싶습니다. ㉤아닌게 아니라 모여 선 가권(家眷)들은 방바닥 치는 소리에도 놀랐지만, 이 어른이 혹시 상성(喪性)이 되지나 않는가 하는 의구

참섭: 어떤 일에 끼어들어 간섭함

한눈에 콕

동아 | 지학 | 천재 박 | 해냄

갈래	중편 소설, 풍자 소설, 사회 소설, 가족사 소설
시점	전지적 작가 시점
배경	시간 – 1930년대 공간 – 서울의 지주 집안
주제	윤 직원 일가의 몰락 과정을 통한 식민지 시대의 타락상 비판
특징	① 반어적 희화화와 경어체의 문장을 통해 인물에 대한 풍자와 조롱을 극대화함 ② 인물의 성격, 주제 의식, 표현, 미의식 등에서 고전 문학의 전통을 계승함 ③ 전라도 방언과 구어(口語)의 활용으로 사실성과 생동감을 부여함

만점 노트

1 이 글에 드러난 문학적 전통 계승

① 판소리의 표현 방법 계승
- 경어체의 문장: 서술자가 판소리의 창자처럼 경어체를 사용하여 독자와 가까운 위치에서 등장인물을 조롱한다.
- 서술자의 개입: 서술자가 사건 전개 과정에 적극적으로 개입하여 인물에 대해 평가한다.
- 방언의 활용: 평민 계층을 대상으로 했던 판소리처럼 특정 지역의 방언을 활용한다.

② 전형적인 인물 유형 계승: 극단적으로 이기적이며 탐욕스러운 인물인 놀부의 전형성을 계승하여 윤 직원 영감의 성격을 창조한다.

③ 해학과 풍자의 미의식 계승: 부정적 인물을 해학적으로 묘사하여 희화화하면서 풍자하는 전통적 미의식인 골계미를 계승한다.

2 제목의 반어적 의미

일제 강점기 = '태평천하'

윤 직원 영감은 자신이 살고 있는 현실 상황을 '태평천하'라고 여긴다. 참으로 살기 좋은 세상이라는 뜻이다. 그러나 이는 민족의 암흑기인 일제 강점기의 현실과는 어울리지 않는 말로, 윤 직원 영감의 왜곡된 역사관을 반어적으로 표현하고 있는 것이다.

▸ 정답과 해설 24쪽

의 빛이 눈에 나타남을 가리지 못합니다.

"……착착 깎어 죽일 놈……! 그놈을 내가 핀지히여서, 백 년 지녁을 살리라구 헐걸! 백 년 지녁 살리라구 헐 테여……. 오냐, 그놈을 삼천 석거리는 직분(分財)하여 줄라구 히였더니, 오 ― 냐, 그놈 삼천 석거리를 톡톡 팔어서, 경찰서으다가 사회주의 허는 놈 잡어 가두는 경찰서으다가 주어 버릴걸! 으응, 죽일 놈!"

마지막의 으응 죽일 놈 소리는 차라리 울음소리에 가깝습니다.

"……이 태평천하에! 이 태평천하에……."

학습 활동 응용

1 이 글의 서술상 특징으로 적절하지 않은 것은?

① 해학적인 묘사로 인물을 희화화하고 있다.
② 경어체를 사용하며 등장인물을 조롱하고 있다.
③ 서술자가 인물의 심리뿐만 아니라 평가까지 직접 제시하고 있다.
④ 서술자가 외부에서 관찰하면서 독자와의 거리를 일정하게 유지하고 있다.
⑤ 방언과 비속어 등을 사용하여 인물의 성격을 생동감 있게 드러내고 있다.

2 이 글의 '전보'에 대한 설명으로 적절하지 않은 것은?

① 사건 전개에 극적인 반전을 가져온다.
② 윤 직원 영감 집안의 몰락을 암시한다.
③ 작품의 중심인물이 창식이로 변화됨을 알려 준다.
④ 종학이가 일제 경시청에 피검되었다는 사실을 알려 준다.
⑤ 작품상에서 드러나지 않았던 긍정적 인물을 간접적으로 드러나게 한다.

3 '윤 직원 영감'에 대한 학생들의 평가로 적절하지 않은 것은?

① 윤영: 차림새로 보아 돈이 많고, 과시하기를 좋아하는 인물입니다.
② 재호: 아들인 윤 주사에게 하는 말로 보아 경망스러운 사람입니다.
③ 인나: 직원 벼슬을 가지고 있고 학식을 갖추어 두루 존경을 받는 인물입니다.
④ 수빈: 자식이나 손자보다는 자신의 이익만을 생각하는 욕심 많은 사람입니다.
⑤ 지현: 당시를 좋은 세상이라고 말하는 것으로 보아 왜곡된 역사의식을 가지고 있습니다.

학습 활동 응용

4 〈보기〉의 ㉮~㉲ 중, 이 글에서 확인할 수 있는 것끼리 바르게 묶인 것은?

보기

이 글은 우리 문학의 전통을 계승한 작품으로 평가받고 있다. 일반적으로 고전 소설에서 보이는 우리의 문학적 전통은 ㉮행복한 결말, ㉯인물의 전형성, ㉰웃음으로 눈물 닦기, ㉱영웅의 일대기적 구성, ㉲판소리 사설투의 문체 등을 꼽는다.

① ㉮, ㉱ ② ㉮, ㉲ ③ ㉯, ㉰
④ ㉯, ㉲ ⑤ ㉰, ㉱

수능형

5 이 글을 영화로 제작하고자 할 때, ㉠~㉤에 대한 제작 회의 내용으로 적절하지 않은 것은?

① ㉠: 이 부분은 내레이션이 묻고 답하는 방식으로 처리하도록 한다.
② ㉡: 매우 놀라는 표정과 큰 목소리로 연기하도록 한다.
③ ㉢: 카메라를 윤 직원 영감의 얼굴 가까이 클로즈업한다.
④ ㉣: 윤 직원이 현실을 찬양하는 모습을 표현하기 위해 배경 음악은 경쾌한 느낌이 드는 곡을 선정한다.
⑤ ㉤: 배우들의 모습을 전체적으로 잡고 불안한 심리가 얼굴에 잘 드러나도록 연기해야 한다.

6 [A]에서 대상을 대하는 서술자의 태도를 〈보기〉의 조건에 맞추어 한 문장으로 쓰시오.

보기

표면적 의미와 이면적 의미가 모두 드러나게 서술할 것

현대 소설

05 달밤 – 이태준

〈앞부분의 줄거리〉 '나'는 황수건과의 첫 만남에서 그가 못난이라는 것을 안다. 황수건은 똑똑하지 못해 학교 급사나 신문 보조 배달원 자리에서 쫓겨나지만, '나'는 그와 가깝게 지내며 말벗이 되어 준다. 어느 날 그는 우두를 넣으면 근력이 떨어진다는 자신의 생각을 이야기하러 '나'에게 찾아온다.

㉠"그렇게 용한 생각을 하고 일러 주러 왔으니 아주 고맙소."

하였다. 그는 좋아서 벙긋거리며 머리를 긁었다.

"그래 삼산 학교에 다시 들기만 기다리고 있소?" 물으니 그는,

"돈만 있으면 그까짓 거 누가 고쓰까이('소사'의 일본어, 잔심부름꾼) 노릇을 합쇼. 밑천만 있으면 삼산 학교 앞에 가서 버젓이 장사를 할 텐뎁쇼." 한다. / "무슨 장사?"

"아, 방학될 때까지 차미(참외) 장사도 하굽쇼, 가을부턴 군밤 장사, 왜떡(밀가루나 쌀가루를 반죽하여 얇게 늘여서 구운 과자) 장사, 습자지, 도화지 장사 막 합죠. 삼산 학교 학생들이 저를 어떻게 좋아하겝쇼. 저를 선생들보다 낫게 치는뎁쇼." 한다.

나는 그날 그에게 돈 삼 원을 주었다. 그의 말대로 삼산 학교 앞에 가서 버젓이 참외 장사라도 해 보라고. 그리고 돈은 남지 못하면 돌려오지 않아도 좋다 하였다.

그는 삼 원 돈에 덩실덩실 춤을 추다시피 뛰어나갔다. 그리고 그 이튿날,

"선생님 잡수시라굽쇼." / 하고 나 없는 때 참외 세 개를 갖다 두고 갔다.

㉡그리고는 온 여름 동안 그는 우리 집에 얼씬하지 않았다. 들으니 참외 장사를 해 보긴 했는데 이내 장마가 들어 밑천만 까먹었고, 또 그까짓 것보다 한 가지 놀라운 소식은 그의 아내가 달아났다는 것이었다. 저희끼리 금슬(부부 간의 사랑)은 괜찮았건만 동서(시아주버니나 시동생의 아내)가 못 견디게 굴어 달아난 것이라 한다. 남편만 남 같으면 따로 살림 나는 날이나 기다리고 살 것이나 평생 동서 밑에 살아야 할 신세를 생각하고 달아난 것이라 한다.

그런데 요 며칠 전이었다. 밤인데 달포(한 달이 조금 넘는 기간) 만에 수건이가 우리 집을 찾아왔다. 웬 포도를 큰 것으로 대여섯 송이를 종이에 싸지도 않고 맨손에 들고 들어왔다. 그는 벙긋거리며,

"선생님 잡수라고 사 왔습죠." / 하는 때였다. 웬 사람 하나가 날쌔게 그의 뒤를 따라 들어오더니 다짜고짜로 수건이의 멱살을 움켜쥐고 끌고 나갔다. 수건이는 그 우둔한 얼굴이 새하얗게 질리며 꼼짝 못하고 끌려 나갔다. / ㉢나는 수건이가 포도원에서 포도를 훔쳐온 것을 직각하였다. 쫓아 나가 매를 말리고 포돗값을 물어 주었다. 포돗값을 물어 주고 보니 수건이는 어느 틈에 사라지고 보이지 않았다.

나는 그 다섯 송이의 포도를 탁자 위에 얹어 놓고 오래 바라보며 아껴 먹었다. 그의 은근한 순정의 열매를 먹듯 한 알을 가지고도 오래 입안에 굴려 보며 먹었다.

어제다. 문안에 들어갔다 늦어서 나오는데 불빛 없는 성북동 길 위에는 밝은 달빛이 깁(명주실로 바탕을 조금 거칠게 짠 비단)을 깐 듯하였다. 그런데 포도원께를 올라오노라니까 누가 맑지도 못한 목청으로,

"사…… 케…… 와 나…… 미다까 다메이…… 키…… 카……."

를 부르며 큰길이 좁다는 듯이 휘적거리며 내려왔다. 보니까 수건이 같았다. 나는,

"수건인가?" / 하고 알은 체 하려다 그가 나를 보면 무안해할 일이 있는 것을 생각하고, ㉣획 길 아래로 내려서 나무 그늘에 몸을 감추었다.

그는 길은 보지도 않고 달만 쳐다보며, 노래는 이 이상은 외우지도 못하는 듯 첫 줄 한 줄만 되풀이하면서 전에는 본 적이 없었는데 담배를 다 퍽퍽 빨면서 지나갔다.

달밤은 그에게도 유감한 듯하였다.

한눈에 콕

미래엔

갈래	단편 소설
시점	1인칭 관찰자 시점
배경	시간 – 1930년대 일제 강점기 공간 – 서울 성북동
주제	세상에 적응하지 못하고 밀려난 한 못난이의 삶에 대한 연민
특징	① 동정과 연민의 시선으로 인물을 바라보는 1인칭 관찰자에 의해 서술됨 ② 인물의 성격을 보여 주는 일화들을 나열함 ③ 배경을 통해 여운 있는 결말을 형성함

전체 줄거리

성북동으로 이사 온 '나'는 우둔하고 천진한 황수건을 만나게 된다. 삼산 학교 급사로 일하다 쫓겨난 그는 형님의 집에 얹혀살면서 신문 보조 배달원으로 일하고 있었다. 그는 '나'와 가깝게 지내면서 여러 가지 실속 없는 참견을 하기도 한다. 보조 배달원 자리마저 떨어지게 되자 '나'는 그에게 장사 밑천으로 3원을 준다. 이후 한동안 그의 모습은 보이지 않고, 장사에 실패하고 그의 아내마저 달아났다는 소식이 들려온다. 어느 늦은 달밤, '나'는 서툰 노래를 부르며 지나가는 그의 모습을 보게 된다.

만점 노트

1 서술자의 태도와 그 효과

서술자의 태도
- 천성은 착하지만 바보스러운 인물인 황수건의 이야기를 성의 있게 들어 줌
- 황수건에게 장사 밑천을 주며 돈을 갚지 않아도 된다고 함

→ 작품 안에 있는 서술자 '나'가 황수건을 애정과 연민의 태도로 바라봄

⬇

효과

서술자의 위치와 태도에 영향을 받아 독자도 황수건을 긍정적인 관점에서 대하게 됨

2 이 글의 가치
- 일제 강점기의 시대적 고통을 암시적으로 드러낸다.
- 순박하고 천진한 인물이 살아갈 수 없는 세태에 대한 문제를 제기한다.
- 모자란다고 하여 배척하지 않는 인간적 사회에 대한 소망을 보여 준다.

▶ 정답과 해설 25쪽

1 이 글에 대한 설명으로 적절하지 않은 것은?

① 구체적 일화를 나열해 인물의 성격을 드러내고 있다.
② 간접 제시와 직접 제시를 섞어 사건을 서술하고 있다.
③ 사실적인 대화를 통해 등장인물의 특성을 보여 주고 있다.
④ 상징적인 소재를 통해 다음에 일어날 일을 미리 알려 주고 있다.
⑤ 서술자가 다른 인물의 언행을 주로 관찰자적 입장에서 전달하고 있다.

2 이 글의 내용과 일치하는 것은?

① '나'는 황수건이 가져온 포도를 주인에게 돌려주었다.
② 황수건은 돈을 받은 이후 한 번도 '나'의 집에 나타나지 않았다.
③ 황수건의 아내는 자신의 남편이 모자란 인물이라고 생각하지 않았다.
④ 황수건의 아내가 집을 나간 것은 황수건과의 관계가 화목하지 못했기 때문이다.
⑤ '나'는 포도를 훔친 일 때문에 황수건이 자신에게 무안해할 것이라고 생각하였다.

수능형

3 '황수건'에 대해 이해한 내용으로 적절하지 않은 것은?

① 속마음을 숨기지 않는 순박하고 천진난만한 인물이군.
② 장사에 실패하고 아내마저 도망가 버린 불우한 인물이군.
③ 상황을 정확히 인식하는 지적 능력이 떨어지는 인물이군.
④ 어려운 상황에서도 즐겁게 노래를 부르는 낙천적인 인물이군.
⑤ 상대의 도움이나 호의에 감사를 표할 줄 아는 착한 인물이군.

4 '황수건'의 인물됨에 대한 '나'의 생각이 드러나는 비유적 표현을 찾아 4어절로 쓰시오.

____

학습 활동 응용

5 ㉠~㉣ 중, 〈보기〉의 밑줄 친 부분이 드러나는 구절끼리 바르게 묶은 것은?

보기

1930년대 서울 성북동은 사대문 안에 들어갈 수 없는 최저 빈민층들이 살던 곳이었으며, 이곳에 거주했던 작가 이태준은 빈민층의 소외된 삶에 특별한 애정을 보이는 작품을 많이 썼다. 〈달밤〉 역시 이러한 작가의 태도가 <u>황수건에 대한 서술자의 호의적인 태도</u>로 나타나 있으며, 이 때문에 이 작품을 읽은 독자는 '황수건'에게 연민을 느끼게 된다.

① ㉠, ㉡ ② ㉠, ㉢ ③ ㉠, ㉣
④ ㉡, ㉢ ⑤ ㉢, ㉣

학습 활동 응용

6 이 글의 결말이 주는 효과를 〈보기〉에서 골라 바르게 묶은 것은?

보기

ㄱ. 행동을 통해 인물과 서술자 사이의 관계 변화를 암시한다.
ㄴ. 열린 결말을 통해 여운을 남기고 독자의 상상을 유도한다.
ㄷ. 특정 소재를 통해 인물의 심리 상태를 간접적으로 드러낸다.
ㄹ. 배경을 통해 애상적 분위기를 조성하고 인물의 처지를 부각한다.

① ㄱ, ㄷ ② ㄴ, ㄹ ③ ㄱ, ㄴ, ㄹ
④ ㄱ, ㄷ, ㄹ ⑤ ㄴ, ㄷ, ㄹ

학습 활동 응용

7 이 글을 바탕으로 서사 갈래에 대해 이해한 내용으로 적절하지 않은 것은?

① '황수건'의 일화처럼 현실에서 실제 있을 법한 이야기를 허구적으로 꾸며 내는 갈래이군.
② '황수건', '나', '포도원 주인' 등 다양한 인물들이 엮어 내는 사건을 주로 서술하는 갈래이군.
③ '황수건', '성북동', '포도 훔치기' 등으로 보아 인물, 배경, 사건으로 구성되어 있는 갈래이군.
④ 소외된 인물인 '황수건'을 통해 작가가 드러내고자 하는 삶의 진실에 주목해 감상해야 하는 갈래이군.
⑤ '황수건'과 같은 인물에 대한 시각 차이를 만들어 내는 데에 서술자의 존재 여부가 중요하지 않은 갈래이군.

06 수난이대 - 하근찬

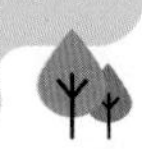

가 "진수야." / "예." / "니 우짜다가 그래 됐노?"

"전쟁하다가 이래 안 됐심니꾜. 수류탄 쪼가리에 맞았심더."

"수류탄 쪼가리에?" / "예." / "음……."

"얼른 낫지 않고 막 썩어 들어가기 땜에 군의관이 짤라 버립디더. 병원에서예."

"아부지." / "와?" / "이래 가지고 나 우째 살까 싶습니더."

"우째 살긴 뭘 우째 살아. 목숨만 붙어 있으면 다 사는 기다. 그런 소리 하지 마라."

"……." / "나 봐라. 팔뚝이 하나 없어도 잘만 안 사나. 남 보메 좀 덜 좋아서 그렇지, 살기사 와 못 살아." / "차라리 아부지같이 팔이 하나 없는 편이 낫겠어예. 다리가 없어 노니, 첫째 걸어 댕기기가 불편해서 똑 죽겠심더."

"야아, 안 그렇다. 걸어 댕기기만 하면 뭐하노. 손을 지대로 놀려야 일이 뜻대로 되지."

"그럴까예?" / "그렇다니. 그러니까, 집에 앉아서 할 일은 니가 하고, 나댕기메 할 일은 내가 하고 그라면 안 되겠나, 그제?" / "예."

진수는 가벼운 한숨을 내쉬며 아버지를 돌아보았다. 만도는 돌아보는 아들의 얼굴을 향해서 지그시 웃어 주었다.

나 개천 둑에 이르렀다. ㉠외나무다리가 놓여 있는 그 시냇물이다. 진수는 슬그머니 걱정이 되었다. 물은 그렇게 깊은 것 같지 않지만, 밑바닥이 모래흙이어서 지팡이를 짚고 건너가기가 만만할 것 같지 않기 때문이다. 외나무다리는 도저히 건너갈 재주가 없고……. 진수는 하는 수 없이 둑에 퍼지고 앉아서 바짓가랑이를 걷어 올리기 시작했다. 만도는 잠시 멀뚱히 서서 아들의 하는 양을 내려다보고 있다가,

"진수야, 그만두고, 자아 업자." / 하는 것이었다.

"업고 건느면 일이 다 되는 거 아니가. 자아, 이거 받아라."

고등어 묶음을 진수 앞으로 민다. / "……."

진수는 퍽 난처해하면서, 못 이기는 듯이 그것을 받아 들었다. 만도는 등어리를 아들 앞에 갖다 대고, 하나밖에 없는 팔을 뒤로 버쩍 내밀며, / "자아, 어서!"

다 진수는 지팡이와 고등어를 각각 한 손에 쥐고, 아버지의 등어리로 가서 슬그머니 업혔다. 만도는 팔뚝을 뒤로 돌리면서, 아들의 하나뿐인 다리를 꼭 안았다. 그리고,

"팔로 내 목을 감아야 될 끼다."

했다. 진수는 무척 황송한 듯 한쪽 눈을 찍 감으면서, 고등어와 지팡이를 든 두 팔로 아버지의 굵은 목줄기를 부둥켜안았다. 만도는 아랫배에 힘을 주며 '끙!' 하고 일어났다. 아랫도리가 약간 후들거렸으나 걸어갈 만은 했다. 외나무다리 위로 조심조심 발을 재 디디며 만도는 속으로, '이제 새파랗게 젊은 놈이 벌써 이게 무슨 꼴이고. 세상을 잘못 만나서 진수 니 신세도 참 똥이다, 똥.' 이런 소리를 주워섬겼고, 아버지의 등에 업힌 진수는 곧장 미안스러운 얼굴을 하며, '나꺼정 이렇게 되다니, 아버지도 참 복도 더럽게 없지, 차라리 내가 죽어 버렸더라면 나았을 낀데…….' 하고 중얼거렸다.

라 만도는 아직 술기가 약간 있었으나, 용케 몸을 가누며 아들을 업고 외나무다리를 조심조심 건너가는 것이었다. ㉡눈앞에 우뚝 솟은 용머리재가 이 광경을 가만히 내려다보고 있었다.

한눈에 콕

지학

갈래	단편 소설, 전후 소설
시점	전지적 작가 시점
배경	시간 – 일제 강점기 ~ 한국 전쟁 직후 공간 – 경상도 어느 작은 마을
주제	우리 민족의 수난사와 극복 의지
특징	① 사투리와 토속어를 사용하여 사실감을 높임 ② 상징적인 장면을 통해 주제를 표출함

전체 줄거리

삼대독자인 진수가 전쟁터에서 살아서 돌아온다는 소식을 들은 박만도는 들뜬 마음으로 아침부터 서둘러 역에 마중을 나간다. 만도는 가는 길에 고등어 두 마리를 산다. 만도는 아들을 기다리며, 일제의 강제 징용으로 왼팔을 잃게 된 자신의 과거를 회상한다. 진수가 다리를 하나 잃은 채 서 있는 모습을 본 만도의 눈에서는 눈물이 흐른다. 화를 내며 집으로 걸어가던 만도는 주막에 이르러 막걸리를 들이키고 아들에게서 다리를 잃게 된 자초지종을 들은 후 아들을 위로한다. 외나무다리에 이르자 만도는 진수를 업고 진수는 고등어 봉지를 들고 조심조심 다리를 건넌다.

만점 노트

1 '외나무다리'의 상징적 의미

우리 민족이 겪은 역사적 시련과 수난을 상징한다. 몸이 불편한 '만도'와 '진수'가 힘을 합쳐 외나무다리를 건너는 모습은 협동을 통해 역사적 시련과 위기를 극복하려는 우리 민족의 정신을 보여 준다.

2 상징적인 장면을 통한 주제 표출

작가는 만도가 진수를 업고 외나무다리를 건너는 장면을 용머리재가 내려다본다고 의인화하여 표현함으로써 서로 협동하여 민족의 비극을 극복하려는 의지를 상징적으로 나타내고 있다.

1 이 글에 대한 설명으로 적절하지 않은 것은?

① 사투리를 사용하여 생동감과 사실감이 느껴지고 있다.
② 전쟁을 배경으로 한 전후 소설이자 가족사 소설이다.
③ 아버지와 아들의 불행은 민족 전체의 비극을 상징한다.
④ 빈번한 장면 전환으로 인물 간 긴장감을 고조시키고 있다.
⑤ 상징적 소재를 사용하여 주제를 암시적으로 드러내고 있다.

2 이 글을 통해 알 수 있는 사실이 아닌 것은?

① 진수는 전쟁에 참가했다가 한쪽 다리를 잃었다.
② 부자(父子)는 상대방의 처지가 더 낫다며 부러워하고 있다.
③ 부자(父子)는 외나무다리를 건너며 서로에게 연민의 정을 느끼고 있다.
④ 만도는 자포자기(自暴自棄)에 빠진 진수에게 각자의 상황에 맞는 일을 하면 된다고 위로하고 있다.
⑤ 두 팔이 성한 진수는 고등어와 지팡이를 들고, 두 다리가 성한 만도는 진수를 업고 외나무다리를 건너고 있다.

수능형

3 다음은 이 글의 작가와 가상 인터뷰를 한 내용이다. 작가의 답변으로 적절하지 않은 것은?

①	Q. 이 글을 통해 무엇을 전하려고 했나요? A. 강압적인 국가가 개인을 희생시키는 현실을 고발하려 하였습니다.
②	Q. '만도'라는 인물을 창조할 때 중요하게 생각한 것은 무엇이었나요? A. 현실의 문제에 절망하고 좌절하기보다는 미래를 긍정적으로 바라보는 인물로 창조하고 싶었습니다.
③	Q. 결말의 숨은 의도는 무엇인가요? A. 비극을 극복하는 대안으로 가족애와 민족적 협력을 제시하고 싶었습니다.
④	Q. 어떠한 현실을 반영하려 하였나요? A. 일제 강점기와 6 · 25 전쟁이라는 우리의 아픈 현대사를 다루고자 했습니다.
⑤	Q. 독자들에게 바라는 점은 무엇인가요? A. 사회 · 문화적 상황이 개인에게 어떤 영향을 주는지 생각해 보면 좋겠습니다.

학습 활동 응용

4 ㉠의 기능으로 적절하지 않은 것은?

① 만도의 내적인 갈등을 더욱 심화시키는 구실을 한다.
② 위기의 상황을 유발하는 소설적 장치라고 볼 수 있다.
③ '난관'과 '난관의 극복'이라는 양면성을 지닌 소재이다.
④ 부자(父子)가 앞으로 넘어야 할 고난을 상징하기도 한다.
⑤ 서로 협동하면 시련을 이겨 낼 수 있다는 의지를 보여 준다.

5 ㉡에 대한 설명으로 적절하지 않은 것은?

① 의인화된 표현으로 결말의 여운을 느끼게 해 준다.
② 두 인물의 앞날이 평탄하지 않을 것임을 암시하고 있다.
③ 인간에서 자연으로 시각을 바꾸어 장면을 객관적으로 전달하고 있다.
④ 두 인물에 근접해 있던 시선이 원경으로 멀어짐으로써 글을 마무리하고 있다.
⑤ 독자로 하여금 무사히 외나무다리를 건너 새로운 삶을 사는 두 사람을 상상하게 만든다.

학습 활동 응용

6 구술 면접 시험에서 이 글에 대해 설명하라는 요구를 받았다고 할 때, 그 대답으로 가장 적절한 것은?

① 전쟁의 참상을 전달하고 상이군인에 대한 물질적 보상이 필요함을 말하는 작품이라고 생각합니다.
② 불구인 자식을 감싸는 아버지의 모습을 통해 모성애보다 뛰어난 부성애를 보여 주는 작품이라고 생각합니다.
③ 운명을 받아들여 순응하는 삶의 모습을 통해 인간은 자신의 숙명을 벗어날 수 없다는 것을 깨우쳐 준 작품이라고 생각합니다.
④ 전쟁으로 인해 불구가 된 부자(父子)의 불행은 곧 우리 민족이 겪은 수난으로, 수난의 역사를 극복해 나가는 우리 민족의 모습을 잘 보여 준 작품이라고 생각합니다.
⑤ 전쟁의 그늘 속에서 태어나 전쟁과 더불어 자라고뇌하며 젊음을 보낸 작가의 초기 작품으로 무기력한 주인공들의 모습에서 한계점이 드러난 아쉬운 작품이라고 생각합니다.

07 아홉 켤레의 구두로 남은 사내 ① - 윤흥길

가 "병원 이름이 뭐죠?" / "원 산부인괍니다."

㉠"지금 내 형편에 현금은 어렵군요. 원장한테 바로 전화 걸어서 내가 보증을 서마고 약속할 테니까 권 선생도 다시 한번 매달려 보세요. 의사도 사람인데 설마 사람을 생으로 죽게야 하겠습니까. 달리 변통할 구멍이 없으시다면 그렇게 해 보세요."

(변통: 돈이나 물건 따위를 융통함)

내 대답이 지나치게 더디 나올 때 이미 눈치를 챈 모양이었다. ㉡도전적이던 기색이 슬그머니 죽으면서 그의 착하디착한 눈에 다시 수줍음이 돌아왔다. 그는 고개를 좌우로 흔들어 보였다.

"원장이 어리석은 사람이길 바라고 거기다 희망을 걸기엔 너무 늦었습니다. 그 사람은 나한테서 수술 비용을 받아 내기가 수월치 않다는 걸 입원시키는 그 순간에 벌써 알아차렸어요."

얼굴에 흐르는 진땀을 훔치는 대신 그는 오른발을 들어 왼쪽 바짓가랑이 뒤에다 두어 번 문질렀다. 발을 바꾸어 같은 동작을 반복했다.

"바쁘실 텐데 실례 많았습니다."

'썰면'처럼 두툼한 입술이 선잠에서 깬 어린애같이 움씰거리더니 겨우 인사말이 나왔다. 무슨 말이 더 있을 듯싶었는데 그는 이내 돌아서서 휘적휘적 걷기 시작했다. 나는 내심 그 입에서 끈끈한 가래가 묻은 소리가, 이를테면, 오 선생 너무하다든가 잘 먹고 잘 살라든가 하는 말이 날아와 내 이마에 탁 눌어붙는 순간에 대비하고 있었는지도 모른다. 그래서 그가 갑자기 돌아서면서 나를 똑바로 올려다봤을 때 그처럼 흠칫 놀랐을 것이다.

('썰면': '나'와 함께 근무하는 교사의 별명. 입술이 두툼해서 썰면 한 접시는 되겠다 해서 학생들이 붙인 별명임)

ⓐ"오 선생, 이래 봬도 나 대학 나온 사람이오."

그것뿐이었다. 내 호주머니에 촌지를 밀어 넣던 어느 학부형같이 그는 수줍게 그 말만 건네고는 언덕을 내려갔다. 별로 휘청거릴 것도 없는 작달막한 체구를 연방 휘청거리면서 내딛는 한 걸음 한 걸음마다 땅을 저주하고 하늘을 저주하는 동작으로 내 눈에 그는 비쳤다. 산 고팽이를 돌아 그의 모습이 벌거벗은 황토의 언덕 저쪽으로 사라지는 찰나, 나는 뛰어가서 그를 부르고 싶은 충동을 느꼈다. 돌팔매질을 하다 말고 뒤집혀진 삼륜차로 달려들어 아귀아귀 참외를 깨물어 먹는 군중을 목격했을 당시의 권 씨처럼, ㉢이건 완전히 나체구나 하는 느낌이 팍 들었다. 그리고 내가 그에게 암만의 빚을 지고 있음을 퍼뜩 깨달았다. 전셋돈도 일종의 빚이라면 빚이었다. ㉣왜 더 좀 일찍이 그 생각을 못 했는지 모른다.

(촌지: 정성을 드러내기 위하여 주는 돈)

나 "고추예요, 고추!"

수술을 돕던 원장 부인이 나오면서 처음 울음을 듣는 순간에 내가 점쳤던 결과를 큰 소리로 확인해 주었다. ㉤진짜 보호자를 상대하듯이 원장 부인이 내게 축하를 보내 왔으므로 나 역시 진짜 보호자 입장에서 수고를 치하하지 않을 수 없었다. 잠시 후에 나는 강보에 싸여 밖으로 나오는 권기용 씨의 차남을 대면할 수 있었다. 제 어미 배를 가르고 나온 놈답지 않게 얼굴이 두툼한 것이 속없이 잘도 생겼다. 제왕절개라는 말이 풍기는 선입감에 딱 어울리게끔 목청이 크고 우렁찼다. 병원 건물을 온통 들었다 놓는 억세디억센 놈의 울음소리를 듣는 동안 나는 동준이 놈을 낳던 날의 감격 속으로 고스란히 빠져 들어갔다.

(강보: 포대기. 어린아이의 작은 이불)

한눈에 쏙

비상 박 Ⅱ | 천재 이

갈래	중편 소설
시점	1인칭 관찰자 시점
배경	시간 – 1970년대 후반 공간 – 경기도 성남
주제	산업 사회에서 소외된 인생의 어려운 삶
특징	① 상징적인 소재를 통해 인물의 성격을 나타냄 ② 작중 서술자가 주인공의 심리를 분석하여 제시함

만점 노트

1 등장인물

'나' (오 선생)	• 중산층(초등학교 교사) • 위선적인 배려

출산비 문제와 강도 사건으로 갈등을 겪음 ↕

'권 씨' (권기용)	• 몰락한 소시민 • 지식인으로서의 자존심

↓

권 씨가 자존심에 상처를 입고 가출함

2 인물의 상징성

'권 씨'는 지식인으로서의 자존심만을 내세우고 생활고를 겪으며 어렵게 살아가는 소시민이다. 현실에서 그는 변변한 집도 없고 아내의 수술비도 마련할 수 없는 도시 빈민일 뿐이지만, 자신이 '안동 권 씨'이며 '대학 나온 사람'임을 강조한다. 하지만 그럴수록 도시 빈민으로서의 그의 좌절감과 패배감의 깊이는 더욱더 깊어질 뿐이다.

3 '구두'의 상징성

'구두'에 대한 '권 씨'의 애착은 자신의 현실에 대한 부정을 보여 주는 단면이자, 지식인으로서 자신에 대한 자존심을 보여 주려는 욕망의 반영이다. '권 씨'는 구두의 반짝거림에 만족하며 마지막 남은 자존심을 고수하려 하지만 작품의 마지막 부분에서 '권 씨'가 남기고 떠난 '아홉 켤레의 구두'는 자존심마저 잃은 '권 씨'의 처지를 나타낸다.

4 주인공이 겪는 갈등

1970년대에는 급속한 산업화 · 도시화와 함께 지식인 계층의 사회 부적응이 중요한 문제로 부각되기 시작했다. 주인공 '권 씨'는 사회의 변화에 따른 개인과 사회의 갈등을 단적으로 보여 주는 인물로, 뜻하지 않게 전과자가 되어 살길조차 막막한 처지이다.

1 이 글에 대한 설명으로 적절하지 않은 것은?

① 권 씨에 대한 '나'의 감정이 변화하고 있다.
② '나'는 권 씨의 뒷모습에서 연민을 느끼고 있다.
③ 권 씨는 '나'에게 끝까지 비굴한 모습을 보이고 있다.
④ '나'가 권 씨를 관찰하면서 그에 대한 판단도 하고 있다.
⑤ 권 씨와 관련한 돈 문제로 '나'는 내적 갈등을 겪고 있다.

수능형

2 이 글의 서술상 특징으로 적절하지 않은 것은?

① 사건이 시간의 흐름에 따라 순행적으로 전개되고 있다.
② 작중 상황에 대한 서술자의 심리가 직접 제시되고 있다.
③ 서술자가 다른 인물의 행동을 주관적으로 분석하고 있다.
④ 인물 간의 대립이 심화되며 긴장감이 점차 고조되고 있다.
⑤ 특정 인물의 행동을 통해 심리를 간접적으로 드러내고 있다.

3 (가)에 나타나는 '나'에 대한 설명으로 가장 적절한 것은?

① 권 씨의 사정은 이해하지만 세입자로서의 선을 벗어난 그의 부탁에 불쾌해하고 있다.
② 권 씨의 외적인 모습으로 사람을 판단했지만 결국 그를 진정한 사랑으로 대하고 있다.
③ 권 씨에게 선뜻 돈을 빌려주는 것이 부담스러워 꺼리고 있지만 그에게 연민을 느끼고 있다.
④ 권 씨를 도울 수 없는 자신의 처지를 한탄하며 권 씨와 같은 생활을 했던 과거를 회상하고 있다.
⑤ 권 씨가 자신이 처한 어려운 사정을 얘기해 도움을 청할 정도로 '나'는 항상 그에게 도움을 준 따뜻한 인물이다.

4 〈보기〉의 화자가 이 글의 '권 씨'에게 했을 법한 말로 가장 적절한 것은?

보기

한여름 폭염. 무더운 거리 나서기 싫어, 냉방이 잘 된 서늘한 사무실에서 시켜 먹는 편안한 점심. 오래 되지 않아 3층 계단을 힘겹게 올라올 단골 밥집 최씨 아주머니. 〈중략〉 나는 안다. 머리에 인 밥보다도 무겁고 고통스러운 그녀의 삶. 신부전증을 앓고 있는 남편과 늙은 시어머니의 치매, 아직도 공부가 끝나지 않은 어린 사 남매, 단골이란 미명으로 믿고 들려준 그녀의 가족사. (나는 그녀의 눈을 피한다.) 서늘한 사무실에 짐승처럼 갇혀, 흰 와이셔츠 넥타이에 목 묶인 채 먹는 점심. 먹을수록 후회스러운 식욕. – 정일근, 〈점심, 후회스러운〉

① 제가 조금이나마 물질적으로 후원을 하고 싶습니다.
② 힘든 삶을 살아가는 당신의 처지가 안타까워 돕고 싶군요.
③ 사무실에 점심을 배달하는 아주머니와는 처지가 다르군요.
④ 당신의 사정을 이해는 하지만 저로서도 어쩔 수가 없군요.
⑤ 당신의 딱한 사정을 들으니, 제가 부끄럽군요. 조금이나마 보탬이 되도록 힘써 보겠습니다.

학습 활동 응용

5 이 글에서 '권 씨'가 ⓐ처럼 말한 이유로 적절한 것은?

① '나'가 권 씨의 과거를 궁금해했기 때문이다.
② 상처받은 자존심을 회복하고자 하는 노력이다.
③ '나'의 자존심을 건드려 화를 돋우려는 의도이다.
④ 자신에 대한 '나'의 관심을 유발하려는 의도이다.
⑤ 자신의 처지를 이해해 주기를 바라는 의도의 표현이다.

6 ㉠~㉤에 대한 설명으로 적절하지 않은 것은?

① ㉠: 현재의 처지를 들어 권 씨의 부탁을 거절하고 있다.
② ㉡: 자신의 태도 때문에 거절당한 것을 인식하고 있다.
③ ㉢: 권 씨가 절박한 처지에 놓여 있음을 깨닫고 있다.
④ ㉣: 권 씨에게 수술 비용을 빌려주기로 마음먹고 있다.
⑤ ㉤: 병원을 찾은 '나'가 권 씨의 역할을 대신하고 있다.

가 한차례 길게 심호흡을 뽑은 다음 강도는 마침내 결심했다는 듯이 이부자리를 돌아 화장대쪽으로 향했다. 얌전히 구두까지 벗고 양말 바람으로 들어온 강도의 발을 나는 그때 비로소 볼 수 있었다. 내가 그렇게 염려를 했는데도 강도는 와들와들 떨리는 다리를 옮기다가 그만 부주의하게 동준이의 발을 밟은 모양이었다. 동준이가 갑자기 칭얼거리자 그는 질겁을 하고 엎드리더니 녀석의 어깨를 토닥거리는 것이었다. 녀석이 도로 잠들기를 기다려 그는 복면 위로 칙칙하게 땀이 밴 얼굴을 들고 일어나서 내 위치를 힐끔 확인한 다음 본격적인 작업에 들어갔다. 터지려는 웃음을 꾹 참은 채 강도의 애교스런 행각을 시종 주목하고 있던 나는 살그머니 상체를 움직여 동준이를 잠새울 때 이부자리 위에 떨어뜨린 식칼을 집어 들었다.

"연장을 이렇게 함부로 굴리는 걸 보니 당신 경력이 얼마나 되는지 알 만합니다."

내가 내미는 칼을 보고 그는 기절할 만큼 놀랐다. 나는 사람 좋게 웃어 보이면서 칼을 받아 가라는 눈짓을 보냈다. 그는 겁에 질려 잠시 망설이다가 내 재촉을 받고 후닥닥 달려들어 칼자루를 낚아채 가지고 다시 내 멱(목의 앞쪽)을 겨누었다. 그가 고의로 사람을 찌를 만한 위인이 못 되는 줄 일찍이 간파했기 때문에 나는 칼을 되돌려 준 걸 조금도 후회하지 않았다. 아니나 다를까, 그는 식칼을 옆구리 쪽 허리띠에 차더니만 몹시 자존심이 상한 표정이 되었다.

ⓐ"도둑맞을 물건 하나 제대로 없는 주제에 이죽거리긴!" / "그래서 경험 많은 친구들은 우리 집을 거들떠도 안 보고 그냥 지나치죠." / "누군 뭐 들어오고 싶어서 들어왔나? 피치 못할 사정 땜에 어쩔 수 없이……." / 나는 강도를 안심시켜 편안한 맘으로 돌아가게 만들 절호의 기회라고 판단했다. / "그 피치 못할 사정이란 게 대개 그렇습니다. 가령 식구 중에 누군가가 몹시 아프다든가 빚이 몰려서……."

나 그 순간 강도의 눈이 의심의 빛으로 가득 찼다. 분개한 나머지 이가 딱딱 마주칠 정도로 떨면서 그는 대청마루를 향해 나갔다. 내 옆을 지나쳐 갈 때 그의 몸에서는 역겨울 만큼 술 냄새가 확 풍겼다. 그가 허둥지둥 끌어안고 나가는 건 틀림없이 갈기갈기 찢어진 한 줌의 자존심일 것이었다. 애당초 의도했던 바와는 달리 내 방법이 결국 그를 편안케 하긴커녕 외려 더욱더 낭패케 만들었음을 깨닫고 나는 그의 등을 향해 말했다.

"어렵다고 꼭 외로우란 법은 없어요. 혹 누가 압니까, 당신도 모르는 사이에 당신을 아끼는 어떤 이웃이 당신의 어려움을 덜어 주었을지?"

"개수작 마! 그 따위 이웃은 없다는 걸 난 똑똑히 봤어! 난 이제 아무도 안 믿어!"

[A] 그는 현관에 벗어 놓은 구두를 신고 있었다. 그 구두를 보기 위해 전등을 켜고 싶은 충동이 불현듯 일었으나 나는 꾹 눌러 참았다. 현관문을 열고 마당으로 내려선 다음 부주의하게도 그는 식칼을 들고 왔던 자기 본분을 망각하고 엉겁결에 문간방으로 들어가려 했다. 그의 실수를 지적하는 일은 훗날을 위해 나로서는 부득이한 조처였다. / "대문은 저쪽입니다." / 문간방 부엌 앞에서 한동안 망연해 있다가 ㉠이윽고 그는 대문 쪽을 향해 느릿느릿 걷기 시작했다. 비틀비틀 걷기 시작했다. 대문에 다다르자 그는 상체를 뒤틀어 이쪽을 보았다.

ⓑ"이래 봬도 나 대학까지 나온 사람이오."

누가 뭐라고 그랬나. 느닷없이 그는 자기 학력을 밝히더니만 대문을 열고는 보안등 하나 없는 칠흑의 어둠 저편으로 자진해서 삼켜져 버렸다.

전체 줄거리

'나'는 셋방살이를 전전하다 집 한 채를 장만하고 방 하나를 세놓는다. 이때 권기용 씨가 '나'의 집 문간방에 전세로 입주한다. 권 씨는 생활 능력이 부족한 전과자이면서도 자존심이 강하고 구두에 대한 정성이 지극하다. 출판사에 다니던 권 씨는 광주 대단지에 집 장만을 위해 분양을 받았지만 세금을 감당할 수 없게 되자 사람들과 집단 소요를 일으키는데, 주동자로 몰려 징역을 살다 나왔다고 한다. '나'는 아내의 입원비를 빌리려는 권 씨의 청을 거절했다가 뒤늦게 자신의 이중성을 깨닫고 권 씨 모르게 수술을 잘 받도록 돕는다. 그날밤 권 씨가 '나'의 집에 강도로 침입하고, '나'는 그를 안심시키려 했으나 권 씨는 자존심만 상한 채 나간다. 아홉 켤레의 구두만 남긴 권 씨가 행방불명되고 '나'는 지난밤 강도로 침입한 권 씨에게 대했던 행동을 후회한다.

만점 노트

'권 씨'에 대한 '나'의 태도

'나'는 힘든 상황에서도 자존심을 잃지 않으려는 권 씨에 대해 연민과 애정을 갖고 있다. '나'는 서투른 강도의 모습을 보고 그가 권 씨임을 알아차리고 그에게 우호적인 태도를 보이며 동정을 드러낸다. 하지만 이러한 '나'의 행동으로 권 씨는 자존심에 상처를 입고 집을 떠나게 된다.

plus

<아홉 켤레의 구두로 남은 사내>의 시대적 배경

1970년대는 산업화가 진행되면서 외형적인 경제 성장과 더불어 양극화가 본격적으로 나타나기 시작한 시기로, 이 글은 1971년에 실제로 일어난 '광주 대단지(현재 경기도 성남시) 사건'을 배경으로 한다. 광주 대단지 사건은 정부의 무계획적인 개발로 인해 토지 투기, 사기, 폭력, 절도 등이 증가하고 생업 문제가 해결되지 않아 피해를 입은 주민 5만여 명이 일으킨 대규모 시위이다. 이 글은 이 사건을 배경으로 하여 자신의 집을 장만하기 위한 소시민들의 꿈과 노력, 좌절감, 빈민으로의 전락 등 급격한 산업화의 모순을 사실적으로 드러내고 있다. 또한 전과가 있는 사람을 몰래 감시하는 공권력의 횡포도 함께 드러난다. 작가는 이러한 사회에 의해 희생된 도시 빈민의 모습을 형상화하여 산업화로 인한 비인간적인 측면을 비판적으로 고발하고 있는 것이다.

수능형

1 이 글에 대해 감상한 내용으로 적절하지 않은 것은?

① '나'의 어설픈 배려가 오히려 권 씨의 자존심을 상하게 하였군.
② 권 씨는 자신의 정체가 들켰음을 알고는 강도짓을 포기하였군.
③ '나'는 권 씨가 평소와 다름없이 자신을 대할 수 있기를 바랐군.
④ 권 씨는 부탁을 거절당한 것에 대한 앙갚음으로 강도짓을 하였군.
⑤ '나'는 권 씨의 아내가 무사히 수술했음을 우회적으로 알려 주었군.

2 〈보기〉의 빈칸에 들어갈 말로 가장 적절한 것은?

보기

이 글의 (가)에 나타나는 '나'와 강도의 태도는 (　　　)(이)라는 말로 나타낼 수 있다.

① 간담상조(肝膽相照)　② 부창부수(夫唱婦隨)
③ 순망치한(脣亡齒寒)　④ 주객전도(主客顚倒)
⑤ 호가호위(狐假虎威)

3 (나)에 나타나는 '그'의 말하기 방식에 해당하는 것을 〈보기〉에서 있는 대로 고른 것은?

보기

ㄱ. 단정적인 말투를 사용해 자신의 확신을 강조한다.
ㄴ. 비유적인 표현을 동원해 상대방을 설득하고자 한다.
ㄷ. 상대방의 입장을 인정함으로써 공감대를 얻고자 한다.
ㄹ. 상대방의 말을 부정하며, 자신의 입장을 고수하고자 한다.

① ㄱ, ㄴ　② ㄱ, ㄷ　③ ㄱ, ㄹ
④ ㄴ, ㄷ　⑤ ㄷ, ㄹ

4 ⓐ와 ⓑ에 대한 설명으로 가장 적절한 것은?

① ⓐ는 적대감을, ⓑ는 양심의 가책을 드러낸다.
② ⓐ와 ⓑ는 둘 다 현실 중시의 태도를 보여 준다.
③ ⓐ는 부끄러움을, ⓑ는 불안한 마음을 보여 준다.
④ ⓐ와 ⓑ는 둘 다 도덕성을 회복하고자 하는 표현이다.
⑤ ⓐ에는 상대에 대한 반감이, ⓑ에는 상처받은 자존심이 드러난다.

5 ㉠에 사용된 인물 제시 방법과 거리가 먼 것은?

① 김 첨지는 앓는 이의 뺨을 한 번 후려갈겼다. 홉뜬 눈은 조금 바라졌건만 이슬이 맺히었다.
— 현진건, 〈운수 좋은 날〉
② 그도 이 집 주인이 이리로 올 때에 데리고 왔으니 진실하고 충성스러우며 부지런하고 세차다.
— 나도향, 〈벙어리 삼룡이〉
③ 보라 빛깔의 원피스를 입은 진영의 허리는 말할 수 없이 가느다랗다. 핏기 없는 얼굴에는 눈만 검다.
— 박경리, 〈불신 시대〉
④ 황 진사의 닫힌 입 가장자리에 미미한 경련이 일어나며, 힘없이 두 무르팍 위에 놓인 그의 두 손은 불불불 떨리고 있었다.
— 김동리, 〈화랑의 후예〉
⑤ 어머니는 그 봉투를 받아들자 갑자기 얼굴이 파랗게 질렸습니다. 그 전날 달밤에 마루에 앉았을 때보다 더 새하얗다고 생각되었습니다.
— 주요섭, 〈사랑손님과 어머니〉

학습 활동 응용

6 [A]를 〈보기〉처럼 바꾸어 썼을 때, 달라진 점으로 적절하지 않은 것은?

보기

나는 현관에 벗어 둔 구두를 신었다. 그리고 무의식적으로 문간방으로 들어가려고 하는 실수를 저질렀을 때, 그의 목소리가 들렸다.
"대문은 저쪽입니다."
그 말을 듣자 나는 그를 식칼로 찔러 버리고 싶은 충동을 간신히 참아야 했다. 뒷날 그는 나중을 생각해서 끝까지 강도로 대우하기 위한 부득이한 조처였다고 해명했지만, 그때 내 눈에는 그의 태도가 어수룩한 강도가 자기네 문간방 사내임을 간파하고는 조롱하는 투로 보였다. 그 순간 그동안 나를 지탱해 주던 기둥이 삽시에 허물어져 내렸다. 온 몸의 힘이 모두 빠져나가 나는 비틀거리면서 겨우 대문을 향했다. 대문에 다다르자 더 이상 참을 수 없어서 상체를 뒤틀어 그를 바라보았다.

① 독자의 상상력이 개입할 여지가 적어지고 있다.
② 독자와 주인공의 심리적 거리가 가까워지고 있다.
③ 주인공의 내면 심리가 보다 정확하게 드러나 있다.
④ 서술자가 과거를 회상하는 방식으로 서술하고 있다.
⑤ 새로운 사건이 추가되며 내적 갈등이 심화되고 있다.

08 장마 - 윤흥길

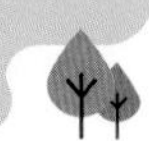

가 난데없는 구렁이의 출현으로 말미암아 우리 집은 삽시에 엉망진창이 되어 버렸다. 무엇보다 큰 걱정이 할머니의 졸도였다. 식구들이 모두 안방에만 매달려 수족을 주무르고 얼굴에 찬물을 뿜어 대는 등 야단법석을 떨어 가며 할머니가 어서 깨어나기를 빌었다. 그 바람에 일단 물러갔던 동네 사람들이 재차 모여들기 시작했고, 제멋대로 떼뭉쳐 서서 떠들어 대는 소리 때문에 혼란은 더욱 가중되었다. 모두가 제정신이 아닌 그 북새(많은 사람들이 부산을 떨며 법석이는 일) 속에서도 끝까지 냉정을 잃지 않는 사람은 애오라지(오로지) 외할머니 혼자뿐이었다.

나 "자네 오면 줄라고 노친께서 여러 날 들여 장만헌 것일세. 먹지는 못헐망정 눈요구('눈요기'의 방언)라도 허고 가소. 다아 자네 노친 정성 아닌가. 내가 자네를 쫓을라고 이러는 건 아니네. 그것만은 자네도 알어야 되네. 남새('냄새'의 방언)가 나드라도 너무 섭섭타 생각 말고, 집안일일랑 아모 걱정 말고 머언 걸음 부데 펜안히 가소."

이야기를 다 마치고 외할머니는 불씨가 담긴 그릇을 헤집었다. 그 위에 할머니의 흰머리를 올려놓자 지글지글 끓는 소리를 내면서 타오르기 시작했다. 단백질을 태우는 노린내가 멀리까지 진동했다. 그러자 눈앞에서 벌어지는 그야말로 희한한 광경에 놀라 사람들은 저마다 탄성을 올렸다. 외할머니가 아무리 타일러도 그때까지 움쩍도 하지 않고 그토록 오랜 시간을 버티던 그것이 서서히 움직이기 시작한 것이다. 감나무 가지를 친친 감았던 몸뚱이가 스르르 풀리면서 구렁이는 땅바닥으로 툭 떨어졌다.

다 "고맙소." / 정기가 꺼진 우묵한 눈을 치켜 간신히 외할머니를 올려다보면서 할머니는 목이 꽉 메었다.

"사분(사부인, 안사돈)도 별시런 말씀을 다……."/ 외할머니도 말끝을 마무르지 못했다.

"야한티서 이얘기는 다 들었소. 내가 당혀야 헐 일을 사분이 대신 맡었구랴. 그 험헌 일을 다 치르노라고 얼매나 수고시렀으꼬." / "인자는 다 지나간 일이닝게 그런 말씀 고만두시고 어서어서 뫼(마음)이나 잘 추시리기라우." / "고맙소, 참말로 고맙구랴."

㉠할머니가 손을 내밀었다. 외할머니가 그 손을 잡았다. 손을 맞잡은 채 두 할머니는 한동안 말을 잇지 못했다. 그러다가 할머니 쪽에서 먼저 입을 열어 아직도 남아 있는 근심을 털어놓았다. / "탈 없이 잘 가기나 혔는지 몰라라우." / "염려마시랑게요. 지금쯤 어디 가서 펜안히 거처험시나 사분 댁 터주(집터를 지키는 귀신) 노릇을 톡톡히 하고 있을 것이요."

그만한 이야기를 나누는 데도 대번에 기운이 까라져 할머니는 가쁜 숨을 몰아쉬었다. 가까스로 할머니가 잠들기를 기다려 구완(병자나 해산한 사람의 시중을 드는 일)을 맡은 고모만을 남기고 모두들 큰방을 물러 나왔다.

라 안에 있는 아들보다 밖에 있는 아들을 언제나 더 생각했던 할머니는 마지막 날 밤에 다 타 버린 촛불이 스러지듯 그렇게 눈을 감았다. 할머니의 긴 일생 가운데서, 어떻게 생각하면, 잠도 안 자고 먹지도 않고 그러고도 놀라운 기력으로 며칠 동안이나 식구들을 들볶아대면서 삼촌을 기다리던 그 짤막한 기간이 사실은 꺼지기 직전에 마지막 한 순간을 확 타오르는 촛불의 찬란함과 맞먹는, 할머니에게 가장 자랑스럽고 행복에 넘치던 시간이었었나 보다. 임종의 자리에서 할머니는 내 손을 잡고 내 지난날을 모두 용서해 주었다. 나도 마음속으로 할머니의 모든 걸 용서했다.

마 정말 지루한 장마였다.

한눈에 쏙

비상 박 I

갈래	중편 소설, 전후 소설
시점	1인칭 관찰자 시점
배경	시간 – 6 · 25 전쟁 중 공간 – 어느 농촌
주제	전쟁이 가져온 비극과 극복
특징	① 전라도 방언을 사용하여 사실감을 부여함 ② 어른인 서술자가 과거를 회상하며 어린이의 시각으로 서술함

전체 줄거리

외할머니와 할머니의 아들이 각각 국군과 인민군이 되어 전쟁에 나간다. 외할머니의 아들이 전사하자 외할머니는 빨치산에 대한 저주를 퍼붓고, 이로 인해 두 할머니의 갈등은 고조된다. 삼촌이 살아서 돌아온다고 예언한 점쟁이의 말을 믿는 할머니는 가족들에게 삼촌을 맞이할 준비를 시킨다. 그러나 삼촌 대신 집에 들어온 구렁이로 인해 할머니는 졸도하고 대신 외할머니가 구렁이를 달래 배웅하고 사태를 수습한다. 할머니는 죽기 전에 외할머니와 화해를 하고 지루한 장마가 끝난다.

만점 노트

1 등장인물

- 할머니: 빨치산인 둘째 아들을 기다리는 인물. 무속 신앙을 굳게 믿으며 강한 모성애를 보인다.
- 외할머니: 국군인 아들을 잃고 빨치산을 저주하여 할머니와 갈등을 빚는 인물. 무속 신앙을 굳게 믿으며 구렁이를 돌려보내 할머니와 화해한다.

2 '구렁이'의 상징성

구렁이는 '삼촌의 현신(現身)'으로 볼 수 있다. 또한 구렁이는 두 할머니의 정서적 동질성을 확인하여 갈등을 해소하는 역할을 한다.

3 '장마'의 의미

장마는 '나'의 집안에 일어난 불행과 우리 민족에게 닥친 전쟁의 비극을 의미한다. 지루했던 장마는 비극적인 상황이 상당히 오래 지속되었음을 의미하며, 이 글의 마지막에서 장마가 끝났다고 말하는 것은 전쟁의 종결과 갈등의 해소를 나타낸다.

1 이 글의 서술상 특징으로 적절하지 않은 것은?

① 사투리를 사용하여 향토적 분위기를 드러내고 있다.
② 민족의 비극성을 비교적 객관적으로 서술하고 있다.
③ '나'가 인물과 사건에 대해 관찰한 내용을 서술하고 있다.
④ 인물의 심리 변화를 중심으로 사건을 종합적으로 제시하고 있다.
⑤ 어린 시절을 회상하는 방식으로 서술되면서, 어린아이의 시점과 어른의 시점이 혼재되어 있다.

2 이 글 전체의 내용을 고려할 때, 두 할머니가 한집에 살고 있는 상황을 설정한 작가의 의도로 적절한 것은?

① 외할머니의 침착함과 너그러움을 강조하기 위해서
② 할머니의 박복하고 기구한 운명을 부각하기 위해서
③ 전쟁이 가져온 새로운 형태의 가족 제도를 보여 주기 위해서
④ 분단된 조국 현실의 갈등과 대립을 상징적으로 표현하기 위해서
⑤ 사돈 간의 관계는 어렵기만 하다는 통속적 생각을 극복하기 위해서

3 이 글에 대한 감상 방법이 이질적인 것은?

① 이 글에서는 '구렁이', '흰머리', '장마'와 같은 상징적인 소재들이 많이 사용되었어.
② 이 글은 단순한 한 집안의 갈등을 넘어 우리 민족의 역사적 아픔을 그린 것이라고 볼 수 있어.
③ 나는 통일을 위해서는 남북한이 민족적 동질성을 회복하는 것이 가장 중요하다고 느꼈어.
④ 장마라는 배경을 설정한 이유는 그만큼 한국 전쟁이 지루하면서도 괴로웠다는 것을 부각시키기 위해서였을 거야.
⑤ 이 글의 작가는 실제로 어린 시절에 한국 전쟁을 경험했다는군. 그래서 작품 속의 서술자를 더 잘 표현하지 않았을까?

학습 활동 응용

4 (마)와 같은 결말이 주는 효과로 적절하지 않은 것은?

① 고통의 시간이 길게 느껴졌음을 드러낸다.
② 전체의 내용을 함축적이고 효과적으로 보여 준다.
③ 앞으로 시작될 무더위와 새로운 갈등을 암시한다.
④ 제목과 연결되어 장마의 상징적 의미를 부각한다.
⑤ 간결한 마무리로 독자로 하여금 여운을 느끼게 한다.

수능형

5 〈보기〉의 밑줄 친 부분을 중심으로 이 글에 대해 토의할 때 적절하지 않은 것은?

> 보기
>
> 한국 문학의 세계화를 위해서는 먼저 한국 문학의 특수성을 이해시키는 데 초점을 맞추어 접근해야 한다.

① 한국의 전통적 가족 제도를 어떻게 이해시킬까?
② 인물과 인물 사이의 갈등 양상을 어떻게 설명할까?
③ 사투리에 담긴 특유의 어조를 어떻게 설명할까?
④ 죽음에 담긴 한국인의 의식 구조를 어떻게 설명할까?
⑤ 구렁이를 대하는 외할머니의 태도를 어떻게 이해시킬까?

6 〈보기〉의 ⓐ~ⓔ 중, ㉠과 상징적 의미가 가장 유사한 것은?

> 보기
>
> 껍데기는 가라. / 4월도 ⓐ알맹이만 남고 / 껍데기는 가라. //
> ⓑ껍데기는 가라. / 동학년 곰나루의, 그 아우성만 살고 / 껍데기는 가라. //
> 그리하여, 다시 / 껍데기는 가라. / 이곳에선, 두 가슴과 그곳까지 내논 / ⓒ아사달 아사녀가 / 중립의 초례청 앞에 서서 / 부끄럼 빛내며 / ⓓ맞절할지니 //
> 껍데기는 가라. / 한라에서 백두까지 / 향그러운 흙가슴만 남고 / 그, 모오든 ⓔ쇠붙이는 가라.
>
> – 신동엽, 〈껍데기는 가라〉

① ⓐ ② ⓑ ③ ⓒ ④ ⓓ ⑤ ⓔ

7 〈보기〉의 밑줄 친 부분을 나타내기 위해 작가가 의도적으로 설정한 소재를 찾아 한 단어로 쓰시오.

> 보기
>
> 문학에서는 가끔 과학적 진실은 중요하지 않게 다루어지곤 한다. 그것은 독자들이 문학 작품을 이해하는 데 있어 과학적 사실이냐 아니냐를 따지면서 읽는 것이 아니라, 심리적인 실재(實在)로 파악하고 믿음을 가지면서 글을 읽기 때문이다.
> 〈장마〉에서도 생물학적 구조가 다른 두 존재가 무속 신앙을 바탕으로 동일한 인물인 것처럼 그려지고 있다. 하지만 두 할머니는 두 대상을 동일시하며, 독자들 역시 등장인물들의 반응에 심적으로 동조를 하게 된다.

현대 소설

09 완장 - 윤흥길

가 "사람이 운수 불길혀서 잠시 잠깐 이런 촌구석에 처백혀 있다고 그렇게 호락호락 시삐 보들 마시요! 에이 요보쇼들, 저수지 감시가 뭐요, 감시가! 내가 게우 오만 원짜리 꼴머심 푼수배끼 안 되는 것 같소? 나 임종술이, 이래 비아도 왕년에는 사장님 소리까장 들어 본 사람이요!" ⓐ

시삐: 별로 대수롭지 않은 듯하게

그것은 공연한 허풍 아닌 사실이었다. 동대문의 시장 바닥에서 처음에는 목판부터 시작해서 나중에 포장마차를 할 때라든지, 마지막으로 양키 물건에 손을 대기까지 종술은 그를 상대하는 사람들로부터 좋은 의미로든 나쁜 의미로든 좌우간 사장님 소리를 곧잘 듣곤 했었다.

나 "무작정 화를 낼 일만은 아니네. 사람이 과거는 어쨌을망정 시방은 사세에 따를 줄도 알어야 장차 또 늘품수가 생기는 벱이지. 안 그런가? 한번 자알 생각혀 보소." ⓑ

늘품수: 앞으로 좋게 발전할 방법이나 수

지칠 줄 모르는 최 사장의 끈기에 힘입어 익삼 씨도 다시 설득에 나섰다.

"내가 자네라면은 나는 기왕 낚시질허는 짐에 비단잉어에다 월급봉투를 암냥혀서 한몫에 같이 낚어 올리겄네. 삽자루 들고 땅띠기 허는 배도 아니고 그냥 소일 삼어서 감시원 완장 차고 물가상이로 왔다리 갔다리 허면서……." ⓒ

ⓓ"완장요?" / 그렇다. ㉠완장 바로 그것이었다. 그것이 순간적으로 종술의 흥분한 머리를 무섭게 때려서 갑자기 멍한 상태로 만들어 놓는 것이었다.

"팔에다 차는 그 완장 말입니까?"

ⓔ종술의 천치스런 질문에 최 사장은 또다시 그 어울리지 않는 너털웃음을 호탕하게 터뜨렸다. / "이 사람아, 팔 완장 말고 기저구맨치로 사추리에다 차는 완장이라도 봤는가?"

사추리: '샅(두 다리의 사이)'의 방언

완장이란다! 왼쪽 팔에다 끼고 다니는 그 완장 말이다!

본래 잽싼 데가 있는 최 사장이었다. 그는 우연히 튀어나온 완장이란 말에 놀랍게도 민감한 반응을 보이는 종술의 허점을 간파하고는 쥐란 놈이 곳간 벽에 구멍을 뚫듯 거기를 집중적으로 공격하기로 마음먹었다.

"종술이 자네가 원헌다면 하얀 완장에다가 뻘건 글씨로 감시원이라고 크막허게 써서 멋들어지게 채워 줄 작정이네."

다 고단했던 생애를 통하여 직접으로 간접으로 인연을 맺어 온 숱한 완장들의 기억이 주마등처럼 종술의 뇌리를 스쳤다. 완장의 나라, 완장에 얽힌 무수한 사연들로 점철된 완장의 역사가 너훌거리는 치맛자락의 한끝을 슬쩍 벌려 바야흐로 흔들리기 시작하는 종술의 가슴을 유혹하고 있다.

시장 경비나 방범들의 눈을 피해 전재산이나 다름없는 목판을 들고 이 골목 저 골목으로 끝없이 쫓겨 다니던 시절, 도로 교통법 위반이다 뭐다 해서 걸핏하면 포장마차에 걸려오던 시비와 단속들, 암거래 조직에 끼어들어 미군 부대나 양색시들로부터 흘러나오는 물건을 상인들한테 중계하던 시절, 그리고 똑같이 전매법과 관세법의 위반을 전문으로 하는 다른 조직과의 피나는 세력 다툼 끝에 상대편의 밀고로 뒤가 구린 미제 컬러텔레비전을 운반하다가 체포되어 특정 범죄의 가중 처벌을 몸으로 때우던 시절…….

어느 시기나 다 마찬가지로 돈을 벌어 보려고 몸부림치는 그의 노력 앞에는 언제나 완장들이 도사리고 있었던 셈이다.

한눈에 콕

금성

갈래	장편 소설, 세태 소설
시점	전지적 작가 시점
배경	시간 – 독재 정권이 횡포를 부리던 1970~80년대 공간 – 전라북도 농촌
주제	권력의 속성에 대한 날카로운 비판
특징	① 상징적 소재로 주제 의식을 드러냄 ② 해학적 문체를 구사함 ③ 방언을 사용해 사실감과 생동감이 느껴짐

전체 줄거리

졸부가 된 최 사장이 널금 저수지의 사용권을 얻어 양어장을 만들게 되고, 종술에게 '완장'을 차게 하여 저수지를 관리하게 한다. 종술은 그날부터 자신이 가진 권력을 이용해 마을 사람들 위에 군림하려고 한다. 급기야 종술은 초등학교 동창인 준환과 그 아들을 폭행하는 등 마을의 독재자와 같은 모습으로까지 치닫는다. 결국 종술은 저수지로 나들이 나온 최 사장 일행에게 행패를 부리다 해고된다. 저수지 감시원 자리를 빼앗겼음에도 불구하고 종술은 저수지 감시원 행세를 하며 저수지를 지키다가 마침내 가뭄 해소책으로 저수지의 물을 빼야 한다는 수리 조합 직원과 경찰에게까지 행패를 부리다 쫓기는 처지가 된다.

만점 노트

1 등장인물

- 임종술: 저수지 관리인으로 취직한 건달. '완장'의 힘을 믿고 마을 사람들 위에 군림하려다가 파멸하는 인물
- 최 사장: 땅 투기로 졸부가 된 인물. 성공한 기업가로 행세하며 종술에게 저수지 관리를 맡긴다.
- 부월이: 종술이 사랑하는 술집 작부로, 종술이 가진 완장의 위력이 전혀 발휘되지 못하는 인물
- 운암댁: 종술의 어머니. 종술이 찬 완장을 보고 지난날의 공포를 떠올린다.

2 '완장'의 상징성

'완장'은 권력 의식을 상징적으로 보여 주는 소재이다.

정답과 해설 28쪽

학습 활동 응용

1 이 글의 서술상 특징으로 적절한 것은?

① 현학적 표현으로 인물의 성품을 드러내고 있다.
② 묻고 답하는 형식으로 이야기가 전개되고 있다.
③ 장면의 빠른 전환을 통해 긴장감을 조성하고 있다.
④ 토속적 방언과 해학적 필치로 이야기를 전개하고 있다.
⑤ 다양한 인물들의 경험을 삽화 형식으로 나열하고 있다.

수능형

2 이 글에 대한 이해로 적절하지 않은 것은?

① 임종술은 별 볼 일 없는 처지임에도 자존심을 내세우고 있다.
② 임종술은 완장을 차고 다니던 젊은 시절을 그리워하고 있다.
③ 익삼 씨는 현재 상황을 따라야 한다고 상대를 달래고 있다.
④ 최 사장은 상대의 속마음을 간파하여 설득에 이용하고 있다.
⑤ 최 사장은 일이 쉽다는 점을 강조하여 상대를 설득하고 있다.

3 이 글의 서술자에 대한 설명으로 적절한 것은?

① 이야기의 내부 서술자가 자신이 직접 겪은 일을 제시하고 있다.
② 작중 인물이 서술자가 되어 다른 인물의 행동과 심리를 제시하고 있다.
③ 장면에 따라 서술자를 달리하여 사건에 대한 다양한 시각을 보여 주고 있다.
④ 이야기의 외부 서술자가 관찰자의 입장에서 사건을 객관적으로 전달하고 있다.
⑤ 작품 바깥에 위치한 전지적 서술자가 특정 인물에게 초점을 두며 서술하고 있다.

4 (가)와 (나)에 대한 설명으로 적절한 것은?

① (가)에서는 갈등의 원인이, (나)에서는 갈등의 해소 방안이 드러난다.
② (가)에서는 인물의 과거가, (나)에서는 인물이 낙향한 이유가 나타난다.
③ (가)에서는 갈등의 발생이, (나)에서는 갈등이 심화되는 사건이 나타난다.
④ (가)에서는 인물의 부정적인 면이, (나)에서는 인물의 긍정적인 면이 드러난다.
⑤ (가)에서는 인물 간의 갈등이, (나)에서는 이로 인한 한 인물의 내적 갈등이 나타난다.

5 이 글을 영화로 만든다고 할 때, ⓐ~ⓔ에 대한 설명으로 적절하지 않은 것은?

① ⓐ: 상대를 향해 삿대질을 하는 등의 행동을 곁들면 더 실감나겠군.
② ⓑ: 종술의 무례한 태도에 언짢은 듯한 표정을 지으면서 못마땅하다는 식으로 말을 해야겠군.
③ ⓒ: 종술의 표정을 살피면서 종술을 설득하는 말하기를 해야겠군.
④ ⓓ: '완장'이라는 소리에 놀라며 흥분한 종술의 표정을 클로즈업해야겠군.
⑤ ⓔ: 시원하게 웃는 웃음 뒤에 계략을 숨긴 듯한 인물의 이중적인 모습이 드러나도록 연기해야겠군.

6 〈보기〉는 이 글의 뒷부분이다. 이 글과 〈보기〉를 참고할 때, ㉠에 대한 설명으로 적절하지 않은 것은?

보기

"죄인이라는 증거다. 집안 어르신을 돌아가시게 맨든 죄를 만천하에 자복허는 뜻으로다가 사람들은 상장을 둘렀다. 죄인이 부정을 멀리허고 매사에 근신허게코롬 상장을 둘리워서 일반 인들어고 확연허니 구분을 지었다. 본시 우리가 조상님네로부터 물려받은 완장은 이렇게 미풍양속에서 시작된 것이니라."

교장 선생은 말을 멈추고 잔을 들어 커피를 마셨다. 구태여 그것을 마시지 않더라도 종술은 엔간히 입맛이 쓴 판이었다.

"완장도 여러 질이지요." / "니 말이 맞다. 완장도 완장 나름인 벱인디, 니가 시방 차고 앉었는 그것은 말허자면 왜놈들 찌끄레기니라."

① 일제에 의해 변질된 의미를 갖게 되었다.
② 종술에게는 타인 위에 군림하는 권력을 상징한다.
③ 원래는 자신의 죄를 자복하는 데서 시작한 물건이다.
④ 종술과 교장이 서로 다른 시선으로 보고 있는 사물이다.
⑤ 종술과 최 사장 사이의 의견 대립을 조장하는 소재이다.

학습 활동 응용

7 다음 설명에 해당하는 소재를 찾아 쓰시오.

- 임종술이 지난 삶을 떠올리게 되는 매개체
- 억압과 규제의 의미를 지니는 권력을 상징

현대 소설

10 도요새에 관한 명상 - 김원일

가 도요새 무리를 동진강 삼각주에서 발견했을 때, 나는 마치 헤어진 부모와 동기간과 약혼녀를 만난 듯 반가웠다. 너희들이 휴전선 위 통천을(강원도(북한) 동부에 있는 군) 거쳐 여기로 날아왔으려니, 하고 대답 없는 물음을 던지면 울컥 사무쳐 오는 향수가 내 심사를 못 견디게 긁어 놓았다. 가져온 술병을 기울이며 나는 새 떼와 많은 대화를 나누었다. 내가 말하고 내가 새가 되어 대답하는 그런 대화를 아무도 이해할 수 없을 것이다. 새가 고향 땅 부모님이 되고, 형제가 되고, 어떤 때는 약혼자가 되어 내게 들려주던 그 많은 이야기를 나는 기쁨에 들떠, 때때로 설움에 젖어 화답하는 그 시간만이 내게는 살아 있는 진정한 시간이었다. 세월의 부침 속에 고향에 대한 향수도 차츰 식어 갔다. 이제 새 떼가 부쩍 줄어든 동진강 하구도 내 인생과 함께 황혼을 맞고 있었다. 동진강이 악취 풍기는 폐수로 변해 버렸기 때문이었다. 지금 보는 바다 역시 헤엄쳐 북상하면 며칠 내 고향에 도착할 수 있을 것 같던 거리가 까마득히 멀어 보였다. 철새나 나그네새는 휴전선을 넘어 자유로이 왕래하건만 나는 그곳으로 갈 수 없다는 안타까움만 해가 갈수록 내 이마에 깊은 주름을 새겼다.

나 내가 신문 바둑난을 꼼꼼히 들여다보고 있을 때였다. 대문 초인종이 길게 울렸다. 마루 끝에 앉아 껌을 씹으며 라디오 유행가를 듣던 종옥이가 대문께로 달려갔다. 초인종 소리로 보아 두 아들 녀석 같지 않았고 여편네가 또 뭘 빠뜨리고 나갔다 황망히 돌아왔으려니 싶었다. / "누구세요?"/ 종옥이 철문 쇠 빗장을 달그랑거리며 물었다.

"김병국이라고, 이 집에 살지요?"/ 바깥의 무뚝뚝한 목소리였다.

다 윤 소령은 당번병을 불러, 김병국 군을 데려오라고 말했다. 한참 뒤, 사병과 함께 병국이 파견 대장실로 들어왔다. 땟국 앉은 꾀죄죄한 그의 몰골이 중병 환자 같았다. 점퍼와 검정 바지도 펄투성이여서 하수도 공사를 하다 나온 듯했다. 병국은 움푹 꺼진 동태눈으로 나를 보았다.

"이 녀석아, 넌 도대체 어, 어떻게 돼먹은 놈이야! 통금 시간(야간 통행금지 시간)에 허가증 없이 해안 일대에 모, 못 다니는 줄 뻔히 알면서." / 내가 노기를 띠고 아들에게 소리쳤다.

"본의는 아니었어요. 사흘 사이 동진강 하구 삼각주에서 갑자기 새들이 집단으로 죽기에 그 이유를 좀 알아보려던 게……."

병국이 머리를 떨구었다. / "그래도 변명은!"

"고정하십시오. 자제분 의도나 진심은 충분히 파악했으니깐요."/ 윤 소령이 말했다.

병국은 간밤에 쓴 진술서에 손도장을 찍고, 각서 한 장을 썼다. 내가 그 각서에 연대보증을 섬으로써 우리 부자가 파견대 정문을 나서기는 정오가 가까울 무렵이었다. 부대에서 나올 때 집으로 찾아왔던 중위가 병국이 사물을 인계했다. 닭털 침낭과 등산 배낭, 이인용 천막, 그리고 걸레 조각처럼 늘어진 바다오리와 꼬마물떼새 시신이 각 열 구씩이었다. / "죽은 새는 뭘 하게?"/ 웅포리 쪽으로 걸으며 내가 물었다.

"해부를 해서 사인을 캐보려구요." / "폐, 폐수 탓일까?"

"글쎄요……." / "너도 시장 할테니 '아바이집'으로 가서 저, 점심 요기나 하자."

나는 웅포리 정 마담을 만나 이잣돈을 받아 오라던 아내 말을 떠올렸다. 병국이는 식사 따위에 관심이 없어 보였다.

한눈에 콕

동아 | 지학

갈래	중편 소설, 생태 소설
시점	1인칭 주인공 시점, 전지적 작가 시점(시점의 이동이 자유로움)
배경	시간 – 1970년대 후반 공간 – 동진강 유역
주제	① 민족의 역사적 비극과 산업화로 인한 환경 오염 문제 ② 타락한 삶에 대한 비판과 순수한 인간성 회복
특징	시점이 고정되어 있지 않고, 작품 밖 서술자와 등장인물들 각각의 시점으로 서술됨

전체 줄거리

제1장(병식의 시점): 재수생인 '나'(병식)는 도요새를 잡아 박제상에 넘겨 번 돈을 유흥비로 쓰면서 생활한다. '나'는 무능력한 실향민 아버지와 명문 대학의 학생이었으나 학교에서 쫓겨난 형을 한심하게 생각한다.

제2장(병국의 시점): 대학에서 쫓겨난 '나'는 고향으로 돌아와 동진강의 새 떼와 자연 문제에 관심을 갖고 동진강 주변의 환경 문제의 원인을 밝히려고 노력한다.

제3장(아버지의 시점): 개펄의 새를 보는 것이 유일한 낙인 실향민 '나'는 성격이 다른 아내와 결혼하고 하루하루 무기력하게 살아간다. 대학에서 쫓겨나 집에 있는 큰아들 병국이 일으킨 사건으로 비료 회사 사람들과 군인들이 찾아오고, '나'는 병국에게 환경 오염의 심각성과 둘째 병식의 새 수렵에 대한 이야기를 듣는다.

제4장(전지적 작가 시점): 병국과 병식은 새를 잡아 팔아넘기는 문제로 싸우게 된다. 이후 병국은 술집에서 들려오는 아버지의 한 맺힌 소리를 뒤로 한 채 도요새에 대한 명상에 빠졌다가 날아가는 새들을 바라본다.

만점 노트

'도요새'의 상징적 의미

형(병국)에게 있어 '도요새'는 이상과 자유를, 아버지에게 있어 '도요새'는 고향에 대한 그리움을 상징한다. 즉, '도요새'는 아끼고 보호해야 할 환경을 의미하면서 동시에 정신적 가치를 상징한다. 그러나 동생(병식)에게 있어 '도요새'는 경제적 이익물에 불과하다.

수능형

1 이 글에 대한 설명으로 적절한 것은?

① 서술자가 수시로 바뀌면서 상황을 다양한 각도로 보여 주고 있다.
② 인물의 말과 행동보다는 의식의 흐름에 따라 내용이 전개되고 있다.
③ 당대를 살고 있는 인물들의 모습을 통해 사회에 대한 문제의식을 잘 드러내고 있다.
④ 등장인물 모두가 하나의 대상을 유사한 시각으로 바라봄으로써 주제 의식을 강조하고 있다.
⑤ 작품 밖 서술자에 의해 특정 자연물에 대한 등장인물들의 시선이 객관적으로 드러나고 있다.

학습 활동 응용

2 (가)의 '나'에 대해 이해한 내용으로 가장 적절한 것은?

① 하라: 새와 대화한다는 것으로 보아 정신 상태가 불안정한 사람인 것 같아.
② 수지: 고향을 떠난 지 너무 오래되어 고향을 그리워하는 마음도 사라져 버렸군.
③ 가인: 도요새 무리를 부모와 동기, 약혼녀의 현신으로 생각하고 숭배하려고 해.
④ 소희: 분단으로 인해 고향을 자유롭게 왕래할 수 없는 비극적인 현재의 상황을 안타까워하고 있어.
⑤ 윤아: 자신과 동일시하는 동진강이 폐수로 변했다고 말한 걸 보니 그의 인생 역시 물질적·정신적으로 피폐해진 것은 아닐까?

3 (다)에서 알 수 있는 사실이 아닌 것은?

① '나'는 아내로부터 이잣돈을 받아 오라는 심부름을 받았다.
② '나'는 아들인 병국을 대하는 것이 어려워 말을 더듬고 있다.
③ 당시에는 허가증이 없이는 밤늦은 시각에 돌아다닐 수 없었다.
④ 병국은 새의 떼죽음에 대해 알아보기 위해 통금 시간에 해안 일대를 돌아다녔다.
⑤ 병국은 죽은 새 때문에 파견대에 끌려갔음에도 불구하고 죽은 새에 대한 미련을 버리지 못하고 있다.

학습 활동 응용

4 (다)에 나타나는 '나'와 '병국'의 새의 죽음에 대한 관점 차이를 설명한 내용으로 적절한 것은?

① '나'는 불길하다고 생각하고 있고, 병국은 통쾌해하고 있다.
② '나'는 안타까워하는 데 반해, 병국은 자신과 상관없는 일이라고 생각하고 있다.
③ '나'는 연민의 시선으로 바라보고 있지만, 병국은 경제적 가치로만 여기고 있다.
④ '나'는 큰 관심을 두지 않고 있고, 병국은 그 원인에 대해 몹시 궁금해하고 있다.
⑤ '나'는 소중한 생명의 파괴에 분노하고 있으나, 병국은 단지 실험의 대상으로만 바라보고 있다.

학습 활동 응용

5 이 글을 읽은 독자들이 〈보기〉의 '병식'에게 해 줄 수 있는 말로 적절하지 않은 것은?

보기

'병국'의 동생 '병식'은 재수생으로 용돈을 벌기 위해 친구와 함께 도요새를 잡아 박제상에게 넘기는 일을 하고 있었다. 이 사실을 안 '병국'이 동생 '병식'을 만나 도요새 포획이 잘못된 일이라고 지적하고 박제상의 이름을 대라고 재촉한다. 그러나 '병식'은 형의 요구를 거절하면서 항변한다.

"그 개떡 같은 이론은 집어쳐. 내가 알기론 이 지구상에는 삼십 억이 넘는 새들이 살고 있어. 그중 내가 오십 마리를 죽였다 치자, 그게 형은 그렇게 안타까워? 그렇담 숫제 참새구이도 없애 버리지 뭘, 닭도 진화를 도와 하늘로 해방시키자구."

① 재환: 도요새는 아버지와 형에게 매우 소중하고 의미 있는 존재입니다.
② 성우: 형이 가족보다 도요새를 더 소중히 여긴다고 도요새를 미워해서는 안 됩니다.
③ 민현: 그런 생각 때문에 자연의 소중한 생물들이 멸종하고 있다는 사실을 알아야 합니다.
④ 지성: 도요새를 보호하는 것은 결국 환경을 보호하고, 나아가 우리 자신을 보호하는 행위입니다.
⑤ 대휘: 도요새와 함께하는 시간을 살아 있는 진정한 시간이라고 느끼는 아버지를 생각하길 바랍니다.

6 (다)에서 이 글의 시대적 배경을 알 수 있는 2어절의 어휘를 찾아 쓰시오.

현대 소설

11 황만근은 이렇게 말했다 ❶ - 성석제

가 마을 회관 앞, 황만근이 직접 심어 놓은 등나무 덩굴 아래, 직접 짠 평상에 사람들이 모였다. 먼저 이장이 입을 열었다.

"만그인지 반그인지 그 바보 자석 하나 때문에 소 여물도 못하러 가고 이기 뭐라. 스무 바리나 되는 소가 한끼분에 밥 굶는 기 중요한가, 바보 자석 하나가 어데 가서 술 처먹고 집에 안 오는 기 중요한가, 써그랄." / 마을에서 연장자 축에 들고 가장 학식이 높아 해마다 한 번씩 지내는 용왕제(龍王祭)에 축(祝)을 초(草)하는 황재석 씨가 받았다.

'마리'의 방언(경남, 충북)

제문의 기본적인 내용을 구상하고 쓰는

"그래도 질래 있던 사람이 없어지마 필시 연유가 있는 기라. 사람이 바늘이라, 모래라, 기양 없어지는 기 어디 있어. 암만 그래도 우리 동네 사람 아이라. 반그이, 아이다. 만그이가 여게서 나서 사는 동안 한 분도 밖에서 안 들어온 적이 없는데 말이라."

"아니지요. 어르신. 가가 군대 간다 캤을 때 여운지 토깨인지 하고 밤새도록 싸우니라고 하루는 안 들어왔심다."

용왕제에서 집사 역을 하는 황동수가 우스개처럼 말을 이었다. 아침밥을 먹기도 전 황만근의 아들이 찾아와 황만근이 집에 돌아오지 않았다고 하길래 얼결에 동네 사람들을 불러모으는 역할을 하게 된 민 씨는 분위기가 이상하게 돌아간다 생각하고 참견을 했다.

"어제 궐기 대회 한다 하고 간 사람이 누구누구십니까. 황만근 씨하고 같이 간 사람은요? 궐기 대회 하는 동안 본 사람은 없나요?"

자리에 모인 대여섯 명의 황씨들은 서로의 얼굴을 마주보더니 모두 고개를 흔들었다.

나 그러는 동안 모든 사람들이 알게 되었다. 황만근이 집으로 돌아오지 않았다. 동네 사람 누구든 하루 이틀, 또는 한두 달 집을 비울 수도 있지만 그렇다고 그 사실을 모든 사람이 알게 되는 것은 아니다. 그러나 황만근만은 하루밖에 지나지 않았음에도 모든 사람이 그의 부재를 알게 되었다. 그렇지만 누구도 적극적으로 황만근을 찾아 나서려 하지 않았다. 그는 있으나 마나 한 존재이면서 있었고, 없어서는 안 되는 존재이면서 지금처럼 없기도 했다. 동네 사람들은 그를 바보라고 했다. 두어 해 전에야 신대 1리로 들어와 황만근의 탄생과 성장, 삶을 처음부터 지켜보지 못한 민 씨만은 그렇게 생각하지 않았다.

다 마을에서 젊은 축에 드는 마흔다섯 살의 황영석은 황만근이 벽돌을 찍고 구덩이를 파서 지은 ㉠ 마을 회관 변소에서 분뇨를 퍼내면서 황만근의 부재를 알게 되었다.

"만그이 자석이 있었으마 내가 돈을 백만 원 준다 캐도 이런 일을 안 할 낀데. 아이구, 이 망할 놈의 똥 냄새, 여리가 싸 놔 그런지 독하기도 하네. 이기 곡석한테 독이 될지 약이 될지도 모르겠구마."

황만근이 있었으면 군말 없이 했을 일이었다. 늘 그렇듯이 벙글벙글 ㉡ 웃으면서.

"만그이가 있었으모 저 거름이 우리 밭으로 올 낀데. 만그이가 도대체 어데 갔노."

마을 회관 곁 조그만 밭에 채소를 심어 먹는 여씨 노인도 황만근의 부재를 알게 되었다. 황만근은 마을 공동의 분뇨를, 역시 자신이 판 마을 공동의 분뇨장으로 가져가서 충분히 익힌 뒤에, 공평하게 나누어 주었다. 황영석처럼 제가 펐다고 바로 제 밭에 가져다가 뿌리지는 않았다. 특히 여씨 노인처럼 일찍 남편을 잃고 혼잣몸이 된 노인들에게는, 알고 그러는지 모르고 그러는지 더 자주 거름을 가져다주었다.

한눈에 콕

천재 박

갈래	단편 소설, 농촌 소설
시점	전지적 작가 시점
배경	시간 – 1990년대 공간 – '신대리'라는 농촌 마을
주제	부채로 얼룩진 농촌 현실과 각박한 인심
특징	① 전(傳)의 양식을 변용하여 재구성함 ② 풍자를 통해 농촌 현실에 대해 비판하면서 골계미를 형성함

만점 노트

1 등장인물

동네 사람들	•이기적, 비인간적 •황만근의 진면목을 보지 못하고 반푼이로 생각함
⬇	
황만근	•이타적, 자기희생적 •농사에 대한 주관이 확고함
⬆	
민 씨	•편견이 없음 •황만근의 진면목을 봄

2 '황만근'의 성격

'황만근'은 마을에서 바보 취급을 받고 무시당하지만 마을의 온갖 궂은일을 도맡아 하고 어려운 사람을 챙기는 선량하고 이타적인 인물이다. 이 글은 어수룩하지만 관용의 정신을 가진 황만근과 그를 무시하는 동네 사람들을 대조하면서 이기적이고 비인간적인 현대인의 모습을 꼬집고 있다.

3 제목의 의미

제목은 마치 황만근이 여러 가지 자신의 생각을 주장한 사람이란 생각이 들게 한다. 하지만 황만근은 말로써 특별한 메시지를 전하기보다는 몸소 행동으로 보여 주고 있다. 즉, 작가는 황만근의 삶을 통해 농촌 사회의 모순과 불합리함을 비판하며 동시에 그의 행적을 통해 교훈을 주고 우리가 어떻게 살아야 하는가를 제시하고 있다.

학습 활동 응용

1 **이 글의 인물에 대한 설명으로 적절하지 않은 것은?**

① '이장'은 황만근의 실종보다 자신의 일상적인 일을 더 중요하게 여기고 있다.
② '황재석'은 다른 황씨들과 달리 황만근에게 일어난 일에 관심을 보이고 있다.
③ '민 씨'는 황만근이 실종된 사실을 마을 사람들 중에서 가장 먼저 전해 들었다.
④ '황영석'은 황만근이 하던 마을의 궂은일을 대신하며 황만근을 걱정하고 있다.
⑤ '여씨 노인'은 자신에게 도움이 되던 황만근이 없는 상황을 아쉬워하고 있다.

2 **이 글에 대해 이해한 내용으로 적절하지 않은 것은?**

① 황만근의 실종은 궐기 대회와 관련이 있겠군.
② 황만근은 형편이 좋지 못한 이웃들을 배려했군.
③ 마을 사람들은 황만근의 성장 과정을 알고 있군.
④ 황만근은 마을 사람들에게 많은 영향을 미쳤겠군.
⑤ 황만근은 어려운 농촌 현실을 개선하려고 노력했군.

3 **이 글의 시점에 대한 설명으로 적절한 것은?**

① 시점의 전환을 통해 인물과 독자 간의 거리를 좁히고 있다.
② 작품 속의 인물이 주인공의 행동을 관찰하여 제시하고 있다.
③ 주인공이 자신과 관련된 일화를 직접 서술하여 내용을 전개하고 있다.
④ 외부 서술자가 인물과 사건을 객관적으로 바라보며 주제를 간접적으로 드러내고 있다.
⑤ 외부 서술자가 전지전능한 신의 입장에서 인물들의 내면 심리까지 모두 제시하고 있다.

4 **(나)에서 '황만근'에 대한 동네 사람들의 일반적인 평가를 단적으로 보여 주는 2음절의 단어를 찾아 쓰시오.**

____

학습 활동 응용

5 **이 글에 나타나는 '민 씨'의 역할을 설명한 내용으로 적절한 것은?**

① 사건을 주도적으로 이끌어 나가는 인물이다.
② 황만근의 심리를 대신 전달해 주는 대리인이다.
③ 황만근과 함께 서술자에 의해 비판의 대상이 되는 인물이다.
④ 동네 사람들과는 다르게 황만근을 편견 없이 바라보는 인물이다.
⑤ 사건에 적극적으로 개입하여 황만근과 동네 사람들을 이간질시키는 인물이다.

수능형

6 **㉠의 기능으로 적절한 것은?**

① 중심인물의 성격을 보여 준다.
② 여러 장면을 하나로 묶어 준다.
③ 마을의 경제적 형편을 상징한다.
④ 사건을 새로운 국면으로 전환한다.
⑤ 마을 사람들 간의 갈등을 심화한다.

7 **밑줄 친 시어 중, ㉡에 나타나는 '웃음'의 의미와 가장 유사한 것은?**

① 흥부 부부가 박덩이를 사이 하고 / 가르기 전에 건넨 <u>웃음살</u>을 헤아려 보라 / 금이 문제리 / 황금 벼이삭이 문제리 – 박재삼, 〈흥부 부부상〉
② 누님이 편지 보며 하마 울가 <u>웃으실가</u> / 눈앞에 삼삼이는 고향 집을 그리시고 / 손톱에 꽃물 들이던 그날 생각하시리 – 김상옥, 〈봉선화〉
③ 강가에 나온 아이와 같이 / 짬도 모르고 끝도 없이 닫는 내 혼아, / 무엇을 찾느냐, 어디로 가느냐, <u>웃어웁다</u>, 답을 하려무나. – 이상화, 〈빼앗긴 들에도 봄은 오는가〉
④ 아름다운 나무의 꽃이 시듦을 보시고 / 열매를 맺게 하신 당신은, / 나의 <u>웃음</u>을 만드신 후에 / 새로이 나의 눈물을 지어 주시다. – 김현승, 〈눈물〉
⑤ 지름길 묻길래 대답했지요. / 물 한 모금 달라기 샘물 떠 주고 / 그리고 인사하기 웃고 받았죠. / 평양성에 해 안 뜬대두 / 난 모르오. / <u>웃은</u> 죄밖에. – 김동환, 〈웃은 죄〉

가 다음날 새벽, 민 씨는 새벽녘에 잠깐 동네 어귀에서 탈탈거리는 경운기 소리를 들었다. 탁, 탁, 탁……. 시동이 잘 걸리지 않는 모양이었다. 타닥, 닥, 타닥, 탁, 탁, 탈, 탈, 탈, 탈탈탈탈……. 그 뒤에도 궐기 대회 가는 집마다 경운기를 끌고 나오려면 온 동네가 시끄럽겠다고 생각했지만 ㉠웬일인지 다른 경운기 소리는 더 이상 들려오지 않았다. 경운기 소리가 아득히 멀어져 가는 소리를 들으며 민 씨는 까무룩 잠이 들었다.

전날 밤, 분명 꿈은 아니었다. 민 씨는 황만근의 말을 이렇게 들었다.

나 ㉡"농사꾼은 빚을 지마 안 된다 카이."

(한번 빚을 지면 그 빚을 갚으려고 무리하게 일을 벌인다. 동네 곳곳에 텅 빈 우사(牛舍)(소 등이 기거하는 시설물), 마른 똥만 뒹구는 축사, 잡초만 무성한 비닐하우스를 보라. 농어민 복지, 소득 향상, 생활 개선? 다 좋다. 그걸 제 돈으로 해야 한다. 제 돈으로 하지 않으면 그건 노름이나 다를 바 없다. 빚은 만근산의 눈덩이, 처마의 고드름처럼 자꾸 커진다.)

"기계화 영농 카더이마 집집마다 바퀴 달린 기계가 및이나 되나. 깅운기, 트랙터, 콤바인, 이앙기, 거다 탈곡기, 건조기에…… 다 빚으로 산기라. 농사지 봐야 그 빚 갚느라고 정신없다."

(한 집에서 일 년에 한 번 쓰는 이앙기를 들여놓으면 그게 일 년 내내 돌아가던가. 놀 때는 다른 집에 빌려주면 된다. 옛날에는 소를 그렇게 썼다. 그런데 지금은 그렇게 하지 않는다. 서로 도와 가면서 농사짓던 건 옛날 말이다. ㉢한 집에서 기계를 놀리면서도 안 빌려주면 옆집에서는 화가 나서라도 산다. 어차피 빚으로 사는데 사기가 어려울까. 기계에 들어가는 기름은 면세유(免稅油)(세금이 면제된 석유)다. 면세유 가지고 기계를 다 돌리기는 힘들다. 옆집에는 경운기가 두 댄데 면세유는 한 대분밖에 나오지 않는다. 경운기가 왜 두 대씩 필요할까. 한 사람이 한꺼번에 두 대를 모는 것도 아닌데.) 〈중략〉

"내가 왜 빚을 안 졌니야고. 아무도 나한테 빚 준다고 안 캐. 바보라고 아무도 나한테 보증 서라는 이야기도 안 했다. ㉣나는 내 짓고 싶은 대로 농사지민서 안 망하고 백 년을 살 끼라."

다 일주일 뒤에 황만근은 돌아왔다. 그의 아들이 그를 안고 돌아왔다. 한 항아리밖에 안 되는 그의 뼈를 담고 돌아왔다. 경운기도 돌아왔다. 수레는 떼어 내고 머리 부분만 트럭에 실려 돌아 왔다. 황만근 아니면 그 누구도 작동시킬 수 없는 그 머리가, 바보처럼 주인을 태우지 않고 돌아왔다.

라 ㉤황만근, 황 선생은 어리석게 태어났는지는 모르지만 해가 가며 차츰 신지(神智)(신령스럽고 기묘한 지혜)가 돌아왔다. 하늘이 착한 사람을 따뜻이 덮어 주고 땅이 은혜롭게 부리를 대어 알 껍질을 까 주었다. 그리하여 후년에는 그 누구보다 지혜로웠다. 그는 누구에게도 해를 끼치지 않았듯 그 지혜로 어떤 수고로운 가르침도 함부로 남기지 않았다. 스스로 땅의 자손을 자처하여 늘 부지런하고 근면하였다. 사람들이 빚만 남는 농사에 공연히 뼈를 상한다고 하였으나 개의치 아니하였다. 사람 사이에 어려움이 있으면 언제나 함께하였고 공(公)에는 자신보다 남을 내세워 뒷사람을 놀라게 했다. 하늘이 내린 효자로서 평생 어머니 봉양을 극진히 했다. 아들에게는 따뜻하고 이해심 많은 아버지였고 훈육을 할 때는 알아듣기 쉽게 하여 마음으로 감복시켰다.

전체 줄거리

농민 궐기 대회에 참가하기 위해 집을 나섰던 황만근이 돌아오지 않자 동네 사람들은 의견을 나눈다. 전쟁 때 유복자로 태어난 황만근은 어머니를 봉양하고 아들을 부양하면서 마을 공동체의 일원으로 살아간다. 언젠가 황만근이 신체 검사를 받던 날 커다란 토끼와 싸우고 소원을 말하는데 그 소원은 어머니가 오래 사는 것과 아내와 아들을 얻는 것이었다. 그 후 황만근은 자살하려는 처녀를 구해 아들 하나를 얻지만 여인은 곧 떠나 버린다. 어느 날 황만근은 농가 부채 탕감 촉구를 위한 궐기 대회에 경운기를 몰고 참가하라는 이장의 지시를 받는다. 대회 전날 황만근은 농사꾼은 빚을 지면 안 된다고 말한다. 궐기 대회가 끝났음에도 돌아오지 않던 황만근은 일주일 후에 뼈로 돌아온다. 백 리 길을 경운기를 끌고 갔다가 대회에 참가도 못 하고 돌아오던 길에 사고가 나 동사하고 만 것이다.

만점 노트

1 이 글에 나타난 전통 문학

- 해학과 풍자: 이 글은 연신 웃음이 나오게 하는 재기발랄한 문체를 통해 풍자와 해학을 잘 드러내고 있다. 이를 통해 원칙이 부재한 현대 사회에 대해 날카로운 비판을 함과 동시에 '황만근'을 긍정적으로 여기는 작가의 시선에서 인간에 대한 애정과 신뢰를 읽을 수 있다.
- 전(傳)의 형식: 이 글은 전통적인 서사 양식인 '전(傳)'의 양식을 사용하고 있다. 전은 일반적으로 남들에게 교훈이 될 만한 사람의 행적을 기록하고 그에 대한 논평을 덧붙이는 형식이다. 이 글 역시 '황만근'의 일생을 재구성하여 서술하고 있다는 점에서 '전'의 양식을 취하고 있다. 그러나 예전의 방식을 그대로 답습하는 대신, 현대 사회의 모순을 드러내기 위해 창조적으로 재구성하고 있다.

2 이 글에 나타난 서술자의 논평

이 글의 마지막 부분에는 황만근에 대한 서술자의 평이 나타난다. 이러한 논평은 황만근이 지혜롭고 성실한 진정한 농민이었음을 강조하고 그와 대비하여 그를 바보로만 여겼던 동네 사람들의 이기심을 비판하고 위선을 폭로하는 역할을 한다.

1 이 글의 표현상 특징으로 적절하지 않은 것은?

① 인물 전(傳)의 형식을 빌려 이야기를 전개하고 있다.
② 사투리를 사용하여 토속성과 해학성을 높이고 있다.
③ 바보스러운 인물인 황만근을 통해 현실을 풍자적으로 보여 주고 있다.
④ 마지막에 서술자가 등장인물에 대한 자신의 견해를 명백하게 밝히고 있다.
⑤ 내적 독백을 연속적으로 서술하여 소설 내의 시간을 느리게 진행시키고 있다.

수능형

2 (라)에 대한 설명으로 가장 적절한 것은?

① 여러 일화를 나열하여 인물을 희화화하고 있다.
② 인물의 다양한 모습을 객관적으로 제시하고 있다.
③ 사건이 발생한 경위를 인과적으로 설명하고 있다.
④ 비현실적 사건으로 인물의 비범함을 부각하고 있다.
⑤ 인물의 행적을 요약적으로 제시하며 평가하고 있다.

3 〈보기〉와 같은 접근 방식을 통해 이 글을 평가한 것은?

보기

작가가 작품을 쓰는 것이 일차적으로 독자에게 미적 쾌감을 불러일으키고 궁극적으로는 인생에 대한 교훈을 주려는 데 목적이 있다고 보는 입장에서, 작품이 독자에게 일으킨 감동의 효과를 통해 문학의 성질을 검토하는 관점이다. 즉, 독자에게 감동을 불러일으키는 작품의 성질은 무엇이며, 그것은 작품의 어떤 요인에 의해 유발되었는가를 생각하며 작품에 접근한다.

① 한 인물에 대한 삶의 내력을 이야기하면서 사회적 문제점을 지적하고 있는 작품이로군.
② 자기희생의 삶을 산 황만근을 통해 내 자신의 삶을 되돌아보고 반성하게 하는 작품이군.
③ 작가의 실제 고향이 시골이었던 것으로 보아 작가의 어린 시절 체험이 반영되어 있다고도 볼 수 있군.
④ 사람들에게 '바보'로 불리는 황만근의 삶을 통해 골계미를 형성하며 풍자의 효과를 드러내고 있는 작품이군.
⑤ 이 글은 1990년대 농촌의 현실을 사실적으로 묘사하고 있어서 그 시대의 모습을 알 수 있는 좋은 자료가 되고 있군.

학습 활동 응용

4 ㉠~㉤에 대한 설명으로 적절하지 않은 것은?

① ㉠: 마을에서 황만근만 경운기를 타고 궐기 대회에 갔다.
② ㉡: 빚 때문에 힘들어 하는 황만근의 처지가 제시되고 있다.
③ ㉢: 이기적으로 변해 버린 농촌 사회의 실상이 제시되고 있다.
④ ㉣: 농사에 대한 소신이 뚜렷한 농사꾼의 모습이 나타나고 있다.
⑤ ㉤: 호칭을 통해 황만근에 대한 긍정적인 인식을 드러내고 있다.

5 이 글과 〈보기〉를 비교 감상한 내용으로 적절하지 않은 것은?

보기

쨍과리를 앞장세워 장거리로 나서면 / 따라붙어 악을 쓰는 건 쪼무래기들뿐 / 처녀애들은 기름집 담벽에 붙어 서서 / 철없이 킬킬대는구나
보름달은 밝아 어떤 녀석은 / 꺽정이처럼 울부짖고 또 어떤 녀석은 / 서림이처럼 해해대지만 이까짓 / 산 구석에 처박혀 발버둥친들 무엇하랴
비료값도 안 나오는 농사 따위야 / 아예 여편네에게나 맡겨 두고 / 쇠전을 거쳐 도수장 앞에 와 돌 때 / 우리는 점점 신명이 난다
한 다리를 들고 날라리를 불거나 / 고갯짓을 하고 어깨를 흔들거나

– 신경림, 〈농무〉

① 두 작품 모두 농촌과 농민의 현실을 사실적으로 드러내고 있다.
② 두 작품 모두 마지막에 제3의 인물의 논평으로 주제를 부각시키고 있다.
③ 두 작품의 작가 모두 현재의 부정적인 상황을 비판적인 시각으로 제시하고 있다.
④ 이 글은 풍자와 해학으로 이야기를 전개하고, 〈보기〉는 역설적 상황과 사실적 묘사로 시상을 전개하고 있다.
⑤ 이 글은 산업화 · 근대화에 따른 농촌 문제와 농민들의 이기적이고 비인간적인 모습에 대해, 〈보기〉는 소외된 농민들의 한에 대해 이야기하고 있다.

6 '황만근'에게 불길한 일이 일어날 것을 암시하는 문장을 찾아 첫 어절과 끝 어절을 쓰시오.

고전 소설 핵심 개념

1 고전 소설의 개념

고전 소설은 설화, 패관 문학, 가전체 등의 문학적 전통을 바탕으로 중국의 전기(傳奇), 화본(話本) 등의 영향을 받아 생겨난 산문 문학의 한 갈래로, 갑오개혁 이전까지 쓰인 옛 소설을 말함

2 고전 소설의 특징

(1) 한문 소설

한문 소설의 주인공은 재자가인(才子佳人; 재주 있는 남자와 아름다운 여인을 아울러 이르는 말)적인 인물이고, 한문 문어체로 사물을 미화하여 표현하였음. 또한 일상적이거나 현실적이지 않고, 초현실적이거나 괴기한 내용을 그리고 있으며, 구성이 평면적이고 사건의 전개가 우연성에 의존하고 있음

(2) 한글 소설

최초의 한글 소설은 광해군 때 허균이 지은 〈홍길동전〉으로, 이 작품의 등장은 당시의 사회 분위기와 맞물린 것이었음. 임진왜란은 조선 사회 구조의 기본이었던 신분 질서의 혼란을 가져오고 평민 의식을 성장시킴. 이러한 현상은 평민 계층의 문화적 참여와 형식적 제약이 거의 없는 산문의 발달을 촉진시킴

주제	• 현실 인식: 현실적인 갈등의 요인을 찾아 형상화함 예 〈홍길동전〉 • 윤리성 강조: 사회의 보편적인 윤리를 강조함 예 〈심청전〉 – 효, 〈흥부전〉 – 우애, 〈춘향전〉 – 정절
구성	• 평면적 구성: 시간의 흐름에 따라 서술함 • 전기적(傳記的) 구성: 주인공이 태어나 죽을 때까지의 사건을 시간의 순서에 따라 서술함
결말	행복한 결말: 인과응보(因果應報)를 통한 권선징악(勸善懲惡)적 주제
인물	• 평면적 인물: 인물의 성격이 처음부터 끝까지 변하지 않음 • 전형적 인물: 어떤 부류의 특징을 가장 잘 나타내는 인물이 등장함
사건	• 우연성: 필연적인 상황이나 원인 없이 우연적으로 발생함 • 비현실성: 현실 세계에서 불가능한 초현실적 사건이 발생함
배경	양반 소설은 중국이 배경인 경우가 많고, 평민 소설은 우리나라를 무대로 하는 경우가 많으나 대부분 비현실적임
작자	미상인 경우가 많음

3 고전 소설의 전개

(1) 조선 전기

김시습의 〈금오신화〉에 이어 전기(傳奇) 소설, 사회 소설이 주류를 이루었으며, 임제의 〈원생몽유록〉과 같은 몽유록 계열의 소설이 유행하였으나, 소설 창작이 활발하게 이루어지지는 않았음

(2) 조선 후기

허균의 〈홍길동전〉 이후부터 본격적으로 시작된 고전 소설은 17세기에 들어서면서 창작이 활발해지고, 상당한 규모의 독자층이 형성됨. 숙종 때 김만중이 〈구운몽〉, 〈사씨남정기〉 등을 창작하면서 소설의 수준을 한층 끌어올렸으며, 〈춘향전〉, 〈흥부전〉, 〈심청전〉 등의 판소리계 소설이 나타나기도 함. 또한 군담 소설을 비롯하여 〈허생전〉, 〈양반전〉 등의 한문 소설, 장편 대하소설 등이 창작되기도 함

개념 확인 문제

1 다음 중, 고전 소설에 대한 설명으로 적절하지 않은 것은?

① 산문 문학의 한 갈래이다.
② 사건의 발생이 필연적이다.
③ 공간적 배경이 대부분 비현실적이다.
④ 대부분 시간의 흐름에 따라 사건이 전개된다.
⑤ 주인공은 특정 집단의 성격을 대표하는 인물들이 많다.

2 고전 소설과 현대 소설을 나누는 기점을 쓰시오.

______

3 다음 중, 고전 소설의 특징이 아닌 것은?

① 작가가 알려지지 않은 작품들이 많다.
② 권선징악적 주제를 드러내는 작품이 많다.
③ 전 세계를 배경으로 삼은 작품들이 많다.
④ 재자가인형의 인물이 주인공인 경우가 많다.
⑤ 초현실적이거나 기괴한 사건들이 발생하기도 한다.

4 〈보기〉에 제시된 작품들의 제목을 통해 알 수 있는 고전 소설의 특징으로 알맞은 것은?

보기
〈춘향전〉, 〈흥부전〉, 〈홍길동전〉, 〈심청전〉, 〈전우치전〉

① 행복한 결말로 끝을 맺는다.
② 주인공의 성격이 평면적이다.
③ 주인공의 일대기를 다루고 있다.
④ 사회의 보편적인 윤리를 강조하고 있다.
⑤ 현실 세계에서 일어나기 힘든 사건을 다루고 있다.

4 고전 소설의 유형

(1) 한문 소설

금오신화	만복사저포기	양생과 죽은 여인이 생사를 초월한 사랑을 나눔
	이생규장전	이생과 최랑이 부부로 살다가, 최랑이 죽자 죽은 최랑의 환신과 이생이 사랑을 이어 감
	취유부벽정기	홍생이 죽어 선녀가 된 기씨녀와 만나 시를 주고받음
	용궁부연록	한생이 꿈에서 용궁에 초대되어 환대를 받고 돌아옴
	남염부주지	박생이 꿈에 남염부주라는 지옥에 가서 염왕을 만나 대담을 나누고 돌아옴
화사		국가와 군신을 꽃에 비유하여 흥망성쇠의 역사를 기록함
수성지		현실에 대한 불만과 울적한 심정을 의인법으로 표현함
원생몽유록		원자허라는 인물이 꿈속에서 단종과 사육신을 만나 비분한 마음으로 흥망의 도를 토론함

(2) 군담 소설

임진왜란, 병자호란 이후 발생하여 조선 후기에 유행했던 한글 소설의 한 유형으로, 전쟁 이야기가 주된 줄거리가 되는 일련의 소설을 말함. 임진왜란과 병자호란 이후, 황폐해진 조선 사회에서는 수많은 군담 소설이 만들어졌는데, 이는 전란의 피해와 민족 자존심의 훼손을 상상력으로 회복하고자 하는 당대 민중들의 의지가 발현된 것으로 볼 수 있음

예 창작 군담 소설: 〈유충렬전〉, 〈조웅전〉, 〈소대성전〉 등

역사 군담 소설: 〈임진록〉, 〈임경업전〉, 〈박씨전〉 등

(3) 판소리계 소설

판소리로 불렸던 소설을 포함하여 판소리와 밀접한 관련을 맺고 있는 소설을 함께 일컬음. 판소리계 소설은 어느 특정 작가에 의해 창작된 것이 아니라 판소리와 소설을 향유하던 민중들의 공동작이라고 볼 수 있음. 또한 관념적인 내용보다는 현실적인 경험을 바탕으로 구수한 해학과 신랄한 풍자를 통해 조선 후기의 생활상을 생동감 있게 형상화한 내용이 많음

예 〈춘향전〉, 〈심청전〉, 〈흥부전〉, 〈별주부전〉, 〈배비장전〉, 〈옹고집전〉

(4) 가정 소설

전실 소생에 대한 계모의 학대, 남편의 사랑을 차지하려는 처첩 간의 싸움 등 가정 내의 갈등을 다룬 소설

예 〈사씨남정기〉, 〈창선감의록〉, 〈장화홍련전〉, 〈콩쥐팥쥐전〉

(5) 애정 소설

남녀 간의 사랑을 다룬 소설로, 비극적 결말의 〈운영전〉을 제외하고는 대체로 시련을 겪은 후에 사랑을 성취하는 내용이 많음

예 〈운영전〉, 〈숙영낭자전〉, 〈채봉감별곡〉, 〈숙향전〉, 〈영영전〉

(6) 세태 풍자 소설

봉건적 사상에서 벗어나지 못한 사대부 계층의 남성들을 풍자의 대상으로 하면서 희화화하는 내용이 많음

예 〈배비장전〉, 〈이춘풍전〉, 〈서대주전〉, 〈두껍전〉

(7) 대하소설

주인공의 영웅적 투쟁, 남녀의 헤어짐과 만남 등의 소재를 복합적으로 다룬 소설. 여러 편이 연작 형태를 띠고 있는 경우도 있기 때문에 그 분량이 매우 방대함

예 〈명주보월빙〉, 〈완월회맹연〉, 〈임화정연〉, 〈윤하정삼문취록〉

개념 확인 문제

5 다음 중, '재자가인(才子佳人)적 인물'과 가장 거리가 먼 작품은?

① 〈춘향전〉
② 〈이생규장전〉
③ 〈만복사저포기〉
④ 〈흥부전〉
⑤ 〈홍길동전〉

6 최초의 한글 소설의 제목을 쓰시오.

____

7 다음 중, 소설의 문체가 다른 하나는?

① 〈흥부전〉 ② 〈심청전〉
③ 〈임진록〉 ④ 〈춘향전〉
⑤ 〈별주부전〉

8 다음 중, 초현실적인 내용이 담긴 소설이 아닌 것은?

① 〈흥부전〉 ② 〈심청전〉
③ 〈양반전〉 ④ 〈박씨전〉
⑤ 〈홍길동전〉

9 다음 중, 결말 구조가 다른 하나는?

① 〈운영전〉 ② 〈박씨전〉
③ 〈구운몽〉 ④ 〈홍길동전〉
⑤ 〈콩쥐팥쥐전〉

10 다음 중, 가정 소설의 주된 내용이 아닌 것은?

① 처첩 간의 갈등
② 가문의 몰락과 부흥
③ 형제간의 시기와 모함
④ 전쟁으로 인해 흩어진 가족
⑤ 전실 소생에 대한 계모의 학대

고전 소설

01 허생전(許生傳) ❶ – 박지원

가 허생은 묵적골(墨積洞)에 살았다. 곧장 남산(南山) 밑에 닿으면, 우물 위에 오래된 은행나무가 서 있고, 은행나무를 향하여 사립문이 열렸는데, 두어 칸 초가는 비바람을 막지 못할 정도였다. 그러나 허생은 글 읽기만 좋아하고, 그의 처가 남의 바느질품을 팔아서 입에 풀칠을 했다.

하루는 그 처가 몹시 배가 고파서 울음 섞인 소리로 말했다.

"당신은 평생 과거(科擧)를 보지 않으니, 글을 읽어 무엇합니까?"

허생은 웃으며 대답했다.

"나는 아직 독서를 익숙히 하지 못하였소."

"그럼 장인바치 일이라도 못 하시나요?"

장인바치: '손으로 물건을 만드는 일을 업으로 하는 사람'을 낮잡아 이르는 말

"장인바치 일은 본래 배우지 않은 걸 어떻게 하겠소?" / "그럼 장사는 못 하시나요?"

"장사는 밑천이 없는 걸 어떻게 하겠소?"/ 처는 왈칵 성을 내며 소리쳤다.

"밤낮으로 글을 읽더니 기껏 '어떻게 하겠소?' 소리만 배웠단 말씀이오? 장인바치 일도 못 한다, 장사도 못 한다면, 도둑질이라도 못 하시나요?"

허생은 읽던 책을 덮어 놓고 일어나면서,

"아깝다. 내가 당초 글 읽기로 십 년을 기약했는데, 인제 칠 년인걸……."

하고 휙 문밖으로 나가 버렸다.

나 "내가 집이 가난해서 무얼 좀 해 보려고 하니, 만 냥(兩)을 꾸어 주시기 바랍니다."

변 씨는 "그러시오." / 하고 당장 만 냥을 내주었다.

허생은 감사하다는 인사도 없이 가 버렸다. 변 씨 집의 자제와 손들이 허생을 보니 거지였다. 실띠의 술이 빠져 너덜너덜하고, 갖신의 뒷굽이 자빠졌으며, 쭈그러진 갓에 허름한 도포를 걸치고, 코에서 맑은 콧물이 흘렀다. 허생이 나가자, 모두들 어리둥절해서 물었다.

실띠: 실을 꼬아서 만든 띠
갖신: 가죽으로 만든 우리 고유의 신을 통틀어 이르는 말

"저이를 아시나요?" / "모르지."

"아니, 이제 하루아침에, 평생 누군지도 알지 못하는 사람에게 만 냥을 그냥 내던져 버리고 성명도 묻지 않으시다니, 대체 무슨 영문인가요?" / 변 씨가 말하는 것이었다.

"이건 너희들이 알 바 아니다. 대체로 남에게 무엇을 빌리러 오는 사람은 으레 자기 뜻을 대단히 선전하고, 신용을 자랑하면서도 비굴한 빛이 얼굴에 나타나고, 말을 중언부언하게 마련이다. 그런데 저 객은 형색은 허술하지만, 말이 간단하고, 눈을 오만하게 뜨며, 얼굴에 부끄러운 기색이 없는 것으로 보아, 재물이 없어도 스스로 만족할 수 있는 사람이다. 그 사람이 해 보겠다는 일이 작은 일이 아닐 것이매, 나 또한 그를 시험해 보려는 것이다. 안 주면 모르되, 이왕 만 냥을 주는 바에 성명은 물어 무엇을 하겠느냐?"

중언부언: 이미 한 말을 자꾸 되풀이함
오만: 태도나 행동이 건방지거나 거만함

다 허생은 만 냥을 입수하자, 다시 자기 집에 들르지도 않고 바로 안성(安城)으로 내려갔다. 안성은 경기도, 충청도 사람들이 마주치는 곳이요, 삼남(三南)의 길목이기 때문이다. 거기서 대추, 밤, 감, 배며 석류, 귤, 유자 등속의 과일을 모조리 두 배의 값으로 사들였다. 허생이 과일을 몽땅 쓸었기 때문에 온 나라가 잔치나 제사를 못 지낼 형편에 이르렀다. 얼마 안 가서, 허생에게 두 배의 값으로 과일을 팔았던 상인들이 도리어 열 배의 값을 주고 사 가게 되었다. 허생은 길게 한숨을 내쉬었다.

삼남: 전라도, 경상도, 충청도의 총칭
등속: 나열한 사물과 같은 종류의 것들을 몰아서 이르는 말

한눈에 콕

비상 박Ⅱ | 지학 | 천재 박

갈래	고전 소설, 한문 소설, 풍자 소설
성격	풍자적, 비판적
배경	시간 – 17세기 조선 효종 때 공간 – 한양과 한반도 전역, 무인도, 장기도
주제	무능한 지배층에 대한 비판, 현실에 대한 선비의 각성과 개혁 실천 촉구
특징	① 실학사상을 바탕으로 당대 현실에 대해 비판하고 개혁을 촉구함 ② 사건의 요약적 서술이 나타나고, 인물 간의 대화를 통해 주제가 드러남 ③ 고전 소설의 전형적 특징인 행복한 결말을 벗어나 미완의 결말 구조를 취함

만점 노트

1 허생 아내의 역할

① 사대부의 무능력을 비판하는 작가 의식을 대변한다.

② 허생을 세상으로 나가도록 하는 계기를 제공한다.

2 허생과 아내의 갈등 양상

허생 : 경제적 무능력
독서 자체를 즐김 → 실생활을 등한시

↑ 양반들의 무능 비판

아내 : 현실적 가치 지향
독서는 과거(科擧)의 수단임 → 경제적 활동을 권유

3 허생의 상행위의 의미

허생은 제사를 지내기 위해 필요한 과일과 망건의 재료가 되는 말총을 매점매석하여 조선의 허약한 경제 구조를 비판하는 동시에 양반들의 허례허식을 비판하고 있다.

"만 냥으로 온갖 과일의 값을 좌우했으니, 우리나라의 형편을 알 만하구나."

그는 다시 칼, 호미, 포목 따위를 가지고 제주도(濟州島)에 건너가서 말총을 죄다 사들이면서 말했다.

"몇 해 지나면 나라 안의 사람들이 머리를 싸매지 못할 것이다."

허생이 이렇게 말하고 얼마 안 가서 과연 망건 값이 열 배로 뛰어올랐다.

1 (가)의 서술상 특징으로 가장 적절한 것은?

① 서술자가 인물의 성격을 직접 제시하고 있다.
② 서술자가 회상을 통해 사건을 서술하고 있다.
③ 서술자가 직접 겪은 사건을 요약하여 전달하고 있다.
④ 서술자가 인물의 행동과 대화를 중심으로 서술하고 있다.
⑤ 서술자가 작품 속에 등장하여 객관적으로 사건을 전달하고 있다.

2 '허생의 아내'에 대한 설명으로 적절하지 <u>않은</u> 것은?

① 연암 박지원의 실용적 사고를 대변한다.
② 당시 양반들의 경제적 무능을 비판한다.
③ 허생이 현실에 참여하게 되는 계기를 마련한다.
④ 조선 후기 여인상을 대표하며 양반 사회의 실상을 폭로한다.
⑤ 당시의 사회상을 보여 주며 작품의 주제 실현에 보조적 역할을 한다.

학습 활동 응용

3 이 글에 나타난 '허생'과 '허생 아내'의 삶의 태도를 가장 잘 표현한 것은?

	허생	허생 아내
①	모로 가도 서울만 가면 된다.	금강산도 식후경이다.
②	양반은 물에 빠져도 개헤엄은 안 한다.	목구멍이 포도청이다.
③	뿌린 대로 거둔다.	의식이 족해야 예절을 안다.
④	하늘은 스스로 돕는 자를 돕는다.	수염이 대 자라도 먹어야 양반이다.
⑤	천 리 길도 한 걸음부터.	될성부른 나무는 떡잎부터 안다.

4 '허생'에 대한 반감이 최고조에 이른 '아내'의 말을 이 글에서 찾아 한 단어로 쓰시오.

5 (나)에 나타나는 '허생'과 '변 씨'의 공통점으로 적절한 것은?

① 성급하고 무례하다.
② 출세에 관심이 있다.
③ 타산적이고 당돌하다.
④ 단순하고 이기적이다.
⑤ 대범하고 자신감이 있다.

학습 활동 응용

6 이 글을 바탕으로 추리할 수 있는 당시의 사회 현실과 거리가 <u>먼</u> 것은?

① 물질적 가치를 중시하는 경향이 나타났다.
② 사농공상의 신분 질서가 점점 강화되었다.
③ 선비와 사대부들의 학문 숭상은 여전하였다.
④ 남성 중심의 가부장적 사회 질서가 흔들리고 있었다.
⑤ 경제적 능력이 없는 양반들은 극도로 빈곤하게 살기도 하였다.

수능형 학습 활동 응용

7 '허생'의 상행위에 대한 학생들의 토론 중, 이 글의 상황을 제대로 이해하지 <u>못한</u> 것은?

① 지섭: 허생은 독점과 투기를 통해 큰 재물을 모았는데, 이런 것을 매점매석이라고 하지.
② 정민: 그런데 이런 방식은 경제 질서를 교란하기 때문에 결코 바람직한 경제 행위라고 할 수 없어.
③ 민호: 그렇지만 과일값을 시세의 두 배를 주고 사들인 점만큼은 생산자인 농민의 소득 증대에 기여했다는 점에서 긍정적으로 볼 수 있지.
④ 보영: 그러나 정작 필요한 물건을 제때에 살 수 없는 소비자의 입장에서 볼 때, 허생의 상행위는 대단히 부도덕한 방법이라고 생각해.
⑤ 종석: 하지만 허생이 매점매석한 소비재의 특성을 감안할 때, 허생은 생산 활동도 하지 않으면서 제사를 지내고 상투를 트는 데에 재물을 아끼지 않는 양반들의 허례허식을 비판하려고 한 것 같아.

가 ㉠이때, 변산(邊山)에 수천의 군도(群盜)(떼를 지어 도둑질을 하는 무리)들이 우글거리고 있었다. 각 지방에서 군사를 징발하여 수색을 벌였으나 좀처럼 잡히지 않았고, 군도들도 감히 나가 활동을 못 해서 배고프고 곤란한 판이었다. 허생이 군도의 산채(산적들의 소굴)를 찾아가서 우두머리를 달래었다.

"천 명이 천 냥을 빼앗아 와서 나누면 하나 앞에 얼마씩 돌아가지요?"

"일 인당 한 냥이지요." / "모두 아내가 있소?" / "없소."

"논밭은 있소?"/ 군도들이 어이없어 웃었다.

"땅이 있고 처자식이 있는 놈이 무엇 때문에 괴롭게 도둑이 된단 말이오?"

"정말 그렇다면, 왜 아내를 얻고, 집을 짓고, 소를 사서 논밭을 갈고 지내려 하지 않는가? 그럼 도둑놈 소리를 안 듣고 살면서, 집에는 부부의 낙(樂)이 있을 것이요, 돌아다녀도 잡힐까 걱정을 않고 길이 의식의 요족(饒足)(살림이 넉넉함)을 누릴 텐데……."

"아니, 왜 바라지 않겠소? 다만 돈이 없어 못 할 뿐이지요." / 허생은 웃으며 말했다.

"도둑질을 하면서 어찌 돈을 걱정할까? 내가 능히 당신들을 위해서 마련할 수 있소. 내일 바다에 나와 보오. 붉은 깃발을 단 것이 모두 돈을 실은 배이니, 마음대로 가져가구려."

허생이 군도와 언약하고 내려가자, 군도들은 모두 그를 미친놈이라고 비웃었다.

나 그들은 나무를 베어 집을 짓고, 대(竹)를 엮어 울(울타리)을 만들었다. 땅기운이 온전하기 때문에 백곡이 잘 자라서, 한 해나 세 해만큼 걸러 짓지 않아도 한 줄기에 아홉 이삭이 달렸다. 3년 동안의 양식을 비축해(만약의 경우를 대비하여 미리 갖추어 모아 두거나 저축함) 두고, 나머지를 모두 배에 싣고 장기도로 가져가서 팔았다. 장기라는 곳은 삼십만여 호나 되는 일본의 속주(屬州)(어느 나라에 속하여 있는 주)이다. 그 지방이 한참 흉년이 들어서 구휼(구제, 구호)하고 은 백만 냥을 얻게 되었다.

허생이 탄식하면서, / "이제 나의 ㉡조그만 시험이 끝났구나."

하고, 이에 남녀 이천 명을 모아 놓고 말했다.

"내가 처음에 너희들과 이 섬에 들어올 때엔 먼저 부(富)하게 한 연후에 따로 문자를 만들고 의관(엄숙하고 위엄이 있는 몸가짐이나 차림새)을 새로 제정하려 하였더니라. 그런데 땅이 좁고 덕이 엷으니, 나는 이제 여기를 떠나련다. 다만, 아이들을 낳거들랑 오른손에 숟가락을 쥐고, 하루라도 먼저 난 사람이 먼저 먹도록 양보케 하여라."

다른 배들을 모조리 불사르면서, / "가지 않으면 오는 이도 없으렷다."

하고 돈 오십만 냥을 바다 가운데 던지며,

"바다가 마르면 주워 갈 사람이 있겠지. 백만 냥은 우리나라에도 용납할(사용할) 곳이 없거늘, 하물며 이런 작은 섬에서랴!"

했다. 그리고 글을 아는 자들을 골라 모조리 함께 배에 태우면서,

"이 섬에 화근을 없애야 되지."/ 했다.

다 허생은 나라 안을 두루 돌아다니며 가난하고 의지 없는 사람들을 구제했다. 그러고도 은이 십만 냥이 남았다. / "이건 변 씨에게 갚을 것이다." / 허생이 가서 변 씨를 보고

"나를 알아보시겠소?"/ 하고 묻자, 변 씨는 놀라 말했다.

"그대의 안색이 조금도 나아지지 않았으니, 혹시 만 냥을 실패 보지 않았소?"

허생이 웃으며,

㉢"재물에 의해서 얼굴에 기름이 도는 것은 당신들 일이오. 만 냥이 어찌 도(道)를 살찌게 하겠소?"

하고, 십만 냥을 변 씨에게 내놓았다.

전체 줄거리

남산 묵적골에 사는 허생은 글 읽기만을 좋아하여 집안의 생계를 내버려 두고 아내의 바느질품으로 겨우 살아간다. 가난에 시달리던 아내가 허생을 질타하자 허생은 집을 나와 변 씨에게 만 냥을 빌린다. 과일과 말총을 매점매석하여 큰돈을 번 허생은 군도를 모아 빈 섬으로 들어가 이상국 건설을 시험한다. 이후 본국으로 돌아온 허생은 변 씨에게 빌린 돈을 갚고 변 씨의 주선으로 이완을 만나게 된다. 허생은 이완에게 세 가지 현실 대응책을 제시하지만, 이완은 모두 받아들이기 어렵다고 한다. 이에 허생은 사대부들의 허위의식을 비판하고 이완을 꾸짖은 후 종적을 감춘다.

만점 노트

1 '군도'와 당대의 사회상

① 민중의 경제적 기반이 붕괴된 조선 후기의 경제적 상황을 반영한다.
② 생활의 기반을 버리고 떠돌거나 도망치는 유랑민이 증가하고 도적이 발생했음을 나타낸다.
③ 군도의 증가를 통해 당시 조선의 경제적 상황과 민중들의 생활고를 짐작할 수 있다.

2 허생의 이중적 재물관

상행위를 하고 빈민을 구제하는 등 사회적 · 공적 측면에서는 돈의 긍정적 가치와 필요성을 인정한다. 그러나 변 씨와의 대화에서 드러나듯이 개인적인 측면에서는 돈을 부정한 것으로 여기고 있다.

3 '빈 섬'의 의미

① 이상국 건설의 시험적 공간으로 현실 사회에 대한 저항 의식을 표출하는 공간
② 가족을 바탕으로 하는 농경 사회로서의 이상향

plus

'빈 섬'과 '율도국'의 비교

빈 섬	율도국
허생	홍길동
농경 사회	추상적인 낙원
구체적인 해외 교역의 대상	단순히 현실과 유리된 곳
완성한 이상향이 아닌 시험장	완전한 이상향, 최종적인 공간

정답과 해설 31쪽

"내가 하루아침의 주림을 견디지 못하고 글 읽기를 중도에 폐하고 말았으니, 당신에게만 냥을 빌렸던 것이 부끄럽소."

변 씨는 대경해서 일어나 절하여 사양하고, 십분의 일로 이자를 쳐서 받겠노라 했다.
(대경: 크게 놀람)

허생이 잔뜩 역정을 내어,
(역정: 매우 언짢거나 못마땅하게 여기어 내는 성)

㉣"당신은 나를 장사치로 보는가?" / 하고는 소매를 뿌리치고 가 버렸다.

---

1 (가)에서 '허생'과 군도가 나눈 대화의 특성으로 적절한 것은?

① 허생은 감정을 앞세워 말하고, 군도는 그에 대해 논리적으로 대응하였다.
② 허생은 두 가지 관점을 대조적으로 제시하였고, 군도는 그중의 하나를 선택하였다.
③ 허생은 사태에 대해 부정적인 태도로 말하였고, 군도는 사태의 심각성을 경고하였다.
④ 허생은 해결책을 모색하고 있고, 군도는 상황을 근거로 부정적인 결과를 예측하였다.
⑤ 허생은 다른 예를 들어 주장하였고, 군도는 미래의 가능성을 예측하여 허생을 설득하였다.

수능형 학습 활동 응용

2 이 글과 〈보기〉의 내용을 참고할 때, ㉠에 반영된 당대의 사회적 문제로 적절하지 않은 것은?

보기

연암 박지원이 살았던 18세기 후반은 두 차례에 걸친 전쟁과 부의 집중화, 집권층의 정책 실패 등으로 혼란스러운 시기였다. 국가는 재정의 어려움을 해결할 뚜렷한 대안이 없었으며, 지배층은 사회를 개혁하려는 의지가 부족하였고, 관료들은 부정부패만을 일삼았다. 이로 인해 농민들은 관청과 양반들에게 착취당하거나 땅을 잃고 떠돌아다니는 경우가 많았다.

① 경제적으로 피폐한 현실
② 정책의 실패에서 오는 혼란
③ 유랑민의 증가와 도적의 발생
④ 상민들의 신분 상승에 대한 욕구
⑤ 집권층의 무능으로 인해 발생한 민생 문제

3 ㉡의 내용으로 적절하지 않은 것은?

① 해외 무역을 통한 부의 축적 가능성 시험
② 매점매석을 통한 조선 경제 구조의 허약성 확인
③ 자신이 뛰어난 능력의 인물인지 알아보기 위한 시험
④ 농업을 중심으로 한 가족 공동체의 이상국 건설 시험
⑤ 백성들의 생활을 안정시킬 수 있는 이상적인 제도의 현실화 가능성 확인

학습 활동 응용

4 ㉢과 ㉣에 나타나는 '허생'의 생각을 비판할 수 있는 말로 가장 적절한 것은?

① 선비의 도(道)와 장사치의 도(道)를 혼동하고 있다.
② 나라를 위하는 큰 장사꾼인 양 자신의 상행위를 합리화하고 있다.
③ 실제로는 상행위를 했으면서 장사치가 아닌 양 자신의 행동을 은폐하고 있다.
④ 자신은 변 씨와는 달리 나라를 위하는 큰 장사꾼이라는 우월 의식에 젖어 있다.
⑤ 사농공상의 신분에 따라 생활 태도를 엄격히 구별하려는 선민의식에 젖어 있다.

5 이 글을 읽은 후 당시 시대상에 대해 학생들이 토론한 내용으로 적절하지 않은 것은?

① 지원: '빈 섬'은 작가의 상상에 의해서 만들어진 세계라고 할 수 있겠어.
② 상민: 그러한 이상향을 꿈꿀 수 있다는 것은 그만큼 삶에 여유가 있다는 증거이기도 해.
③ 연경: 군도를 데리고 새로운 세상을 만든다는 것은 당시의 관점에서는 역모로 볼 수 있겠군.
④ 도희: 군도가 우글거려도 잡지 못했다는 것을 통해 당시 집권층의 무능력을 비판하는 것이기도 해.
⑤ 장훈: 작가는 평범한 양민이 도둑이 될 수밖에 없는 현실을 개혁해야 한다는 것을 지적하고 있는 거야.

02 홍계월전(洪桂月傳) - 작자 미상

동방이 밝아오므로 바라보니 하룻밤 사이에 황성에 다다른 것이었다. 성안에 들어가서 보니 장안이 비어 있고 궁궐은 불에 타 빈터만 남아 있었다. 원수가 통곡하며 두루 다녔으나 한 사람도 없었다. 천자께서 가신 곳을 알지 못하고 망극해하고 있었는데, 문득 수챗구멍에서 한 노인이 나오다가 원수를 보고 매우 놀라 급히 들어갔다. 원수가 급히 쫓아가며,

수챗구멍: 집 안에서 쓴 허드렛물을 집 밖으로 흘러 나가게 한 시설

"나는 도적이 아니다. 대국 대원수 평국이니 놀라지 말고 나와 천자께서 가신 곳을 일러 달라."

하니 노인이 그제야 도로 기어 나와 대성통곡했다. 원수가 자세히 보니 이 사람은 기주후 여공이었다. 급히 말에서 내려 땅에 엎드려 통곡하며 말했다.

"시아버님은 무슨 연유로 이 수챗구멍에 몸을 감추고 있사오며 소부의 부모와 시모님은 어디로 피난했는지 아시나이까."

소부: 며느리가 자신을 낮추어 일컫는 말

여공이 원수 옷을 붙들고 울며 말했다.

"뜻밖에도 도적이 들어와 대궐에 불을 지르고 노략하더구나. 그래서 장안의 백성들이 도망하여 갔는데 나는 갈 길을 몰라 이 구멍에 들어와 피난했으니 사돈 두 분과 네 시모가 간 곳은 알지 못하겠구나."

노략: 떼를 지어 다니며 사람을 마구 해치거나 재물을 빼앗아 감

이렇게 말하고 통곡하니, 원수가 위로했다. / "설마 만나 뵈올 날이 없겠나이까?" / 또 물었다.

"황상께서는 어디에 가 계시나이까?" / 여공이 대답했다.

"여기에 숨어서 보니 ㉠한 신하가 천자를 업고 북문으로 도망해 천태령을 넘어갔는데 그 뒤에 도적이 따라 갔으니 천자께서 반드시 위급하실 것이다." / 원수가 크게 놀라 말했다.

"천자를 구하러 가오니 아버님은 제가 돌아오기를 기다리소서."

그러고서 말에 올라 천태령을 넘어갔다. 순식간에 한수 북쪽에 다다라서 보니 십 리 모래사장에 적병이 가득하고 항복하라고 하는 소리가 산천에 진동하고 있었다. 원수가 이 소리를 듣자 투구를 고쳐 쓰고 우레같이 소리치며 말을 채쳐 달려들어 크게 호령했다.

채쳐: 채찍 등으로 휘둘러 세게 쳐

"적장은 나의 황상을 해치지 말라. 평국이 여기 왔노라."

이에 맹길이 두려워해 말을 돌려 도망하니 원수가 크게 호령하며 말했다.

"네가 가면 어디로 가겠느냐? 도망가지 말고 내 칼을 받으라."

이와 같이 말하며 철통같이 달려가니 ㉡원수의 준총마가 주홍 같은 입을 벌리고 순식간에 맹길의 말꼬리를 물고 늘어졌다. 맹길이 매우 놀라 몸을 돌려 긴 창을 높이 들고 원수를 찌르려고 하자 원수가 크게 성을 내 칼을 들어 맹길을 치니 맹길의 두 팔이 땅에 떨어졌다. 원수가 또 좌충우돌해 적졸을 모조리 죽이니 피가 흘러 내를 이루고 적졸의 주검이 산처럼 쌓였다.

이때 천자와 신하들이 넋을 잃고 어찌할 줄을 모르고 천자께서는 손가락을 깨물려 하고 있었다. 원수가 급히 말에서 내려 엎드려 통곡하며 여쭈었다.

"폐하께서는 옥체를 보중하옵소서. 평국이 왔나이다."

옥체: 임금의 몸을 높여 이르는 말

천자께서 혼미한 가운데 평국이라는 말을 듣고 한편으로는 반기며 한편으로는 슬퍼하며 원수의 손을 잡고 눈물을 흘리며 말씀을 못 하셨다. 원수가 옥체를 구호하니 이윽고 천자께서 정신을 차리고 원수에게 치하하셨다.

한눈에 콕

미래엔 / 비상 박 I

갈래	군담 소설, 영웅(여장군) 소설
성격	일대기적, 영웅적
배경	시간 – 명나라 성화 연간 공간 – 명나라
주제	여성인 홍계월의 영웅적 활약상
특징	① 남성보다 우월한 여성이 영웅으로 등장함 ② 남성 인물들이 통념적인 남성상을 벗어나 나약한 모습으로 그려짐

만점 노트

1 등장인물

보국(남성)
- 계월에 비해 능력이 모자람
- 계월에게 열등감을 가짐
- 사회적으로 보장된 남성의 권위를 내세워 열등감을 만회하려 함

↕ 갈등

계월(여성) – 평국
- 보국보다 능력이 출중함
- 우월한 능력을 바탕으로 보국을 혼내 주기도 함
- 가정으로의 복귀를 거부하면서 영웅으로서의 능력을 지속적으로 유지함

2 이 글에 나타난 영웅의 일대기 구조

서사 구조	내용
고귀한 혈통	홍 시랑 부부의 딸로 태어남
비정상적 출생	어머니가 신이한 꿈을 꾼 후에 태어남
어렸을 때의 위기	장사랑의 반란으로 부모와 헤어짐
구출 및 양육	여공에게 구출되어 평국으로 개명한 후 보국과 함께 양육됨
비범한 능력	학문과 무예가 남성인 보국보다 뛰어남
성장 후의 위기	국난이 잦음. 남장 사실이 발각됨. 보국과 갈등함
고난 극복과 행복한 결말	외적을 징벌함. 보국과의 갈등이 해소됨. 이후 부귀영화를 누림

plus

〈홍계월전〉에 반영된 사회상

남편인 보국보다 아내인 계월의 능력이 더 출중하고 국난을 당했을 때 조정에서 계월의 성별보다 능력을 더 중시한 점에서, 남성에 비해 차별적 위치에 놓였던 조선 후기 여성들의 욕구가 얼마나 컸는지를 짐작할 수 있다.

수능형

1 이 글의 서술상 특징으로 적절하지 <u>않은</u> 것은?

① 대화와 행동을 중심으로 서사를 전개하고 있다.
② 인물의 영웅적 행위를 중심으로 서술하고 있다.
③ 시간의 순차적 흐름에 따라 사건이 진행되고 있다.
④ 공간의 이동을 빠르게 하여 긴박감을 드러내고 있다.
⑤ 서술자의 개입에 의해 사건의 의미가 제시되고 있다.

2 이 글의 내용과 일치하지 않는 것은?

① 천자는 상황이 위급한 줄 알고 자결하려 하였다.
② 원수는 천자를 구하기 위해 홀로 적병들을 물리쳤다.
③ 원수는 여공의 도움으로 천자에 관한 소식을 알게 되었다.
④ 여공은 원수를 도적으로 알고 도망치려다가 원수인 것을 알게 되자 눈물을 흘렸다.
⑤ 원수는 여공을 처음 보고 자신의 시아버지인 것을 알았지만 천자의 안위부터 챙겼다.

학습 활동 응용

3 〈보기〉를 참고하여 이 글을 이해한 내용으로 적절하지 <u>않은</u> 것은?

보기

여성 영웅 소설에 나타나는 일반적인 특징으로 군대의 수장으로 참전함, 적장을 손쉽게 제거함, 여성에 대한 긍정적 인식, 적장의 간계로 위기에 빠짐, 탁월한 능력으로 위기를 극복함, 전쟁 과정에서 비현실성이 드러남, 남성의 영웅적 면모가 적음 등을 들 수 있다. 이러한 특성이 〈홍계월전〉의 여성 주인공인 계월을 통해 나타나고 있다.

① 계월은 여성이지만 원수로서 참전하여 적장 맹길을 손쉽게 제거하였다.
② 계월의 능력을 신뢰하고 인정하는 인식을 여공과 천자에게서 엿볼 수 있다.
③ 계월은 맹길의 공격으로 위기에 빠졌으나, 천자의 도움으로 목숨을 구하였다.
④ 계월이 홀로 적을 섬멸하는 것은 전쟁 과정에 비현실적인 요소가 개입한 것이다.
⑤ 남성인 여공과 천자가 수동적인 위치에 놓여 있어서 남성의 영웅적 면모가 적음을 알 수 있다.

학습 활동 응용

4 이 글과 〈보기〉를 비교한 내용으로 적절하지 <u>않은</u> 것은?

보기

서경(西京)이 아즐가 서경(西京)이 셔울히 마르는
위 두어렁셩 두어렁셩 다링디리
닷곤ᄃᆡ 아즐가 닷곤ᄃᆡ 쇼셩경 고외마른
위 두어렁셩 두어렁셩 다링디리
여ᄒᆡ므론 아즐가 여ᄒᆡ므론 질삼뵈 ᄇᆞ리시고
위 두어렁셩 두어렁셩 다링디리
괴시란ᄃᆡ 아즐가 괴시란ᄃᆡ 우러곰 좃니노이다.

– 작자 미상, 〈서경별곡〉

① 이 글의 계월과 〈보기〉의 화자는 모두 적극적인 여성상을 보여 준다.
② 이 글의 계월과 〈보기〉의 화자는 당대 향유층의 욕구를 충족시키는 면이 있다.
③ 이 글의 계월과 〈보기〉의 화자는 모두 남성의 지배에서 벗어나려는 모습을 보여 준다.
④ 〈보기〉의 화자가 평범한 여인인 데 반해, 이 글의 계월은 벼슬이 있는 여인이다.
⑤ 〈보기〉의 화자가 개인적인 감정에 충실한 반면, 이 글의 계월은 사회적인 의식에 충실하다.

5 ㉠과 ㉡의 상황에 어울리는 것으로 묶인 것은?

	㉠	㉡
①	전화위복(轉禍爲福)	당랑거철(螳螂拒轍)
②	풍전등화(風前燈火)	파죽지세(破竹之勢)
③	설상가상(雪上加霜)	절치부심(切齒腐心)
④	와신상담(臥薪嘗膽)	백의종군(白衣從軍)
⑤	유비무환(有備無患)	백중지세(伯仲之勢)

학습 활동 응용

6 이 글에 대한 감상으로 적절한 것은?

① 우연히 위기를 극복하는 인물을 통해 주제 의식을 드러내고 있다.
② 하나의 사건을 다각적으로 묘사하여 작품에 입체성을 부여하고 있다.
③ 당시 우리 사회가 처한 역사적 혼돈 상황을 사실적으로 그려 내고 있다.
④ 인물의 영웅적 활약상을 통해 여성의 지위에 대한 새로운 가치관을 제시하고 있다.
⑤ 외화와 내화의 연결을 통해 인물이 처한 내적 갈등 상황의 심각성을 부각하고 있다.

고전 소설

03 춘향전(春香傳) - 작자 미상

가 "암행어사 출두야!"

외치는 소리에 강산이 무너지고 천지가 뒤집히는 듯 초목금수(草木禽獸)인들 아니 떨랴. 남문에서, / "출두야!"

북문에서, / "출두야!" / 동서문 출두 소리 청천(靑天)에 진동하고,

"모든 아전들 들라." / 외치는 소리에 육방(六房)이 넋을 잃어,

"공형이오." / 등채로 휘닥딱. / "애고 죽겠다."

"공방, 공방." / 공방이 자리 들고 들어오며,

"안 하겠다던 공방을 하라더니 저 불 속에 어찌 들랴."

등채로 휘닥딱. / "애고 박 터졌네."

좌수, 별감 넋을 잃고, 이방, 호방 혼을 잃고 나졸들이 분주하네.

나 모든 수령 도망할 제 거동 보소. 인궤(印櫃)(도장을 넣어 두는 상자) 잃고 강정 들고, 병부(兵符)(조선 시대에 군대를 동원하는 표지로 쓰던 나무패) 잃고 송편 들고, 탕건(宕巾) 잃고 용수(술이나 장을 거르는 긴 통) 쓰고, 갓 잃고 소반(小盤) 쓰고, 칼집 쥐고 오줌 누기. 부서지는 것은 거문고요, 깨지는 것은 북과 장고라. 본관 사또가 똥을 싸고 멍석 구멍 새앙쥐 눈 뜨듯 하고, 안으로 들어가서,

"어 추워라. 문 들어온다 바람 닫아라. 물 마른다 목 들여라."

관청색은 상을 잃고 문짝을 이고 내달으니, 서리, 역졸 달려들어 후닥딱.

"애고 나 죽네."

다 이때 어사또 분부하되,

"이 골은 대감이 좌정하시던 골이라, 잡소리를 금하고 객사(客舍)로 옮겨라."

자리에 앉은 후에 / "본관 사또는 봉고파직(封庫罷職)하라." / 분부하니,

"본관 사또는 봉고파직이오!"

사대문에 방을 붙이고 옥 형리 불러 분부하되, / "네 골 옥에 갇힌 죄수를 다 올리라."

호령하니 죄인을 올리거늘, 다 각각 죄를 물은 후에 죄가 없는 자는 풀어 줄새,

"저 계집은 무엇인고?" / 형리 여쭈오되,

"기생 월매의 딸이온데, 관청에서 포악(暴惡)한 죄로 옥중에 있삽내다."

"무슨 죄인고?"/ 형리 아뢰되,

"본관 사또 수청(守廳) 들라고 불렀더니 수절(守節)이 정절(貞節)이라 수청 아니 들려 하고, 사또에게 악을 쓰며 달려든 춘향이로소이다."

라 어사또 분부하되,

"너 같은 년이 수절한다고 관장에게 포악하였으니 살기를 바랄쏘냐. 죽어 마땅하되 내 수청도 거역할까?"

춘향이 기가 막혀

"내려오는 관장(官長)마다 모두 명관이로구나. 어사또 들으시오. 층암절벽(層巖絕壁) 높은 바위가 바람 분들 무너지며, 청송녹죽(靑松綠竹) 푸른 나무가 눈이 온들 변하리까. / 그런 분부 마옵시고 어서 바삐 죽여 주오."/ 하며,

"향단아, 서방님 어디 계신가 보아라. 어젯밤에 옥 문간에 와 계실 제 천만당부하였더니 어디를 가셨는지 나 죽는 줄 모르는가."

한눈에 콕

금성 | 동아 | 신사고 | 지학 | 창비 | 천재 박 | 해냄

갈래	고전 소설, 판소리계 소설
성격	풍자적, 해학적, 서민적
배경	시간 – 조선 후기 공간 – 전라도 남원
주제	① 신분을 초월한 지고지순한 사랑 ② 신분적 갈등을 극복한 인간 해방 ③ 탐관오리의 횡포에 대한 풍자
특징	① 양반 어투와 평민 어투, 한자어와 우리말이 혼재되어 나타남 ② 곳곳에 판소리 사설투의 문장이 나타남 ③ 서술자의 개입에 의한 편집자적 논평이 자주 나타남 ④ 풍자와 해학에 의한 골계미가 두드러짐

만점 노트

1 〈춘향전〉의 형성과 현대적 변용 과정

근원 설화: 열녀, 관탈 민녀, 암행어사 설화 등 → 판소리: 춘향가 → 고전 소설: 춘향전(열녀춘향수절가) → 신소설: 옥중화 → 현대 소설: 일설 춘향전, 춘향뎐 등 → 현대시: 수정가, 추천사, 춘향 유문 등 → 영화 · 드라마: 춘향뎐, 쾌걸 춘향 등

2 풍자와 해학

암행어사가 출두하는 부분에서 관리들이 당황해하는 모습을 과장된 행위와 언어유희를 통해 희화화하고 있는데, 이러한 해학적 표현은 변학도로 대표되는 당대의 부도덕한 지배 계층을 풍자하고, 그들의 권위를 추락시킴으로써 웃음을 유발하고 있다.

3 장면의 극대화

어사출또로 관리들이 당황하는 부분은 장면의 극대화가 이루어진 부분으로, 열거와 대구 등을 통한 확장으로 생동감과 현실감을 준다. 이러한 장면의 극대화는 판소리 소리꾼이 공연을 할 때 이야기의 전체적인 짜임보다 흥미와 감동을 위해 관객이 관심을 보이는 대목을 집중적으로 확장하고 부연하는 것을 일컫는다. 판소리계 소설에서는 이러한 장면의 극대화가 부분적으로 사용되고 있다.

▶ 정답과 해설 32쪽

마 어사또 분부하되,

"얼굴 들어 나를 보라."

하시니, 춘향이 고개를 들어 위를 살펴보니 걸인으로 왔던 낭군이 분명히 어사또가 되어 앉았구나. 반 웃음 반 울음에

"얼씨구나 좋을씨고. 어사 낭군 좋을씨고. 남원 읍내 추절(秋節) 들어 떨어지게 되었더니, 객사에 봄이 들어 이화 춘풍(李花春風) 날 살린다. 꿈이냐 생시냐, 꿈을 깰까 염려로다."

한참 이리 즐길 적에 춘향 모 들어와서 가없이 즐겨하는 말을 어찌 다 설화(說話)하랴. 춘향의 높은 절개 광채 있게 되었으니 어찌 아니 좋을쏜가?

plus+

〈춘향전〉에 드러난 사상적 배경

- 인간 평등 사상: 계급 의식 타파, 인간의 존엄성 존중
- 자유연애 사상: 봉건적인 규범에 의한 만남 거부
- 사회 개조 사상: 탐관오리의 수탈과 횡포 징계
- 열녀 불경이부 사상: 지조와 정절의 유교적 가치 강조

학습 활동 응용

1 이 글의 표현상 특징으로 보기 어려운 것은?

① 혼란스러운 상황을 우스꽝스럽게 표현하고 있다.
② 중심인물의 내면 심리가 섬세하게 묘사되고 있다.
③ 서민층의 언어와 양반층의 언어가 혼재되어 있다.
④ 서술자가 개입하여 장면에 대한 논평을 하고 있다.
⑤ 소리의 유사성을 활용한 언어유희가 나타나고 있다.

2 이 글의 등장인물에 대한 감상으로 적절하지 않은 것은?

① 각 고을 수령들은 혼비백산(魂飛魄散)했겠군.
② 춘향은 극적으로 기사회생(起死回生)한 셈이군.
③ 무죄인들은 사필귀정(事必歸正)의 심정이었겠군.
④ 어사또는 시시비비(是是非非)를 분명하게 가렸군.
⑤ 본관 사또는 토사구팽(兎死狗烹)을 당한 셈이로군.

3 (나)에 대한 설명으로 적절하지 않은 것은?

① 하나의 장면을 극대화하여 흥미를 더하고 있다.
② 부정적 인물의 언행을 희화화하여 풍자하고 있다.
③ 현학적 표현을 사용하여 긴장감을 고조시키고 있다.
④ 열거와 반복을 통해 요란한 분위기를 강조하고 있다.
⑤ 유사한 문장 구조의 반복으로 리듬감을 형성하고 있다.

4 〈보기〉의 설명에 해당하는 공간을 이 글에서 찾아 쓰시오.

보기

재생(再生)을 위해 반드시 겪어야 하는 상징적인 시련의 과정을 '통과 의례'라고 한다. 우리 문학에서도 지금보다 나은 삶을 살기 위해서 시련과 고통을 극복해야 하는 과정이 나타난다. 예를 들어 〈단군 신화〉에서 곰이 쑥과 마늘을 먹으며 지내야 했던 '굴'이나, 〈심청전〉에서 심청이가 뛰어들었던 '인당수' 등은 통과 의례를 위한 제의적(祭儀的) 공간이라고 볼 수 있다.

학습 활동 응용

5 〈보기〉는 이 글의 갈등 관계를 정리한 것이다. ㉮의 측면에서 볼 때, 이 글의 주제로 가장 적절한 것은?

보기

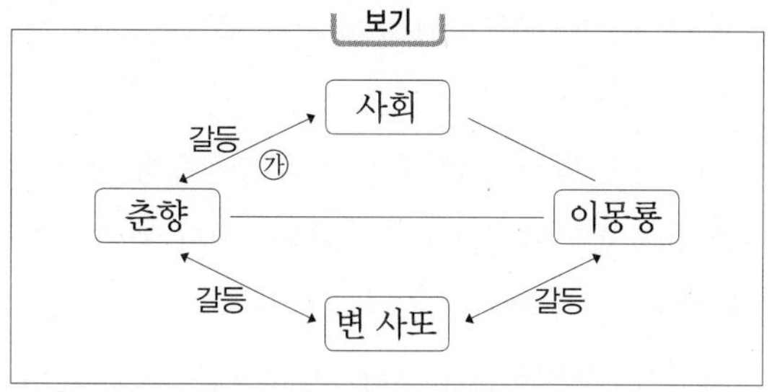

① 여성의 변함없는 지조와 정절 강조
② 청춘 남녀의 순수하고 아름다운 사랑
③ 신분적 제약을 벗어난 인간 해방의 소망
④ 탐관오리의 횡포에 대한 풍자와 징벌 욕구
⑤ 충효와 신의 등 유교적 윤리의 사회적 실현

고전 소설 04 심청전(沈靑傳) - 작자 미상

가 어느덧 동방이 밝아 오니, 심청이 아버지 진지나 마지막 지어 드리리라 하고 문을 열고 나서니, 벌써 뱃사람들이 사립문(나뭇가지를 엮어서 만든 문짝을 달아서 만든 문) 밖에서, / "오늘이 배 떠나는 날이오니 수이 가게 해 주시오." / 하니, / ㉠ 심청이 이 말을 듣고 얼굴빛이 없어지고 손발에 맥이 풀리며 목이 메고 정신이 어지러워 뱃사람들을 겨우 불러,

"여보시오 선인(뱃사람)네들, 나도 오늘이 배 떠나는 날인 줄 이미 알고 있으나, 내 몸 팔린 줄을 우리 아버지가 아직 모르십니다. 만일 아시게 되면 지레 야단이 날 테니, 잠깐 기다리면 진지나 마지막으로 지어 잡수시게 하고 말씀 여쭙고 떠나게 하겠어요."

나 심청이 들어와 눈물로 밥을 지어 아버지께 올리고, 상머리에 마주 앉아 아무쪼록 진지 많이 잡수시게 하느라고 자반(생선을 소금에 절여서 만든 반찬감. 또는 그것을 굽거나 쪄서 만든 반찬)도 떼어 입에 넣어 드리고 김쌈도 싸서 수저에 놓으며, / "진지를 많이 잡수셔요." / 심 봉사는 철도 모르고, / ㉡ "야, 오늘은 반찬이 유난히 좋구나. 뉘 집 제사 지냈느냐?" / 그날 밤에 꿈을 꾸었는데, 부자간은 천륜지간(天倫之間)(부모와 자식 간에 하늘의 인연으로 정하여져 있는 사이)이라 꿈에 미리 보여 주는 바가 있었다. / "아가 아가, 이상한 일도 있더구나. 간밤에 꿈을 꾸니, 네가 큰 수레를 타고 한없이 가 보이더구나. 수레라 하는 것이 귀한 사람이 타는 것인데 우리 집에 무슨 좋은 일이 있을란가 보다. ㉢ 그렇지 않으면 장 승상 댁에서 가마 태워 갈란가 보다." / 심청이는 저 죽을 꿈인 줄 짐작하고

다 "제가 못난 딸자식으로 아버지를 속였어요. 공양미 삼백 석을 누가 저에게 주겠어요. 남경 뱃사람들에게 인당수 제물로 몸을 팔아 오늘이 떠나는 날이니 저를 마지막 보셔요." / 심 봉사가 이 말을 듣고, / "참말이냐, 참말이냐? 애고 애고, 이게 웬 말인고? 못 가리라, 못 가리라. 네가 날더러 묻지도 않고 네 마음대로 한단 말이냐? ㉣ 네가 살고 내가 눈을 뜨면 그는 마땅히 할 일이나, 자식 죽여 눈을 뜬들 그게 차마 할 일이냐? 너의 어머니 늦게야 너를 낳고 초이레 안에 죽은 뒤에, 눈 어두운 늙은 것이 품 안에 너를 안고 이집 저집 다니면서 구차한 말 해 가면서 동냥젖 얻어 먹여 이만치 자랐는데, 내 아무리 눈 어두우나 너를 눈으로 알고, 너의 어머니 죽은 뒤에 걱정 없이 살았더니 이 말이 무슨 말이냐? 마라 마라, 못 하리라. 아내 죽고 자식 잃고 내 살아서 무엇하리? 너하고 나하고 함께 죽자. 눈을 팔아 너를 살 터에 너를 팔아 눈을 뜬들 무엇을 보려고 눈을 뜨리?"

라 소저가 시비(곁에서 시중을 드는 계집종)를 따라가니 승상 부인이 문밖에 내달아 소저의 손을 잡고 울며 말했다.

"네 이 무상한 사람아. 나는 너를 자식으로 알았는데 너는 나를 어미같이 알지를 않는구나. ㉤ 쌀 삼백 석에 몸이 팔려 죽으러 간다 하니 효성이 지극하다마는, 네가 살아 세상에 있어 하는 것만 같겠느냐? 나와 의논했더라면 진작 주선(일이 잘되도록 여러 가지 방법으로 힘씀)해 주었지. 쌀 삼백 석을 이제라도 다시 내어 줄 것이니 뱃사람들 도로 주고 당치 않은 말 다시 말라." 〈중략〉

부인이 반기어 종이와 붓을 내어 주니 붓을 들고 글을 쓸 제, 눈물이 비가 되어 점점이 떨어지니 송이송이 꽃이 되어 그림 족자였다. 안방에 걸고 보니 그 글은 이러했다.

생기사귀일몽간(生寄死歸一夢間)에 / 견정하필루잠잠(牽情何必淚潸潸)이랴마는
세간(世間)에 최유단장처(最有斷腸處)하니 / 초록강남인미환(草綠江南人未還)을

이 글 뜻은,

사람의 죽고 사는 게 한 꿈속이니 / 정에 끌려 어찌 굳이 눈물을 흘리랴마는
세간에 가장 애끊는 곳이 있으니 / 풀 돋는 강남에 사람이 돌아오지 못하는 일이라.

한눈에 콕

미래엔

갈래	고전 소설, 판소리계 소설
성격	교훈적, 우연적, 비현실적, 환상적
배경	시간 – 송나라 말 공간 – 황해도 황주 도화동, 중국 황성
주제	부모에 대한 심청의 지극한 효성, 인과응보(因果應報)
특징	① 유교의 '효(孝)'의 윤리관이 잘 나타남 ② 서술자가 작품에 개입하여 사건과 상황에 대해 논평함

전체 줄거리

송나라 말 맹인 심학규는 부인이 심청을 낳은 후 7일 만에 죽자, 동냥젖을 얻어 딸을 키운다. 어느 날 심청을 마중 나갔던 심 봉사는 물에 빠지게 되고 눈을 뜰 수 있다는 말에 몽운사 화주승에게 공양미 삼백 석을 시주하기로 한다. 공양미를 마련하기 위해 제물이 되어 인당수에 몸을 던진 심청은 용왕에게 구출되어 연꽃에 싸여 다시 인간계로 돌아온다. 황후가 된 심청은 맹인 잔치를 통해 아버지를 만나고 그 자리에서 심 봉사는 눈을 뜨게 된다.

만점 노트

1 수레 타는 '꿈'의 해석
- 심 봉사: 심청이 귀인이 될 것이다.
- 심청: 자신의 죽음

2 등장인물들의 심리

심청	아버지를 혼자 두고 떠나는 슬픔
심 봉사	자신을 위해 죽으러 가는 딸로 인한 비통함
장 승상 댁 부인	자식처럼 소중히 여기던 심청을 떠나보내는 슬픔

3 판소리계 소설의 특징
- 판소리 사설의 영향으로 산문과 운문의 성격을 지닌다.
- 서사적인 내용에 시조 · 한시 등 서정 장르가 삽입되었다.
- 특정한 장면이 극단적으로 확장되었다. – 장면의 극대화
- 서술자가 개입해 인물이나 상황을 평가한다. – 편집자적 논평
- 골계미, 비장미, 해학미 등 다양한 미적 요소들이 드러난다.
- 구전 과정의 적층성으로 다양한 이본이 존재한다.

마 엎더지며 자빠지며 붙들어 나갈 제 건넛집 바라보며,

"아무개네 큰아가, 바느질 수놓기를 뉘와 함께 하려느냐. 작년 오월 단옷날에 그네 뛰고 놀던 일을 네가 행여 생각하느냐? 아무개네 작은아가, 금년 칠월 칠석 밤에 함께 기원하자더니 이제는 허사로다. 언제나 다시 보랴. 너희는 팔자 좋아 양친 모시고 잘 있거라."

양친: 부친과 모친을 아울러 이르는 말

동네 남녀노소 없이 눈이 붓도록 서로 붙들고 울다가 마을 어귀에서 서로 손을 놓고 헤어졌다. 그때 하느님이 아시던지 밝은 해는 어디 가고 어두침침한 구름이 자욱하며 청산이 찡그리는 듯, 강물 소리 흐느끼고, 휘늘어져 곱던 꽃은 시들어 제빛을 잃은 듯하고, 하늘거리는 버들가지도 졸 듯이 휘늘어졌고, 복사꽃은 다정하여 슬픈 듯이 피어 있다.

plus+

인신 공희 설화

살아 있는 사람의 몸을 신적인 존재에게 숭배, 복종의 뜻으로 제물로 바치는 행위. 이와 같은 행위는 뱀이나 지네와 같은 괴동물의 괴롭힘 혹은 풍랑과 같은 자연재해로부터 공동체의 안녕을 달성하기 위해 이루어진다.

---

1 이 글의 서술상 특징으로 적절하지 않은 것은?

① 시간의 흐름에 따라 사건을 전개하고 있다.
② 대화와 사건을 중심으로 내용을 서술하고 있다.
③ 서술자가 상황에 대한 자신의 생각을 덧붙이고 있다.
④ 서술자가 일정 기간에 있었던 일을 요약하여 전달하고 있다.
⑤ 산문 속에 운문을 삽입하여 인물의 정서를 효과적으로 드러내고 있다.

학습 활동 응용

2 〈보기〉를 바탕으로 (가)~(마)에 대해 추론한 내용으로 적절하지 않은 것은?

보기

판소리계 소설은 오랜 세월에 걸쳐 구비 전승된 적층 문학으로 이본(異本)이 많이 있으며, 판본에 따라 인물, 사건, 배경에 차이를 보인다. 또한 문체에 있어서도 향유층을 고려하여 평민과 양반층의 문체를 혼용하였고, '근원 설화 → 판소리 → 판소리계 소설 → 신소설'의 발전 과정을 보이며, 작품의 내용이나 주제가 갖는 가치의 보편성으로 현대에도 여러 장르로 재창조되고 있다.

① (가): 심청이 뱃사람들에게 자신의 몸을 판 것에서 인신 공희 설화가 근원 설화임을 알 수 있군.
② (나): 죽음을 앞두고 있으면서도 효를 다하는 심청의 모습 때문에 오늘날에도 끊임없이 재창조되는 것이겠군.
③ (다): 심 봉사가 심리를 드러내는 부분에서 나타나는 운율감은 판소리의 영향이라고 볼 수 있겠군.
④ (라): 심청이 쓴 글과 이를 해석해 준 부분이 양반과 평민층을 배려한 이중의 문체라고 할 수 있겠군.
⑤ (마): 자연물을 통해 떠나는 심청의 심리를 드러낸 것에서 적층 문학의 특성을 짐작할 수 있군.

수능형

3 ㉠~㉤에 대한 감상으로 적절하지 않은 것은?

① ㉠: 인물에 대한 묘사를 통해 특정 상황에 처한 인물의 복잡한 심리를 직접적으로 드러내고 있다.
② ㉡: 상황에 어울리지 않는 인물의 반응을 통해 슬픈 상황 속에서도 해학성을 주고 있다.
③ ㉢: 동일한 꿈에 대한 상이한 해석을 통해 비극성을 심화시키면서도 희망적 미래를 암시하고 있다.
④ ㉣: 의문문의 형식을 통해 자신으로 인한 딸의 결정을 슬퍼하며 부성애를 드러내고 있다.
⑤ ㉤: 상대방의 결정에 대하여 의도는 긍정적으로 평가하면서도 생명이 더 소중함을 강조하고 있다.

학습 활동 응용

4 이 글과 〈보기〉를 통해 알 수 있는 당대의 가치관으로 적절한 것은?

보기

이보는 용안현 사람인데 그 아비 태방이 사나운 병을 얻어 거의 죽게 되었다. 이보는 구완하여도 효험이 없어 울다가 꿈을 꾸었는데 중이 나타나 산 사람의 뼈를 먹으면 나을 것이라고 알려 주었다. 이보는 꿈에서 깨어나 자신의 손가락을 베어 약을 만들어 아비에게 먹이니 아비의 병이 즉시 나았다.

– 〈동국신속삼강행실도〉

① 자신을 희생해서라도 효를 실천하는 것을 중요하게 생각하였다.
② 중요한 일을 결정할 때에는 꿈을 통해 하늘의 뜻을 인식하였다.
③ 감당하기 힘든 문제가 발생하면 종교의 힘을 빌어 해결하려고 하였다.
④ 열심히 노력하여 자신의 이름을 세상에 알려 부모를 두드러지게 해야 한다고 생각하였다.
⑤ 부모가 육체적 장애나 병으로 고생하면 자식들이 부모를 잘 봉양하지 못했기 때문이라고 여겼다.

고전 수필

1 고전 수필의 개념

예로부터 전하여 내려오는 수필로, 일반적으로 개화기 이전의 수필을 가리킴

2 고전 수필의 발달

(1) 고려 시대: 구전되던 이야기에 채록자의 주관적 견해가 덧붙여지면서 수필의 성격을 띤 '패관 문학(稗官文學)'이 발달함
(2) 조선 전기: 설화, 전기, 야담, 시화(詩話), 견문, 일기, 신변잡기 등 내용과 형태가 다양해지고 영역별로 분화됨
(3) 조선 후기: 양난을 겪으며 개인적 체험과 역사적 사실에 대해 기록해야 할 필요성을 느끼게 되고 작가층이 확대되었으며 한글로 씌어진 일기, 기행, 궁중 수필 등이 활발히 창작됨

3 고전 수필의 갈래

(1) 한문 수필: 중국 한문의 형식을 빌린 문(文), 설(說), 서(序), 서(書), 기(記) 등의 여러 양식이 있음
(2) 한글 수필: 조선 후기에 주로 창작되었으며 서간, 일기, 기행, 궁중 수필, 제문, 야담 등이 있음

설(說)	어떤 사물이나 대상을 이치에 따라 해석하고 이에 대한 옳고 그름을 밝히면서 글쓴이의 의견을 서술하는 한문 수필의 한 양식 예 이규보의 〈경설〉, 권근의 〈주옹설〉 등
기(記)	어떤 사건을 처음부터 끝까지 기록하는 글로, 사물의 이치를 풀이하고 의견을 덧붙이는 구성임 예 이규보의 〈접과기〉, 허균의 〈통곡헌기〉 등
일기, 기행	조선 후기에 주로 여성에 의해 활발히 기록되었는데, 여성 특유의 섬세한 필치와 감정이 생생하게 살아 있어 문학적으로 가치가 높음. 일기의 경우 개인의 일상적인 내용보다는 전쟁이나 기행 등 특정한 상황을 기록한 형식이 많음 예 〈산성일기〉, 〈의유당일기〉, 〈무오연행록〉 등
궁중 수필	주로 궁녀들이 궁중에서 일어난 역사적 사건을 일기나 회고록 형식으로 기록한 글. 궁중 용어가 많이 사용되었고, 궁중 생활이 비교적 사실적으로 묘사되어 기록 문학으로서의 가치가 높음 예 〈한중록〉, 〈인현왕후전〉, 〈계축일기〉 등
제문(祭文)	죽은 사람을 추모하는 내용을 담은 글로 '서사 – 본사 – 결사'의 세 부분으로 이루어짐 예 유씨 부인의 〈조침문〉, 숙종의 〈제문〉 등

희곡

1 희곡의 개념

무대 상연을 전제로 한 연극의 대본으로, '막(幕)'과 '장(場)'을 구성단위로 함

2 희곡의 특징

(1) 무대 상연을 위한 문학이므로, 시 · 공간적 배경, 등장인물의 수 등에 제약을 받음
(2) 인물의 대사와 행동으로 전개되는, 갈등과 대립의 문학임
(3) 사건을 현재형으로 표현하여 사건이 직접 눈앞에서 일어나는 듯한 효과를 줌

개념 확인 문제

1 고전 수필에 대한 설명으로 적절하지 <u>않은</u> 것은?
① 생각이나 느낌을 자유로운 형식으로 쓴 글이다.
② 처음에는 한문으로 쓰이다가 나중에는 순 한글로 쓰였다.
③ 일기, 서간, 기행, 야담, 전기 등 다양한 형태로 창작되었다.
④ 임진왜란과 병자호란 이후 새롭게 등장한 문학 갈래이다.
⑤ 궁중 수필은 여성 특유의 우아하고 섬세한 필치로 표현되어 있다.

2 다음 고전 수필의 갈래를 쓰시오.

> 원이 아버지께
> 당신이 늘 나더러 이르기를 둘이 머리 세도록 살다가 함께 죽자 하시더니 어찌하여 나를 두고 당신 먼저 가시는고. 〈중략〉 나는 꿈에 당신을 보려 믿고 있으니 몰래 찾아와 보이소서. 그지없어 이만 적소이다.
> – 이응태의 부인

3 희곡에 대한 설명으로 적절하지 <u>않은</u> 것은?
① 현재 시제를 사용한다.
② 시 · 공간의 제약이 적다.
③ 무대 상연을 전제로 한다.
④ '막'과 '장'을 구성단위로 한다.
⑤ 인물 간의 갈등과 대립이 드러난다.

4 다음 설명에 맞는 대사의 유형을 〈보기〉에서 골라 기호로 쓰시오.

보기
㉠ 대화 ㉡ 독백 ㉢ 방백

(1) 관객에게는 들리지만, 다른 인물에게는 들리지 않는 것으로 약속하고 하는 말 (　　)
(2) 한 인물이 상대역 없이 혼자 하는 말 (　　)
(3) 등장인물들이 서로 주고받는 말 (　　)

▶ 정답과 해설 33쪽

(4) 희곡의 구성 단계는 '발단 – 전개 – 절정 – 하강 – 대단원'임

3 희곡의 구성 요소

해설		등장인물, 장소, 무대 등을 설명해 주는 부분으로, 극의 첫머리에 제시됨
대사	대화	등장인물끼리 주고받는 말
	독백	한 인물이 상대역 없이 혼자 하는 말
	방백	관객에게는 들리지만, 다른 인물에게는 들리지 않는 말
지시문	무대 지시문	무대 장치, 분위기, 효과음, 장소, 시간 등을 지시함
	동작 지시문	등장인물의 행동, 표정, 심리, 말투 등을 지시함

시나리오

1 시나리오의 개념

영화나 드라마 제작을 목적으로 쓴 대본

2 시나리오의 특징

(1) 장면(Scene)을 기본 단위로 하며, 카메라 촬영을 위해 특수한 용어가 사용됨
(2) 대사와 행동을 통해 사건이 전개되며, 시간 · 공간 · 인물 수의 제약을 거의 받지 않음
(3) 시나리오의 구성 요소는 '해설', '대사', '지시문', '장면 번호(S#)'임

3 시나리오 용어

S#(Scene Number)	장면 번호
NAR.(Narration)	화면 밖에서 들려오는 설명 형식의 대사로, 인물의 내적 독백에 사용됨
F. I.(Fade In)	처음에 어둡던 화면이 차차 밝아짐
F. O.(Fade Out)	처음에 밝던 화면이 차차 어두워짐
O. L.(Over Lap)	앞 장면에 다음 장면이 겹쳐지면서 이전 화면이 서서히 사라짐
C. U.(Close Up)	어떤 대상이나 인물, 또는 그 일부를 두드러지게 화면에 확대하는 것
Ins.(Insert)	화면의 특정 동작이나 상황을 강조하기 위해 삽입한 화면
E.(Effect)	효과음(음향 효과)
몽타주(Montage)	따로따로 촬영한 화면을 떼어 붙여 편집하는 기법으로, 사건의 진행을 축약시켜 보여 주는 효과가 있음
플래시백(Flash back)	장면의 순간적인 변화를 연속으로 보여 주는 기법으로, 긴장의 고조, 감정의 격렬함, 과거 회상 장면을 나타내는 데 쓰임

4 희곡, 시나리오, 소설의 비교

	희곡	시나리오	소설
차이점	무대 상연 목적	영화와 드라마 제작 목적	독자에게 읽히는 것이 목적
	막과 장	장면(Scene)	–
	등장인물의 대사와 행동으로 이야기가 전개됨		서술자의 서술로 전개됨
	직접적 심리 묘사가 불가능함		직접적 심리 묘사가 가능함
	시간적 · 공간적 제약을 받음	시간적 · 공간적 제약이 거의 없음	시간적 · 공간적 제약이 없음
공통점	• 작가의 상상력으로 꾸며 낸 허구의 이야기로, 산문 문학의 한 갈래임 • 인생의 진실을 추구함 • 대립과 갈등을 본질로 함		

개념 확인 문제

5 다음에서 설명하는 희곡의 구성 단계를 쓰시오.

> 지금까지의 갈등과 대립이 사라지고 모든 사건이 해결되는 부분으로, 주인공의 운명이 결정된다.

6 다음 중, 시나리오의 구성 요소가 아닌 것은?

① 막 ② 해설
③ 대사 ④ 지시문
⑤ 장면 번호

7 다음에서 설명하는 시나리오 용어로 알맞은 것은?

> 따로따로 촬영한 화면을 떼어 붙여 편집하는 기법으로, 사건의 진행을 축약시켜 보여 주는 효과를 얻을 수 있다.

① NAR. ② C. U.
③ F. I. ④ 몽타주
⑤ 플래시백

8 한 화면이 끝나기 전에 다음 화면이 겹쳐지면서 먼저 화면이 차차 사라지게 하는 촬영 기법을 쓰시오.

9 시나리오와 소설의 공통점으로 알맞은 것은?

① 장면을 구성단위로 한다.
② 대립과 갈등을 본질로 한다.
③ 무대 상연을 목적으로 한다.
④ 직접적인 심리 묘사가 가능하다.
⑤ 주로 묘사와 서술에 의해 이야기가 전개된다.

01 통곡할 만한 자리 - 박지원

정사(正使) 박명원과 같은 가마를 타고 삼류하를 건너 냉정(冷井)에서 아침밥을 먹었다. 십 리 남짓 가서 산모롱이를 접어드는데 정 진사의 마두 태복이 말 앞으로 달려 나와 땅에 엎드려 큰 소리로,

㉠"백탑(白塔)이 현신(現身)함을 아뢰오." / 하고 말하였다.
(백탑: 중국 요동의 요양성 밖에 있는 탑)

산모롱이에 가려서 백탑은 아직 보이지 않았다. 급히 말을 채찍질하여 수십 보를 채 못 가서 겨우 산모롱이를 벗어나자 눈앞이 아찔해지며 헛것이 오르락내리락하였다. 나는 오늘에야 처음으로 인생이란 본디 의지할 데가 없이 하늘을 이고 땅을 밟은 채 떠돌아다니는 존재임을 알았다.

말을 세우고 사방을 돌아보다가 나도 모르는 사이에 손을 들어 이마에 얹고,

"아, 참 좋은 울음터로다. 한번 울 만하구나."/ 하였다.

정 진사가, 묻기를,

"이렇게 천지간의 큰 장관을 만났는데 갑자기 울고 싶다니, 웬 말씀이오?"/ 하였다.

이에 나는 말했다.

"옳은 말씀이나 그렇지 않소이다. 옛 영웅은 잘 울었고, 미인은 눈물이 많다지만 소리 없는 눈물로 그저 옷깃을 적셨을 뿐이요, 그 울음소리가 쇠나 돌에서 우러나온 듯 천지에 가득 찼다는 소리를 듣지는 못하였소이다. 사람들이 칠정(七情) 중에서 슬플 때만 우는 줄 알고 칠정이 모두 울음을 자아내는 줄은 모를 겝니다. 기쁨이 사무치면 울게 되고, 노여움이 사무치면 울게 되고, 즐거움이 사무치면 울게 되고, 사랑이 사무치면 울게 되고, 미움이 사무치면 울게 되고, 욕심이 극에 달하여도 울게 되니, 답답하고 울적한 감정을 풀어 버리는 것으로 소리쳐 우는 것보다 더 빠른 방법은 없소이다. 울음이란 우레에 비할 수 있는 게요. 복받쳐 나오는 감정이 이치에 맞아 터지는 것이 웃음과 다르지 않소이다. 사람들은 일찍이 이러한 지극한 감정을 겪어 보지 못하여 칠정을 늘어놓고 슬픔에다 울음을 짜맞춘 게지요. 그리하여 초상을 치를 때 억지로 '애고', '어이' 따위의 소리를 부르짖지요. 그러나 참된 칠정에서 우러나오는 지극하고도 참된 소리란, 눌러 참아서 천지 사이에 서리고 엉기어 감히 나타내지 못하는 게요. 그러므로 저 가의는 일찍이 그 울 곳을 얻지 못하고, 참다못하여 필경은 선실(宣室)을 향해 한바탕 울었으니, 이 어찌 듣는 사람들이 놀라고 괴이하게 여기지 않았겠소."
(칠정: 사람의 일곱 가지 감정 / 가의: 중국 한나라 때의 학자이며 정치가 / 선실: 천자가 주로 기거하던 곳으로, 여기서는 중국 한나라의 왕실을 말함)

내 말을 들은 정 진사가 다시 묻기를,

"이제 이 울음터가 저토록 넓으니 나도 한번 울어 볼 터이나, 칠정 중에 어느 정을 골라 울어야 하겠소?"/ 하였다.

나는 이렇게 답해 주었다.

"저 갓난아이에게 물어보시오. 처음 날 때 느낀 것이 무슨 정인지를 말이오. 먼저 해와 달을 보고, 다음에는 앞에 가득한 부모와 친척들을 보니 기쁘지 않을 리가 없을 겝니다. 이러한 기쁨이 늙을 때까지 두 번 다시 없을 터이니 슬퍼하고 노여워할 리 없고 의당 웃고 즐거워하는 정만이 있어야 할 게요. 그러나 갓난아이는 도리어 분하고 한스러운 마음이 가슴에 가득 찬 듯이 울부짖소이다. 이는 곧 인생이란 귀한 사람이나 못난 사람이나 모두 한결같이 끝내는 죽어야 하고, 사는 동안에는 근심과 걱정을 골고루 겪

한눈에 콕

금성 | 미래엔

갈래	고전 수필, 기행문
성격	체험적, 사색적, 논리적, 설득적
주제	드넓은 요동 벌판을 보고 느끼는 감회
특징	① 풍경 묘사보다는 자신의 주장을 전개하는 데 초점을 맞춤 ② 발상의 전환과 분석이 뛰어남 ③ 적절한 비유를 통해 공감을 불러일으킴

만점 노트

1 글의 구조

기	'나'가 요동 벌판을 보고 좋은 울음터라고 말함
승	• 정 진사가 그 이유를 물음 • '나'는 칠정이 극에 달하면 울게 된다고 답함
전	• 정 진사가 어느 정을 골라 울어야 하느냐고 물음 • '나'는 갓난아이와 같이 넓은 세상을 보게 된 기쁨으로 울어야 한다고 답함
결	요동 벌판을 보며 한바탕 울 만한 자리임을 확인함

2 대상을 바라보는 관점의 차이

정 진사		'나'
• 요동 벌판의 장관에 대해 경탄함 • 울음은 슬픔을 느낄 때 나옴	→ 전환	• 요동 벌판을 보고 한바탕 울고 싶음 • 울음은 어떤 감정이 극에 달할 때 나옴
↓ 일반적 보편적		↓ 창의적 개성적

어야 하기에, 태어난 것을 후회하여 울음보를 터뜨려 스스로를 애도하는 것이라고도 하오. 그렇지만 갓난아이의 울음은 결코 그런 정이 아닐 겝니다. 아이가 어머니의 태중에서 어둡고 갑갑하고 비좁게 지내다 하루아침에 탁 트인 곳으로 빠져나와 손과 발을 뻗어 정신이 시원하게 될 터이니, 한바탕 참된 소리를 질러 보지 않을 수 있겠소. 그러하니 우리는 갓난아이의 꾸밈없는 소리를 본받아, 저 ⓐ비로봉 산마루에 올라가 동해를 바라보며 한바탕 울어 볼 만하고, ⓑ장연의 바닷가 금 모래밭을 거닐면서 한바탕 울어 볼 만할 게요. 오늘 ⓒ요동 벌판에 이르러, 예서 산해관(중국 보하이 만(渤海灣) 연안에 있는 지명)까지 일천이백 리 사방에 한 점의 산도 없이 하늘과 땅이 맞닿아 아교풀로 붙인 듯, 실로 꿰맨 듯, 오가는 비구름만이 창창할 뿐이니, 이 역시 한바탕 울 만한 자리가 아니겠소?"

plus+

〈열하일기(熱河日記)〉

연암 박지원이 1780년(정조 4년)에 청나라 건륭제의 70세 생일 축하 사절로 가게 된 팔촌 형 박명원의 수행원으로 갔다 와서 쓴 기행문으로, 한문 수필의 백미로 꼽힌다. 청나라 여행 중에 본 선진 문물과 풍속, 일화와 감회를 상세하게 적고 있는데, 여기에 편견과 타성에 사로잡힌 조선 사회의 현실을 개혁하고자 하는 생각을 담았다.

1 이 글에 대한 설명으로 적절하지 않은 것은?

① 구체적 사례를 들어 이해를 돕고 있다.
② 상징적 표현을 통해 여운을 남기고 있다.
③ 여정의 변화에 따라 상황을 전개하고 있다.
④ 인물의 대화를 통해 주제를 구체화하고 있다.
⑤ 발상의 전환을 통해 기존의 상식을 뒤집고 있다.

2 이 글에서 글쓴이 '나'가 생각하는 '울음'의 특징으로 적절하지 않은 것은?

① 슬픈 감정만이 사람들의 울음을 자아내는 것은 아니다.
② 어떤 감정이든 극에 사무치게 되면 울음을 터뜨리게 된다.
③ 쇠나 돌에서 우러나온 듯한 소리가 진정한 울음이다.
④ 답답한 감정을 해소하는 가장 좋은 방법이 울음이다.
⑤ 참된 감정에서 우러나온 울음은 세상 어디에서든 터져 나온다.

학습 활동 응용

3 ㉠과 〈보기〉에서 보이는 표현상의 공통점으로 적절한 것은?

보기

공명도 날 꺼리고 부귀도 날 꺼리니
청풍명월 외에 어떤 벗이 있을까.

– 정극인, 〈상춘곡〉

① 행위의 주체와 객체를 바꿔 표현하고 있다.
② 자연물을 통해 인물의 정서를 드러내고 있다.
③ 의문형 문장을 통해 표현에 변화를 주고 있다.
④ 관념적 대상을 구체적 사물로 형상화하고 있다.
⑤ 움직일 수 없는 사물을 역동적으로 표현하고 있다.

4 ⓐ~ⓒ의 공통점을 10자 내외로 쓰시오.

____

학습 활동 응용

5 이 글의 내용을 〈보기〉와 같이 정리할 때, 〈보기〉의 Ⓐ와 Ⓑ에 들어갈 말을 각각 쓰시오.

보기

갓난아이	Ⓐ	탁 트인 세상
'나'	조선	Ⓑ

Ⓐ: ______________________________

Ⓑ: ______________________________

02 수오재기(守吾齋記) - 정약용

수오재(守吾齋), 즉 '나를 지키는 집'은 큰형님이 자신의 서재에 붙인 이름이다. 나는 처음 그 이름을 보고 의아하게 여기며, "나와 단단히 맺어져 서로 떨어질 수 없는 것으로는 '나[吾]'보다 더한 것이 없으니, ⓐ비록 지키지 않은들 '나'가 어디로 갈 것인가. 이상한 이름이다."라고 하였다.

내가 장기로 귀양 온 이후 홀로 지내면서 생각이 깊어졌는데, 어느 날 갑자기 이러한 의문점에 대해 환히 깨달을 수 있었다. 나는 벌떡 일어나 다음과 같이 말하였다.

"대체로 천하 만물 중에 지켜야 할 것은 오직 '나' 뿐이다. ⓑ내 밭을 지고 도망갈 자가 있겠는가? 그러니 밭은 지킬 필요가 없다. 내 집을 지고 달아날 자가 있겠는가? 그러니 집은 지킬 필요가 없다. 내 정원의 꽃나무와 과실나무들을 뽑아 갈 자가 있겠는가? 나무뿌리는 땅속 깊이 박혀 있다. 내 책을 훔쳐 가서 없애 버릴 자가 있겠는가? 성현(聖賢)의 경전(經傳)은 세상에 널리 퍼져 물과 불처럼 흔한데 누가 능히 없앨 수 있겠는가. 내 옷과 식량을 도둑질하여 나를 궁색하게 만들 수 있겠는가? 천하의 실이 모두 내 옷이 될 수 있고, 천하의 곡식이 모두 내 양식이 될 수 있다. 도둑이 비록 훔쳐 간다 하더라도 한두 개에 불과할 것이니, 천하의 모든 옷과 곡식을 다 없앨 수는 없다. 따라서 천하 만물 중에 꼭 지켜야만 하는 것은 없다. 그러나 유독 ㉠'나'라는 것은 ⓒ그 성품이 달아나기를 잘하며 출입이 무상하다. 아주 친밀하게 붙어 있어 서로 배반하지 못할 것 같지만 잠시라도 살피지 않으면 어느 곳이든 가지 않는 곳이 없다. 이익으로 유혹하면 떠나가고, 위험과 재앙으로 겁을 주면 떠나가며, 질탕한 음악 소리만 들어도 떠나가고, 미인의 예쁜 얼굴과 요염한 자태만 보아도 떠나간다. 그런데 한번 떠나가면 돌아올 줄을 몰라 붙잡아 만류할 수 없다. 그러므로 천하 만물 중에 잃어버리기 쉬운 것으로는 '나'보다 더한 것이 없다. 그러므로 꽁꽁 묶고 자물쇠로 잠가 '나'를 굳게 지켜야 하지 않겠는가?"

㉡나는 ㉢'나'를 허투루 간수했다가 '나'를 잃은 자이다. 어렸을 때는 과거(科擧)를 좋게 여겨 그 공부에 빠져 있었던 것이 십 년이다. 마침내 조정의 벼슬아치가 되어 사모관대에 비단 도포를 입고 백주 도로를 미친 듯 바쁘게 돌아다니며 십이 년을 보냈다. 그러다 갑자기 상황이 바뀌어 친척을 버리고 고향을 떠나 한강을 건너고 문경새재를 넘어 아득한 바닷가의 대나무 숲이 있는 곳에 이르러서야 멈추게 되었다. 이때 '나'도 땀을 흘리고 숨을 몰아쉬며 허둥지둥 내 발뒤꿈치를 쫓아 함께 이곳에 오게 되었다. 나는 '나'에게 말했다.

"너는 무엇 때문에 여기에 왔는가? 여우나 도깨비에게 홀려서 왔는가? 아니면 바다의 신이 불러서 왔는가? 너의 가족과 이웃이 소내(현재 경기도 남양주시 조안면 능내리)에 있는데, 어째서 본고장으로 돌아가지 않는가?"

그러나 '나'는 멍한 채로 꼼짝도 않고 돌아갈 줄을 몰랐다. 그 안색을 보니 마치 얽매인 게 있어 돌아가려 해도 돌아갈 수 없는 듯했다. ⓓ그래서 '나'를 붙잡아 함께 머무르게 되었다.

이 무렵, 내 둘째 형님 좌랑공(佐郎公) 또한 그 ㉣'나'를 잃고 남해(南海)의 섬으로 가셨는데, 역시 '나'를 붙잡아 함께 그곳에 머무르게 되었다.

유독 내 큰형님만이 그의 '나'를 잃지 않고 편안하게 수오재에 단정히 앉아 계신다. 본

한눈에 쏙

천재 박

갈래	한문 수필, 기(記)
성격	성찰적, 교훈적, 회고적
주제	'나'를 지키는 것의 중요성
특징	① 체험으로부터 삶의 의미를 도출함 ② 의문에서 출발하여 깨달음을 얻어 가는 과정을 통해 독자의 공감을 유도함

만점 노트

1 글의 구조

기	'수오재'라는 당호를 듣고 이상히 여김 → 화제 제시 및 호기심 유발
승	'나'를 지켜야 하는 이유를 깨달음 → 의문의 해소
전	귀양지에서 돌아본 '나'의 과거에 대한 성찰 → 자기 삶에의 적용
결	〈수오재기〉를 쓰게 된 내력 → 깨달음의 의미를 기록

2 '수오(守吾)'의 의미

'수오'는 '나를 지킨다.'는 뜻이다. 이것은 '나의 본성을 온전한 상태로 유지한다.'는 의미로 해석할 수 있다. 글쓴이는 과거를 보기 위해 공부하다가 관직에 오른 후, 자신을 돌보지 못한 상황에서 자신의 본질적인 '나'를 잃고 귀양을 가게 된다. 즉, 현상적 자아에 얽매여 본질적 자아를 잃은 것이다. 글쓴이는 자신에 대한 깊은 성찰을 통해, 자기 자신을 지키는 것이 얼마나 중요한가를 깨닫게 된다.

plus

〈수오재기〉에 드러난 문학 양식상의 특성

이 글의 문학 양식인 기(記)는 사건이나 사물, 경험을 사리에 맞도록 객관적으로 서술하는 한문 문학의 전통적인 양식으로, 깨달음과 교훈을 주기 위한 목적으로 쓰여지는 경우가 많다. 이 글에서도 '수오재'라는 큰형님 서재의 이름에 대한 의문에서 출발하여, 그 의미를 자신의 삶에 대한 성찰을 통해 이끌어 내고 있으므로, 전형적인 기(記) 양식의 특성을 보여 주고 있다고 할 수 있다.

디부터 지키는 바가 있어 '나'를 잃지 않았기 때문이 아니겠는가? 이것이야말로 큰형님이 자신의 서재 이름을 '수오'라고 붙이신 까닭일 것이다. 일찍이 큰형님이 말씀하셨다.

"아버지께서 나의 자(字)를 태현(太玄)이라고 하셨다. 나는 홀로 ㉤나의 태현을 지키려고 서재 이름을 '수오'라고 하였다."

이는 그 이름 지은 뜻을 말씀하신 것이다.

맹자께서 말씀하기시를, "무엇을 지키는 것이 큰일인가? 자신을 지키는 것이 큰일이다."라고 하셨는데, 참되도다. 그 말씀이여!

ⓔ드디어 내 생각을 써서 큰형님께 보여 드리고 수오재의 기문(記文)으로 삼는다.

1 이 글에 대한 설명으로 가장 적절한 것은?

① 의문을 제기한 후 성찰을 통해 의문을 해소하고 있다.
② 옛 성현의 말을 인용하여 새로운 견해를 제시하고 있다.
③ 자연을 본받아야 할 대상으로 설정하여 글을 전개하고 있다.
④ 친숙한 현상에 빗대어 사물 속에 내재된 속성을 드러내고 있다.
⑤ 예상되는 다른 견해에 대해 일부 수긍하며 절충을 시도하고 있다.

학습 활동 응용

2 이 글의 글쓴이에 대해 이해한 내용으로 적절하지 않은 것은?

① 글쓴이는 '본질적 자아'인 '나'를 굳건히 지켜야 한다고 생각하고 있다.
② 글쓴이는 남해 지방에 머물고 있는 좌랑공에게 동질감을 느끼고 있다.
③ 글쓴이는 유배지에서 큰형님이 본질적 자아를 잃지 않았음을 깨달았다.
④ 글쓴이는 벼슬살이에 의미를 부여하며 살았던 지난날의 삶을 성찰하고 있다.
⑤ 글쓴이는 큰형님이 '수오재'라 이름을 붙이자 의문을 품고 해답을 찾으려 노력하였다.

3 ㉠~㉤ 중, 성격상 이질적인 것은?

① ㉠ ② ㉡ ③ ㉢ ④ ㉣ ⑤ ㉤

수능형

4 ⓐ~ⓔ에 대한 의미로 적절하지 않은 것은?

① ⓐ: 나와 본질적 자아는 굳게 맺어져 있어 굳이 지키지 않아도 된다는 상식적 차원의 생각이다.
② ⓑ: 구체적인 예를 들어 천하의 만물을 꼭 지킬 필요가 없음을 말하고 있다.
③ ⓒ: 본질적 자아는 잃어버리기 쉬워 지키기 어려움을 뜻한다.
④ ⓓ: 천하 만물과 본질적 자아를 지키며 둘째 형님과 함께 살게 되었음을 의미한다.
⑤ ⓔ: 글쓴이가 글을 쓰게 된 동기를 직접 밝히고 있다.

5 이 글을 읽은 학생의 반응으로 적절한 것은?

① 글쓴이에게 귀양지는 관직에 대한 미련을 더욱 부각하는 공간이겠군.
② 글쓴이는 큰형님께서 서재의 이름을 '수오재'라고 지은 이유를 알고 있었군.
③ 귀양지에서의 생활은 글쓴이 자신을 돌아보고 반성하게 되는 계기가 되었군.
④ 두 형님과는 다른 글쓴이의 모습이 현재의 상황에 놓이게 되는 이유가 되었군.
⑤ 천하의 만물 중 지켜야 할 것과 지키지 않아도 되는 것을 구별하는 것이 중요하군.

6 이 글을 바탕으로 '수오(守吾)'의 의미를 〈조건〉에 맞게 서술하시오.

조건

'현상적 자아'와 '본질적 자아'라는 말을 포함할 것

03 봉산(鳳山) 탈춤 – 작자 미상

말뚝이: (벙거지를 쓰고 채찍을 들었다. 굿거리장단에 맞추어 ⓐ양반 삼 형제를 인도하여 등장)

양반 삼 형제: (말뚝이 뒤를 따라 굿거리장단에 맞추어 점잔을 피우나, 어색하게 춤을 추며 등장. 양반 삼 형제 맏이는 샌님(生員), 둘째는 서방님(書房), 끝은 도련님(道令)이다. 샌님과 서방님은 흰 창옷에 관을 썼다. 도련님은 남색 쾌자에 복건을 썼다. 샌님과 서방님은 언청이이며 (샌님은 언청이 두 줄, 서방님은 한 줄이다.) 부채와 장죽을 가지고 있고, 도련님은 입이 삐뚤어졌고 부채만 가졌다. 도련님은 일절 대사는 없으며, 형들과 동작을 같이하면서 형들의 면상을 부채로 때리며 방정맞게 군다.)

말뚝이: (가운데쯤에 나와서) 쉬이. (음악과 춤 멈춘다.) 양반 나오신다아! 양반이라고 하니까 노론(老論), 소론(少論), 호조(戶曹), 병조(兵曹), 옥당(玉堂)(홍문관의 별칭. 또는 홍문관의 관원)을 다 지내고 삼정승(三政丞), 육판서(六判書)를 다 지낸 퇴로 재상(退老宰相)으로 계신 ⓑ양반인 줄 아지 마시오. ㉠개잘량(개의 가죽. 주로 방석으로 사용함)이라는 '양' 자에 개다리소반(상다리를 개의 다리 모양으로 만든 소반)이라는 '반' 자 쓰는 양반이 나오신단 말이오.

양반들: 야아, 이놈, 뭐야아!

말뚝이: 아, 이 ⓒ양반들, 어찌 듣는지 모르갔소. 노론, 소론, 호조, 병조, 옥당을 다 지내고 삼정승, 육판서 다 지내고 퇴로 재상으로 계신 이 생원네 삼 형제 분이 나오신다고 그리 하였소.

양반들: (합창) 이 생원이라네. (굿거리장단으로 모두 춤을 춘다. 도령은 때때로 형들의 면상을 치며 논다. 끝까지 그런 행동을 한다.)

말뚝이: 쉬이. (반주 그친다.) 여보, 구경하시는 양반들, 말씀 좀 들어 보시오. 짤따란 곰방대로 잡숫지 말고 저 연죽전(煙竹廛)(담뱃대를 파는 가게)으로 가서 돈이 없으면 내게 기별이래도 해서 양칠간죽, 자문죽을 한 발가웃(수량을 나타내는 표현에 사용된 단위의 절반 정도 분량의 뜻을 더하는 접미사)씩 되는 것을 사다가 육모깍지 희자죽, 오동수복 연변죽을 이리저리 맞추어 가지고 저 재령(載寧) 나무리 거이 낚시 걸듯 죽 걸어 놓고 잡수시오.

양반들: 뭐야아!

말뚝이: 아, 이 양반들, 어찌 듣소. ⓓ양반 나오시는데 담배와 훤화(喧譁)(시끄럽게 떠듦)를 금하라 그리 하였소.

양반들: (합창) 훤화를 금하였다네. (굿거리장단으로 모두 춤을 춘다.)

말뚝이: 쉬이. (춤과 반주 그친다.) 여보, 악공들 말씀 들으시오. 오음 육률(五音六律) 다 버리고 저 버드나무 홀뚜기 뽑아다 불고 바가지장단 좀 쳐 주오.

양반들: 야아, 이놈, 뭐야!

말뚝이: 아, 이 양반들, 어찌 듣소. 용두 해금(奚琴), 북, 장고, 피리, 젓대 한 가락도 뽑지 말고 건건드러지게 치라고 그리 하였소.

양반들 : (합창) 건건드러지게 치라네. (굿거리장단으로 춤을 춘다.)

생원: 쉬이. (춤과 장단 그친다.) 말뚝아. / 말뚝이: 예에.

생원: 이놈, 너도 ⓔ양반을 모시지 않고 어디 그리 다니느냐?

말뚝이: 예에, 양반을 찾으려고 찬밥 국 말어 일조식(日早食)하고, 마구간에 들어가 노새 원님을 끌어다가 등에 솔질을 솰솰 하여 말뚝이님 내가 타고 서양(西洋) 영미(英美), 법덕(法德)(프랑스, 독일), 동양 삼국 무른 메주 밟듯 하고, 동은 여울이요, 서는 구월이라, 동여울 서구월 남드리 북향산 방방곡곡(坊坊曲曲) 면면촌촌(面面村村)이, 바위 틈틈이, 모래 짬

한눈에 콕

[천재 박] [천재 이]

갈래	전통극(가면극) 대본
성격	해학적, 풍자적, 비판적
주제	양반에 대한 비판과 풍자
특징	① 일정한 재담 구조가 반복됨 ② 언어유희, 과장, 익살 등의 기법으로 웃음을 유발함 ③ 양반과 서민의 이중 언어 구조가 드러남

만점 노트

1 재담 구조의 파악

쉬이
↓
① 양반의 위엄
↓
② 말뚝이의 조롱
↓
③ 양반의 호통
↓
④ 말뚝이의 변명
↓
⑤ 양반의 안심
↓
춤

2 등장인물의 특징

말뚝이	저항적 · 비판적 인물 • 벙거지, 채찍 → 마부(하인)의 신분임 • 양반 삼 형제를 인도하여 등장 → 양반을 풍자하고 조롱함
양반 삼 형제	무능한 양반의 전형 • 창옷, 관, 쾌자, 복건, 부채, 장죽 → 양반의 신분과 권위를 상징 • 어색하게 춤을 춤, 언청이, 입이 삐뚤어짐, 방정맞은 행동 등 → 외양과 행동 묘사를 통해 희화화됨

3 탈춤의 개방적 특징

• 여보, 구경하시는 양반들, 말씀 좀 들어 보시오.
• 여보, 악공들 말씀 들으시오.
↓
무대와 객석의 구분이 없음

쨈이, 참나무 결결이 다 찾아다녀도 샌님 비뚝한 놈도 없습니다. 〈중략〉

생원: 네 이놈, 양반을 모시고 나왔으면 새처를 정하는 것이 아니고 어디로 이리 돌아다니느냐?

말뚝이: (채찍을 가지고 원을 그으며 한 바퀴 돌면서) 예에, 이마만큼 터를 잡고 참나무 울장을 드문드문 꽂고, 깃을 푸근푸근히 두고, 문을 하늘로 낸 새처를 잡아 놨습니다.

생원: 이놈, 뭐야!

학습 활동 응용

1 이 글을 참고하여 전통극에 대해 추리한 내용으로 적절하지 않은 것은?

① 공연장에서 음악이 연주되었을 것이다.
② 무대 장치가 따로 존재하지 않았을 것이다.
③ 배우는 관객과 말을 주고받을 수 있었을 것이다.
④ 관객의 반응에 따라 공연의 주제가 달라질 수 있었을 것이다.
⑤ 악공은 배우들과 말을 주고받으면서 분위기 형성에 기여했을 것이다.

2 이 글에 나오는 '춤'에 대한 설명으로 적절하지 않은 것은?

① 재담의 내용을 구분하는 역할을 한다.
② 극의 긴장감을 높여 주는 역할을 한다.
③ 갈등을 일시적으로 해소하는 역할을 한다.
④ 말뚝이의 변명을 그대로 수긍하는 양반의 모습을 희화화한다.
⑤ 극중 관객과 악공이 함께 어우러져 극의 분위기를 흥겹게 한다.

수능형

3 웃음을 유발하는 방식이 ㉠과 다른 것은?

① 내 듣건대 유(儒: 선비)는 유(諛: 아첨)라 하더니 과연 그렇구나.
② 올라간 이 도령인지 삼 도령인지, 그놈의 자식은 일거후(一去後) 무소식하니.
③ 기생에게 수절이 무엇이며 정절이 무엇이냐? 네가 수절하면 우리 대부인은 딱 기절하겠다.
④ 밤낮 주야로 오매불망, 올망졸망 기다리던 네 서방인지 남방인지 비렁거지 신세 되어 와 버렸다.
⑤ 여러 가지를 한데다가 붓더니, 숟가락 댈 것 없이 손으로 뒤져서 한편으로 몰아치더니, 마파람에 게 눈 감추듯 하는구나.

4 ⓐ~ⓔ 중, '양반'의 의미가 나머지 넷과 다른 것은?

① ⓐ ② ⓑ ③ ⓒ ④ ⓓ ⑤ ⓔ

학습 활동 응용

5 이 글의 내용을 〈보기〉와 같이 도식화할 때, ㉮와 ㉯에 각각 들어갈 말을 쓰시오.

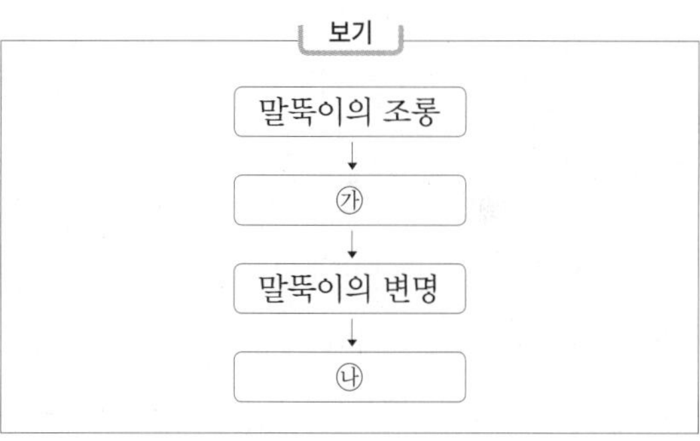

㉮: ______________________

㉯: ______________________

6 이 글에서 말뚝이의 신분을 알 수 있게 해 주는 소재 두 가지를 찾아 쓰시오.

____

04 파수꾼 - 이강백

〈앞부분 줄거리〉 이리 떼의 습격을 미리 알리기 위해 세 명의 파수꾼이 마을 밖의 황야에 있는 망루에서 들판을 지킨다. 새로 파견된 파수꾼 '다'는 실제로 이리 떼를 보지 못했고, "이리 떼가 나타났다."라고 외치는 파수꾼들의 신호만 들을 뿐이다. 어느 날 파수꾼 '다'는 망루에 올라가게 되고 이리 떼의 정체가 흰 구름에 불과하다는 사실을 알게 된다. 파수꾼 '다'는 마을 사람들에게 진실을 알리자는 편지를 촌장에게 보낸다.

촌장: 수고하시는군요, 파수꾼님. / 나: 아, ⓐ촌장님, 여긴 웬일이십니까?

(파수꾼: 경계하여 지키는 일을 하는 사람)

촌장: 추억을 더듬으러 왔습니다. ㉠이 황야는 내가 어린 시절 야생 딸기를 따러 오곤 했던 곳이지요. 그땐 이리가 무섭지도 않았나 봐요. 여기저기 덫이 깔려 있고 망루 위의 파수꾼이 외치는데도 어린 난 딸기 따기에만 열중했었으니까요. 그 즐거웠던 옛 추억, 오늘 아침 나는 그 추억을 상기시켜 주는 편지를 받았습니다. 그래 이곳엘 찾아온 거예요.

나: 잘 오셨습니다, 촌장님.

촌장: ㉡오래 뵙지 못했더니 그동안 흰머리가 더 많아지셨군요.

나: 촌장님두요, 더 늙으셨어요.

촌장: ㉢오다 보니까 저쪽 덫에 이리가 치어 있습니다. / 나: 이리요? 어느 쪽이죠?

촌장: 저쪽요, 저쪽. 찔레 넝쿨 밑이던가요……. / 나: 드디어 잡는군요!

파수꾼 나 퇴장. 촌장은 편지를 꺼내 다에게 보인다.

촌장: 이것, 네가 보낸 거니? / 다: 네, 촌장님.

촌장: 나를 이곳에 오도록 해서 고맙다. 한 가지 유감(遺憾)스러운 건, ㉣이 편지를 가져온 운반인이 도중에서 읽어 본 모양이더라. '이리 떼는 없구, 흰 구름뿐.' ㉤그 수다쟁이가 사람들에게 떠벌리고 있단다. 조금 후엔 모두들 이곳으로 몰려올 거야. 물론 네 탓은 아니다. 몰려오는 사람들은, 말하자면 불청객이지. 더구나 그들은 화가 나서 도끼라든가 망치를 들고 올 거다. / 다: 도끼와 망치는 왜 들고 와요?

촌장: 망루를 부순다고 그러겠지. 그 성난 사람들만 오지 않는다면 난 너하구 딸기라도 따러 가고 싶다. 난 어디에 딸기가 많은지 알고 있거든. 이리 떼를 주의하라는 팻말 밑엔 으레히 잘 익은 딸기가 가득하단다.

(망루: 적이나 주위의 동정을 살피기 위하여 높이 지은 다락집)

다: 촌장님은 이리가 무섭지 않으세요? / 촌장: 없는 걸 왜 무서워하겠니?

다: 촌장님도 아시는군요? / 촌장: 난 알고 있지.

다: 아셨으면서 왜 숨기셨죠? 모든 사람들에게, 저 덫을 보러 간 파수꾼에게, 왜 말하지 않는 거예요? / 촌장: 말해 주지 않는 것이 더 좋기 때문이다.

다: 거짓말 마세요, 촌장님! 일생을 이 쓸쓸한 곳에서 보내는 것이 더 좋아요? 사람들도 그렇죠! '이리 떼가 몰려온다.' 이 헛된 두려움에 시달리고 사는데 그게 더 좋아요?

촌장: 얘야, 이리 떼는 처음부터 없었다. 없는 걸 좀 두려워한다는 것이 뭐가 그렇게 나쁘다는 거냐? 지금까지 단 한 사람도 이리에게 물리지 않았단다. 마을은 늘 안전했어. 그리고 사람들은 이리 떼에 대항하기 위해서 단결했다. 그들은 질서를 만든 거야. 질서, 그게 뭔지 넌 알기나 하니? 모를 거야, 너는. 그건 마을을 지켜 주는 거란다. 물론 저 충직(忠直)한 파수꾼에겐 미안해. 수천 개의 쓸모없는 덫들을 보살피고 양철 북을 요란하게 두들겼다. 허나 말이다, 그의 일생이 그저 헛되다고만 할 순 없어. 그는 모든 사람들을 위해 고귀(高貴)하게 희생한 거야. 난 네가 이러한 것들을 이해해 주기 바란다. 만약 네가 새벽에 보았다는 구름만을 고집한다면, 이런 것들은 허사(虛事)가 된다.

(충직: 충성스럽고 정직함 / 고귀하게: 지위가 높고 귀하게)

한눈에 콕

미래엔 지학

갈래	희곡(단막극, 풍자극)
성격	풍자적, 상징적, 우화적
배경	시간 – 불특정 시대 공간 – 어느 마을의 황야에 있는 망루
주제	진실이 통하지 않는 사회의 비극과 진실에 대한 열망
특징	① 상징성이 강한 인물과 소재의 사용 ② 이솝 우화 〈늑대와 양치기 소년〉을 모티프로 현실을 그려 냄

만점 노트

1 인물의 성격과 유형

- 촌장: 자신의 권력을 유지하기 위해 진실 왜곡도 서슴지 않는 교활하고 위선적인 인물
- 파수꾼 '가', '나': 독재 권력의 지배 질서를 합리화하고 이에 정당성을 부여해 주는 하수인
- 파수꾼 '다': 독재 권력에 저항해 진실을 밝히려고 하지만 결국 지배자의 회유에 굴복하고 마는 나약한 지식인
- 마을 사람들: 독재 권력과 하수인에게 기만당하며 살아가는 대다수의 우매한 민중

2 소재의 상징적 의미

이리 떼	체제 유지를 위해 도구로 삼은 가공의 적
흰 구름	진실
딸기	진실의 왜곡을 통해 촌장이 홀로 누리게 되는 실리
양철 북	가공의 적에 대한 대중의 불안감을 키우기 위한 수단
팻말	명분 뒤에 숨겨진 실리를 촌장이 독차지하게 하는 수단

3 이 글에 반영된 시대적 상황

1970년대는 군사 독재 시대로 북한과 대립이 극심했고, 이에 따라 반공 사상이 팽배했다. 독재 정권은 이런 대립 상황을 적극적으로 활용하여 내부의 여론을 잠재우고 자신의 권력을 유지할 수 있었다. 이 글은 이러한 시대 현실을 우화적 수법을 통해 풍자하고 있다.

저 파수꾼은 늙도록 헛북이나 친 것이 되구, 마을의 질서는 무너져 버린다. 얘야, 넌 이렇게 모든 걸 헛되게 하고 싶진 않겠지?

수능형

1 이 글을 통해 알 수 있는 내용으로 적절하지 않은 것은?

① 촌장은 이리 떼가 없다는 사실을 알고 있었다.
② 촌장은 파수꾼 '다'가 보낸 편지 때문에 망루로 찾아왔다.
③ 마을 사람들은 이리 떼의 존재로 인해 두려움에 떨고 있다.
④ 편지를 전달하던 운반인이 마을 사람들에게 편지의 내용을 알렸다.
⑤ 촌장은 추억을 상기시켜 준 편지를 보낸 파수꾼 '다'에게 진심으로 감사하고 있다.

학습 활동 응용

2 〈보기〉와 연관 지어 이 글의 인물들을 평가할 때 적절하지 않은 것은?

보기

누가 하늘을 보았다 하는가
누가 구름 한 송이 없이 맑은
하늘을 보았다 하는가. //
네가 본 건, 먹구름 / 그걸 하늘로 알고
일생을 살아갔다. //
네가 본 건, 지붕 덮은 / 쇠 항아리,
그걸 하늘로 알고 / 일생을 살아갔다. //
닦아라, 사람들아, / 네 마음 속 구름
찢어라, 사람들아, / 네 머리 덮은 쇠 항아리. //
아침 저녁 / 네 마음 속 구름을 닦고
티 없이 맑은 영원의 하늘 / 볼 수 있는 사람은
외경(畏敬)을 / 알리라. 〈중략〉
서럽게 / 아, 엄숙한 세상을 / 서럽게 / 눈물 흘려 //
살아가리라. / 누가 하늘을 보았다 하는가,
누가 구름 한 자락 없이 맑은 / 하늘을 보았다 하는가.

– 신동엽, 〈누가 하늘을 보았다 하는가〉

① 촌장은 마을 사람들이 쇠 항아리를 찢는 일을 두려워하고 있다.
② 촌장은 질서 유지를 내세워 쇠 항아리로 마을 사람들의 삶의 터전을 덮고 있는 존재와 같다.
③ 파수꾼 '나'는 현재 구름 한 송이 없는 맑은 하늘을 보며 살고 있다고 생각하고 있다.
④ 파수꾼 '다'는 티 없이 맑은 하늘을 영원히 보고 싶은 소망을 간직하고 있다.
⑤ 파수꾼 '다'는 자신이 살고 있는 세상이 엄숙한 세상이라고 여기며 만족해하고 있다.

3 ㉠~㉤ 중, 〈보기〉의 밑줄 친 부분에 해당하지 않는 것은?

보기

일반적으로 희곡은 무대화를 전제로 창작된다. 작가는 무대의 제약을 고려하여 관객의 눈앞에 드러나는 무대 공간을 중심으로 극중 사건을 전개하고 <u>무대 위에서 보여 줄 수 없거나 보여 주지 않아도 되는 사건은 무대 밖의 공간에서 일어나는 것으로 처리한다.</u>

① ㉠ ② ㉡ ③ ㉢ ④ ㉣ ⑤ ㉤

학습 활동 응용

4 〈보기〉의 ㉮~㉲ 중, 이 글에 나타나는 갈등 양상으로 적절한 것은?

보기

산문 문학에 나타나는 갈등은 크게 내적 갈등과 외적 갈등으로 구분할 수 있다. ㉮<u>내적 갈등</u>은 한 인물의 심리적 모순, 대립에 의해 일어나는 갈등이다. 외적 갈등은 인물과 인물 사이에서 발생하는 ㉯<u>인물과 인물 간의 갈등</u>, 개인과 개인이 속한 사회의 제도 · 의식 사이에서 벌어지는 ㉰<u>인물과 사회 간의 갈등</u>, 인물의 숙명으로 인해 발생하는 ㉱<u>인물과 운명 간의 갈등</u>, 인물이 자연과 대결하면서 생겨나는 ㉲<u>인물과 자연 간의 갈등</u>으로 구분할 수 있다.

① ㉮ ② ㉯ ③ ㉰ ④ ㉱ ⑤ ㉲

학습 활동 응용

5 다음 중, ⓐ와 같은 높임 표현이 나타나는 것은?

① 회장님께서 곧 오신답니다.
② 외할머니께서 방금 오셨다.
③ 그렇게 말씀하시면 곤란하지요.
④ 나는 할머니를 모시고 병원에 갔다.
⑤ 은수 할아버지께서는 잠귀가 밝으신 편이다.

05 결혼(結婚) - 이강백

남자: 내 것이라곤 없습니다. / 여자: (충격을 받는다.)

남자: 모두 빌린 것들뿐이었지요. 저기 두둥실 떠 있는 달님도, 저 은빛의 구름도 이 하늬바람도(서쪽에서 부는 바람), 그리고 어쩌면 여기 있는 나마저도, 또 당신마저도……. (미소를 짓고) 잠시 빌린 겁니다. / 여자: 잠시 빌렸다구요? / 남자: 네, 그렇습니다.

하인, 엄청나게 큰 구두 한 짝을 가져오더니 주저앉아 발에 신는다. 그 구둣발로 차 낼 듯한 험악한 분위기가 조성된다.

남자: 결혼해 주십시오. 당신을 빌린 동안에 오직 당신만을 사랑하겠습니다.

여자: ……. 아, 어쩌면 좋아?

하인, 구두를 거의 다 신는다.

여자: 맹세는요, 맹세는 어떻게 하죠? 어머니께 오른손을 든 …….

남자: 글쎄 그건……. (탁상 위의 사진들을 쓸어 모아 여자에게 주면서) 이것을 보여 드립시다. 시간이 가고 남자에게 남는 건 사랑이라면…… 여자에게 남는 건 무엇이겠습니까? 그건 사진 석 장입니다. 젊을 때 한 장, 그 다음에 한 장, 늙고 나서 한 장. 당신 어머니도 이해할 겁니다.

여자: 이해 못하실 걸요, 어머닌. (천천히 슬프고 낙담해서 사진들을 핸드백 속에 담는다.) 오늘 즐거웠어요. 정말이에요……. 그럼, 안녕히 계세요.

여자, 작별 인사를 하고 문전까지 걸어 나간다.

남자: 잠깐만요, 덤. / 여자: (멈칫 선다. 그러나 얼굴은 남자를 외면한다.)

남자: 가는 겁니까? 나를 두고? / 여자: (침묵)

남자: 덤으로 내 말을 조금 더 들어 봐요. / 여자: (악의적인 느낌이 없이) 당신은 사기꾼이에요.

남자: 그래요, 난 사기꾼입니다. 이 세상 것을 잠시 빌렸었죠. 그리고 시간이 되니까 하나 둘씩 되돌려 줘야 했습니다. 이미 난 본색이 드러나 이렇게 빈털터리입니다. 그러나 덤, 여기 있는 사람들에게 물어봐요. 누구 하나 자신 있게 이건 내 것이다, 말할 수 있는가를. 아무도 없을 겁니다. 없다니까요. 모두들 덤으로 빌렸지요. 눈동자, 코, 입술, 그 어느 것 하나 자기 것이 아니고 잠시 빌려 가진 거예요. (누구든 관객석의 사람을 붙들고 그가 가지고 있는 물건을 가리키며) 이게 당신 겁니까? 정해진 시간이 얼마지요? 잘 아꼈다가 그 시간이 되면 꼭 돌려주십시오. 덤, 이젠 알겠어요?

여자, 얼굴을 외면한 채 걸어 나간다.

하인, 서서히 무거운 구둣발을 이끌고 남자에게 다가온다. 남자는 뒷걸음질을 친다. 그는 마지막으로 절규하듯이 여자에게 말한다.

남자: 덤, 난 가진 것 하나 없습니다. 모두 빌렸던 겁니다. 그런데 덤, 당신은 어떻습니까? 당신이 가진 건 뭡니까? 무엇이 정말 당신 겁니까? (넥타이를 빌렸었던 남성 관객에게) 내 말을 들어 보시오. 그럼 당신은 나를 이해할 거요. 내가 당신에게서 넥타이를 빌렸을 때, 그때 내가 당신 물건을 어떻게 다뤘었소? 마구 험하게 했었소? 어딜 망가뜨렸소? 아니오, 그렇진 않았습니다. 오히려 빌렸던 것이니까 소중하게 아꼈다간 되돌려 드렸지요. 덤, 당신은 내 말을 들었소? 여기 증인이 있습니다. 이 증인 앞에서 약속하지만, 내가 이 세상에서 덤 당신을 빌리는 동안에, 아끼고, 사랑하고, 그랬다가 언

한눈에 콕

비상 박 I / 비상 박 II

갈래	희곡(단막극, 실험극)
주제	소유의 본질과 진정한 사랑의 의미
성격	풍자적, 희극적, 교훈적
배경	시간 – 현대 공간 – 어느 저택
특징	① 특별한 무대 장치가 없음 ② 관객을 극중으로 끌어들임 ③ 이야기책의 내용을 극중 현실로 바꾸는 기법을 사용함

전체 줄거리

스스로를 사기꾼이라고 부르는 남자가 부자의 집과 물건을 한정된 시간 동안 빌릴 수 있는 기회를 얻는다. 남자는 그 기회를 이용하여 처음 보는 여자와 결혼하려 한다. 그러나 부잣집에서 함께 빌렸던 하인이 남자에게서 물건을 하나씩 회수해 가자 빈털터리인 남자의 실제 형편이 드러난다. 남자는 세상에 절대적인 소유는 없으며, 우리가 가진 것이 실제로는 잠시 빌리는 것일 뿐이라는 말로 여자를 설득한다. 곧 남자는 절대적인 것은 무엇을 소유하느냐의 문제가 아니라 상대방에 대한 헌신적인 사랑이어야 함을 내세우며 여자와의 결혼에 성공한다.

만점 노트

1 작품의 주제 의식

소유의 본질		진정한 사랑
세상 모든 것이 빌린 것이므로 소중하게 아꼈다가 되돌려 주어야 함	➡	사랑하는 사람을 빌리는 동안 아끼고 헌신적으로 사랑할 것임

한정된 시간 안에 결혼을 해야 하는 가난한 사기꾼의 결혼 성공담을 제재로 하여, 소유의 본질과 진정한 사랑의 의미를 극적으로 구현하고 있다.

2 결혼 조건에 대한 인물의 인식 변화

	발단	대단원
결혼의 조건	외적인 부(富)의 정도	헌신적인 사랑
결혼 조건의 성격	순간적, 외면적 가치	절대적, 본질적 가치

젠가 그 시간이 되면 공손하게 되돌려 줄 테요. 덤! 내 인생에서 당신은 나의 소중한 덤입니다. 덤! 덤! 덤!

남자, 하인의 구둣발에 걷어차인다. 여자, 더 이상 참을 수 없다는 듯 다급하게 되돌아와서 남자를 부축해 일으키고 포옹한다.

여자: 그만해요! / 남자: 이제야 날 사랑합니까?

여자: 그래요! 당신 아니고 또 누굴 사랑하겠어요!

남자: 어서 결혼하러 갑시다. 구둣발에 차이기 전에!

여자: 이래서요, 어머니도 말짱한 사기꾼과 결혼했다던데…….

남자: 자아, 빨리 갑시다. / 여자: 네, 어서 가요!

학습 활동 응용

1 이 글의 갈래상 특징으로 적절하지 않은 것은?

① 대화, 독백, 방백 등의 대사가 사용된다.
② 서술자의 해설에 의해 심리가 제시된다.
③ 등장인물의 내사와 행동을 통해 전개된다.
④ 무대 상연을 전제로 현재화되어 표현된다.
⑤ 시간적 배경과 공간적 배경 등에 제약이 있다.

2 이 글에 대한 설명으로 적절하지 않은 것은?

① 주인공의 가치관이 입체적으로 변화하고 있다.
② 등장인물의 개성적 성격 제시에 주안점을 두고 있다.
③ 작품의 구조상 시간의 흐름이 중요한 역할을 하고 있다.
④ 인물을 통해 진정한 사랑에 대한 성찰을 유도하고 있다.
⑤ 소유에 집착하는 현대 사회의 부정적 단면을 비판하고 있다.

3 이 글에 나타나는 희곡의 실험적인 기법으로 볼 수 없는 것은?

① 관객과의 대화
② 소품을 관객에게 빌림
③ 매우 제한적인 등장인물의 수
④ 관객을 증인으로 내세우는 사건 전개
⑤ 대사 없이 인물을 구둣발로 차는 하인의 역할

수능형

4 이 글에 대해 감상한 내용으로 적절하지 않은 것은?

① 젊음도 시간의 흐름에 따라 변한다고 생각하면 인생이란 참 허무한 것 같아.
② 내 선부가 빌린 것이라면 그것들을 소중하게 아끼고 보살펴야 함을 깨닫게 되었어.
③ 이 작품을 통해 물질 만능주의 시대에서 바람직한 가치는 무엇인지 생각하게 되었어.
④ 빈털터리의 청혼을 받아들이는 여성을 보면서 결혼의 조건은 무엇인지 고민해 보았어.
⑤ 세상의 모든 것이 빌린 것이라고 한다면, 더 많이 가지려고 노력하는 것은 헛된 욕심이라는 생각이 들었어.

학습 활동 응용

5 이 글의 주제 의식을 〈보기〉처럼 정리한다고 할 때, ⓐ와 ⓑ에 들어갈 알맞은 단어를 각각 쓰시오.

보기

작가 이강백은 〈결혼〉을 통해 세상의 모든 것들은 빌린 것이기에 [ⓐ]이(가) 부질없다는 것과 사람 자체보다 외적인 요소를 중시하는 현대인에게 진정한 [ⓑ]의 의미를 일깨우고자 했다.

ⓐ: ________ ⓑ: ________

6 이 글에서 외적인 조건은 시간의 흐름에 따라 변한다는 것을 보여 주는 소품을 찾아 3어절로 쓰시오.

____

06 세상에서 가장 아름다운 이별 - 노희경

S# 67. 차 안.

인희: (장난처럼, 밝게) 정수야, 나 누구야?

정수: (고개를 들고 눈을 부릅떠 눈물을 참고, 아이처럼) 엄마.

인희: 한 번만 더 불러 봐. / 정수: (목이 메어) 엄……마.

인희: (눈가가 그렁해) 정수야, 너…… 다 잊어버려두, 엄마 얼굴도 웃음도 다 잊어버려두…… 니가 이 엄마 뱃속에서 나온 건 잊으면 안 돼. / 정수: (힘들게 끄덕이고)

인희: (손가락에 낀 반지를 빼서, 정수 손에 쥐여 주고) 이거, 니 마누라 줘.

S# 73. 침실.

인희: 여보, 나 소원 있어. / 정철: 뭐?

인희: 나 무덤 만들어 줘. / 정철: 언젠 답답해서 싫다구 화장해 달라며?

화장: 시신을 불에 살라 장사지내는 것

인희: (㉠) 우리 엄마 화장하니까 별루더라. 남한강에 뿌렸는데 하두 오래되니까 여기다 뿌렸는지, 저기다 뿌렸는지 도통 기억에 없구. 여기 가서 울다 저기 가서 울다, 꼭 미친 사람처럼. 당신하구 애들은 그러지 말라구.

정철: ……. / 인희: 당신은…… 나 없이두 괜찮지? / 정철: (보면)

인희: 잔소리도 안 하고 좋지, 뭐. / 정철: (고개 돌리며) 싫어.

인희: 나…… 보고 싶을 거는 같애? / 정철: (고개를 끄덕인다.) / 인희: 언제? 어느 때?

정철: …… 다. / 인희: 다 언제? / 정철: 아침에 출근하려고 넥타이 맬 때.

인희: (안타까운 맘. 보며) …… 또? / 정철: (고개를 돌려, 눈물을 참으며) 맛없는 된장국 먹을 때.

인희: 또? / 정철: 맛있는 된장국 먹을 때. / 인희: 또?

㉡ 정철: 술 먹을 때, 술 깰 때, 잠자리 볼 때, 잘 때, 잠 깰 때, 잔소리 듣고 싶을 때, 어머니 망령 부릴 때, 연수 시집갈 때, 정수 대학 갈 때, 그놈 졸업할 때, 설날 지짐이 할 때, 추석날 송편 빚을 때, 아플 때, 외로울 때.

지짐이: 기름에 지진 음식을 통틀어 이르는 말

인희: (눈물이 그렁해, 괜히 옷섶만 만지며 둘레를 두리번거리며) 당신, 빨리 와. 나 심심하지 않게. (눈물이 주룩 흐르고)

정철: (인희를 안고, 눈물 흘리고) / 인희: (울며 웃으며) 여보, 나 이쁘면 뽀뽀나 한번 해 줘라.

정철: (인희 얼굴을 손으로 안고, 입을 맞춰 주고) / 두 사람, 다시 안고 울고.

정철: 고마웠다. / 울고.

S# 74. (ⓐ)

1. 정원에서 돌 고르는 행복한 얼굴을 한 인희와 정철. / 2. 화장실에서 정철에게 등목을 해 주는 인희. / 3. 서로 밥을 먹여 주는 인희와 정철. / 4. 거실 소파에서 인희, 정철 무릎에 누워 있다. 정철, 재미난 책을 읽어 주고, 인희는 재미있는지 환하게 웃는다.

등목: 팔다리를 뻗고 엎드린 사람의 허리 위에서부터 목까지를 물로 씻어 주는 일

S# 76. 침실.

침실 가득 밝은 햇살이 들어오고, / 인희, 정철의 팔에 안겨 깊은 잠이 들어 있다.

정철, 물기 가득한 눈으로 인희를 안고 있다.

정철: (인희의 죽음을 느낀다. 인희를 보지 않고) 여보.

인희: ……. / 정철: 여보…….

인희: ……. / 정철: ㉢ 인희야. (ⓑ)

한눈에 콕

지학 / 창비

갈래	드라마 시나리오
배경	현대(1990년대)
주제	엄마의 죽음을 통해 바라본 가족의 의미
특징	① 죽음을 대하는 인물들의 심리를 잘 그려 냄 ② 파편화된 가족 구성원이 가족과 사랑의 본질을 깨닫는 과정을 그림

전체 줄거리

50대의 가정주부인 인희는 남편 정철의 퇴직 후 지낼 전원주택을 짓던 중 오줌소태가 영 낫지 않아 병원 검진을 받는다. 검진 결과는 자궁암 말기로 의사인 정철만이 이 사실을 알게 된다. 정철은 아프다는 아내의 말을 흘려들은 자신을 자책하며 수술을 고집하지만, 인희의 수술은 실패로 끝난다. 인희는 집으로 돌아오지만, 집은 예전의 온기를 잃는다. 각자 상처가 있는 가족은 인희의 죽음을 앞두고 서로의 관계를 되돌아보며 가족의 의미를 되찾는다. 인희는 가족의 사랑을 확인하고 전원주택에서 죽음을 맞는다.

만점 노트

1 등장인물 간의 관계 변화

인희의 발병 이전		
시어머니	남편	자식들
고부 갈등	무관심함	이기적임

⬇

인희의 발병 이후		
시어머니	남편	자식들
끈끈한 정과 사랑을 느끼게 됨	아내의 소중함을 절감함	점차 이타적으로 변모함

⬇

진정한 가족의 의미 회복

2 '세상에서 가장 아름다운 이별'의 의미

'세상에서 가장 아름다운 이별'이란 가족의 입장에서 '세상에서 가장 슬픈 이별'의 반어적 표현으로 볼 수 있다.

정답과 해설 35쪽

1 이 글에 대한 설명으로 적절하지 않은 것은?

① 정수는 자신의 감정을 절제하기 위해 노력하고 있다.
② 인희는 정철의 사랑을 반복해서 확인하고 싶어 한다.
③ 정철은 아내 인희의 죽음이 다가옴을 예감하고 있다.
④ 인희는 정수에게 자신을 잊지 말 것을 강조하고 있다.
⑤ 정수는 엄마의 죽음을 사실로 받아들이지 못하고 있다.

2 ㉠에 들어갈 지시문으로 가장 적절한 것은?

① 화가 난 듯 따지듯이
② 담담하고 차분한 어조로
③ 울음을 터트리며 절규하듯
④ 농담임이 드러나듯 장난기 있게
⑤ 원망의 감정이 드러나는 눈빛으로

학습 활동 응용

3 ㉡과 이것을 소설로 개작한 〈보기〉를 비교한 내용으로 적절하지 않은 것은?

보기

묻는 인희도, 대답하는 정철도 점차 목소리가 잦아들고 있었다. 정철은 인희를 보지 않은 채 마음속에 빗장처럼 걸려 있던 말들을 하나씩 하나씩 뱉어냈다.

"술 먹을 때, 술 깰 때, 잠자리 볼 때, 잔소리 듣고 싶을 때, 어머니 망령 부릴 때, 연수 시집갈 때, 정수 대학 갈 때, 그놈 졸업할 때, 설날 지짐이 부칠 때, 추석날 송편 빚을 때, 아플 때, 외로울 때……."

정철의 고백이 이어지는 동안 인희는 물기를 가득 머금은 눈으로 주위를 두리번거렸다. 인희도 차마 정철의 얼굴을 마주 보지 못할 만큼 감정의 진폭이 커지고 있었다.

"당신, 빨리 와. 나 심심하지 않게."

기어이 인희 눈에서 눈물이 흐른다.

① ㉡에 비해 〈보기〉는 상황을 보다 구체적으로 전달하고 있다.
② ㉡과 달리 〈보기〉는 인물의 내면을 서술자가 직접 드러내기도 한다.
③ ㉡과 달리 〈보기〉는 서술자가 인물에 대한 자신의 의견을 개입시키고 있다.
④ ㉡과 달리 〈보기〉는 현재 시제가 아닌 주로 과거 시제를 통해 사건을 서술하고 있다.
⑤ ㉡과 달리 〈보기〉는 지시문이 아닌 서술자의 진술을 통해 인물의 표정이나 행동을 전달하고 있다.

수능형

4 ㉢에 담긴 '정철'의 심리를 표현한 시로 가장 적절한 것은?

① 먼 후일 당신이 찾으시면 / 그 때에 내 말이 "잊었노라." // 당신이 속으로 나무라면 / "무척 그리다가 잊었노라." – 김소월, 〈먼 후일〉
② 설움에 겹도록 부르노라. / 설움에 겹도록 부르노라. / 부르는 소리는 비껴 가지만 / 하늘과 땅 사이가 너무 넓구나. – 김소월, 〈초혼〉
③ 아아, 님은 갔지마는 나는 님을 보내지 아니하였습니다. / 제 곡조를 못 이기는 사랑의 노래는 님의 침묵을 휩싸고 돕니다. – 한용운, 〈님의 침묵〉
④ 당신 나중 흙이 되고 내가 훗날 바람 되어 / 다시 만나지는 길임을 알게 하네. / 내 남아 밭 갈고 씨 뿌리고 땀 흘리며 살아야 / 한 해 한 번 당신 만나는 길임을 알게 하네. – 도종환, 〈옥수수 밭 옆에 당신을 묻고〉
⑤ 내 혼자 마음 날 같이 아실 이 / 꿈에나 아득히 보이는가. // 향 맑은 옥돌에 불이 달아 / 사랑은 타기도 하오련만, / 불빛에 연긴 듯 희미론 마음은 / 사랑도 모르리, 내 혼자 마음은. – 김영랑, 〈내 마음을 아실 이〉

학습 활동 응용

5 'S# 74'에 대한 이해로 적절하지 않은 것은?

① 두 사람의 애틋한 사랑을 드러내는 역할을 한다.
② 현재의 시련이 극복될 것이라는 희망을 전달한다.
③ 두 사람이 보낸 행복한 시간을 제시하는 장면이다.
④ 다음에 제시될 장면의 극적 효과를 높이는 기능을 한다.
⑤ 내레이션 없이 장면만을 제시하여 관객의 해석을 유도하고 있다.

학습 활동 응용

6 ⓐ, ⓑ에 들어갈 시나리오 용어로 적절한 것은?

	ⓐ	ⓑ
①	O. L.	E.
②	몽타주(Montage)	F. O.
③	O. L.	F. O.
④	몽타주(Montage)	O. L.
⑤	몽타주(Montage)	E.

7 이 글의 제목에 쓰인 표현 기법과 제목에 담긴 의미를 쓰시오.

Ⅱ. 문법

중학 문법 다시 보기

01. 음운의 변동

02. 한글 맞춤법

03. 문법 요소

04. 국어의 변화

중학 문법 다시 보기

음운

1 음운의 개념

- 말의 뜻을 구별해 주는 가장 작은 소리의 단위
- 음성의 공통 요소만을 뽑아 머릿속에서 같은 소리로 인식하는 추상적, 관념적인 말소리

달, 발, 팔	첫소리(ㄷ, ㅂ, ㅍ)가 다름
달, 돌, 둘	가운뎃소리(ㅏ, ㅗ, ㅜ)가 다름
말[馬] / 말:[言]	소리의 길이가 다름

2 음향과 음성, 음절

- 음향: 자연에 존재하는 소리
- 음성: 사람이 발음 기관을 통해 내는 구체적이고 물리적인 말소리
- 음절: 한 번에 발음할 수 있는 소리의 단위로, 의미와는 전혀 관계없는 음성적 단위. 국어의 음절은 모음의 숫자와 일치함 예 '높은 꿈' → '[노], [픈], [꿈]'이 음절임

음운의 체계

1 자음 체계

- 자음: 소리를 낼 때 공기의 흐름이 발음 기관의 장애를 받으며 나는 소리
- 기본 자음(14개): 'ㄱ, ㄴ, ㄷ, ㄹ, ㅁ, ㅂ, ㅅ, ㅇ, ㅈ, ㅊ, ㅋ, ㅌ, ㅍ, ㅎ'
- 된소리(5개): 'ㄲ, ㄸ, ㅃ, ㅆ, ㅉ'

발음 방법 \ 발음 위치			입술소리	잇몸소리	센입천장소리	여린입천장소리	목청소리
안울림소리	파열음	예사소리	ㅂ	ㄷ		ㄱ	
		된소리	ㅃ	ㄸ		ㄲ	
		거센소리	ㅍ	ㅌ		ㅋ	
	파찰음	예사소리			ㅈ		
		된소리			ㅉ		
		거센소리			ㅊ		
	마찰음	예사소리		ㅅ			ㅎ
		된소리		ㅆ			
울림소리	비음		ㅁ	ㄴ		ㅇ	
	유음			ㄹ			

- 발음 방법: 자음이 발음될 때 공기의 흐름이 방해를 받는 방법

파열음	공기를 막았다가 터뜨리면서 내는 소리
파찰음	공기를 막았다가 서서히 틈을 벌려 마찰을 일으키며 내는 소리
마찰음	입안이나 목청의 좁은 사이로 공기가 통과하며 마찰하여 나오는 소리
비음	입안 통로를 막고 코로 공기를 내보내며 내는 소리
유음	혀끝을 잇몸에 가볍게 대었다가 떼거나, 윗잇몸에 댄 채 공기를 흘려 보내며 내는 소리

- 발음 위치: 자음이 발음될 때 공기의 흐름이 방해를 받는 위치

입술소리(순음)	두 입술을 붙였다 떼면서 나는 소리
잇몸소리(치조음)	혀끝이 윗니 바로 뒤의 윗잇몸에 닿아 나는 소리
센입천장소리(경구개음)	혓바닥의 앞부분이 센입천장에 닿아서 나는 소리
여린입천장소리(연구개음)	혀의 뒷부분이 여린입천장에 닿아서 나는 소리
목청소리(후음)	목청에서 나오는 소리

2 모음 체계

- 모음: 자음과 달리 소리를 낼 때 공기가 발음 기관의 장애를 받지 않고 나는 소리
- 단모음(10개): 발음할 때 입술 모양이나 혀의 위치에 변화가 없는 모음. 'ㅏ, ㅐ, ㅓ, ㅔ, ㅗ, ㅚ, ㅜ, ㅟ, ㅡ, ㅣ'

혀의 높이 \ 입술 모양 \ 혀의 위치	전설 모음		후설 모음	
	평순 모음	원순 모음	평순 모음	원순 모음
고모음	ㅣ	ㅟ	ㅡ	ㅜ
중모음	ㅔ	ㅚ	ㅓ	ㅗ
저모음	ㅐ		ㅏ	

- 이중 모음(11개): 발음할 때 입술 모양이나 혀의 위치가 변하는 모음. 'ㅑ, ㅒ, ㅕ, ㅖ, ㅘ, ㅙ, ㅛ, ㅝ, ㅞ, ㅠ, ㅢ'

3 소리의 길이와 억양

- 소리의 길이: 발[足]/발:[簾], 손[手]/손:(孫), 병(瓶)/병:(病), 무력(無力)/무:력(武力)
- 억양: 표준 발음은 아니지만 소리의 높낮이에 따라 뜻을 구분

단어

단어의 짜임

1 단어와 형태소

(1) 개념

단어	홀로 쓰일 수 있는 가장 작은 말의 단위(단, 조사는 홀로 쓰일 수 없지만 홀로 쓰일 수 있는 말에 붙어 쉽게 분리될 수 있으므로 단어로 인정함)
형태소	일정한 뜻(실질적인 뜻, 문법적인 뜻)을 가진 가장 작은 말의 단위(더 이상 쪼개면 그 의미를 잃게 됨)

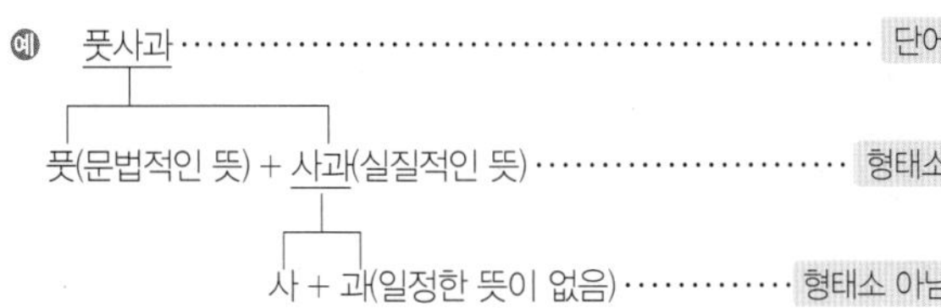

(2) 형태소의 종류

• 자립성의 여부에 따른 종류

자립 형태소	다른 형태소의 도움 없이 홀로 쓰일 수 있는 형태소 – 명사, 대명사, 수사, 관형사, 부사, 감탄사
의존 형태소	홀로 쓰일 수 없어 다른 형태소와 함께 쓰이는 형태소 – 조사, 용언(동사, 형용사)의 어간, 어미, 접사(접두사, 접미사)

• 의미와 기능에 따른 종류

실질 형태소	실질적인 의미가 있는 형태소 – 명사, 대명사, 수사, 관형사, 부사, 감탄사, 용언의 어간
형식 형태소	문법적 기능을 나타내는 형태소 – 조사, 용언의 어미, 접사

예

문장	언니는 엄마를 닮았다.					
단어	언니	는	엄마	를	닮았다.		
형태소	언니	는	엄마	를	닮	았	다.
자립성	자립	의존	자립	의존	의존	의존	의존
의미와 기능	실질	형식	실질	형식	실질	형식	형식

2 어근과 접사

(1) 개념

어근	단어에서 중심부를 이루면서 실질적인 뜻을 나타내는 부분
접사	어근에 붙어 뜻을 제한하거나 다른 뜻을 덧붙이는 부분

예 풋고추 → 풋(접사) + 고추(어근)　낚시꾼 → 낚시(어근) + 꾼(접사)

(2) 접사의 종류

접두사	어근의 앞에 붙는 접사 예 덧신, 헛수고
접미사	어근의 뒤에 붙는 접사 예 장사꾼, 먹보

(3) 접사의 기능

• 어근에 뜻을 더하거나 한정함 예 선무당, 새하얗다, 나무꾼
• 품사를 바꿈 예 울음, 넓이, 학생답다

3 낱말 형성법

(1) 단일어: 하나의 어근만으로 이루어진 단어 예 눈, 하늘

(2) 복합어

• 합성어: 어근과 어근이 결합하여 이루어진 단어

형태 변화에 따라	형태상의 변화가 없는 경우 예 사과나무(사과 + 나무), 돌다리(돌 + 다리)
	형태상의 변화가 있는 경우 예 소나무(솔 + 나무), 달걀(닭 + 알)
결합 방식에 따라	어근과 어근이 대등하게 결합한 경우 예 손발, 대여섯, 팔다리, 오가다
	한 어근이 다른 어근을 꾸며 주는 경우 예 책가방, 쇠못, 손수건, 물걸레
	어근과 어근이 만나 새로운 의미가 되는 경우 예 춘추(나이), 강산(자연, 국토), 피땀(노력, 정성)

• 파생어: 어근과 접사가 결합하여 이루어진 단어

접사의 종류에 따라	접두사와 어근으로 이루어진 단어 예 햇밤, 헛기침, 덧신
	어근과 접미사로 이루어진 단어 예 선생님, 걸레질, 잠꾸러기, 먹보
품사의 변화에 따라	어근의 품사 변화가 없는 경우 예 한- + 여름(명사) → 한여름(명사)
	어근의 품사 변화가 있는 경우 예 지우-(동사) + -개 → 지우개(명사)

4 새말의 형성

(1) 새말: 새로 생겨난 개념이나 대상을 표현하기 위해 지어 낸 말, 또는 이미 있더라도 새로운 뜻이 추가된 말

(2) 새말의 생성 원인

• 새로운 개념이나 사물을 표현해야 할 필요성 때문에
• 외래어를 우리말로 순화하기 위해

(3) 새말의 형성 방법

• 합성어, 파생어 등 단어 형성법을 활용해서
• 기존의 단어에 뜻을 추가해서
• 외국어를 그대로 빌려 써서
• 축약을 통해

어휘의 유형

1 사용 양상에 따른 어휘의 분류

전문어	특정 분야에서 전문적인 개념을 표현하기 위해 사용하는 말 예 좌창(의학 용어), 항소(법률 용어), 히트 앤드 런(야구)
신어	새로 만들어진 말로, 얼마 동안 쓰이다가 사라지기도 하고 국어 단어로 정착되기도 함 예 인강, 왕따
유행어	비교적 짧은 시기에 여러 사람의 입에 오르내리는 말 예 얼짱, 훈남, 열공, 절친
은어	특정 집단이나 계층에서 다른 사람들이 알아듣지 못하도록 만들어 쓰는 말 예 심마니들의 은어 – 노래기(태양), 산주인(호랑이), 무두(나무)
비속어	통속적으로 쓰이는 저속한 말로, 은어와 달리 비밀을 유지하려는 목적이 없음 예 끝내주다, 기똥차다
관용어	둘 이상의 단어들이 결합하여 특별한 의미로 사용되는 관습적인 말 예 발이 넓다, 손때가 묻다, 미역국을 먹다, 국수를 먹다
금기어	부정적이고 불쾌한 것(죽음, 질병, 배설물 등)을 연상하게 하는 말 예 변소(화장실이 완곡어로 사용됨), 천연두(마마, 손님이 완곡어로 사용됨)
완곡어	금기어를 대체하는 말 예 화장실(변소의 완곡어), 마마 혹은 손님(천연두의 완곡어)

2 어종에 따른 어휘의 분류

고유어	• 예로부터 사용해 온 순우리말 • 우리 민족 특유의 정서나 감각을 정확하게 표현할 수 있음 예 푸르다, 눈, 예쁘다, 고뿔, 항아리
한자어	• 한자를 기반으로 만들어진 말 • 추상적인 생각을 나타내는 말이 많음 • 중국의 한자를 기반으로 만든 말, 일본에서 만든 말 등이 있음 예 학교, 세계, 편지, 부모, 가격, 사고, 의견
외래어	• 외국에서 들어와 우리말처럼 사용되는 말 • 외국의 문물이 들어오는 과정에서 자연스럽게 같이 들어옴 • 외래어는 다른 말로 대체하기 어렵지만 외국어는 대체할 수 있음 • 지나친 사용은 국어의 발전을 저해할 수도 있음 예 버스, 빵, 볼펜, 슈퍼마켓, 넥타이

어휘의 의미 관계

1 유의 관계, 반의 관계, 상하 관계

(1) 유의 관계: 말소리는 다르지만 의미가 서로 비슷한 관계
예 어머니 – 엄마 – 모친, 얼굴 – 낯 – 안면, 가끔 – 더러 – 이따금

(2) 반의 관계: 의미가 서로 반대되는 관계
예 남자 – 여자, 넓다 – 좁다, 높다 – 낮다

(3) 상하 관계: 둘 이상의 단어 중 한 단어의 의미가 다른 단어에 포함되는 관계. 다른 단어의 의미를 포함하는 단어를 '상의어', 다른 단어의 의미에 포함되는 단어를 '하의어'라고 함
예 예술(상의어) – 영화, 음악, 미술, 문학(하의어)

2 다의어, 동음이의어

(1) 다의어: 두 가지 이상의 뜻을 지닌 단어

예 손
- 사람의 팔목 끝에 달린 부분(중심 의미)
- 손가락(주변 의미)
- 어떤 일을 하는 데 드는 사람의 힘이나 노력, 기술(주변 의미)
- 어떤 사람의 영향력이나 권한이 미치는 범위(주변 의미)

(2) 동음이의어: 말소리는 같지만 뜻이 다른 단어

예 배
- 신체의 일부[腹]
- 교통 수단[船]
- 배나무의 열매[梨]

굴
- 땅이나 바위가 안으로 깊숙이 패어 들어간 곳[窟]
- 굴과의 연체동물[石花]

품사

1 품사

(1) 품사의 개념: 공통된 성질을 가진 단어들끼리 분류해 놓은 갈래

(2) 품사의 분류 기준
① 형태의 변화에 따른 분류: 불변어, 가변어
② 문장에서의 기능에 따른 분류: 체언, 수식언, 독립언, 관계언, 용언
③ 의미에 따른 분류(9품사): 명사, 대명사, 수사, 관형사, 부사, 감탄사, 조사, 동사, 형용사

형태	기능	의미
불변어 (형태가 변하지 않음)	체언(주체)	명사
		대명사
		수사
	수식언(수식)	관형사
		부사
	독립언(독립)	감탄사
	관계언(관계)	조사
가변어 (형태가 변함)	관계언	서술격 조사 '-이다'
	용언(서술)	동사
		형용사

(3) 품사 분류의 효과

- 우리말을 이해하는 데에 기초가 됨
- 단어의 특성을 잘 이해할 수 있음
- 단어를 체계적으로 파악할 수 있음
- 단어를 올바르고 정확하게 사용할 수 있음

2 품사의 종류와 특성

(1) 체언: 문장에서 주체의 기능을 함. 주로 주어, 목적어, 보어 등의 주요 문장 성분으로 쓰이며 형태가 변하지 않고 조사와 결합함

① 명사: 구체적인 대상이나 추상적인 대상의 이름을 나타내는 단어

고유 명사	특정한 사람이나 사물 하나에만 붙이는 이름 예 백두산, 한강
보통 명사	같은 종류의 모든 사물에 두루 쓰이는 이름 예 사과, 선생님

② 대명사: 사람이나 사물, 장소의 이름을 대신 나타내는 단어

인칭 대명사	사람을 대신 나타내는 단어 예 나, 너, 우리, 당신, 그, 그녀, 누구
지시 대명사	사물이나 장소를 대신 나타내는 단어 예 이것, 저것, 그것, 여기, 저기, 거기

③ 수사: 수량이나 순서를 나타내는 단어

양수사	사물의 수량을 나타내는 단어 예 하나, 둘, 셋, ……
서수사	순서를 나타내는 단어 예 첫째, 둘째, 셋째, ……

(2) 용언: 문장에서 주체의 동작, 상태, 성질을 서술하는 기능을 함. 형태가 변하며 부사어의 꾸밈을 받을 수 있음. 주로 서술어로 쓰이지만 어미의 형태 변화(활용)에 따라 다른 문장 성분으로도 쓰임. 기본형은 '어간+-다'

동사	사람이나 사물의 움직임을 나타내는 단어 예 먹다, 잡다, 자다
형용사	• 사람이나 사물의 성질이나 상태를 나타내는 단어 예 예쁘다, 아름답다, 슬프다 • 현재형(-ㄴ다/-는다), 명령형(-아라/-어라), 청유형(-자)으로 활용할 수 없음

※ 용언의 형태가 변하는 것을 '활용'이라고 하는데, 이때 형태가 변하지 않는 부분을 '어간', 형태가 변하는 부분을 '어미'라고 함

예 먹- (어간) + -다 / + -고 / + -으니 (어미)

(3) 수식언: 문장에서 다른 단어를 꾸며 주는 기능을 함. 형태가 변하지 않음

관형사	• 문장 속에서 체언을 꾸며 주는 단어 • 조사가 붙지 않음 • 관형어로만 쓰임 예 새, 헌, 온갖, 이, 그, 저, 한, 두, 세
부사	• 문장 속에서 주로 용언을 꾸며 주는 단어 • 용언 이외에 다른 부사, 관형사, 체언, 문장 전체를 꾸미기도 함 • 보조사와 결합하기도 함 • 문장 내 위치가 비교적 자유로움 예 잘, 매우, 빨리, 이리, 그리, 과연, 설마, 그리고

(4) 관계언: 문장에 쓰인 단어들의 문법적 관계를 나타내는 기능

조사	• 주로 체언 뒤에 붙어 다른 말과의 문법적 관계를 나타내거나 특별한 의미를 더해 줌 • 부사, 형용사, 동사 뒤에 붙기도 함 • 활용하지 않으나 서술격 조사 '-이다'는 활용함 • 홀로 쓰이지 못하고, 언제나 앞의 말에 붙여 씀 예 이/가, 을/를, 의, 에/에서, -이다, 은/는, 도, 와/과

(5) 독립언: 다른 품사와 관련 없이 독립적으로 쓰임. 형태가 변하지 않고, 생략해도 문장이 성립함. 조사가 붙을 수 없고, 문장 내에서 위치가 비교적 자유로움

감탄사	말하는 이의 느낌이나 놀람, 부름, 대답 등을 나타내는 단어 예 어머나, 아이고, 야, 그래, 응

문장

1 문장

(1) 문장의 개념: 생각이나 감정을 완결된 형태로 표현하는 최소의 언어 형식

(2) 문장을 구성하는 기본적인 문법 단위

어절	문장을 구성하고 있는 각각의 마디로, 띄어 쓰는 단위와 일치하는 문장 성분의 최소 단위
구	둘 이상의 어절이 모여 하나의 의미 단위를 이루는 것으로, 문장에서 하나의 단어와 동등한 기능을 수행하는 단위
절	주어와 서술어를 갖추었으나 독립하여 쓰이지 못하고 문장 안에 포함되어 하나의 문장 성분으로 쓰이는 단위

예

문장	나는 최신 휴대폰이 나오기를 기다리고 있다.				
어절	나는	최신	휴대폰이	나오기를	기다리고 / 있다.
구	–	최신 휴대폰이		–	기다리고 있다.
절	–	최신 휴대폰이 나오기를			–

2 문장 성분

(1) 문장 성분의 개념: 문장을 이루는 데 일정한 구실을 하는 요소

(2) 문장 성분의 종류

① 주성분: 문장을 이루는 데 골격이 되는 것으로 주어, 서술어, 목적어, 보어가 있음

주어	문장에서 설명하고자 하는 대상으로, 동작 또는 상태, 성질의 주체를 나타냄. '누가/무엇이'에 해당 예 하늘이 파랗다. / 나는 노래를 부른다.
서술어	주어의 동작, 상태, 성질을 풀이함. '어찌하다, 어떠하다, 무엇이다'에 해당 예 나는 밥을 먹는다. / 얼굴이 예쁘다. / 정원이는 학생이다.
목적어	서술어의 동작 대상이 되는 문장 성분으로, '무엇을/누구를'에 해당 예 빵을 먹어라. / 윤영이를 사랑한다.
보어	서술어 '되다, 아니다'의 의미를 보충하는 것으로, 보격 조사 '이/가'가 붙어 주로 '되다, 아니다' 앞에 위치 예 나는 반장이 되었다. / 너는 어른이 아니다.

② 부속 성분: 주로 주성분의 내용을 수식하는 것으로 관형어, 부사어가 있음

관형어	체언을 수식. '어떤, 무슨, 누구의'에 해당 예 예쁜 선생님 / 나의 사랑!
부사어	주로 용언을 수식. 관형어나 다른 부사어, 문장 전체를 수식하거나 문장이나 단어를 이어 줌. '어떻게, 어디서, 언제, 누구와'에 해당 예 빵을 맛있게 먹는다. / 꽃이 정말 아름답다. / 과연 나의 아들이구나.

③ 독립 성분: 다른 문장 성분과는 직접적인 관련이 없는 것으로 독립어가 있음

독립어	문장의 다른 성분과 직접 관계를 맺지 않음. '감탄, 놀람, 부름, 응답'에 해당 예 아! 나의 실수다. / 지현이, 이리 오너라.

3 문장의 종류

• 문장의 끝부분에 오는 종결 표현에 따라 문장의 종류는 다섯 가지로 분류됨

평서문	• 말하는 이가 듣는 이에게 특별히 요구하는 바 없이, 자신의 생각을 단순히 진술하는 문장 • '-다, -네' 등의 종결 어미 사용 예 아침이 되었다.
의문문	• 말하는 이가 듣는 이에게 질문하여 대답을 요구하는 문장 • '-느냐?, -니?' 등의 종결 어미 사용 예 밥은 먹었니?
명령문	• 말하는 이가 듣는 이에게 어떤 행동을 하도록 요구하는 문장 • '-아/어라, -게, -ㅂ시오' 등의 종결 어미 사용 예 재환아, 창문 좀 닫아라.
청유문	• 말하는 이가 듣는 이에게 어떤 행동을 함께하기를 요청하는 문장 • '-자, -세, -ㅂ시다' 등의 종결 어미 사용 예 우리 빨리 학교에 가자.
감탄문	• 말하는 이가 듣는 이를 별로 의식하지 않거나 독백하는 상태에서 자기의 느낌을 감탄조로 표현하는 문장 • '-(로)구나, -도다, -구려, -군' 등의 종결 어미 사용 예 노래가 참 좋구나!

4 문장의 짜임

(1) 홑문장

• 주어와 서술어의 관계가 한 번만 성립되는 문장
• 간결하고 명확하게 의사를 전달할 수 있음

(2) 겹문장

• 주어와 서술어가 두 번 이상 나타나는 확대된 문장
• 다양한 생각이나 복잡한 상황을 홑문장보다 잘 표현할 수 있음

① 이어진문장: 각각의 홑문장(절)이 연결 어미로 이어짐

대등하게 이어진 문장	• 대등적 연결 어미 '-고, -(으)며, -(으)나, -지만, -거나'로 연결(대조, 나열, 선택 등의 의미 관계) • 문장의 앞뒤를 바꿔도 의미가 거의 변하지 않음 예 바람이 불고, 비가 온다. / 비가 오고, 바람이 분다.
종속적으로 이어진 문장	• 종속적 연결 어미 '-(으)니, -(으)면, -(아/어)서, -(으)ㄹ지라도, -(으)려고'로 연결(원인, 조건, 양보, 목적·의도 등의 의미 관계) • 문장의 앞뒤를 바꾸면 문장이 성립하지 않거나 의미가 완전히 달라짐 예 바람이 부니, 낙엽이 진다. / 낙엽이 지니, 바람이 분다.

② 안은문장과 안긴문장

- 안은문장: 홑문장을 하나의 문장 성분으로 안고 있는 문장
- 안긴문장: 다른 문장 속에 들어가 하나의 성분처럼 쓰이는 홑문장

명사절	• 안긴문장이 주어, 목적어, 보어, 부사어처럼 쓰임 • '(으)ㅁ, -기' 등의 어미가 결합 예 우리는 그가 당당하기를 원했다.
관형절	• 안긴문장이 관형어처럼 쓰임 • '-(으)ㄴ, -는, -(으)ㄹ, -던' 등의 어미가 결합 예 강아지는 내가 좋아하는 동물이다.
부사절	• 안긴문장이 부사어처럼 쓰임 • '-이, -게, -도록, (아)서' 등이 결합 예 비가 소리도 없이 내린다.
서술절	• 안긴문장이 서술어처럼 쓰임 • 다른 안긴문장과 달리 절 표지가 따로 없음 예 코끼리는 코가 길다.
인용절	• 다른 사람의 말을 인용한 것이 절의 형식으로 쓰임 • '-라고, -고'의 인용격 조사가 결합 예 친구는 나에게 영화를 보러 가자고 했다. 선생님께서 나에게 "일찍 다녀라."라고 하셨다.

5 올바른 문장 표현

- 문장 구조를 알면 자연스럽고 의미가 분명한 문장을 쓸 수 있음
- 문장을 쓸 때는 필요한 문장 성분을 빠뜨리지 않았는지, 의미가 명확하게 표현되었는지, 문장이 자연스럽게 구성되었는지 유의해야 함

예 어제는 비와 바람이 많이 불었다. → 어제는 비가 많이 내리고, 바람도 많이 불었다.

예 예쁜 친구의 언니를 만났다. → 예쁜 친구의, 언니(친구가 예쁨)
→ 예쁜, 친구의 언니 / 친구의 예쁜 언니(언니가 예쁨)

문법 요소

1 문법 요소

(1) 능동 표현: 주어가 제힘으로 행동하는 것
예 호랑이가 토끼를 잡았다.

(2) 피동 표현: 주어가 다른 주체에 의해서 어떤 일을 당하게 되는 것 예 토끼가 호랑이에게 잡혔다.

(3) 주동 표현: 주어가 어떤 동작을 직접 하는 것

(4) 사동 표현: 주어가 다른 대상에게 어떤 동작을 하도록 시키는 것
- 주동사에 '-이-, -히-, -리-, -기-, -우-, -구-, -추-'를 결합함
- 주동사에 '-게 하다', '-시키다' 등을 결합함

예 영희가 동화책을 읽었다. (주동문)
→ (선생님께서) 영희에게 동화책을 읽혔다. (사동문)
→ (선생님께서) 영희에게 동화책을 읽게 하였다. (사동문)

(5) 부정 표현
- 의미에 따른 분류

단순 부정	객관적인 사실에 대한 부정	'안', '아니하다'
의지 부정	주체의 의지에 의한 부정	
능력 부정	주체의 능력 부족 또는 외부적인 원인에 의한 부정	'못', '못하다'

- 길이에 따른 분류

짧은 부정문	'안, 못'을 사용한 부정문 예 안 만나다, 못 만나다
긴 부정문	• '아니하다, 못하다'를 사용한 부정문 • 명령문과 청유문에서는 '마/마라, 말자' 사용 예 만나지 않았다, 만나지 못했다, 만나지 말자.

2 중의적 표현

(1) 중의문: 한 문장이 두 가지 이상의 의미로 해석될 수 있는 문장

수식어의 범위가 확실하지 않음	예 착한 민수와 영희를 만났다. → 수식어 '착한'이 민수를 수식함 → 수식어 '착한'이 민수와 영희 모두를 수식함
접속 조사 '와/과'의 의미가 확실하지 않음	예 귤과 사과 세 개를 샀다. → 귤 한 개와 사과 세 개 → 귤 세 개와 사과 세 개 → 귤 한 개와 사과 두 개(혹은 귤 두 개와 사과 한 개)

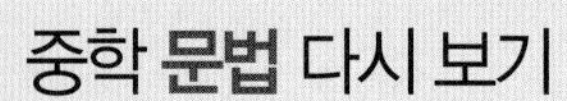

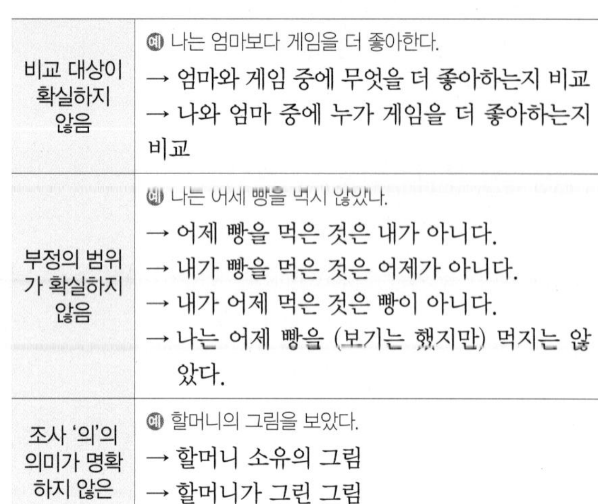

비교 대상이 확실하지 않음	예 나는 엄마보다 게임을 더 좋아한다. → 엄마와 게임 중에 무엇을 더 좋아하는지 비교 → 나와 엄마 중에 누가 게임을 더 좋아하는지 비교
부정의 범위가 확실하지 않음	예 나는 어제 빵을 먹지 않았다. → 어제 빵을 먹은 것은 내가 아니다. → 내가 빵을 먹은 것은 어제가 아니다. → 내가 어제 먹은 것은 빵이 아니다. → 나는 어제 빵을 (보기는 했지만) 먹지는 않았다.
조사 '의'의 의미가 명확하지 않은 경우	예 할머니의 그림을 보았다. → 할머니 소유의 그림 → 할머니가 그린 그림 → 할머니를 그린 그림

(2) 중의성 해소 방법

- 수식어와 피수식어의 관계를 명확하게 함
  - 예 귀여운 수정이의 동생을 보았다.
  - → 귀여운, 수정이의 동생을 보았다.
  - → 수정이의 귀여운 동생을 보았다.
- 접속 조사를 바르게 사용함
  - 예 나는 철수와 영희를 만났다.
  - → 나와 철수는 함께 영희를 만났다.
  - → 나는 철수와 영희 두 사람을 만났다.
- 비교 대상을 명확하게 제시함
  - 예 언니는 나보다 드라마를 더 좋아한다.
  - → 언니는 나를 좋아하는 것보다 드라마를 더 좋아한다.
  - → 언니는 내가 드라마를 좋아하는 것보다 더 드라마를 좋아한다.
- 부정의 범위를 명확하게 함
  - 예 학생들이 다 오지 않았다.
  - → 학생들이 다 온 것은 아니다.
  - → 학생들이 아무도 오지 않았다.
  - → 학생들이 다 오지는 않았다. (보조사 사용)

담화

1 발화

(1) 발화의 개념: 의사소통의 기본 단위로 일정한 상황 속에서 화자의 느낌, 생각, 믿음 등이 문장 단위로 실현된 것을 의미함

(2) 발화의 기능: 금지, 명령, 선언, 약속, 요청, 위로, 질문, 축하 등

2 담화

(1) 담화의 개념: 구체적인 의사소통 상황에서 나타나는 발화와 발화의 연속체

(2) 담화의 구성 요소: 화자, 청자, 언어(발화), 상황 맥락

(3) 담화의 방법: 화자의 의도를 직접적으로 표현하는 '직접적인 발화', 화자의 의도를 간접적으로 표현하는 '간접적인 발화'가 있음

예 "창문을 닫아 주세요." – 직접적인 발화
"방이 좀 춥지 않으세요?" (창문을 닫아 달라는 요청의 뜻) – 간접적인 발화

3 상황 맥락

(1) 상황 맥락의 개념: 말이나 글이 이루어지는 구체적인 상황

(2) 상황 맥락의 구성 요소: 화자, 청자, 시간, 장소, 의도와 목적

발화	지금이 몇 시냐?
상황 맥락	• (차 시간을 기다리는 상황) – 정확한 현재 시간을 물어보는 의미 • (지각한 학생에게 선생님이 말하는 상황) – 지각에 대한 질책의 의미

(3) 사회 문화적 맥락: 지역, 세대, 성별, 문화 등에 따라 사용하는 언어가 달라짐

한글

한글의 창제 원리

1 훈민정음의 창제

- 창제 동기와 목적: 한자 사용의 불편함 극복, 혼란스러운 한자음의 정리
- 창제 정신: 자주정신, 애민 정신, 실용 정신, 창조 정신

2 훈민정음의 제자 원리

(1) 초성자(자음)의 제자 원리: 상형과 가획

- 기본자: 발음 기관의 모양을 상형한 'ㄱ, ㄴ, ㅁ, ㅅ, ㅇ'의 다섯 글자
- 가획자: 소리가 세어질수록 기본자에 획을 더한 글자
- 이체자: 근본 원리가 다른 'ㆁ(옛이응), ㄹ(반설음), ㅿ(반치음)'의 글자. 가획자와는 달리 획을 더한 뜻(소리를 세게 냄)이 없음
- 병서자: 글자를 나란히 쓰는 글자

	기본자	가획자	이체자	병서자
어금닛소리(아음)	ㄱ(혀뿌리가 목구멍을 막는 모양)	ㅋ	ㆁ	ㄲ
혓소리(설음)	ㄴ(혀가 윗잇몸에 닿는 모양)	ㄷ→ㅌ	ㄹ	ㄸ
입술소리(순음)	ㅁ(입 모양)	ㅂ→ㅍ		ㅃ
잇소리(치음)	ㅅ(이 모양)	ㅈ→ㅊ	ㅿ	ㅆ, ㅉ
목소리(후음)	ㅇ(목구멍 모양)	ㆆ→ㅎ		ㆅ

(2) 중성자(모음)의 제자 원리: 상형과 합성

- 기본자: 하늘[天], 땅[地], 사람[人]을 상형한 글자
- 초출자: 기본자끼리 합성하여 만든 글자
- 재출자: 초출자에 'ㆍ'를 합성하여 만든 글자

	기본자	초출자	재출자	합용자
천(天) – 양성	ㆍ(하늘의 둥근 모양)	ㅗ, ㅏ	ㅛ, ㅑ	ㅘ, ㆇ
지(地) – 음성	ㅡ(땅의 평평한 모양)	ㅜ, ㅓ	ㅠ, ㅕ	ㅝ, ㆊ
인(人) – 중성	ㅣ(사람의 서 있는 모양)			

(3) 종성자(자음)의 제자 원리: 종성자는 초성자를 다시 사용함[종성부용초성]

한글의 가치

1 한글의 우수성

(1) 독창성: 다른 나라의 문자를 빌리지 않고 독자적으로 새롭게 만듦

(2) 과학성: 발음 기관을 상형하여 기본자를 만들어 과학적임

(3) 체계성: 같은 성질을 지닌 글자들의 공통점을 글자 모양에 반영하여 만듦

(4) 효율성: 음소 문자이면서도 음절 단위로 모아서 씀으로써 독해의 효율을 높임

(5) 편의성: 과학적·체계적 구조로 학습이 쉽고, 가장 적은 자판으로 문자를 입력할 수 있음

문법 01

음운의 변동

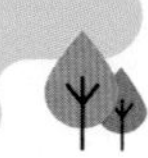

• 한 음운이 일정한 환경에서 다른 음운으로 바뀌어 소리 나는 현상
• 음운 변동은 발음을 더 쉽게 하기 위한 목적과 표현을 명료하게 하여 뜻을 좀 더 분명하게 전달하기 위해 일어남. 음운 변동과 발음, 표기 사이에는 밀접한 관련이 있음

교체	• 한 음운이 다른 음운으로 바뀜(A + B → A + C) • '대치'라는 용어를 쓰기도 함 • 비음화, 유음화, 된소리되기, 구개음화 등이 이에 해당함
축약	• 두 개의 음운이 합쳐져 제3의 한 개 음운으로 바뀜(A + B → C) • 거센소리되기가 이에 해당함
첨가	• 없던 음운이 추가됨(A + B → ACB) • 반모음 첨가가 이에 해당함
탈락	• 원래 있던 음운이 없어짐(A + B → A) • 모음 탈락이 이에 해당함

1 비음화

• 비음이 아닌 자음 'ㄱ, ㄷ, ㅂ'이 비음 'ㄴ, ㅁ'의 영향을 받아 각각 비음 'ㅇ, ㄴ, ㅁ'으로 바뀌는 현상 예 국민[궁민], 닫는다[단는다], 밥물[밤물]
• 조음 위치는 그대로이고 조음 방법만 바뀌는 현상으로 교체 중 동화 현상에 해당함
• 단어와 단어 사이에서도 일어남 예 밥 먹는다[밤멍는다]
• 이 외에 '종로[종노]', '섭리[섭니 → 섬니]'와 같이 유음의 비음화도 있음

유음의 비음화	• 받침 'ㅁ, ㅇ' 뒤에 오는 유음 'ㄹ'은 비음 'ㄴ'으로 발음됨 예 강릉[강능] • 받침 'ㄱ, ㅂ' 뒤에 오는 유음 'ㄹ'도 비음 'ㄴ'으로 발음됨 예 협력[협녁 → 혐녁]

2 유음화

• 유음이 아닌 자음 'ㄴ'이 앞이나 뒤에 오는 유음 'ㄹ'의 영향을 받아 유음 'ㄹ'로 바뀌는 현상 예 칼날[칼랄], 논리[놀리]
• 조음 위치는 그대로이고 조음 방법만 바뀌는 현상으로 교체 중 동화 현상에 해당함
• 'ㄹ'이 'ㄴ' 뒤에 올 때에는 유음화가 일어나지 않기도 함 예 등산로[등산노]

3 된소리되기

• 예사소리 'ㄱ, ㄷ, ㅂ, ㅅ, ㅈ'이 앞의 소리에 영향을 받아 된소리인 'ㄲ, ㄸ, ㅃ, ㅆ, ㅉ'으로 바뀌는 현상 예 국밥[국빱], 닭장[닥짱], 낯설다[낟썰다]
• 음절 끝 'ㄱ, ㄷ, ㅂ' 뒤에 'ㄱ, ㄷ, ㅂ, ㅅ, ㅈ'이 올 때 일어남 예 독서[독써]
• 용언의 어간 받침 'ㄴ, ㅁ' 뒤에 'ㄱ, ㄷ, ㅅ, ㅈ'으로 시작하는 어미가 올 때 일어남 예 감고[감꼬], 얹다[언따], 앉소[안쏘], 신지[신찌]
• 한자어에서 'ㄹ' 받침 뒤에 연결되는 'ㄷ, ㅅ, ㅈ'에서 일어남 예 갈등[갈뜽], 말살[말쌀], 발전[발쩐]
• 관형사형 '-(으)ㄹ' 뒤에 연결되는 'ㄱ, ㄷ, ㅂ, ㅅ, ㅈ'에서 일어남 예 만날 사람[만날싸람]

4 구개음화

• 구개음이 아닌 'ㄷ, ㅌ'이 모음 'ㅣ'나 반모음 'ǐ[j]'로 시작하는 형식 형태소(조사나 접미사)를 만나 구개음 'ㅈ, ㅊ'으로 바뀌는 현상 예 굳이[구지], 같이[가치]
• 구개음화는 실질 형태소와 형식 형태소가 결합할 때 일어나므로 실질 형태소와 실질 형태소가 결합하는 경우나 하나의 형태소 안에서는 일어나지 않음 예 밭이랑[반니랑], 잔디[잔디]

개념 확인 문제

1 음운 변동에 대한 설명으로 맞으면 ○표, 틀리면 ×표를 하시오.

(1) 음운 변동은 발음을 쉽고 편하게 하기 위해 일어난다. ( )
(2) 음운 변동 중 없던 음운이 더해지는 것은 축약이다. ( )
(3) 음운 변동이 일어나는 단어는 음운 변동의 결과가 표기에 모두 반영된다. ( )
(4) 한 음운이 어떤 음운의 영향으로 다른 음운으로 바뀌는 것은 교체에 해당한다. ( )

2 다음 빈칸에 들어갈 알맞은 말을 쓰시오.

(1) '좋고[조코]'와 같이 두 개의 음운이 합쳐져 다른 한 개의 음운으로 바뀌는 것을 음운의 ( )(이)라고 한다.
(2) 비음이 아닌 것이 비음의 영향을 받아 비음으로 바뀌는 현상을 ( )(이)라고 한다.
(3) 예사소리가 ( )(으)로 바뀌는 현상을 된소리되기라고 한다.

3 다음 단어의 올바른 발음을 쓰시오.

(1) 앞마당 [ ]
(2) 적는다 [ ]
(3) 권력 [ ]
(4) 붙이다 [ ]
(5) 갈등 [ ]
(6) 해돋이 [ ]
(7) 단란 [ ]

4 다음 중, 음운 변동 현상이 다른 하나는?

① 닭장 ② 덮개
③ 물질 ④ 솜이불
⑤ 옷고름

5 음절의 끝소리 규칙

- 음절의 끝에서는 자음 'ㄱ, ㄴ, ㄷ, ㄹ, ㅁ, ㅂ, ㅇ'의 일곱 개만 발음됨. 따라서 이외에 다른 자음이 음절의 끝에 오게 되면 이 일곱 개의 자음 가운데 하나로 바뀌어 발음됨 예 부엌[부억], 무릎[무릅]
- 다만, 뒤에 모음으로 시작되는 형식 형태소가 오면 앞 음절이 받침을 뒤 음절의 첫소리로 옮겨 발음함 예 부엌은[부어큰]

6 두음 법칙

- 한자어 첫머리에 'ㄹ'이나 'ㄴ'이 오는 것을 회피하는 현상 예 경로 – 노인, 은닉 – 익명
- 'ㄹ'은 모음 'ㅣ'나 반모음 'ǐ[j]' 앞에서 탈락 예 밀림 – 임야
- 'ㄹ'은 다른 모음 앞에서는 'ㄴ'으로 바뀜 예 미래 – 내일
- 'ㄴ'은 모음 'ㅣ'나 반모음 'ǐ[j]' 앞에서 탈락 예 남녀 – 여자
- 두음 법칙은 교체와 탈락 두 가지 현상으로 나타남

7 거센소리되기

- 예사소리 'ㄱ, ㄷ, ㅂ, ㅈ'이 'ㅎ'과 만나 거센소리 'ㅋ, ㅌ, ㅍ, ㅊ'으로 바뀌는 현상 예 국화[구콰], 좋다[조타], 좁히다[조피다], 쌓지[싸치]
- 두 음운이 합쳐져서 하나의 음운이 되는 축약 현상 중 하나. 모음 축약도 있음

모음 축약	모음 'ㅣ'나 'ㅗ/ㅜ'가 다른 모음과 결합하여 하나의 모음을 이루는 현상. 이때 한 모음은 반모음으로 변하여 이중 모음을 이룸 예 가지-+-어[가져], 오-+-아서[와서]

8 반모음 첨가

- 모음 'ㅣ' 뒤에 다른 모음이 올 때 둘 사이에 반모음 'ǐ[j]'가 첨가되는 현상 예 피어[피여(표준 발음)], 좋-+-아 → 좋아[조아(표준 발음으로 인정되지 않음)]

반모음	자음과 모음의 성격을 반반씩 가진 음으로, 홀로 음절을 이루지 못하는 아주 짧은 모음을 말함. 반모음은 단모음과 결합하여 이중 모음으로 발음되는데, 우리말의 반모음으로는 'ㅑ, ㅕ, ㅛ, ㅠ' 등에 들어 있는 'ǐ[j]', 'ㅘ, ㅝ, ㅙ, ㅞ' 등에 들어 있는 'ㅗ/ㅜ[w]'가 있음

- 없던 음운이 추가되는 첨가 현상 중 하나. 반모음 첨가 외에 'ㄴ' 첨가가 있음

'ㄴ' 첨가	합성어를 이룰 때, 앞말이 모음으로 끝나고 뒷말이 'ㄴ, ㅁ'으로 시작되면 'ㄴ' 소리가 첨가되고, 앞말의 음운과 상관없이 모음 'ㅣ'나 반모음 'ǐ[j]'로 시작될 때 'ㄴ' 또는 'ㄴㄴ'이 첨가되는 현상 예 이+몸 → 잇몸[인몸], 나무+잎 → 나뭇잎[나문닙]

9 모음 탈락

- 어떤 모음이 일정한 환경에서 탈락되어 발음되지 않는 현상 예 크-+-어서 → 커서
- 용언 어간 끝의 모음 'ㅏ/ㅓ'가 '-아서/-어서'와 같이 '-아/-어'로 시작하는 어미와 결합할 때 하나의 모음이 탈락 예 가-+-아서 → 가서, 서-+-어라 → 서라
- 용언 어간 끝의 모음 'ㅡ'가 모음으로 시작하는 어미 앞에서 탈락 예 담그-+-아 → 담가
- 모음 탈락은 음운의 탈락에 해당하며 이외에도 자음군 단순화와 자음 탈락이 있음

자음군 단순화		음절 말에 두 개의 자음(겹받침)이 올 때, 자음 하나가 탈락되는 현상 예 앞 자음이 탈락: 닭[닥], 읽다[익따], 삶다[삼:따], 맑다[막따] 뒤 자음이 탈락: 몫[목], 없다[업따], 여덟[여덜], 훑다[훌따]
자음 탈락	'ㄹ' 탈락	동사나 형용사의 어간 말 자음 'ㄹ'이 몇몇 어미 앞에서 탈락하는 현상 예 둥글다: 둥그니, 둥급니다, 둥그오
	'ㅎ' 탈락	동사나 형용사의 어간 말 자음 'ㅎ'이 모음으로 시작하는 어미 앞에서 탈락하는 현상 예 좋다: 좋으니[조으니], 좋아서[조아서]

개념 확인 문제

5 다음 단어에서 일어나는 음운의 변동 현상을 쓰시오.

(1) 미닫이 → [미다지]
(　　　　　)
(2) 국사발 → [국싸빌]
(　　　　　)
(3) 잡는다 → [잠는다]
(　　　　　)

6 다음 중, 제시된 단어가 음운 변동 현상의 예로 적절하지 않은 것은?

① 교체 – 국물
② 교체 – 입구
③ 축약 – 낙하산
④ 첨가 – 되어
⑤ 탈락 – 천리

7 다음 문장의 밑줄 친 부분에 해당하는 음운 변동을 〈보기〉에서 찾아 기호를 쓰시오.

보기
㉠ 거센소리되기 ㉡ 모음 탈락
㉢ 반모음 첨가 ㉣ 유음화

(1) 이 책은 내 것이오. (　　)
(2) 저 모자를 한번 써 봐. (　　)
(3) 막힌 공간이 답답하다. (　　)
(4) 설날에 할아버지께 세배를 드렸다. (　　)

8 다음 중, 거센소리되기가 나타나지 않는 것은?

① 법학 ② 축하 ③ 닫히다
④ 하얗게 ⑤ 물놀이

9 다음 중, 교체에 해당하지 않는 것은?

① 바깥 ② 백합 ③ 발달
④ 실내 ⑤ 꽃다발

01 음운의 변동

1 〈보기〉를 참고하여 이해한 내용으로 적절하지 <u>않은</u> 것은?

보기

동화 현상은 한 음운이 인접하는 다른 음운의 성질을 닮아 가는 현상이다. 동화에는 'ㄴ, ㅁ'의 앞에서 'ㄱ, ㄷ, ㅂ'이 'ㅇ, ㄴ, ㅁ'으로 변하는 비음화, 'ㄹ'의 앞뒤에서 'ㄴ'이 'ㄹ'로 변하는 유음화, 끝소리가 'ㄷ, ㅌ'인 형태소가 모음 'ㅣ'로 시작되는 형식 형태소와 만났을 때 'ㄷ, ㅌ'이 'ㅈ, ㅊ'으로 변하는 구개음화가 있다.

① '밥물'은 [밤물]로 발음해야 한다.
② '밭이'는 [바치]로 발음해야 한다.
③ '난리'는 [난니]로 발음해야 한다.
④ '땀받이'는 [땀바지]로 발음해야 한다.
⑤ '먹는나'는 [멍는다]로 발음해야 한다.

2 다음 ㉠~㉢의 음운 변동에 대한 설명으로 적절한 것은?

㉠ 빗 → [빋], 앞 → [압], 안팎 → [안팍]
㉡ 약밥 → [약빱], 잡다 → [잡따]
㉢ 놓지 → [노치], 맏형 → [마텽]

① ㉠과 ㉡은 음절 종성에 놓인 자음이 바뀌는 변동이다.
② ㉠은 거센소리를 예사소리로, ㉢은 거센소리를 된소리로 바꾸는 변동이다.
③ ㉠과 ㉢의 변동이 모두 일어난 예로 '따뜻하다 → [따뜨타다]'를 들 수 있다.
④ ㉡과 ㉢의 변동은 뒤의 자음이 앞의 자음에 동화된 것이다.
⑤ ㉡은 음운의 첨가에, ㉢은 음운의 축약에 속한다.

3 〈보기〉는 음운 변동 현상을 기호화한 것이다. ㉠, ㉡에 해당하는 예로 적절한 것은?

보기

• 교체: A → B　　　• (㉠): A + B → A
• 첨가: A + B → ACB　• (㉡): A + B → C

	㉠	㉡
①	싫어도	국화
②	소나무	읊다
③	많고	집합
④	가져	입학
⑤	낳은	값

4 〈보기 1〉을 참고하여 〈보기 2〉의 ㉠~㉤에 대해 설명한 내용으로 가장 적절한 것은?

보기 1

[구개음화]
교체 현상의 하나로, 받침이 'ㄷ', 'ㅌ'인 형태소가 모음 'ㅣ'나 반모음 'ㅣ[j]'로 시작되는 형식 형태소와 만나면 그것이 각각 구개음 [ㅈ], [ㅊ]이 되거나, 'ㄷ' 뒤에 형식 형태소 '-히-'가 올 때 'ㅎ'과 결합하여 이루어진 [ㅌ]이 [ㅊ]이 되는 현상

보기 2

• 나는 벽에 ㉠<u>붙인</u> 게시물을 떼었다.
• 교수는 문제의 원인을 ㉡<u>낱낱이</u> 밝혔다.
• 그녀는 평생 ㉢<u>밭이랑</u>을 일구며 살았다.
• 그의 말소리는 소음에 ㉣<u>묻히고</u> 말았다.
• 그는 겨울에도 방에서 ㉤<u>홑이불</u>을 덮고 잤다.

① ㉠의 '붙-'은 접미사의 모음 'ㅣ'와 만나므로 구개음화 현상이 일어나지 않는다.
② ㉡의 '-이'는 실질 형태소이므로 '낱'의 받침 'ㅌ'은 [ㅊ]으로 발음되지 않는다.
③ ㉢의 '이랑'은 모음 'ㅣ'로 시작되는 형식 형태소이므로 '밭'의 'ㅌ'은 [ㅊ]으로 발음된다.
④ ㉣의 '묻-'은 접미사 '-히-'와 만나므로 'ㄷ'이 'ㅎ'과 결합하여 이루어진 [ㅌ]은 [ㅊ]으로 발음된다.
⑤ ㉤의 '홑-'과 결합한 '이불'은 모음 'ㅣ'로 시작되는 실질 형태소이므로 '홑-'의 받침 'ㅌ'은 구개음화 현상이 일어난다.

5 〈보기〉에서 (ㄱ)과 (ㄴ)의 '음운 변동'을 바르게 짝지은 것은?

보기

• 어떤 음운이 그 놓이는 환경에 따라 다른 음운으로 바뀌는 현상을 음운 변동이라고 한다. 음운 변동은 그 결과에 따라 한 음운이 다른 음운으로 바뀌는 **교체**, 원래 있던 음운이 없어지는 **탈락**, 없던 음운이 추가되는 **첨가**, 두 개의 음운이 합쳐져서 하나로 되는 **축약**으로 분류할 수 있다.
• 음운 변동의 예: <u>숱한 → [숟한]</u> → <u>[수탄]</u>
(ㄱ) (ㄴ)

	(ㄱ)	(ㄴ)
①	교체	축약
②	교체	첨가
③	탈락	축약
④	첨가	교체
⑤	첨가	탈락

6 〈보기 1〉을 참고할 때, 〈보기 2〉의 ㄱ~ㅁ 중 '축약'의 사례에 해당하지 않는 것은?

보기 1

'축약'은 두 음운이 만날 때 두 음운이 합쳐져서 하나의 음운이 되는 현상을 말한다. 축약에는, 'ㅂ, ㄷ, ㅈ, ㄱ'과 'ㅎ'이 만나 'ㅍ, ㅌ, ㅊ, ㅋ'이 되는 자음의 축약과 '다니어'가 '다녀'로, '오아서'가 '와서'로 되는 것처럼 두 모음이 축약되어 한 음절로 되는 모음의 축약이 있다.

보기 2

	어간		어미		표기	발음
ㄱ.	끊-	+	-어	→	끊어	[끄너]
ㄴ.	좋-	+	-고	→	좋고	[조코]
ㄷ.	가지-	+	-어	→	가져	[가져]
ㄹ.	미루-	+	-어	→	미뤄	[미뤄]
ㅁ.	보-	+	-아서	→	봐서	[봐서]

① ㄱ ② ㄴ ③ ㄷ
④ ㄹ ⑤ ㅁ

7 〈보기〉를 바탕으로 음운 변동을 바르게 이해한 것은?

보기

음운의 변동은 크게 네 가지로 나눌 수 있다. 어떤 음운이 다른 음운으로 바뀌는 ㉠교체, 어떤 음운이 없어지는 ㉡탈락, 새로운 음운이 생기는 ㉢첨가, 두 음운이 하나의 음운으로 합쳐지는 ㉣축약이 그것이다.

① '가랑잎[가랑닙]'에서는 ㉢과 ㉡의 음운 변동이 일어난다.
② '값지다[갑찌다]'에서는 ㉠과 ㉢의 음운 변동이 일어난다.
③ '숱하다[수타다]'에서는 ㉣과 ㉡의 음운 변동이 일어난다.
④ '급행열차[그팽녈차]'에서는 ㉣과 ㉢의 음운 변동이 일어난다.
⑤ '서른여덟[서른녀덜]'에서는 ㉠과 ㉣의 음운 변동이 일어난다.

8 〈보기〉의 ㉠~㉤의 밑줄 친 부분과 동일한 음운 변동이 일어난 예가 모두 바르게 제시된 것은?

보기

국어에는 거센소리되기, 자음군 단순화, 된소리되기, 비음화, 유음화 등의 음운 변동이 있다.

㉠ 내가 좋아하는 음식은 밥하고[바파고] 떡이다.
㉡ 옷에 흙까지[흑까지] 묻히고 시내를 쏘다녔다.
㉢ 우리는 손을 잡고[잡꼬] 마냥 즐거워하였다.
㉣ 그는 고전 음악을 즐겨 듣는다[든는다].
㉤ 칼날[칼랄]에 다치지 않도록 조심하여야 한다.

① ㉠의 예 : 먹히다, 목걸이
② ㉡의 예 : 값싸다, 닭똥
③ ㉢의 예 : 굳세다, 솜이불
④ ㉣의 예 : 겁내다, 맨입
⑤ ㉤의 예 : 잡히다, 설날

9 〈보기〉의 (ㄱ)과 (ㄴ)에 나타나는 음운 변동으로 적절한 것은?

보기

음운 변동은 한 음운이 다른 음운으로 바뀌는 '교체', 원래 있던 음운이 없어지는 '탈락', 없던 음운이 추가되는 '첨가', 두 개의 음운이 합쳐져서 하나로 되는 '축약'으로 분류할 수 있다.

단어에 따라 아래 예와 같이 한 단어에서 두 가지 음운 변동이 일어나는 경우도 있다.

예 물약 → [물냑] → [물략]
(ㄱ) (ㄴ)

	(ㄱ)	(ㄴ)
①	첨가	교체
②	첨가	탈락
③	탈락	교체
④	교체	첨가
⑤	교체	축약

10 〈보기〉와 같은 활동 과제를 수행한 결과로 적절한 것은?

보기

[활동 과제]
음운 변동의 유형에는 '교체', '탈락', '첨가', '축약'이 있다.
ⓐ: 교체 – 한 음운이 다른 음운으로 바뀌는 현상
ⓑ: 탈락 – 한 음운이 없어지는 현상
ⓒ: 첨가 – 없던 음운이 새로 생기는 현상
ⓓ: 축약 – 두 음운이 합쳐져 다른 음운으로 바뀌는 현상

다음 사례가 ⓐ~ⓓ 중, 어떤 음운 변동에 해당하는지 생각해 보자.
옷하고[오타고]　　홑이불[혼니불]

	옷하고[오타고]	홑이불[혼니불]
①	ⓐ, ⓒ	ⓐ, ⓑ
②	ⓐ, ⓓ	ⓐ, ⓒ
③	ⓐ, ⓓ	ⓑ, ⓒ
④	ⓑ, ⓒ	ⓑ, ⓓ
⑤	ⓑ, ⓒ	ⓒ, ⓓ

11 〈보기〉를 바탕으로 음운의 탈락에 대해 이해한다고 할 때, 적절하지 않은 것은?

보기

ⓐ '돌다'의 활용: '돌–'+'–고' → 돌고,
'돌–'+'–니' → 도니 ……
ⓑ '낳다'의 활용: '낳–'+'–고' → 낳고,
'낳–'+'–아' → 낳아 ……
ⓒ '쓰다'의 활용: '쓰–'+'–고' → 쓰고,
'쓰–'+'–어' → 써 ……
ⓓ '가다'의 활용: '가–'+'–고' → 가고,
'가–'+'–아' → 가 ……

① ⓐ에서는 어간의 끝소리 'ㄹ'이 'ㄴ'으로 시작하는 어미 앞에서 탈락되는군.
② ⓑ에서는 '낳아'를 [나아]로 발음하므로 음운의 탈락이 표기에 반영되는군.
③ ⓒ에서는 어간의 모음 'ㅡ'가 모음으로 시작하는 어미 앞에서 탈락되는군.
④ ⓓ에서는 어간의 모음과 동일 음운이 연결될 경우 한 음운이 탈락되는군.
⑤ ⓐ~ⓓ를 보니, 음운의 탈락에는 자음의 탈락과 모음의 탈락이 있음을 알 수 있군.

12 다음은 음운 변동에 대한 선생님의 설명이다. 질문에 대한 답으로 적절한 것은?

선생님: 음운 변동에는 한 음운이 다른 음운으로 바뀌는 현상인 '교체', 있던 음운이 없어지는 현상인 '탈락', 없던 음운이 새로 생기는 현상인 '첨가', 두 음운이 하나의 음운으로 합쳐지는 현상인 '축약'이 있습니다.
그러면 '국물[궁물]'과 '몫[목]'에서는 각각 어떤 음운 변동이 일어날까요?

	국물	몫
①	교체	탈락
②	교체	첨가
③	탈락	축약
④	첨가	교체
⑤	첨가	탈락

13 〈보기〉의 설명에 따를 때, 음운 변동 ⓐ, ⓑ가 모두 일어나는 단어로 적절한 것은?

보기

다음은 '맨입'과 '국민'을 발음할 때에 일어나는 음운 변동을 나타낸 것이다. '맨입'은 음운 변동 ⓐ가 일어나 [맨닙]으로 발음되고, '국민'은 음운 변동 ⓑ가 일어나 [궁민]으로 발음된다.

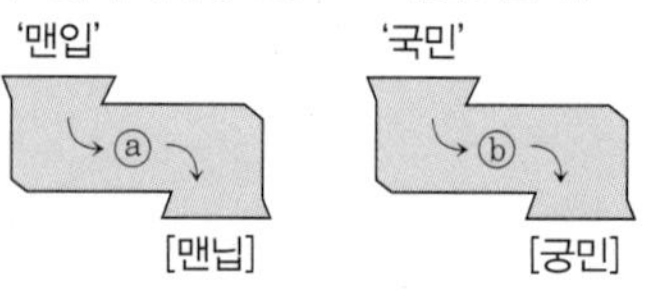

① 막일　② 담요　③ 낙엽
④ 곡물　⑤ 강약

14 〈보기〉의 ㉠~㉣에 대한 이해로 적절한 것은?

보기

음운의 변동 중 ㉠축약은 두 음운이 합쳐져서 하나의 음운으로 줄어드는 현상을 말한다. 반면 ㉡탈락은 두 음운이 만나면서 한 음운이 사라져 소리가 나지 않는 현상을 말한다. 이러한 축약과 탈락은 ㉢자음에서 일어나는 경우와 ㉣모음에서 일어나는 경우가 있다.

① '싫다[실타]'는 ㉠과 ㉣에 해당된다.
② '좋아요[조아요]'는 ㉡과 ㉣에 해당한다.
③ '울– + –는 → 우는'은 ㉠과 ㉢에 해당된다.
④ '크– + –어서 → 커서'는 ㉡과 ㉣에 해당한다.
⑤ '나누– + –었다 → 나눴다'는 ㉠과 ㉢에 해당한다.

▶ 정답과 해설 36쪽

15 〈보기〉의 활동 과제를 수행한 결과로 적절한 것은?

보기

[활동 과제]
음운 변동의 유형에는 '교체', '첨가', '탈락', '축약'이 있다.
ⓐ: 교체 – 한 음운이 다른 음운으로 바뀌는 현상
ⓑ: 첨가 – 없던 음운이 새로 생기는 현상
ⓒ: 탈락 – 한 음운이 없어지는 현상
ⓓ: 축약 – 두 음운이 합쳐져 다른 음운으로 바뀌는 현상

㉠과 ㉡에 해당하는 음운 변동을 ⓐ~ⓓ 중에서 골라보자.

불여우 → [불녀우] → [불려우]
　　　　　㉠　　　　　㉡

	㉠	㉡
①	ⓐ	ⓐ
②	ⓐ	ⓑ
③	ⓑ	ⓐ
④	ⓑ	ⓒ
⑤	ⓒ	ⓓ

16 〈보기〉의 ㉠, ㉡에 해당하는 단어로 적절한 것은?

보기

된소리되기는 'ㄱ, ㄷ, ㅂ, ㅅ, ㅈ'과 같은 예사소리가 'ㄲ, ㄸ, ㅃ, ㅆ, ㅉ'과 같은 된소리로 바뀌어 소리 나는 음운 현상이다. 된소리되기의 유형은 다음과 같다.
• 받침 'ㄱ, ㄷ, ㅂ' 뒤에 연결되는 자음 'ㄱ, ㄷ, ㅂ, ㅅ, ㅈ'을 된소리로 발음하는 유형
• 어간 받침 'ㄴ(ㄵ), ㅁ(ㄻ)' 뒤에 결합되는 어미의 첫소리 'ㄱ, ㄷ, ㅅ, ㅈ'을 된소리로 발음하는 유형 ······ ㉠
• 한자어에서 'ㄹ' 받침 뒤에 결합되는 자음 'ㄷ, ㅅ, ㅈ'을 된소리로 발음하는 유형 ······ ㉡

	㉠	㉡
①	신다	굴곡(屈曲)
②	앉다	불법(不法)
③	넓다	갈등(葛藤)
④	담다	발전(發展)
⑤	곪다	월세(月貰)

17 〈보기 1〉의 ⓐ, ⓑ의 밑줄 친 부분에 나타나는 음운 현상에 대한 설명을 〈보기 2〉에서 찾아 바르게 짝지은 것은?

보기 1

ⓐ 나는 듬직한 만형이 좋다.
[나는 듬지칸 마텽이 조타]
ⓑ 작문 시간에 해돋이를 주제로 글을 쓴다.
[장문 시가네 해도지를 주제로 그를 쓴다]

보기 2

ㄱ. 두 음운이 하나의 음운으로 줄어든다.
ㄴ. 두 음운이 만나 그중의 하나가 탈락한다.
ㄷ. 두 음운이 만나 그중의 하나가 다른 음운으로 바뀐다.
ㄹ. 두 음운이 합쳐질 때 그 사이에 새로운 음운이 덧붙는다.

	ⓐ	ⓑ
①	ㄱ	ㄷ
②	ㄱ	ㄹ
③	ㄴ	ㄷ
④	ㄴ	ㄹ
⑤	ㄷ	ㄹ

18 〈보기〉는 자음 동화와 관련한 국어 수업의 한 장면이다. ㉠, ㉡에 들어갈 예를 바르게 짝지은 것은?

보기

선생님: 두 개의 자음이 이어서 소리가 날 때, 소리 내기 쉽도록 어느 한 쪽이 다른 쪽의 소리를 닮거나, 서로 닮는 방향으로 변동하는 것을 '자음 동화'라고 합니다.
다음 현상이 일어나는 예를 찾아볼까요?

'ㄱ, ㄷ, ㅂ'이 비음 'ㄴ, ㅁ'의 앞에서 비음 'ㅇ, ㄴ, ㅁ'으로 바뀌는 현상	㉠
비음 'ㄴ'이 유음 'ㄹ' 앞뒤에서 'ㄹ'로 바뀌는 현상	㉡

	㉠	㉡
①	먹물[멍물]	중력[중녁]
②	국밥[국빱]	설날[설랄]
③	입는[임는]	막내[망내]
④	닫는[단는]	권리[궐리]
⑤	솜이불[솜니불]	물난리[물랄리]

문법

02 한글 맞춤법

제1장 총칙

제1항 한글 맞춤법은 표준어를 소리대로 적되, 어법에 맞도록 함을 원칙으로 한다.

제2항 문장의 각 단어는 띄어 씀을 원칙으로 한다.

제3항 외래어는 '외래어 표기법'에 따라 적는다.

제3장 소리에 관한 것

제1절 된소리

제5항 한 단어 안에서 뚜렷한 까닭 없이 나는 된소리는 다음 음절의 첫소리를 된소리로 적는다.

1. 두 모음 사이에서 나는 된소리

소쩍새	어깨	오빠	으뜸	아끼다	기쁘다	깨끗하다	어떠하다
해쓱하다	가끔	거꾸로	부썩	어찌	이따금		

2. 'ㄴ, ㄹ, ㅁ, ㅇ' 받침 뒤에서 나는 된소리

산뜻하다	잔뜩	살짝	훨씬	담뿍	움찔	몽땅	엉뚱하다

다만, 'ㄱ, ㅂ' 받침 뒤에서 나는 된소리는, 같은 음절이나 비슷한 음절이 겹쳐 나는 경우가 아니면 된소리로 적지 아니한다.

국수	깍두기	딱지	색시	싹둑(~싹둑) 법석	갑자기	몹시

제2절 구개음화

제6항 'ㄷ, ㅌ' 받침 뒤에 종속적 관계를 가진 '-이(-)'나 '-히-'가 올 적에는, 그 'ㄷ, ㅌ'이 'ㅈ, ㅊ'으로 소리나더라도 'ㄷ, ㅌ'으로 적는다. (ㄱ을 취하고, ㄴ을 버림.)

ㄱ	ㄴ	ㄱ	ㄴ	ㄱ	ㄴ
맏이	마지	핥이다	할치다	해돋이	해도지
걷히다	거치다	굳이	구지	닫히다	다치다
같이	가치	묻히다	무치다	끝이	끄치

제3절 'ㄷ' 소리 받침

제7항 'ㄷ' 소리로 나는 받침 중에서 'ㄷ'으로 적을 근거가 없는 것은 'ㅅ'으로 적는다.

덧저고리	돗자리	엇셈	웃어른	핫옷	무릇	사뭇	얼핏
자칫하면	뭇[衆]	옛	첫	헛			

제4절 모음

제8항 '계, 례, 몌, 폐, 혜'의 'ㅖ'는 'ㅔ'로 소리 나는 경우가 있더라도 'ㅖ'로 적는다. (ㄱ을 취하고, ㄴ을 버림.)

ㄱ	ㄴ	ㄱ	ㄴ	ㄱ	ㄴ	ㄱ	ㄴ
계수(桂樹)	게수	혜택(惠澤)	헤택	사례(謝禮)	사레	계집	게집
연몌(連袂)	연메	핑계	핑게	폐품(廢品)	페품	계시다	게시다

다만, 다음 말은 본음대로 적는다.

게송(偈頌)	게시판(揭示板)	휴게실(休憩室)

개념 확인 문제

1 한글 맞춤법에 대한 설명으로 맞으면 ○표, 틀리면 ×표를 하시오.

(1) 한글 맞춤법은 소리 나는 대로 적는 것이 기본 원칙이다. (   )

(2) 문장의 각 단어는 띄어 쓰는 것을 원칙으로 한다. (   )

(3) 외래어도 국어이므로 한글 맞춤법에 따라 적는다. (   )

2 다음 문장에서 맞춤법 표기에 맞는 단어를 골라 ○표를 하시오.

(1) 그는 메모만 (잔득 / 잔뜩) 남긴 채 (갑자기 / 갑짜기) 사라져 버렸다.

(2) 농장 (안밖 / 안팎)에는 (수닭 / 수탉) 울음소리가 가득했다.

(3) 그는 국가 대표 선수(로서 / 로써) 맡은 바를 다 했다.

3 다음 중, 단어의 표기가 적절하지 않은 것은?

① 살짝 ② 몽땅
③ 싹뚝 ④ 거꾸로
⑤ 산뜻하다

4 다음의 ㉠과 ㉡에 들어갈 알맞은 말을 각각 쓰시오.

'핥이다'를 '할치다'로 쓰지 않는 것은 (㉠) 나는 대로 적는 것보다 (㉡)에 맞는 표기를 원칙으로 하기 때문이다.

5 다음 중, 맞춤법에 어긋나는 것은?

① 사뭇, 무릇
② 법썩, 깍두기
③ 자칫, 돗자리
④ 색시, 해쓱하다
⑤ 뚝배기, 엉뚱하다

제5절 두음 법칙

제10항 한자음 '녀, 뇨, 뉴, 니'가 단어 첫머리에 올 적에는, 두음 법칙에 따라 '여, 요, 유, 이'로 적는다. (ㄱ을 취하고, ㄴ을 버림.)

ㄱ	ㄴ	ㄱ	ㄴ	ㄱ	ㄴ
여자(女子)	녀자	유대(紐帶)	뉴대	연세(年歲)	년세
이토(泥土)	니토	요소(尿素)	뇨소	익명(匿名)	닉명

다만, 다음과 같은 의존 명사에서는 '냐, 녀' 음을 인정한다.

냥(兩)　냥쭝(兩-)　년(年) (몇 년)

[붙임 1] 단어의 첫머리 이외의 경우에는 본음대로 적는다.

남녀(男女)　당뇨(糖尿)　결뉴(結紐)　은닉(隱匿)

[붙임 2] 접두사처럼 쓰이는 한자가 붙어서 된 말이나 합성어에서, 뒷말의 첫소리가 'ㄴ' 소리로 나더라도 두음 법칙에 따라 적는다.

신여성(新女性)　공염불(空念佛)　남존여비(男尊女卑)

[붙임 3] 둘 이상의 단어로 이루어진 고유 명사를 붙여 쓰는 경우에도 붙임 2에 준하여 적는다.

한국여자대학　대한요소비료회사

제11항 한자음 '랴, 려, 례, 료, 류, 리'가 단어의 첫머리에 올 적에는, 두음 법칙에 따라 '야, 여, 예, 요, 유, 이'로 적는다. (ㄱ을 취하고, ㄴ을 버림.)

ㄱ	ㄴ	ㄱ	ㄴ	ㄱ	ㄴ
양심(良心)	량심	용궁(龍宮)	룡궁	역사(歷史)	력사
유행(流行)	류행	예의(禮儀)	례의	이발(理髮)	리발

다만, 다음과 같은 의존 명사는 본음대로 적는다.

리(里): 몇 리냐?
리(理): 그럴 리가 없다.

[붙임 1] 단어의 첫머리 이외의 경우에는 본음대로 적는다.

개량(改良)　선량(善良)　수력(水力)　협력(協力)　사례(謝禮)　혼례(婚禮)
와룡(臥龍)　쌍룡(雙龍)　하류(下流)　급류(急流)　도리(道理)　진리(眞理)

다만, 모음이나 'ㄴ' 받침 뒤에 이어지는 '렬, 률'은 '열, 율'로 적는다. (ㄱ을 취하고 ㄴ을 버림.)

ㄱ	ㄴ	ㄱ	ㄴ	ㄱ	ㄴ
나열(羅列)	나렬	치열(齒列)	치렬	비열(卑劣)	비렬
분열(分裂)	분렬	선열(先烈)	선렬	진열(陳列)	진렬
규율(規律)	규률	비율(比率)	비률	실패율(失敗率)	실패률
선율(旋律)	선률	전율(戰慄)	전률	백분율(百分率)	백분률

제6절 겹쳐 나는 소리

제13항 한 단어 안에서 같은 음절이나 비슷한 음절이 겹쳐 나는 부분은 같은 글자로 적는다. (ㄱ을 취하고, ㄴ을 버림.)

ㄱ	ㄴ	ㄱ	ㄴ
딱딱	딱닥	꼿꼿하다	꼿곳하다
누누이(屢屢-)	누루이	짭짤하다	짭잘하다

개념 확인 문제

6 다음 중, 표기가 바르지 않은 것은?

① 양심　② 유행
③ 역이용　④ 서울녀관
⑤ 해외여행

7 다음 중, 올바른 표기에 ○표를 하시오.

(1) 례의, 예의
(2) 수력, 수역
(3) 급류, 급뉴
(4) 수렬, 수열
(5) 개량, 개양
(6) 년이율, 연이율
(7) 진행률, 진행율
(8) 녀학교, 여학교
(9) 구름량, 구름양
(10) 감소량, 감소양

8 다음 제시된 단어를 통해 알 수 있는 두음 법칙과 관련한 한글 맞춤법 규정으로 적절하지 않은 것은?

① 이치 - 의존 명사는 본음대로 적는다.
② 신립 - 외자로 된 이름을 성에 붙여 쓸 경우에도 본음대로 적을 수 있다.
③ 국련(국제 연합) - 준말에서 본음으로 소리 나는 것은 본음대로 적는다.
④ 열역학 - 접두사처럼 쓰이는 한자가 붙어서 된 말이나 합성에서, 뒷말의 첫소리가 'ㄴ' 또는 'ㄹ' 소리로 나더라도 두음 법칙에 따라 적는다.
⑤ 육천 육백 - 둘 이상의 단어로 이루어진 고유 명사를 붙여 쓰는 경우나 십진법에 따라 쓰는 수도 두음 법칙에 따라 적는다.

9 다음 중, 표기가 바르지 않은 것은?

① 똑딱똑딱　② 슥삭슥삭
③ 눅눅하다　④ 씁쓸하다
⑤ 싹싹하다

제4장 형태에 관한 것

제1절 체언과 조사

제14항 체언은 조사와 구별하여 적는다.

떡이	떡을	떡에	떡도	떡만	값이	값을	값에	값도	값만

제2절 어간과 어미

제15항 용언의 어간과 어미는 구별하여 적는다.

먹다	먹고	먹어	먹으니	젊다	젊고	젊어	젊으니

[붙임 1] 두 개의 용언이 어울려 한 개의 용언이 될 적에, 앞말의 본뜻이 유지되고 있는 것은 그 원형을 밝히어 적고, 그 본뜻에서 멀어진 것은 밝히어 적지 아니한다.

(1) 앞말의 본뜻이 유지되고 있는 것

넘어지다	늘어나다	늘어지다	돌아가다	되짚어가다	들어가다
떨어지다	벌어지다	엎어지다	접어들다	틀어지다	흩어지다

(2) 본뜻에서 멀어진 것

드러나다	사라지다	쓰러지다

[붙임 2] 종결형에서 사용되는 어미 '-오'는 '요'로 소리나는 경우가 있더라도 그 원형을 밝혀 '오'로 적는다. (ㄱ을 취하고, ㄴ을 버림.)

ㄱ	ㄴ
이것은 책이오.	이것은 책이요.
이리로 오시오.	이리로 오시요.
이것은 책이 아니오.	이것은 책이 아니요.

[붙임 3] 연결형에서 사용되는 '이요'는 '이요'로 적는다. (ㄱ을 취하고, ㄴ을 버림.)

ㄱ	ㄴ
이것은 책이요, 저것은 붓이요, 또 저것은 먹이다.	이것은 책이오, 저것은 붓이오, 또 저것은 먹이다.

제3절 접미사가 붙어서 된 말

제19항 어간에 '-이'나 '-음/-ㅁ'이 붙어서 명사로 된 것과 '-이'나 '-히'가 붙어서 부사로 된 것은 그 어간의 원형을 밝히어 적는다.

1. '-이'가 붙어서 명사로 된 것

길이	깊이	높이	다듬이	땀받이	달맞이	먹이	미닫이	벌이
벼훑이	살림살이	쇠붙이						

2. '-음/-ㅁ'이 붙어서 명사로 된 것

걸음	묶음	믿음	얼음	엮음	울음	웃음	졸음	죽음	앎

3. '-이'가 붙어서 부사로 된 것

같이	굳이	길이	높이	많이	실없이	좋이	짓궂이

4. '-히'가 붙어서 부사로 된 것

밝히	익히	작히

다만, 어간에 '-이'나 '-음'이 붙어서 명사로 바뀐 것이라도 그 어간의 뜻과 멀어진 것은 원형을 밝히어 적지 아니한다.

굽도리	다리[髢]	목거리(목병)	무녀리	코끼리	거름(비료)	고름[膿]	노름(도박)

개념 확인 문제

10 다음 중, 표기가 바르지 <u>않은</u> 것은?

① 넘어지다
② 벌어지다
③ 틀어지다
④ 쓰러지다
⑤ 들어나다

11 다음 문장이 맞춤법에 맞으면 ○표, 틀리면 ×표를 하시오.

(1) 어서 오시오. ( )
(2) 내가 찾는 것은 모자가 아니요. ( )
(3) 저것은 벼요, 이것은 쌀이요, 요것은 밥이다. ( )

12 다음의 설명을 참고로 할 때, 표기에 적용된 규정이 <u>다른</u> 것은?

> 어간에 '-이'나 '-음/-ㅁ'이 붙어서 명사로 된 것은 그 어간의 원형을 밝히어 적는다. 다만 어간에 '-이'나 '-음' 이외의 모음으로 시작된 접미사가 붙어서 다른 품사로 바뀐 것이나, '-이'나 '-음'이 붙어서 명사로 바뀐 것이라도 그 어간의 뜻과 멀어진 것은 원형을 밝히어 적지 않는다.

① 마중 ② 무덤
③ 너머 ④ 노름
⑤ 마개

13 다음 중, 표기가 바르지 <u>않은</u> 것은?

① 앎 ② 높이
③ 짓궂이 ④ 벼훑이
⑤ 실업시

[붙임] 어간에 '-이'나 '-음' 이외의 모음으로 시작된 접미사가 붙어서 다른 품사로 바뀐 것은 그 어간의 원형을 밝히어 적지 아니한다.

(1) 명사로 바뀐 것

귀머거리	까마귀	너머	뜨더귀	마감	마개	마중
무덤	비렁뱅이	쓰레기	올가미	주검		

(2) 부사로 바뀐 것

거뭇거뭇	너무	도로	뜨덤뜨덤	바투	불긋불긋	비로소
오긋오긋	자주	차마				

(3) 조사로 바뀌어 뜻이 달라진 것

나마	부터	조차

제20항 명사 뒤에 '-이'가 붙어서 된 말은 그 명사의 원형을 밝히어 적는다.

1. 부사로 된 것

곳곳이	낱낱이	몫몫이	샅샅이	앞앞이	집집이

2. 명사로 된 것

곰배팔이	바둑이	삼발이	애꾸눈이	육손이	절뚝발이/절름발이

[붙임] '-이' 이외의 모음으로 시작된 접미사가 붙어서 된 말은 그 명사의 원형을 밝히어 적지 아니한다.

꼬락서니	끄트머리	모가치	바가지	바깥	사타구니	싸라기
이파리	지붕	지푸라기	짜개			

제25항 '-하다'가 붙는 어근에 '-히'나 '-이'가 붙어서 부사가 되거나, 부사에 '-이'가 붙어서 뜻을 더하는 경우에는 그 어근이나 부사의 원형을 밝히어 적는다.

1. '-하다'가 붙는 어근에 '-히'나 '-이'가 붙는 경우

급히	꾸준히	도저히	딱히	어렴풋이	깨끗이

[붙임] '-하다'가 붙지 않는 경우에는 소리대로 적는다.

갑자기	반드시(꼭)	슬며시

2. 부사에 '-이'가 붙어서 역시 부사가 되는 경우

곰곰이	더욱이	생긋이	오뚝이	일찍이	해죽이

제4절 합성어 및 접두사가 붙은 말

제27항 둘 이상의 단어가 어울리거나 접두사가 붙어서 이루어진 말은 각각 그 원형을 밝히어 적는다.

국말이	꺾꽂이	꽃잎	끝장	물난리	밑천	부엌일
싫증	옷안	웃옷	젖몸살	첫아들	칼날	팥알

[붙임 1] 어원은 분명하나 소리만 특이하게 변한 것은 변한 대로 적는다.

할아버지	할아범

[붙임 2] 어원이 분명하지 아니한 것은 원형을 밝히어 적지 아니한다.

골병	골탕	끌탕	며칠	아재비	오라비	업신여기다	부리나케

[붙임 3] '이[齒, 虱]'가 합성어나 이에 준하는 말에서 '니' 또는 '리'로 소리 날 때에는 '니'로 적는다.

간니	덧니	사랑니	송곳니	앞니	어금니	윗니
젖니	톱니	틀니	가랑니	머릿니		

개념 확인 문제

14 다음 중, 표기가 바르지 않은 것은?

① 얼음 ② 비로서
③ 깨끗이 ④ 샅샅이
⑤ 귀머거리

15 다음 한글 맞춤법 규정과 해당 단어의 연결이 잘못된 것은?

① 명사나 혹은 용언의 어간 뒤에 자음으로 시작된 접미사가 붙어서 된 말은 그 명사나 어간의 원형을 밝히어 적는다. - 잎사귀
② 용언의 어간에 '-기-, -리-, -이-, -히-, -구-, -우-, -추-, -으키-, -이키-, -애-'와 같은 접미사들이 붙어서 이루어진 말들은 그 어간을 밝히어 적는다. - 갖추다
③ '-하다'나 '-거리다'가 붙는 어근에 '-이'가 붙어서 명사가 된 것은 그 원형을 밝히어 적는다. - 홀쭉이
④ '-거리다'가 붙을 수 있는 시늉말 어근에 '-이다'가 붙어서 된 용언은 그 어근을 밝히어 적는다. - 숙더기다
⑤ '-하다'나 '-없다'가 붙어서 된 용언은 그 '-하다'나 '-없다'를 밝히어 적는다. - 텁텁하다

16 다음 중, 표기가 바르지 않은 것을 모두 고르시오.

㉠ 땀바지 ㉡ 쇠붙이
㉢ 엮음 ㉣ 목거리(목병)
㉤ 이파리 ㉥ 오뚜기
㉦ 반듯이 ㉧ 몫아치
㉨ 낱낱이 ㉩ 몫목시
㉪ 끄트머리 ㉫ 사타구니
㉬ 꼬락서니 ㉭ 짚으라기

제28항 끝소리가 'ㄹ'인 말과 딴 말이 어울릴 적에 'ㄹ' 소리가 나지 아니하는 것은 아니 나는 대로 적는다.

다달이(달-달-이)	따님(딸-님)	마되(말-되)	마소(말-소)
무자위(물-자위)	바느질(바늘-질)	부삽(불-삽)	부손(불-손)
싸전(쌀-전)	여닫이(열-닫이)	우짖다(울-짖다)	화살(활-살)

제29항 끝소리가 'ㄹ'인 말과 딴 말이 어울릴 적에 'ㄹ' 소리가 'ㄷ' 소리로 나는 것은 'ㄷ'으로 적는다.

반짇고리(바느질~)	사흗날(사흘~)	삼짇날(삼질~)	섣달(설~)
숟가락(술~)	이튿날(이틀~)	잗주름(잘~)	푿소(풀~)

제30항 사이시옷은 다음과 같은 경우에 받치어 적는다.

1. 순우리말로 된 합성어로서 앞말이 모음으로 끝난 경우

(1) 뒷말의 첫소리가 된소리로 나는 것

고랫재	귓밥	나룻배	나뭇가지	냇가	댓가지	뒷갈망	맷돌
머릿기름	모깃불	못자리	바닷가	뱃길	볏가리	부싯돌	선짓국
쇳조각	아랫집	우렁잇속	잇자국	잿더미	조갯살	찻집	쳇바퀴

(2) 뒷말의 첫소리 'ㄴ, ㅁ' 앞에서 'ㄴ' 소리가 덧나는 것

멧나물	아랫니	텃마당	아랫마을	뒷머리	잇몸	깻묵	냇물	빗물

(3) 뒷말의 첫소리 모음 앞에서 'ㄴㄴ' 소리가 덧나는 것

도리깻열	뒷윷	두렛일	뒷일	뒷입맛	베갯잇	욧잇	깻잎

2. 순우리말과 한자어로 된 합성어로서 앞말이 모음으로 끝난 경우

(1) 뒷말의 첫소리가 된소리로 나는 것

귓병	머릿방	뱃병	봇둑	사잣밥	샛강	아랫방	자릿세	전셋집	찻잔
찻종	촛국	콧병	탯줄	텃세	핏기	햇수	횟가루	횟배	

(2) 뒷말의 첫소리 'ㄴ, ㅁ' 앞에서 'ㄴ' 소리가 덧나는 것

곗날	제삿날	훗날	툇마루	양칫물

(3) 뒷말의 첫소리 모음 앞에서 'ㄴㄴ' 소리가 덧나는 것

가욋일	사삿일	예삿일	훗일

3. 두 음절로 된 다음 한자어

곳간(庫間)	셋방(貰房)	숫자(數字)	찻간(車間)	툇간(退間)	횟수(回數)

제31항 두 말이 어울릴 적에 'ㅂ' 소리나 'ㅎ' 소리가 덧나는 것은 소리대로 적는다.

1. 'ㅂ' 소리가 덧나는 것

댑싸리(대ㅂ싸리)	멥쌀(메ㅂ쌀)	볍씨(벼ㅂ씨)	입때(이ㅂ때)
입쌀(이ㅂ쌀)	접때(저ㅂ때)	좁쌀(조ㅂ쌀)	햅쌀(해ㅂ쌀)

2. 'ㅎ' 소리가 덧나는 것

머리카락(머리ㅎ가락)	살코기(살ㅎ고기)	수캐(수ㅎ개)	수컷(수ㅎ것)	수탉(수ㅎ닭)
안팎(안ㅎ밖)	암캐(암ㅎ개)	암컷(암ㅎ것)	암탉(암ㅎ닭)	

제5절 준말

제35항 모음 'ㅗ, ㅜ'로 끝난 어간에 '-아/-어, -았-/-었-'이 어울려 'ㅘ/ㅝ, 놨/눴'으로 될 적에는 준 대로 적는다.

개념 확인 문제

17 다음 중, 맞춤법에 어긋나는 것은?

① 화살 ② 부나비
③ 우짖다 ④ 사흗날
⑤ 섣부르다

18 다음 중, 맞춤법에 맞는 것에 ○표를 하시오.

(1) 다달이, 달달이
(2) 따님, 딸님
(3) 잗주름, 잘주름
(4) 이튿날, 이틀날

19 다음 중, 표기가 바르지 않은 것은?

① 냇가 ② 촛점
③ 핏대 ④ 바닷가
⑤ 혓바늘

20 다음 중, 표기가 바르지 않은 것은?

① 귓밥 ② 뱃길
③ 베갯보 ④ 잿더미
⑤ 아랫니

21 다음 중, 맞춤법에 맞는 것에 ○표를 하시오.

(1) 고간, 곳간
(2) 계날, 곗날
(3) 내과, 냇과
(4) 회수, 횟수
(5) 제사날, 제삿날
(6) 장미과, 장밋과

22 다음 중, 맞춤법에 맞는 것은?

① 좁쌀 ② 등교길
③ 암돼지 ④ 만두국
⑤ 암병아리

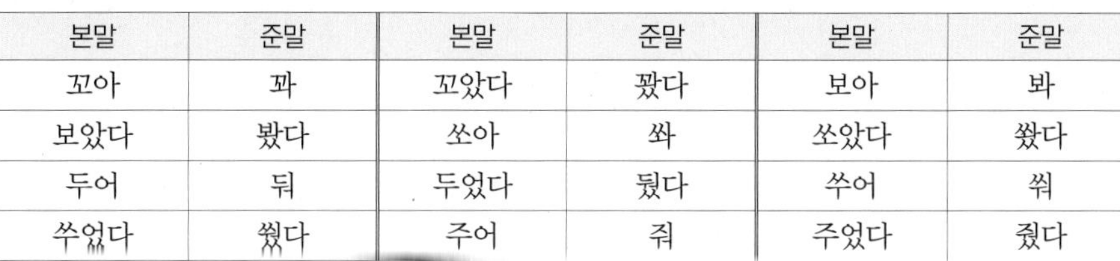

본말	준말	본말	준말	본말	준말
꼬아	꽈	꼬았다	꽜다	보아	봐
보았다	봤다	쏘아	쏴	쏘았다	쐈다
두어	둬	두었다	뒀다	쑤어	쒀
쑤었다	쒔다	주어	줘	주었다	줬다

[붙임 1] '놓아'가 '놔'로 줄 적에는 준 대로 적는다.

[붙임 2] 'ㅚ' 뒤에 '-어, -었-'이 어울려 'ㅙ, ㅙㅆ'으로 될 적에도 준 대로 적는다.

본말	준말	본말	준말	본말	준말
괴어	괘	괴었다	괬다	되어	돼
되었다	됐다	뵈어	봬	뵈었다	뵀다
쇠어	쇄	쇠었다	쇘다	쐬어	쐐

제40항 어간의 끝음절 '하'의 'ㅏ'가 줄고 'ㅎ'이 다음 음절의 첫소리와 어울려 거센소리로 될 적에는 거센소리로 적는다.

본말	준말	본말	준말	본말	준말
간편하게	간편케	다정하다	다정타	연구하도록	연구토록
정결하다	정결타	가하다	가타	흔하다	흔타

제5장 띄어쓰기

제1절 조사

제41항 조사는 그 앞말에 붙여 쓴다.

꽃이	꽃마저	꽃밖에	꽃에서부터	꽃으로만
꽃이나마	꽃이다	꽃입니다	꽃처럼	어디까지나

제2절 의존 명사, 단위를 나타내는 명사 및 열거하는 말 등

제42항 의존 명사는 띄어 쓴다.

아는 **것**이 힘이다.	나도 할 **수** 있다.	먹을 **만큼** 먹어라.
아는 **이**를 만났다.	네가 뜻한 **바**를 알겠다.	그가 떠난 **지**가 오래다.

제43항 단위를 나타내는 명사는 띄어 쓴다.

한 **개**	차 한 **대**	금 서 **돈**	소 한 **마리**	옷 한 **벌**	열 **살**	조기 한 **손**
연필 한 **자루**	버선 한 **죽**	집 한 **채**	신 두 **켤레**	북어 한 **쾌**		

다만, 순서를 나타내는 경우나 숫자와 어울리어 쓰이는 경우에는 붙여 쓸 수 있다.

두시 삼십분 오초	제일과	삼학년	육층	1446년 10월 9일	2대대
16동 502호	제1실습실	80원	10개	7미터	

제44항 수를 적을 적에는 '만(萬)' 단위로 띄어 쓴다.

십이억 삼천사백오십육만 칠천팔백구십팔	12억 3456만 7898

제45항 두 말을 이어 주거나 열거할 적에 쓰이는 말들은 띄어 쓴다.

국장 **겸** 과장	열 **내지** 스물	청군 **대** 백군	책상, 걸상 **등이** 있다
이사장 **및** 이사들	사과, 배, 귤 **등등**	사과, 배 **등속**	부산, 광주 **등지**

제46항 단음절로 된 단어가 연이어 나타날 적에는 붙여 쓸 수 있다.

좀더 큰것	이말 저말	한잎 두잎

개념 확인 문제

23 다음 중, 준말의 표기가 바른 것은?

① 뉘여 ② 적잖은
③ 아뭏든 ④ 생각컨대
⑤ 익숙지 않니

24 다음 중, 표기가 바르지 않은 것은?

① 회상컨대
② 맹세컨대
③ 범상치 않다
④ 확실치 않다
⑤ 넉넉치 않다

25 다음 중, 밑줄 친 부분의 띄어쓰기가 알맞지 않은 것은?

① 언니는 그저 웃고만 있었다.
② 옆집은 새로 차 한 대 뽑았대.
③ 이곳에 온 지도 삼년 육개월이 되었구나.
④ 우리 두 사람이 만난 지 벌써 두 달이 지났다.
⑤ 제발 학교에서만이라도 공부 좀 열심히 해라.

26 다음 중, 밑줄 친 부분의 띄어쓰기가 알맞지 않은 것은?

① 저분이 우리 회사의 팀장겸 차장이다.
② 옷 담을 가방을 좀더 큰것으로 주십시오.
③ 가을이 되니 낙엽이 한잎 두잎 떨어진다.
④ 시장에서 사과와 배, 감 등의 과일을 샀다.
⑤ 그 가게는 연간 십오억 육천칠백만 원을 벌어들인다.

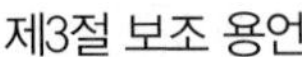

제3절 보조 용언

제47항 보조 용언은 띄어 씀을 원칙으로 하되, 경우에 따라 붙여 씀도 허용한다. (ㄱ을 원칙으로 하고, ㄴ을 허용함.)

ㄱ	ㄴ	ㄱ	ㄴ
불이 꺼져 간다.	불이 꺼져간다.	비가 올 **성싶다.**	비가 올**성싶다.**
내 힘으로 막아 **낸다.**	내 힘으로 막아**낸다.**	잘 아는 **척한다.**	잘 아는**척한다.**

다만, 앞말에 조사가 붙거나 앞말이 합성 동사인 경우, 그리고 중간에 조사가 들어갈 적에는 그 뒤에 오는 보조 용언은 띄어 쓴다.

잘도 놀아만 **나는구나!**	책을 읽어도 **보고**…….	네가 덤벼들어 **보아라.**
이런 기회는 다시없을 **듯하다.**	그가 올 듯도 **하다.**	잘난 체를 **한다.**

제4절 고유 명사 및 전문 용어

제48항 성과 이름, 성과 호 등은 붙여 쓰고, 이에 덧붙는 호칭어, 관직명 등은 띄어 쓴다.

김양수(金良洙)	서화담(徐花潭)	채영신 씨	최치원 선생
박동식 박사	충무공 이순신 장군		

다만, 성과 이름, 성과 호를 분명히 구분할 필요가 있을 경우에는 띄어 쓸 수 있다.

남궁억 / 남궁 억	독고준 / 독고 준	황보지봉(皇甫芝峰) / 황보 지봉

제49항 성명 이외의 고유 명사는 단어별로 띄어 씀을 원칙으로 하되, 단위별로 띄어 쓸 수 있다. (ㄱ을 원칙으로 하고, ㄴ을 허용함.)

ㄱ	ㄴ	ㄱ	ㄴ
대한 중학교	대한중학교	한국 대학교 사범 대학	한국대학교 사범대학

제50항 전문 용어는 단어별로 띄어 씀을 원칙으로 하되, 붙여 쓸 수 있다. (ㄱ을 원칙으로 하고, ㄴ을 허용함.)

ㄱ	ㄴ	ㄱ	ㄴ
만성 골수성 백혈병	만성골수성백혈병	중거리 탄도 유도탄	중거리탄도유도탄

제6장 그 밖의 것

제55항 두 가지로 구별하여 적던 다음 말들은 한 가지로 적는다. (ㄱ을 취하고, ㄴ을 버림.)

ㄱ	ㄴ
맞추다(입을 맞춘다. 양복을 맞춘다.)	마추다
뻗치다(다리를 뻗친다. 멀리 뻗친다.)	뻐치다

제56항 '-더라, -던'과 '-든지'는 다음과 같이 적는다.

1. 지난 일을 나타내는 어미는 '-더라, -던'으로 적는다. (ㄱ을 취하고, ㄴ을 버림.)

ㄱ	ㄴ
지난 겨울은 몹시 춥더라.	지난 겨울은 몹시 춥드라.
깊던 물이 얕아졌다.	깊든 물이 얕아졌다.
그렇게 좋던가?	그렇게 좋든가?

2. 물건이나 일의 내용을 가리지 아니하는 뜻을 나타내는 조사와 어미는 '(-)든지'로 적는다. (ㄱ을 취하고, ㄴ을 버림.)

ㄱ	ㄴ
배든지 사과든지 마음대로 먹어라.	배던지 사과던지 마음대로 먹어라.
가든지 오든지 마음대로 해라.	가던지 오던지 마음대로 해라.

개념 확인 문제

27 다음 밑줄 친 부분의 띄어쓰기가 알맞지 않은 것은?

① 아무래도 눈이 올성싶다.
② 어디 한번 덤벼들어보아라.
③ 그는 모르면서도 언제나 아는 척한다.
④ 일기 예보와 달리 곧 비가 올 듯도 하다.
⑤ 홍수로 모든 것이 강물에 떠내려가 버렸다.

28 다음 중, 띄어쓰기가 알맞지 않은 것은?

① 정수빈씨
② 선우재덕
③ 이충무공
④ 손해배상청구
⑤ 서울대공원관리사업소 동물관리과

29 다음 문장이 맞춤법에 맞으면 ○표, 틀리면 ×표를 하시오.

(1) 시험이 끝난 후 친구와 답을 마추어 보았다. ( )
(2) 맞춤 구두를 샀더니 발이 편하더군. ( )
(3) 나폴레옹의 세력은 이탈리아까지 뻗쳤다. ( )
(4) 어젯밤에 먹은 족발이 얼마나 맛있던지 아직도 군침이 도네. ( )
(5) 이거던 저거던 빨리 결정을 해라. ( )
(6) 그는 홈런을 친 게 언제였든지 기억도 안 난다. ( )

30 다음 중, 표기가 바른 것은?

① 뗏깔 ② 일군
③ 지겟군 ④ 객쩍다
⑤ 콧배기

1 다음 ㉠에 들어갈 알맞은 말을 쓰시오.

> 우리말을 한글로 적을 때 지켜야 할 기준을 정하여 놓은 것을 ______㉠______(이)라고 한다.

2 〈보기〉를 바탕으로 ㄱ~ㅁ을 이해한 내용으로 적절하지 않은 것은?

보기

> 한글 맞춤법 제15항 용언의 어간과 어미는 구별하여 적는다.
> [붙임 2] 종결형에서 사용되는 어미 '-오'는 '요'로 소리 나는 경우가 있더라도 그 원형을 밝혀 '오'로 적는다. 예 이것은 책이오. / 이것은 책이 아니오.
> [붙임 3] 연결형에서 사용되는 '이요'는 '이요'로 적는다. 예 이것은 책이요, 저것은 붓이요, 또 저것은 먹이다.
>
> 선생님의 설명: 제15항 [붙임 2]에서 설명하는 어미 '-오'는 하오체 종결 어미입니다. 이 어미 '-오'는 [오]로 발음하는 것이 원칙이지만 [요]로 발음할 수도 있습니다. 그리고 이 '-오'가 '이다', '아니다'의 어간 뒤에 붙어 '-이오'로 활용할 때, '차(車)'처럼 모음으로 끝나는 체언과 결합하는 경우 '차이오 → 차요'와 같이 '-이오'가 '-요'로 줄어 쓰이기도 합니다. 이때 '-이오'가 줄어든 형태인 '-요'는 청자에게 존대의 뜻을 나타내는 보조사 '요'와 그 형태나 발음이 동일하기 때문에 언어생활에서 주의가 필요합니다.
> 이제 다음 제시된 자료를 분석해 봅시다. 단, ㄹ과 ㅁ은 모두 말하는 도중에 상대 높임의 등급을 바꾸지 않는다고 가정합니다.

> ㄱ. 이것은 들판이요, 저것은 하늘이오.
> ㄴ. 선배: 고향이 어디니? / 후배: 서울요.
> ㄷ. (고향을 묻는 물음에 대한 답) 부산이오.
> ㄹ. 무얼 좋아하시오? 소설이오? 아니면 영화요?
> ㅁ. 무얼 좋아하세요? 소설요? 아니면 영화요?

① ㄱ의 밑줄 친 '이오'는 [이요]로 발음할 수 있다.
② ㄴ의 밑줄 친 '요'를 '이요'로 바꾸어 적을 수 있다.
③ ㄷ의 밑줄 친 '부산이오'는 하오체 문장에 해당한다.
④ ㄹ의 밑줄 친 '요'는 모음으로 끝나는 체언 뒤에서 '-이오'가 줄어든 형태에 해당한다.
⑤ ㅁ의 밑줄 친 '요'는 둘 다 청자에게 존대의 뜻을 나타내는 보조사에 해당한다.

3 〈보기〉의 Ⓐ, Ⓑ를 보여 주는 예로 가장 적절한 것은?

보기

> 〈한글 맞춤법 제1항〉
> 한글 맞춤법은 Ⓐ 표준어를 소리대로 적되, Ⓑ 어법에 맞도록 함을 원칙으로 한다.

	Ⓐ	Ⓑ		Ⓐ	Ⓑ
①	해	달	②	밭	물다
③	흙	가다	④	바람	오리
⑤	달리다	닦다			

4 〈보기 1〉을 바탕으로 〈보기 2〉를 이해한 내용으로 적절하지 않은 것은?

보기 1

> 한글 맞춤법은 표준어를 소리 나는 대로 적되, 어법에 맞도록 함을 원칙으로 하고 있다. 표준어를 소리 나는 대로 적는다는 것은 표준어의 발음대로 적는다는 뜻이다.
> 그런데 이 원칙만을 적용하기 어려운 경우도 있다. 예를 들어, '꽃(花)'이란 단어의 경우 '꽃', '꽃이', '꽃나무'를 소리대로 적으면 [꼳], [꼬치], [꼰나무]가 되는데, 이와 같이 적으면 그 뜻이 얼른 파악되지 않고 독서의 능률도 크게 떨어질 수 있다. 그래서 '꽃'처럼 형태소의 본 모양을 밝히어 적는 방법, 즉 어법에 맞도록 한다는 또 하나의 원칙이 붙은 것이다.

보기 2

> ㄱ. 거리를 좁히다.
> ㄴ. 산 너머로 넘어 갔다.
> ㄷ. 읽지 않고는 읽기 능력이 길러지지 않는다.

① ㄱ의 '거리'는 표준어의 발음대로 적은 것이군.
② ㄱ의 '좁히다'는 어법에 맞도록 적은 것이군.
③ ㄴ의 '너머'는 형태소의 본 모양을 밝혀 적은 것이군.
④ ㄴ의 '넘어'는 독서의 능률을 올리기 위한 표기이군.
⑤ ㄷ의 '읽-'은 뜻을 쉽게 파악하기 위한 표기이군.

5 다음 중, 맞춤법에 맞지 않는 것은?

① 간편하게 → 간편게
② 거북하지 → 거북지
③ 생각하건대 → 생각건대
④ 깨끗하지 않다 → 깨끗지 않다
⑤ 익숙하지 않다 → 익숙지 않다

6 〈자료〉의 밑줄 친 발음 표시 부분을 맞춤법에 맞게 표기할 때에 적용되는 원칙을 〈보기〉에서 찾아 바르게 짝지은 것은?

자료

㉠ 이것은 유명한 책이 [아니요].
㉡ 영화 구경 [가지요].
㉢ 이것은 [설탕이요], 저것은 소금이다.

보기

○용언의 어간과 어미는 구별하여 적는다.
• 종결형에서 사용되는 어미 '-오'는 '요'로 소리 나는 경우가 있더라도 그 원형을 밝혀 '오'로 적는다. ………… ⓐ
이리로 오시오.(○) 이리로 오시요.(×)
• 연결형에서 사용되는 '이요'는 '이요'로 적는다. ………… ⓑ
이것은 책이요, 저것은 붓이다.(○)
이것은 책이오, 저것은 붓이다.(×)
○어미 뒤에 덧붙는 조사 '요'는 '요'로 적는다. ‥ ⓒ
읽어 읽어요　　먹을게 먹을게요

① ㉠ – ⓐ　② ㉠ – ⓑ　③ ㉡ – ⓑ
④ ㉢ – ⓐ　⑤ ㉢ – ⓒ

7 〈보기〉는 한글 맞춤법 제1항이 파생어와 합성어에 적용된 예를 찾아본 것이다. ㉠~㉤에 들어갈 예로 적절한 것은?

보기

제1항 한글 맞춤법은 표준어를 ⓐ소리대로 적되, ⓑ어법에 맞도록 함을 원칙으로 한다.

	파생어	합성어
ⓐ만 충족한 경우	㉠	㉡
ⓑ만 충족한 경우	㉢	㉣
ⓐ, ⓑ 모두 충족한 경우	㉤	줄자(줄+자), 눈물(눈+물)

① ㉠: 이파리(잎+아리), 얼음(얼+음)
② ㉡: 마소(말+소), 낮잠(낮+잠)
③ ㉢: 웃음(웃+음), 바가지(박+아지)
④ ㉣: 옷소매(옷+소매), 밥알(밥+알)
⑤ ㉤: 꿈(꾸+ㅁ), 사랑니(사랑+이)

8 밑줄 친 부분이 한글 맞춤법에 맞게 쓰인 것은?

① 힘든 일은 제가 다 알아서 할게요.
② 무엇을 하던지 최선을 다했으면 좋겠어.
③ 오늘 소풍 가는 날인데 비가 와서 어떻해.
④ 네가 원하는 꿈을 꼭 이룰 수 있기를 바래.
⑤ 넉넉치 않은 살림이지만 어려운 사람을 돕자.

9 〈보기〉를 바탕으로 한글 맞춤법에 대해 탐구한 내용으로 적절하지 않은 것은?

보기

제5항 한 단어 안에서 뚜렷한 까닭 없이 나는 된소리는 다음 음절의 첫소리를 된소리로 적는다.
1. 두 모음 사이에 나는 된소리 ………… ⓐ
2. 'ㄴ, ㄹ, ㅁ, ㅇ' 받침 뒤에서 나는 된소리 …. ⓑ
다만, 'ㄱ, ㅂ' 받침 뒤에서 나는 된소리는, 같은 음절이나 비슷한 음절이 겹쳐 나는 경우가 아니면 된소리로 적지 아니한다. ………… ⓒ

① [으뜸]으로 소리 나는 말은 ⓐ에 따라 '으뜸'으로 표기해야겠군.
② [거꾸로]로 소리 나는 말은 ⓐ에 따라 '거꾸로'로 표기해야겠군.
③ [살짝]으로 소리 나는 말은 ⓑ에 따라 '살짝'으로 표기해야겠군.
④ [씩씩]으로 소리 나는 말은 ⓑ에 따라 '씩씩'으로 표기해야겠군.
⑤ [낙찌]로 소리 나는 말은 ⓒ에 따라 '낙지'로 표기해야겠군.

10 〈보기 1〉의 ㉠~㉥ 중, 〈보기 2〉의 ⓐ, ⓑ, ⓒ가 해당하는 경우를 순서대로 고른 것은?

보기 1

사이시옷은 다음과 같은 경우에 받치어 적는다.

1. 순우리말로 된 합성어(앞말이 모음으로 끝남)
- 뒷말의 첫소리가 된소리로 나는 것 ………… ㉠
- 뒷말의 첫소리 'ㄴ, ㅁ' 앞에서 'ㄴ' 소리가 덧나는 것 ……… ㉡
- 뒷말의 첫소리 모음 앞에서 'ㄴㄴ' 소리가 덧나는 것 ……… ㉢

2. 순우리말과 한자어로 된 합성어(앞말이 모음으로 끝남)
- 뒷말의 첫소리가 된소리로 나는 것 ………… ㉣
- 뒷말의 첫소리 'ㄴ, ㅁ' 앞에서 'ㄴ' 소리가 덧나는 것 ….. ㉤
- 뒷말의 첫소리 모음 앞에서 'ㄴㄴ' 소리가 덧나는 것 ……… ㉥

3. 두 음절로 된 다음 한자어
– 곳간, 셋방, 숫자, 찻간, 툇간, 횟수

보기 2

ⓐ 제삿날　ⓑ 텃마당　ⓒ 깻잎

① ㉠–㉡–㉢　② ㉠–㉥–㉣　③ ㉡–㉤–㉥
④ ㉤–㉡–㉢　⑤ ㉤–㉡–㉥

11 〈보기〉를 바탕으로 한글 맞춤법에 대해 탐구한 내용으로 적절하지 않은 것은?

보기

제15항 용언의 어간과 어미는 구별하여 적는다. ······ ㉮

예 먹어(○) / 머거(×), 좋고(○) / 조코(×)

[붙임 1] 두 개의 용언이 어울려 한 개의 용언이 될 적에, 앞말의 본뜻이 유지되고 있는 것은 그 원형을 밝히어 적고, 그 본뜻에서 멀어진 것은 밝히어 적지 아니한다. ······ ㉯

(1) 앞말의 본뜻이 유지되고 있는 것 예 늘어나다

(2) 본뜻에서 멀어진 것 예 사라지다, 쓰러지다

[붙임 2] 종결형에서 사용되는 어미 '-오'는 '요'로 소리 나는 경우가 있더라도 그 원형을 밝혀 '오'로 적는다. ······ ㉰

예 이리로 오시오.

① ㉮를 보니, 어간이 표시하는 의미와 어미가 표시하는 의미가 쉽게 파악될 수 있게 표기한 것이라 할 수 있군.

② '고개를 넘어 가다.'에서 '넘어'로 적는 것은 ㉮의 '먹어'를 표기할 때 적용된 규정을 따른 것이군.

③ '격차가 벌어지다.'에서 '벌어지다'로 적는 것은 ㉯의 '사라지다'를 표기할 때 적용된 규정을 따른 것이군.

④ '교실로 들어가다.'에서 '들어가다'로 적는 것은 ㉯의 '앞말의 본뜻이 유지되고 있는 것'에 해당하기 때문이군.

⑤ '이것이 당신 것이오?'에서 '것이오'로 적는 것은 ㉰의 '오시오'를 표기할 때 적용된 규정을 따른 것이군.

12 밑줄 친 부분의 띄어쓰기가 적절하지 않은 것은?

① 네 생각<u>대로</u> 하렴.
마음 가는 <u>대로</u> 해라.

② 공부한<u>만큼</u> 좋은 결과가 있을 거야.
코끼리도 고래 <u>만큼</u> 오래 살 수 있다.

③ 먹어 봐도 맛있는<u>지</u> 없는지 모르겠어.
막차가 떠난 <u>지</u> 30분도 넘었다.

④ 동생과 <u>같이</u> 여행을 가기로 했다.
아이 손바닥이 단풍잎<u>같이</u> 예쁘다.

⑤ 도대체 이게 얼마 <u>만</u>인가.
그는 연습<u>만</u> 수십 번 했다.

13 〈보기〉를 보고 한글 맞춤법에 대해 탐구한 내용으로 적절하지 않은 것은?

보기

㉮ 제42항 의존 명사는 띄어 쓴다.
예 아는 것이 힘이다. 나도 할 수 있다.

㉯ 제43항 단위를 나타내는 명사는 띄어 쓴다.
예 한 개, 차 한 대, 소 한 마리

㉰ 다만, 순서를 나타내는 경우나 숫자와 어울리어 쓰이는 경우에는 붙여 쓸 수 있다.
예 삼학년, 16동 502호

㉱ 제45항 두 말을 이어 주거나 열거할 적에 쓰이는 말들은 띄어 쓴다.
예 국장 겸 과장, 이사장 및 이사들, 청군 대 백군

㉲ 제47항 보조 용언은 띄어 씀을 원칙으로 하되, 경우에 따라 붙여 씀도 허용한다. 다만, 앞말에 조사가 붙거나 앞말이 합성 동사인 경우, 그리고 중간에 조사가 들어갈 적에는 그 뒤에 오는 보조 용언은 띄어 쓴다. 예 불이 꺼져 간다. 불이 꺼져간다. / 비가 올 듯하다. 비가 올듯하다.

① ㉮의 규정에 따르면, '먹을 뿐이다'는 띄어 쓰지만 '남자뿐이다'는 붙여 써야 하는군.

② ㉯의 규정에 따르면, '집 한 채를 마련했다.'의 '집 한 채'는 띄어 써야 하는군.

③ ㉰의 규정에 따르면, '육 층'은 띄어 쓰는 것이 원칙이지만 붙여 쓸 수도 있군.

④ ㉱의 규정에 따르면, '열 내지 스물'의 '내지'는 띄어 써야 하는군.

⑤ ㉲의 규정에 따르면, '우리들은 뛰놀고 싶다.'의 '뛰놀고 싶다'는 '뛰놀고싶다'로 붙여 쓸 수 있군.

14 〈보기〉의 내용을 참고하였을 때, 밑줄 친 부분의 띄어쓰기가 적절하지 않은 것은?

보기

㉮ 보조 용언은 띄어 씀을 원칙으로 하되, 경우에 따라 붙여 씀도 허용한다.

㉯ 앞말에 조사가 붙거나 앞말이 합성 동사인 경우, 그리고 중간에 조사가 들어갈 적에는 그 뒤에 오는 보조 용언은 띄어 쓴다.

㉰ 보조 용언이 거듭되는 경우는 앞의 보조 용언만을 붙여 쓸 수 있다.

① 일이 다 <u>되어가는 듯하다</u>.

② 값을 <u>물어만 보고</u> 가버렸다.

③ 그 책은 다시 한 번 <u>읽어 볼만하다</u>.

④ 학생들이 무척 소란스럽게 <u>떠들어댄다</u>.

⑤ 장마가 계속 이어졌는데 오늘도 비가 <u>올성싶다</u>.

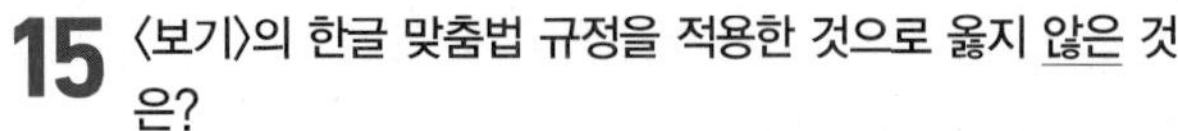

15 〈보기〉의 한글 맞춤법 규정을 적용한 것으로 옳지 <u>않은</u> 것은?

보기

제19항 어간에 '-이'나 '-음/-ㅁ'이 붙어서 명사로 된 것과 '-이'나 '-히'가 붙어서 부사로 된 것은 그 어간의 원형을 밝히어 적는다. ·············· ㉠
[붙임] 어간에 '-이'나 '-음' 이외의 모음으로 시작된 접미사가 붙어서 다른 품사로 바뀐 것은 그 어간의 원형을 밝히어 적지 아니한다. ········ ㉡

제20항 명사 뒤에 '-이'가 붙어서 된 말은 그 명사의 원형을 밝히어 적는다. ························ ㉢
[붙임] '-이' 이외의 모음으로 시작된 접미사가 붙어서 된 말은 그 명사의 원형을 밝히어 적지 아니한다. ·· ㉣

제21항 명사나 혹은 용언의 어간 뒤에 자음으로 시작된 접미사가 붙어서 된 말은 그 명사나 어간의 원형을 밝히어 적는다. ····················· ㉤

① '다듬이'로 표기하는 것은 ㉠의 규정을 적용한 것이군.
② '마개'를 '막애'로 표기하지 않는 것은 ㉡의 규정을 적용한 것이군.
③ '삼발이'를 '삼바리'로 표기하지 않는 것은 ㉢의 규정을 적용한 것이군.
④ '귀머거리'로 표기하는 것은 ㉣의 규정을 적용한 것이군.
⑤ '덮개'로 표기하는 것은 ㉤의 규정을 적용한 것이군.

16 〈보기〉의 한글 맞춤법 조항을 참고하였을 때, 맞춤법에 맞는 어휘끼리 묶인 것은?

보기

- 한자음 '녀, 뇨, 뉴, 니'가 단어 첫머리에 올 적에는, 두음 법칙에 따라 '여, 요, 유, 이'로 적는다.
- 단어의 첫머리 이외의 경우에는 본음대로 적는다.
- 접두사처럼 쓰이는 한자가 붙어서 된 말이나 합성어에서, 뒷말의 첫소리가 'ㄴ' 소리로 나더라도 두음 법칙에 따라 적는다.

① 여자(女子) – 년도(年度)
② 소녀(少女) – 연세(年歲)
③ 남녀(男女) – 녀성(女性)
④ 만년(晩年) – 당요(糖尿)
⑤ 공념불(空念佛) – 남존녀비(男尊女卑)

17 다음을 참고하여 〈보기〉의 〈탐구 대상〉을 과정에 따라 탐구했을 때, ㉠과 ㉡에 해당하는 것을 바르게 짝지은 것은?

〈한글 맞춤법〉
제23항 '-하다'나 '-거리다'가 붙는 어근에 '-이'가 붙어서 명사가 된 것은 그 원형을 밝히어 적는다.
[붙임] '-하다'나 '-거리다'가 붙을 수 없는 어근에 '-이'나 또는 다른 모음으로 시작되는 접미사가 붙어서 명사가 된 것은 그 원형을 밝히어 적지 아니한다.

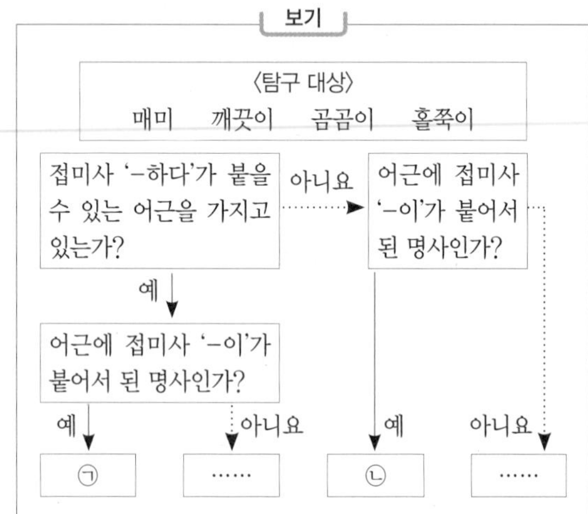

	㉠	㉡
①	홀쭉이	깨끗이
②	홀쭉이	매미
③	곰곰이	매미
④	깨끗이	홀쭉이
⑤	매미	홀쭉이

18 〈보기〉의 ㉠~㉦ 중, 띄어쓰기가 맞게 쓰인 것을 모두 고른 것은?

보기

㉠ 학교에서 만이라도
㉡ 그릇을 깨뜨려버렸다.
㉢ 이사장 및 이사들
㉣ 잘난 체를한다.
㉤ 집을 떠난지가 오래다.
㉥ 좀 더 많이 주세요.
㉦ 최치원 박사

① ㉠, ㉥, ㉦　② ㉢, ㉣, ㉥
③ ㉠, ㉢, ㉤, ㉦　④ ㉡, ㉢, ㉣, ㉤
⑤ ㉡, ㉢, ㉥, ㉦

19 〈보기 1〉의 한글 맞춤법의 규정을 볼 때, 〈보기 2〉의 밑줄 친 낱말들에 대한 설명으로 적절하지 않은 것은?

보기 1

제32항 단어의 끝모음이 줄어지고 자음만 남은 것은 그 앞의 음절에 받침으로 적는다.
제35항 모음 'ㅗ, ㅜ'로 끝난 어간에 '-아/-어, -았-/-었-'이 어울려 'ㅘ/ㅝ, ㅘㅆ/ㅝㅆ'으로 될 적에는 준 대로 적는다.
제38항 'ㅏ, ㅗ, ㅜ, ㅡ' 뒤에 '-이어'가 어울려 줄어질 적에는 준 대로 적는다.
제39항 어미 '-지' 뒤에 '않-'이 어울려 '-잖-'이 될 적과 '-하지' 뒤에 '않-'이 어울려 '-찮-'이 될 적에는 준 대로 적는다.
제40항 어간의 끝음절 '하'의 'ㅏ'가 줄고 'ㅎ'이 다음 음절의 첫소리와 어울려 거센소리로 될 적에는 거센소리로 적는다.

보기 2

㉠ 좌절을 디디고 일어서야 꿈을 이룰 수 있다.
㉡ 그 책을 잘 보았으면 점수가 더 좋았을 거야.
㉢ 그 사람은 수심에 싸여 얼굴을 잔뜩 찌푸리고 있었다.
㉣ 오랜 노력의 결과로 이제 그 사람도 적잖은 연봉을 받는다.
㉤ 그 지역의 전통문화를 연구하도록 지속적인 지원이 있어야 한다.

① ㉠은 제32항에 따르면 '딛고'로 줄여 쓸 수 있다.
② ㉡은 제35항에 따르면 '봤으면'으로 줄여 쓸 수 있다.
③ ㉢은 제38항에 따르면 '쌓이어'를 줄여 쓴 것임을 알 수 있다.
④ ㉣은 제39항에 따르면 '적지 않은'을 줄여 쓴 것임을 알 수 있다.
⑤ ㉤은 제40항에 따르면 '연구토록'으로 줄여 쓸 수 있다.

20 〈보기〉의 한글 맞춤법 조항을 참고할 때, 맞춤법에 맞지 않는 것은?

보기

'-하다'가 붙는 어근에 '-히'나 '-이'가 붙어서 부사가 되거나, 부사에 '-이'가 붙어서 뜻을 더하는 경우에는 그 어근이나 부사의 원형을 밝히어 적는다.

① 급히 ② 더욱이 ③ 생그시
④ 해죽이 ⑤ 어렴풋이

21 다음은 받아쓰기 답안지이다. 고쳐 쓴 내용이 적절하지 않은 것은?

- 그 영화는 사람들을 공포와 전률에 휩싸이게 했다. → 전율 ············ ①
- 할머니는 연노하셔서 멀리 가실 수 없습니다. → 연로 ············ ②
- 그는 간만에 양복과 구두를 새로 마추었다. → 맞추었다 ············ ③
- 이번 일로 내가 얼마나 놀랐던지 몰라. → 놀랐든지 ············ ④
- 새로 들어온 직원은 굉장히 싹삭한 편이다. → 싹싹한 ············ ⑤

22 〈보기〉를 참고할 때, 띄어쓰기가 적절하지 않은 것은?

보기

제47항 보조 용언은 띄어 씀을 원칙으로 하되, 경우에 따라 붙여 씀도 허용한다. 다만, 앞말에 조사가 붙거나 앞말이 합성 동사인 경우, 그리고 중간에 조사가 들어갈 적에는 그 뒤에 오는 보조 용언은 띄어 쓴다.

① 막내도 이제 늙어간다.
② 동생이 어머니를 도와드린다.
③ 책을 읽어나보고 이야기를 하자.
④ 이번에는 네가 덤벼들어 보아라.
⑤ 결국은 강물에 떠내려가 버렸다.

23 〈보기 1〉을 참고하여 〈보기 2〉의 '밖에'를 탐구한 내용으로 적절하지 않은 것은?

보기 1

[한글 맞춤법]
제2항 문장의 각 단어는 띄어 씀을 원칙으로 한다.
제41항 조사는 그 앞말에 붙여 쓴다.

보기 2

(ㄱ) 우리는 웃을 수밖에 없었다.
(ㄴ) 아이들은 잠시 밖에 나가 있어야 했다.

① (ㄱ)의 '밖에'는 조사로 보아야겠군.
② (ㄱ)의 '밖에'를 붙여 쓴 것은 부정을 나타내는 말과 함께 쓰일 때이군.
③ (ㄴ)의 '밖에'는 명사와 조사의 결합으로 보아야겠군.
④ (ㄴ)의 '밖'은 (ㄱ)과 달리 '바깥'과 바꾸어 쓸 수 있겠군.
⑤ (ㄱ)과 (ㄴ) 모두 '밖에'는 '밖'과 '에'의 두 단어로 보아야겠군.

24 〈보기〉의 과제를 해결한 내용으로 적절하지 않은 것은?

보기

※ **과제**: 다음 예문은 띄어쓰기가 올바른 문장입니다. 이를 통해 띄어쓰기 규정을 알아볼까요?

㉠ 너는 일밖에 모르니?
㉡ 연필 두 자루가 있습니다.
㉢ 나는 그저 웃고만 있었다.
㉣ 너무 아는 척을 하지 말아야 해.
㉤ 청군 대 백군으로 나눠 경기를 했다.

① ㉠: '일'과 '밖에'를 붙여 쓴 것을 보니, 조사는 붙여 쓰는군.
② ㉡: '두'와 '자루'를 띄어 쓴 것을 보니, 단위를 나타내는 명사는 띄어 쓰는군.
③ ㉢: '웃고만'과 '있었다'를 띄어 쓴 것을 보니, 본용언끼리는 띄어 쓰는군.
④ ㉣: '아는'과 '척'을 띄어 쓴 것을 보니, 의존 명사는 띄어 쓰는군.
⑤ ㉤: '청군', '대', '백군'을 각각 띄어 쓴 것을 보니, 두 말을 이어 줄 때에 쓰이는 말은 띄어 쓰는군.

25 〈보기〉의 규정을 잘못 적용한 것은?

보기

〈한글 맞춤법〉
제35항 모음 'ㅗ, ㅜ'로 끝난 어간에 '-아/-어, -았-/-었-'이 어울려 'ㅘ/ㅝ, ㅘㅆ/ㅝㅆ'으로 될 적에는 준 대로 적는다.
[붙임 1] '놓아'가 '놔'로 줄 적에는 준 대로 적는다.
[붙임 2] 'ㅚ' 뒤에 '-어, -었-'이 어울려 'ㅙ, ㅙㅆ'으로 될 적에도 준 대로 적는다.
제36항 'ㅣ' 뒤에 '-어'가 와서 'ㅕ'로 줄 적에는 준 대로 적는다.
제37항 'ㅏ, ㅕ, ㅗ, ㅜ, ㅡ'로 끝난 어간에 '-이-'가 와서 각각 'ㅐ, ㅖ, ㅚ, ㅟ, ㅢ'로 줄 적에는 준 대로 적는다.

① '놓이어'를 '놓여'로 쓴 것은 제35항 [붙임 1]에 따른 것이다.
② '꾸었다'를 '꿨다'로 쓴 것은 제35항에 따른 것이다.
③ '누이니'를 '뉘니'로 쓴 것은 제37항에 따른 것이다.
④ '참되어'를 '참돼'로 쓴 것은 제35항 [붙임 2]에 따른 것이다.
⑤ '치이었다'를 '치였다'로 쓴 것은 제36항에 따른 것이다.

26 〈보기〉는 한글 맞춤법 수업 중 준말과 관련한 학습지의 일부이다. 학생의 반응으로 적절하지 않은 것은?

보기

제40항 어간의 끝음절 '하'의 'ㅏ'가 줄고 'ㅎ'이 다음 음절의 첫소리와 어울려 거센소리로 될 적에는 거센소리로 적는다. ……… ㉠
예 간편하게 → 간편케
[붙임 1] 'ㅎ'이 어간의 끝소리로 굳어진 것은 받침으로 적는다. ……… ㉡
예 아무렇다, 어떻다
[붙임 2] 어간의 끝음절 '하'가 아주 줄 적에는 준 대로 적는다. 이는 어간의 끝음절 '하'가 줄어진 형태로 관용되고 있는 형식으로, 안울림소리 받침 뒤에서 나타난다. ……… ㉢
예 넉넉하지 → 넉넉지

① '다정하다'를 '다정타'로 적는 것은 ㉠의 규정을 따른 결과라고 볼 수 있겠군.
② '분발토록'은 ㉠에 따라 '분발하도록'에서 '하'의 'ㅏ'가 줄고 'ㅎ'이 다음 음절의 'ㄷ'과 어울려 거센소리로 된 결과이겠군.
③ '이렇다'를 '이러타'로 적지 않는 것은 ㉡의 규정을 따른 결과라고 볼 수 있겠군.
④ '무심하지'는 ㉢의 규정에 따라 '하'가 줄어진 형태인 '무심지'로 적을 수 있겠군.
⑤ '깨끗하지'는 '하' 앞에 안울림소리 받침이 오는 것으로 보아 ㉢의 규정에 따라 '깨끗지'로 적을 수 있겠군.

27 〈보기〉의 한글 맞춤법 규정을 ⓐ~ⓔ와 바르게 연결한 것은?

보기

ㄱ. 제14항 체언은 조사와 구별하여 적는다.
ㄴ. 제33항 체언과 조사가 어울려 줄어지는 경우에는 준 대로 적는다.

• 너는 ⓐ무얼 좋아하니?
• ⓑ이건 값이 너무 비싸다.
• ⓒ너희 사진은 어디에 있니?
• 나는 항상 ⓓ여기에 있을게.
• ⓔ그게 바로 문제의 핵심이다.

① ⓐ - ㄱ ② ⓑ - ㄱ ③ ⓒ - ㄴ
④ ⓓ - ㄴ ⑤ ⓔ - ㄴ

28 〈보기〉의 선생님의 설명을 바탕으로 할 때, ㉠에 들어갈 말로 적절하지 않은 것은?

보기

학 생: '되어요, 돼요, 되요' 중에서 어느 게 맞는지 궁금해요.
선생님: "어간 모음 'ㅚ' 뒤에 '-어'가 붙어서 'ㅙ'로 줄어지는 것은 'ㅙ'로 적는다."라는 맞춤법 규정에 따르면 '되어요'는 어간 '되-'에 '-어요'가 결합된 것이므로 '돼요'로 줄어들 수 있어. 그러니까 '되어요, 돼요'는 맞는 말이지만 '되요'는 틀린 말이지. '(바람을) 쐬다, (턱을) 괴다, (나사를) 죄다, (어른을) 뵈다, (명절을) 쇠다' 등도 이 규정에 따라 적으면 돼.
학 생: 아, 그러면 ㉠

① '쐬어라'는 '쐬-'와 '-어라'가 결합된 것이므로 '쐐라'로 줄어들 수 있겠네요.
② '괴-'와 '-느냐'가 결합될 때는 '어'가 들어갈 수 없으므로 '괘느냐'는 틀린 말이겠네요.
③ '좨도'는 '죄-'와 '-어도'가 결합된 말이 줄어든 것이겠네요.
④ '뵈-'가 '-어서'와 결합되면 '봬서'로 줄어들 수 있겠네요.
⑤ '쇠-'와 '-더라도'가 결합될 때는 '쇄더라도'로 적으면 틀린 것이겠네요.

29 〈보기〉를 참고하여 각 항목에 해당하는 예문을 작성하였다. 적절하지 않은 것은?

보기

1. '같이'가 조사로 쓰일 경우 – 앞말에 붙여 쓴다.
ㄱ. 체언 뒤에 붙어 '~처럼'의 뜻일 때
ㄴ. '때'를 나타내는 명사 뒤에 붙어 '때'를 강조할 때

2. '같이'가 부사로 쓰일 경우 – 앞말과 띄어 쓴다.
ㄷ. '바로 그대로'의 의미일 때
ㄹ. '서로 함께'의 의미일 때
ㅁ. '어떤 상황이나 행동 따위와 다름이 없이'의 의미일 때

① ㄱ: 그는 눈같이 맑은 영혼의 소유자였다.
② ㄴ: 내일은 새벽같이 일어나야 한다.
③ ㄷ: 예상한 바와 같이 우리 반이 이겼어.
④ ㄹ: 지난 10년 동안 같이 알고 지낸 사이야.
⑤ ㅁ: 은숙이와 친구는 같이 사업을 했다.

30 〈보기〉를 참고할 때, '사이시옷'에 대한 설명으로 적절하지 않은 것은?

보기

제30항 사이시옷은 다음과 같은 경우에 받치어 적는다.
1. 순우리말로 된 합성어로서 앞말이 모음으로 끝난 경우
(1) 뒷말의 첫소리가 된소리로 나는 것
고랫재 귓밥 나룻배 냇가
(2) 뒷말의 첫소리 'ㄴ, ㅁ' 앞에서 'ㄴ' 소리가 덧나는 것
잇몸 깻묵 냇물 빗물
(3) 뒷말의 첫소리 모음 앞에서 'ㄴㄴ' 소리가 덧나는 것
베갯잇 깻잎 나뭇잎 댓잎

2. 순우리말과 한자어로 된 합성어로서 앞말이 모음으로 끝난 경우
(1) 뒷말의 첫소리가 된소리로 나는 것
귓병 샛강 아랫방
(2) 뒷말의 첫소리 'ㄴ, ㅁ' 앞에서 'ㄴ' 소리가 덧나는 것
곗날 제삿날 툇마루
(3) 뒷말의 첫소리 모음 앞에서 'ㄴㄴ' 소리가 덧나는 것
가욋일 사삿일 훗일

① 제30항 1-(1)에 따라 '나무+가지'는 '나뭇가지'로 적어야 한다.
② 제30항 1-(2)에 따라 '아래+마을'은 '아랫마을'로 적어야 한다.
③ 제30항 1-(3)에 따라 '뒤+윷'은 '뒷윷'으로 적어야 한다.
④ 제30항 2-(1)에 따라 '전세+집'은 '전셋집'으로 적어야 한다.
⑤ 제30항 2-(2)에 따라 '예사+일'은 '예삿일'로 적어야 한다.

31 밑줄 친 부분이 한글 맞춤법에 맞게 쓰인 것은?
① 엇저녁에는 고향 친구들과 만나서 식사를 했다.
② 그가 발의한 안건은 다음 회의에 부치기로 했다.
③ 적쟎은 사람들이 그 의견에 찬성의 뜻을 보였다.
④ 동생은 누나가 직접 만든 깍뚜기를 먹어 보았다.
⑤ 저기 넙적하게 생긴 바위가 우리들의 놀이터였다.

03 문법 요소

1 높임 표현

(1) 주체 높임법: 서술의 주체를 높이는 표현으로, 서술상의 주체가 화자보다 나이가 많거나 사회적 지위가 높을 때 사용함

주체 높임 선어말 어미 '-(으)시-'를 사용	예 어머니께서 저녁을 차리신다.
주격 조사 '이/가' 대신 '께서'를 사용	예 할머니께서 벌써 가셨다.
주어 명사에 접사 '-님'을 덧붙임	예 선생님께서 책을 읽으신다.
'계시다', '주무시다', '잡수시다', '편찮으시다' 등의 특수 어휘를 사용	예 할아버지께서 방에서 주무신다.

직접 높임	높여야 할 대상인 주체를 직접 높임 예 아버지께서는 외출하셨다.
간접 높임	높여야 할 대상인 주체의 신체, 소유물, 생각이나 주체와 관련된 사물을 높여 주체를 간접적으로 높임 예 삼촌께서 키가 크시다.

(2) 객체 높임법: 목적어나 부사어가 지시하는 동작의 대상, 즉 서술의 객체를 높이는 표현

부사격 조사 '에게' 대신 '께'를 사용	예 철수가 아버지께 성적표를 드렸다.
'드리다', '모시다', '여쭙다', '뵙다' 등의 특수 어휘를 사용	예 아버지를 모시고 병원에 갔다.

(3) 상대 높임법

- 청자를 높이거나 낮추어 말하는 표현
- 주로 종결 어미로 실현되며 크게 격식체와 비격식체로 나뉨

	격식체				비격식체	
	해라체 (아주낮춤)	하게체 (예사낮춤)	하오체 (예사높임)	하십시오체 (아주높임)	해체 (두루낮춤)	해요체 (두루높임)
평서형	-(는/ㄴ)다	-네	-(으)오	-(으)십니다	-아/-어	-아요/-어요
의문형	-(느)냐?, 니?	-(느)ㄴ가?	-(으)오?	-(으)십니까?	-아/-어?	-아요/-어요?
명령형	-(어)라/-(아)라	-게	-(으)오	-(으)십시오	-아/-어	-아요/-어요
청유형	-자	-세	-(으)ㅂ시다	-(으)시지요	-아/-어	-아요/-어요
감탄형	-(는)구나	-(는)구먼	-(는)구려	-	-아/-어	-아요/-어요

격식체	공식적이고 청자와 다소 거리를 두고 예의를 갖추는 상황에서 쓰임
비격식체	사적이고 청자와 가깝고 친밀감을 나타내는 상황에서 쓰임

(4) 잘못된 높임 표현

- 높여야 할 대상을 제대로 높이지 않거나 높이지 말아야 할 대상을 높이는 경우
  예 "철수야, 선생님이 너 교무실로 오시래."
- 사물에 대한 존칭 등 과도한 높임 표현을 사용하는 경우
  예 "주문하신 커피 나오셨습니다."

2 피동 표현

- 주어가 동작을 제힘으로 행하는 것을 '능동'이라 하고, 주어가 다른 주체에 의해 동작을 당하게 되는 것을 '피동'이라 함

능동문 고양이가(주어) 쥐를(목적어) 잡았다(서술어).

피동문 쥐가(주어) 고양이에게(부사어) 잡혔다(서술어).

개념 확인 문제

1 다음 빈칸에 들어갈 알맞은 말을 쓰시오.

(1) 객체 높임법은 특수한 어휘를 사용하거나 부사격 조사 '에게' 대신 (　　　)을/를 사용하여 표현한다.

(2) 화자가 자신보다 어린 청자를 낮추는 표현은 (　　　)에 해당한다.

(3) 서술상의 주체가 화자보다 나이가 많을 경우 사용하는 표현은 (　　　)에 해당한다.

(4) 종결 어미에 의해 실현되는 상대 높임법 중 (　　　)은/는 공식적인 상황에서 주로 쓰인다.

2 다음 문장의 밑줄 친 부분이 <보기>의 ㉠~㉢ 중 어디에 해당하는지 기호로 쓰시오.

보기
㉠ 주체 높임 ㉡ 객체 높임
㉢ 상대 높임

(1) 할머니께서 지금 집에 계신다. (　　　)

(2) 저는 벌써 저녁을 먹었습니다. (　　　)

(3) 진수야, 늦었으니 이제 그만 집에 가라. (　　　)

(4) 고모부님께 단팥죽을 갖다 드리느라 늦었어요. (　　　)

(5) 모르는 문제가 있으면 선생님께 꼭 여쭤보도록 한다. (　　　)

3 다음 문장이 높임법에 맞으면 ○표를, 맞지 않으면 ×표를 하시오.

(1) 어머니, 밥 주세요. (　　　)

(2) 이 제품은 신상품이십니다. (　　　)

(3) 이모님께서 자기가 직접 짠 것이라며 스웨터를 주셨어. (　　　)

4 다음 능동문을 피동문으로 바꾸어 쓰시오.

(1) 고래가 새우를 먹었다.
→ (　　　　　　　　)

(2) 지후가 모기를 잡았다.
→ (　　　　　　　　)

▶ 정답과 해설 44쪽

파생적 피동	능동사의 어간에 피동 접미사 '-이-, -히-, -리-, -기-'를 결합, 일부 명사 뒤에 접사 '-되다'를 결합	예 보다 → 보이다 듣다 → 들리다
통사적 피동	능동사의 어간에 '-아/어지다', '-게 되다'를 결합	예 멀다 → 멀어지다 말하다 → 말하게 되다

- 피동 표현은 주로 동작이나 행위의 주체가 확실하지 않거나 밝히지 않고자 할 때, 동작이나 행위를 당하는 대상을 강조하고자 할 때, 내용에 객관성을 높이거나 내용에 대한 책임을 회피하고자 할 때 사용됨
- 피동 표현을 사용하지 않아도 될 때 피동 표현을 사용하거나 '보여지다', '믿겨지다'처럼 피동 접미사에 통사적 피동이 결합한 이중 피동은 잘못된 표현임

3 시간 표현

(1) 시제: 화자가 말하는 시점(발화시)을 기준으로 하여 말하고자 하는 사건의 시간(사건시)이 현재, 과거, 미래의 어느 시점에서 일어났는지를 나타내는 문법 범주

과거 시제	사건시가 발화시보다 앞서는 시제	• 선어말 어미 '-았-/-었-', '-더-', '-았었-/-었었-'을 활용 • 동사에는 관형사형 어미 '-(으)ㄴ', '-더'에 '-(으)ㄴ'이 합쳐진 '-던'을 활용, 형용사와 서술격 조사에는 '-던'을 활용 • 시간 부사어 '어제', '옛날' 등을 활용
현재 시제	발화시와 사건시가 일치하는 시제	• 동사에는 선어말 어미 '-ㄴ-/-는-'을 활용. 형용사와 서술격 조사의 경우 선어말 어미 없이 기본형으로 나타냄 • 동사에는 관형사형 어미 '-는'을, 형용사와 서술격 조사에는 '-(으)ㄴ'을 활용 • 시간 부사어 '오늘', '지금' 등을 활용
미래 시제	사건시가 발화시보다 나중인 시제	• 선어말 어미 '-겠-', '-(으)리-'를 활용 • 관형사형 어미 '-(으)ㄹ'을 활용 • 시간 부사어 '내일', '내년' 등을 활용

(2) 동작상: 발화시를 기준으로 동작이 진행되고 있는지 완결되었는지를 나타내는 문법 범주

진행상	말하는 시점을 기준으로 동작이 진행되고 있음	'-고 있다', '-아/-어 가다'
완료상	말하는 시점을 기준으로 동작이 완료됨	'-아/-어 있다', '-아/-어 버리다'

4 인용 표현

- 다른 사람의 말이나 글을 직접 또는 간접적으로 자신의 말이나 글 속에 끌어다 쓰는 표현

직접 인용	• 다른 사람의 말이나 글을 원래의 형식과 내용을 그대로 유지한 채 인용 • 해당 인용절에 큰 따옴표로 표시하고, 인용절 다음에 조사 '라고' 또는 '하고'를 붙임 • 직접 말을 전하는 듯한 생생한 느낌을 줄 수 있음 예 그는 "내가 바로 스파이더맨이다."라고 소리쳤다.
간접 인용	• 다른 사람의 말이나 글을 인용할 때 그 형식은 유지하지 않고 내용만 끌어다 쓰는 인용 • 따옴표 없이 해당 인용절 다음에 조사 '고'를 붙임. 서술격 조사 '이다'로 끝난 경우는 '이라고'를 사용함 • 직접 인용을 사용할 때보다 매끄럽고 간결한 느낌을 줄 수 있음 예 그는 자기가 직접 가겠다고 말했다.

- 직접 인용 표현을 간접 인용 표현으로 바꿀 경우 인칭 대명사나 지시 표현, 높임 표현, 문장 종결 표현 등이 달라지므로 주의해야 함

예 언니는 어제 거실에서 "너, 여기 청소 좀 해."라고 말했다.
→ 언니는 어제 거실에서 나에게 거실 청소 좀 하라고 말했다.

개념 확인 문제

5 다음 설명이 맞으면 ○표, 틀리면 ×표를 하시오.

(1) 주어가 남에게 어떤 동작을 하도록 시키는 것을 '피동'이라고 한다. ( )

(2) 능동사의 어간에 피동 접미사 '-이-'가 결합된 경우 파생적 피동이라고 한다. ( )

(3) 피동 표현은 동작이나 행위의 주체를 강조하고자 할 때 사용된다. ( )

6 다음의 문장이 <보기>의 ㉠~㉤ 중 어디에 해당하는지 기호로 쓰시오.

보기
㉠ 현재 시제 ㉡ 과거 시제
㉢ 미래 시제 ㉣ 진행상
㉤ 완료상

(1) 학교에 간다. ( )

(2) 어제 비가 왔다. ( )

(3) 학교에 갈 것이다. ( )

(4) 불이 켜져 있다. ( )

(5) 점심을 먹고 있다. ( )

7 다음 문장을 직접 인용은 간접 인용 표현으로, 간접 인용은 직접 인용 표현으로 바르게 고치시오.

(1) 철수는 자기 형이 드디어 우승을 차지했다고 말했다.
→ ( )

(2) 지원이는 나에게 "너도 이 책을 읽었니?"라고 물었다.
→ ( )

8 다음 중, 바른 표현의 문장은?

① 나는 어제 야구를 볼 것이다.
② 교장 선생님 말씀이 있으시겠습니다.
③ 성금은 유용하게 쓰여질 것으로 보여진다.
④ 친구는 나에게 "라면 먹을래?" 고 물었다.
⑤ 인명을 보호할 수 있는 법안이 조속히 마련되어져야 한다.

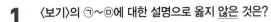

1 〈보기〉의 ㉠~㉤에 대한 설명으로 옳지 않은 것은?

보기

높임법은 화자가 높이려는 대상이 누구인지에 따라 주체 높임법, 상대 높임법, 객체 높임법으로 구분된다. 주체 높임법은 주어가 나타내는 대상인 주체를 높이는 것이며, 상대 높임법은 대화의 상대인 청자를 높이거나 낮추는 것이고, 객체 높임법은 문장의 목적어나 부사어가 나타내는 대상인 객체를 높이는 것이다.

㉠ 할머니께서 책을 읽고 계신다.
㉡ 누나는 어머니께 모자를 선물로 드렸다.
㉢ 할아버지께서 월요일 오후에 병원에 가신다.
㉣ (선생님과의 대화 중) 선생님, 제가 드릴 말씀이 있습니다.
㉤ (아버지와의 대화 중) 아버지, 저는 아버지를 예전부터 존경해 왔습니다.

① ㉠은 주체인 '할머니'를 높이는 데에 '께서'와 '계시다'를 사용하고 있다.
② ㉡은 객체인 '어머니'를 높이는 데에 '께'와 '드리다'를 사용하고 있다.
③ ㉢은 주체인 '할아버지'를 높이는 데에 '께서'와 '-시-'를 사용하고 있다.
④ ㉣은 주체인 '선생님'을 높이는 데에 '말씀'을 사용하고 있다.
⑤ ㉤은 상대인 '아버지'를 높이는 데에 '-습니다'를 사용하고 있다.

2 〈보기〉의 높임 표현에 대한 설명으로 적절하지 않은 것은?

보기

점원: 손님, 어떤 옷을 ㉠찾으십니까?
손님: 셔츠를 좀 보려고요. ㉡저희 아버지께서 입으실 거거든요.
점원: 이 셔츠는 어떠세요? 선물로 ㉢드리시면 무척 좋아하실 겁니다.
손님: 저희 아버지는 ㉣어깨가 넓으신데 잘 맞을지 모르겠네요.
점원: 그러시면 ㉤어르신을 모시고 한번 들러 주세요.

① ㉠: '-ㅂ니까'라는 종결 어미를 사용하여 말을 듣는 상대를 높이고 있다.
② ㉡: '저희'라는 자신을 낮추는 어휘를 사용하여 '아버지'를 높이고 있다.
③ ㉢: '-시-'를 사용해서 선물을 주는 사람을, '드리다'를 사용해서 선물을 받는 사람을 동시에 높이고 있다.
④ ㉣: '아버지'가 높임의 대상이므로 그 신체의 일부가 주어로 올 때도 높임 표현을 쓰고 있다.
⑤ ㉤: 높임을 나타내는 특정한 어휘를 사용하여 높임의 의도를 표현하고 있다.

3 다음은 높임 표현과 관련된 '학습 활동'의 일부이다. 질문에 대한 답으로 적절하지 않은 것은?

학습 활동

다음의 높임 표현에 대한 설명을 참고하여, 아래의 질문에 답해 보자.

우리말의 높임법은 높이는 대상에 따라 주어가 나타내는 대상을 높이면 주체 높임, 청자를 높이면 상대 높임, 목적어나 부사어가 나타내는 대상을 높이면 객체 높임으로 구분할 수 있습니다. 이러한 높임법은 조사, 특수 어휘, 선어말 어미, 종결 어미 등에 의해 실현됩니다.

질문: 제시된 문장에 실현된 높임 표현에 대해 탐구해 보자.

㉠ 아버지, 할머니께 선물 드리셨어요?
㉡ 어머니, 아버지께서 저녁을 드시러 나가셨습니다.
㉢ 삼촌, 어머니께서 아버지를 모시고 오라고 얘기하시는데요.

① ㉠에는 부사어가 나타내는 대상을 높일 때 사용하는 조사가 있다.
② ㉢에서는 특수 어휘를 사용하여 목적어가 나타내는 대상을 높이고 있다.
③ ㉠과 ㉡에서는 종결 어미를 사용하여 듣는 상대를 높이고 있다.
④ ㉠과 ㉢에는 주어가 나타내는 대상을 높일 때 사용하는 조사가 있다.
⑤ ㉡과 ㉢에는 주어가 나타내는 대상을 높일 때 사용하는 선어말 어미가 있다.

4 〈보기〉의 밑줄 친 방법을 이용한 높임법이 아닌 것은?

보기

높임법에는 문법적인 요소를 이용하는 것 외에도 어휘적인 것을 이용하는 방법이 있다. 예를 들어 '주무시다'라는 어휘는 잠을 자는 주체를 높이기 위한 높임말이다. 또는 '저, 소인'과 같이 자신을 낮추는 낮춤말을 사용하여 상대를 높이는 경우도 있다. 그리고 '드리다, 뵙다'와 같은 어휘는 행위의 대상인 객체를 높이는 어휘이다.

① 선생님께서는 댁으로 들어가셨습니다.
② 어서 가서 할아버지를 모시고 오너라.
③ 할머니께서 옥수수를 드시고 계십니다.
④ 아버지는 지금 동생과 함께 낚시터에 계신다.
⑤ 아버지께서 침침한 눈을 비비시며 신문을 보신다.

5 〈보기〉의 ㉠~㉤에 대한 설명으로 옳은 것은?

보기

높임법은 화자가 높이려는 대상이 누구인지에 따라 주체 높임법, 상대 높임법, 객체 높임법으로 구분된다. 주체 높임법은 주어가 나타내는 대상인 주체를 높이는 것이며, 상대 높임법은 대화의 상대인 청자를 높이거나 낮추는 것이고, 객체 높임법은 문장의 목적어나 부사어가 나타내는 대상인 객체를 높이는 것이다.

동생: 학교 다녀왔습니다.
누나: ㉠이제 오는구나.
동생: 누나밖에 없어? ㉡아버지 안 계신 거야?
누나: 응. 너 저녁 안 먹었지? ㉢아버지께 전화 드리고 얼른 나가자.
동생: 무슨 일인데?
누나: ㉣아버지께서 너 데리고 식당으로 오라셨어. ㉤할머니 모시고 저녁 먹으러 가자고 그러시더라.

① ㉠은 '-는구나'를 사용하여 상대인 동생을 높이고 있다.
② ㉡은 '계시다'를 사용하여 객체인 '아버지'를 높이고 있다.
③ ㉢은 '께'를 사용하여 주체인 '아버지'를 높이고 있다.
④ ㉣은 '께서'를 사용하여 객체인 '아버지'를 높이고 있다.
⑤ ㉤은 '모시다'를 사용하여 객체인 '할머니'를 높이고 있다.

6 〈보기 1〉을 참고할 때, 〈보기 2〉의 ㉠~㉢에 들어갈 말을 바르게 짝지은 것은?

보기 1

높임 종류	높임 대상	높임 실현 방법
주체 높임	서술어의 주체	• '께서', '-(으)시-' 등 • '편찮다', '잡수다' 등
객체 높임	서술어의 객체	• '께' 등 • '여쭈다', '드리다', '뵙다' 등
상대 높임	화자의 말을 듣는 상대	• 종결 어미

보기 2

[분석 문장] "어머니, 아버지께서 할아버지께 선물을 드리러 큰댁에 가시었어요."

높임 종류	주체 높임	객체 높임	상대 높임
높임 대상	㉠	㉡	어머니
높임 실현 방법	께서, -시-	께, 드리다	㉢

	㉠	㉡	㉢
①	아버지	할아버지	-요
②	아버지	할아버지	께
③	할아버지	아버지	-시-
④	할아버지	아버지	-요
⑤	할아버지	아버지	께

7 〈보기〉의 ㉠, ㉡이 모두 사용된 문장은?

보기

우리말에서는 일반적으로 선어말 어미나 종결 어미, 조사 등을 통해 높임을 표현하지만, **어휘를 통해 높임을 표현하는 경우**도 있다. 높임 표현에 쓰이는 어휘들은 다음과 같이 분류할 수 있다.

• 주체를 높이는 용언(예 계시다) ………………… ㉠
• 객체를 높이는 용언(예 드리다)
• 높여야 할 인물을 직접 높이는 명사(예 선생님)
• 높여야 할 인물과 관련된 것을 높이는 명사 (예 진지) ……………………………………… ㉡

① 나는 아직 그분의 성함을 기억하고 있다.
② 누나는 여쭐 것이 있다며 할머니 댁에 갔다.
③ 연세가 많으신 할머니께서는 홍시를 잘 잡수신다.
④ 우리는 부모님을 모시고 바닷가로 여행을 떠났다.
⑤ 어머니께서는 몹시 피곤하셨는지 거실에서 주무신다.

8 〈보기〉의 [가]에 들어갈 문장으로 적절한 것은?

보기

선생님: 우리말의 높임 표현에는 다음과 같이 세 종류가 있습니다.

- 상대 높임법: 화자가 청자, 즉 상대를 높이거나 낮추는 방법(종결 어미에 의해 실현)
- 주체 높임법: 문장에서 서술의 주체를 높이는 방법(조사, 선어말 어미, 특수 어휘에 의해 실현)
- 객체 높임법: 문장에서 목적어나 부사어가 지시하는 대상, 즉 객체를 높이는 방법(조사, 특수 어휘에 의해 실현)

그런데 실제 언어생활에서 '높임 표현'이 실현되는 양상은 복합적입니다.

예문을 볼까요? '영희야, 선생님께서 찾으셔.'는 상대는 낮추고 주체는 높여서 표현한 것입니다. 그리고 ____[가]____는 상대를 높이고 객체도 높여서 표현한 것입니다.

① 내일 우리 같이 밥 먹어요.
② 제가 할머니를 모시고 왔습니다.
③ 이 손수건 좀 할아버지께 갖다 드려.
④ 요즘 여러 가지 일로 많이 바쁘시죠?
⑤ 어머니께서 아버지의 바지를 만드셨어.

9 ⓐ~ⓔ 중 〈보기〉의 ㉠에 해당하지 않는 것은?

보기

높임 표현에는 말하는 이가 듣는 이에 대하여 높이거나 낮추어 말하는 상대 높임, 서술의 주체를 높이는 주체 높임, 목적어나 부사어가 나타내는 대상, 즉 서술의 객체를 높이는 ㉠ 객체 높임이 있다.

선생님: 지은아, 방학은 잘 보냈니?
지은: 네. 제 용돈으로 할머니께 ⓐ 드릴 선물을 사서 할머니 댁에 다녀왔어요.
선생님: 기특하다. 할머니를 ⓑ 뵙고 왔구나. 가서 무엇을 했니?
지은: 아버지께서 할머니를 ⓒ 모시고 병원에 가신 사이에 저는 ⓓ 큰아버지께 인사를 드리고 왔어요.
선생님: 저런, 할머니께서 ⓔ 편찮으셨나 보다.

① ⓐ ② ⓑ ③ ⓒ ④ ⓓ ⑤ ⓔ

10 〈보기 1〉의 설명을 참고하여 〈보기 2〉의 대화에서 밑줄 친 부분을 '+'와 '−'를 사용하여 표시할 때 적절한 것은?

보기 1

우리말의 높임 표현에는 주체 높임, 객체 높임, 상대 높임이 세 가지가 있다. 주체 높임은 문장의 주체를 높이는 경우에 쓰이고, 객체 높임은 서술의 대상을 높이는 경우에 쓰인다. 또한 상대 높임은 청자를 높이는 경우에 쓰인다. 주체 높임과 객체 높임이 나타나는 경우는 '+'로, 나타나지 않는 경우는 '−'로 표시할 수 있다. 상대 높임의 경우 해요체가 나타날 때는 '+'로 해체가 나타날 때는 '−'로 표시한다.

예를 들어 다음의 문장은 아래와 같이 표시할 수 있다.

아버지가 할아버지께 전화를 드렸어요.
[−주체] [+객체] [+상대]

보기 2

아버지: 철수야. 성적표를 보니 이번 국어 성적이 별로 좋지 않구나.
철수: 죄송해요. 이번에는 시험 준비를 열심히 하지 못했어요.
아버지: 성적표를 보고 조금 실망스러웠단다. 다음 시험에서는 더 열심히 해야겠지?
철수: 예. 아버지. 정말 죄송합니다.
아버지: (성적표를 내밀며) 부모님 확인란에 아버지 도장을 찍었다. 내일 학교에 가서 선생님께 드리고 와.
철수: (성적표를 받으며) 예.

① [+주체] [+객체] [+상대]
② [+주체] [−객체] [+상대]
③ [−주체] [+객체] [+상대]
④ [−주체] [+객체] [−상대]
⑤ [−주체] [−객체] [−상대]

11 〈보기〉의 ㉠~㉤에 대한 설명으로 적절하지 않은 것은?

보기

영희: 경준아, 선생님께서 다음 국어 시간에 있을 모둠 과제 발표는 네가 주도해서 ㉠준비하시라고 하셔.
경준: 시인 소개 모둠 과제 말이지?
영희: 응.
경준: 그런데 어떤 시인을 주제로 발표하는 게 좋을지에 대해서도 말씀 ㉡있으셨니?
영희: 아니. 그건 시간이 날 때 네가 직접 선생님께 ㉢물어서 알아봐.
경준: 아무래도 그래야겠어.
영희: 그런데 선생님께서 저번 수업 시간에 김소월의 시가 ㉣자기의 애송시라고 ㉤말했잖아. 김소월은 우리나라 사람들이 좋아하는 시인이기도 하니까 김소월의 시 세계를 주제로 하여 발표해 보는 건 어때?

① ㉠: 주체가 '경준'이므로 '준비하라고'로 바꿔 말해야 한다.
② ㉡: 주어가 '말씀'이므로 '있었니'로 바꿔 말해야 한다.
③ ㉢: 윗사람인 '선생님'께 묻는 것이므로 '여쭤서'로 바꿔 말해야 한다.
④ ㉣: '선생님'을 높이는 것이므로 '당신'으로 바꿔 말해야 한다.
⑤ ㉤: 주체가 '선생님'이므로 '말씀하셨잖아'로 바꿔 말해야 한다.

12 〈보기〉의 대화에 나타난 높임 표현에 대한 설명으로 적절한 것은?

보기

(가) ㉠: 먼저 출발하게. 목적지에서 같이 만나세.
㉡: 네, 몇 시에 도착하실 예정이십니까?
(나) ㉢: 할아버지께서 얼마 전부터 편찮으셔.
㉣: 그래? 내가 지난번에 뵈었을 때는 귀도 밝으시고 정정해 보이시던데.

① (가)에서 ㉠과 ㉡은 대등한 관계임을 알 수 있다.
② (가)에서 ㉠과 ㉡은 비격식체 종결 표현을 사용한 것을 볼 때 친밀한 사이임을 알 수 있다.
③ (나)의 ㉢은 직접 높임과 간접 높임을 통해 문장의 주체를 높이고 있다.
④ (나)에서 ㉣은 특수한 어휘를 사용해서 객체를 높이고 있다.
⑤ (나)의 ㉣에서 '귀도 밝으시고'는 서술의 객체를 높이는 방법이다.

13 〈보기〉의 대화에 나타난 높임 표현에 대한 설명으로 적절하지 않은 것은?

보기

높임법은 높이는 대상에 따라 서술의 주체를 높이는 주체 높임법, 서술의 객체를 높이는 객체 높임법, 대화하는 상대를 높이거나 낮추는 상대 높임법으로 구분된다.

점원: 손님, 어떤 모자를 ㉠보여 드릴까요?
손님: 저 모자는 사이즈가 어떻게 되나요? 제가 머리가 조금 큰데 제 머리에 ㉡맞겠습니까?
점원: 저 모자는 제일 큰 ㉢사이즈세요. 그리고 제가 보기에는 머리가 별로 안 ㉣크신데요.
손님: 감사합니다. 아! 혹시 그 모자 아시나요? 제가 전에 광고에서 본 스타일이 있었는데.
점원: 네. 어떤 모자인지 ㉤여쭤 보세요.

① ㉠에서는 객체 높임법을 사용하여 생략된 부사어인 '손님'을 높이고 있다.
② ㉠과 ㉡에서는 모두 상대 높임법이 사용되었으며, ㉠은 비격식체, ㉡은 격식체의 상대 높임법이 나타나고 있다.
③ ㉢에서는 주체 높임법과 상대 높임법이 함께 사용되었는데, 높이지 않아도 되는 대상을 높인 잘못된 표현이 나타나고 있다.
④ ㉣에서는 높이고자 하는 대상의 신체 일부를 주어로 하여 주체를 간접적으로 높이는 주체 높임법과 상대 높임법이 함께 사용되고 있다.
⑤ ㉤에서는 생략된 주어를 높이는 주체 높임법과 상대 높임법이 사용되어 '손님'을 높이고 있으므로 바른 높임 표현으로 볼 수 있다.

14 〈보기〉의 설명을 참고할 때 '피동 표현'의 예로 적절한 것은?

보기

피동 표현은 주체가 남에 의해 어떤 동작을 당하는 것을 나타낸 표현이다. 예를 들어 '토끼가 호랑이에게 잡혔다.'라는 문장은 주체가 스스로 한 행동이 아니라 남에 의해 '잡는' 동작을 당하는 것을 표현하고 있으므로 피동 표현이다.

① 밧줄을 세게 당기다.
② 동생의 머리를 감기다.
③ 아이에게 밥을 먹이다.
④ 후배가 선배를 놀리다.
⑤ 태풍에 건물이 흔들리다.

15 〈보기〉를 참고하여 ㉠~㉣에 대해 탐구한 결과로 적절하지 않은 것은?

보기

문장은 동작이나 행위를 누가 하느냐에 따라 능동문과 피동문으로 나누어진다. 주어가 동작을 제 힘으로 하는 문장을 능동문이라고 하고, 다른 주체에 의해 동작이 이루어지거나 영향을 받는 문장을 피동문이라고 한다.

	능동문	피동문
㉠	눈이 온 세상을 덮었다.	온 세상이 눈에 덮였다.
㉡	두 학생이 참새 네 마리를 잡았다.	참새 네 마리가 두 학생에게 잡혔다.
㉢	낙엽이 바람에 난다.	낙엽이 바람에 날린다.
㉣	해당 사례 없음.	오늘은 날씨가 갑자기 풀렸다.

① ㉠의 피동문은 능동문에 비해 주어의 동작성이 잘 드러나지 않는다.
② ㉠과 ㉡은 모두 능동문의 주어가 피동문에서 부사어로 나타나는 사례이다.
③ ㉡과 ㉢은 모두 능동문과 달리 피동문이 여러 가지 의미로 해석될 수 있다.
④ ㉢은 자동사를 피동사로 만들 수 있음을 보여 주는 사례이다.
⑤ ㉣은 피동문에 대응하는 능동문을 상정할 수 없는 경우가 있음을 보여 주는 사례이다.

16 〈보기 1〉의 내용을 참고할 때, 〈보기 2〉에 제시된 피동 표현의 유형이 같은 것끼리 묶인 것은?

보기 1

주어가 다른 주체에 의해 동작을 당하게 되는 것을 피동이라 하고 이러한 표현을 피동 표현이라 한다. 그리고 피동 표현에는 피동 접사 '-이-, -히-, -리-, -기-' 등을 붙이는 파생적 피동, 서술어에 '-아/어지다'를 붙이는 통사적 피동, 단어 자체가 피동의 의미를 갖는 어휘적 피동이 있다.

보기 2

ㄱ. 삼국지는 시대를 초월해 읽힌다.
ㄴ. 그 책상은 특이하게도 유리로 만들어졌다.
ㄷ. 그는 가장 친한 친구에게 사기를 당했다.
ㄹ. 그녀의 손에 가죽 가방이 들려 있었다.

① ㄱ, ㄴ ② ㄱ, ㄹ ③ ㄴ, ㄷ
④ ㄴ, ㄹ ⑤ ㄷ, ㄹ

17 다음을 바탕으로 〈보기〉를 이해한 것으로 적절하지 않은 것은?

능동문을 피동문으로 바꿀 때에는 능동문의 주어와 목적어를 각각 피동문의 부사어와 주어로 바꾸고, 능동문의 서술어에 알맞은 피동 접사나 '-어지다'를 붙여 피동문의 서술어로 만든다. 피동문을 쓸 때에는 지나친 피동 표현(이중 피동)이 되지 않도록 유의해야 한다.

보기

ㄱ. 마을이 폭풍에 휩쓸리다.
ㄴ. 도둑이 경찰에게 잡히다.
ㄷ. 그의 오해가 동생에 의해 풀리다.

① ㄱ의 '휩쓸리다'는 '휩쓸다'의 어근에 피동 접사가 붙은 경우이다.
② ㄱ을 능동문으로 바꾸기 위해서는 '폭풍에'를 목적어로 만들어야 한다.
③ ㄴ을 능동문으로 바꾸면 행위의 주체가 '경찰'이 된다.
④ ㄴ의 '잡히다'를 '잡혀지다'로 바꾸면 지나친 피동 표현이 된다.
⑤ ㄷ의 '풀리다' 외에 '풀다'의 어간에 '-어지다'를 붙여도 피동문이 된다.

18 〈보기〉를 참고했을 때, 국어의 피동 표현에 대한 설명으로 적절하지 않은 것은?

보기

ㄱ. 경찰이 도둑을 잡았다.
　도둑이 경찰에게 잡혔다.
ㄴ. 창문이 깨졌다.
　그동안 풀리지 않던 의문점이 밝혀졌다.
ㄷ. 오늘은 갑자기 날씨가 풀렸다.
　가지마다 주렁주렁 열매가 맺혔다.
ㄹ. 얼마 전 신종 사기 수법에 당했다.
　그는 여전히 국민의 존경을 받는다.

① 피동문에 대응하는 능동문이 없을 수도 있다.
② 어휘 자체가 피동의 의미를 갖는 경우도 있다.
③ 피동 접미사나 '-어지다'를 사용하여 피동 표현을 만들 수 있다.
④ '-어지다'를 사용하여 '그 소문은 사람들에게 금방 잊혀졌다.'라는 피동문을 만들 수 있다.
⑤ 능동문이 피동문으로 바뀔 때, 능동문의 주어는 피동문의 부사어로, 목적어는 주어로 바뀐다.

19 사동, 피동 표현에 주의할 때, 고쳐 쓴 문장 표현이 적절하지 않은 것은?

① 이번 과제를 해결하는 것이 어렵다고 생각된다.
→ 이번 과제를 해결하는 것이 어렵다고 생각한다.
② 아저씨께 꼭 소개시켜 드리고 싶은 사람입니다.
→ 아저씨께 꼭 소개해 드리고 싶은 사람입니다.
③ 이렇게 불쑥 끼여들다니, 무례하구나!
→ 이렇게 불쑥 끼어들다니, 무례하구나!
④ 그녀는 아이들을 교육시키는 것에 보람을 느낀다.
→ 그녀는 아이들을 교육하는 것에 보람을 느낀다.
⑤ 팻말에 야생 동물 보호 구역이라고 씌여 있었다.
→ 팻말에 야생 동물 보호 구역이라고 써 있었다.

20 〈보기〉의 ㉠~㉢에 해당하는 사례로 적절하지 않은 것은?

보기

'피동'이란 주어가 스스로 행동하지 않고 남의 동작을 받는 것을 말한다. 국어 문장의 피동 표현은 크게 세 가지로 나누어진다. 타동사 어근에 피동 접미사 '-이-, -히-, -리-, -기-'가 붙어서 이루어진 ㉠파생적 피동, 용언의 어간에 '-어지다'가 붙어서 이루어진 ㉡통사적 피동, 그리고 어휘 자체가 피동의 의미를 띠고 있는 ㉢어휘적 피동 등이 있다.

① ㉠: 어디서 음악 소리가 들렸다.
② ㉠: 건물 사이로 하늘이 보였다.
③ ㉡: 이 책상은 나무로 만들어졌다.
④ ㉢: 이제는 계절이 봄이 되었다.
⑤ ㉢: 이번 만우절에도 거짓말에 당했다.

21 〈보기〉를 참고할 때, 피동 표현의 예로 적절한 것은?

보기

- 능동 표현: 주어가 동작을 제힘으로 하는 것을 나타냄 예 호랑이가 토끼를 잡다.
- 피동 표현: 주어가 다른 주체에 의해서 동작을 당하게 되는 것을 나타냄 예 토끼가 호랑이에게 잡히다.

① 동생에게 사탕을 빼앗기다.
② 운동장에서 친구를 만나다.
③ 친구가 기쁜 소식을 전하다.
④ 교장 선생님께 고개를 숙이다.
⑤ 할머님께 공손하게 허리를 굽히다.

22 〈보기〉를 바탕으로 피동문과 사동문에 대해 이해한 내용으로 적절하지 않은 것은?

보기

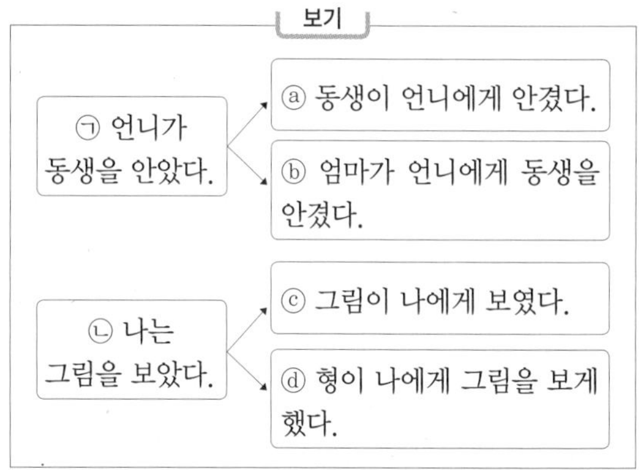

① ㉠과 ⓐ를 보니 능동문의 주어는 피동문에서 부사어가 되는군.
② ㉡과 ⓒ를 보니 능동문의 목적어는 피동문에서도 목적어가 되는군.
③ ㉡과 ⓓ를 보니 주동문이 사동문으로 바뀌면 새로운 주어가 나타나는군.
④ ⓐ와 ⓑ를 보니 피동사와 사동사의 형태가 같을 수 있군.
⑤ ⓑ와 ⓓ를 보니 사동사나 '-게 하다'를 활용하여 사동문을 만들 수 있군.

23 〈보기〉의 ㉠~㉣에 대한 학생들의 탐구 결과로 적절하지 않은 것은?

보기

발화시는 화자가 말하는 시점이며, 사건시는 동작이나 상태가 나타나는 시점이다. 사건시와 발화시의 관계에 따라 과거, 현재, 미래 시제를 나눌 수 있다. 우리말의 시제 표현은 선어말 어미나 부사 등을 통해 실현된다.

㉠ 오늘은 일찍 밥을 먹는다. (현재 시제)
㉡ 제가 내일 봉사를 하겠습니다. (미래 시제)
㉢ 나는 영희를 보았다. (과거 시제)
㉣ 예전에 이곳은 꽃밭이었었지. (과거 시제)

① ㉠은 사건시와 발화시가 일치하는 경우에 해당해.
② ㉡은 사건시가 발화시보다 나중인 경우에 해당해.
③ ㉢은 사건시가 발화시보다 앞서는 경우에 해당해.
④ ㉠, ㉡을 보니 '일찍, 내일'과 같은 시간 부사를 활용하여 시제를 명확하게 표현할 수 있어.
⑤ ㉢, ㉣을 보니 '-았-/-었-'보다 '-았었-/-었었-'은 현재와는 강하게 단절된 사건을 표현할 수 있어.

24 밑줄 친 부분이 <보기>의 ⓐ~ⓒ에 해당하는 예로 적절하지 않은 것은?

보기

선어말 어미 '-았-/-었-'은 여러 가지 의미를 지닌다.

(가) 오늘 아침에 누나는 밥을 안 먹었어요.
(나) 들판에 안개꽃이 아름답게 피었습니다.
(다) 이렇게 비가 안 오니 농사는 다 지었다.

(가)에서와 같이 ⓐ사건이나 상태가 과거의 것임을 나타내기도 하고, (나)에서와 같이 ⓑ과거에 일어난 사건의 결과 상태가 현재까지 지속되고 있음을 나타내기도 한다. (가)의 경우와 달리 (나)의 경우에는 '-았-/-었-'을 보조 용언 구성 '-아/-어 있-'이나 '-고 있-'으로 교체하여도 의미가 달라지지 않는다. 또한 (다)에서와 같이 ⓒ미래의 일을 확정적인 사실로 받아들임을 나타내기도 한다.

① ⓐ A: 어제 뭐 했니?
B: 하루 종일 텔레비전만 보았어.
② ⓐ A: 너 아까 집에 없더라.
B: 할머니 생신 선물 사러 갔어.
③ ⓑ A: 감기 걸렸다며?
B: 응, 그래서인지 아직도 목이 잠겼어.
④ ⓑ A: 소풍날 날씨는 괜찮았어?
B: 아주 나빴어.
⑤ ⓒ A: 너 오늘도 바빠?
B: 응, 과제 준비하려면 오늘도 잠은 다 잤어.

25 <보기 1>의 ㉠, ㉡에 해당하는 예를 <보기 2>의 ⓐ~ⓒ에서 찾아 바르게 연결한 것은?

보기 1

'발화시'는 말하는 이가 특정한 문장을 발화하는 시간으로서 항상 현재이다. '사건시'는 문장으로 표현되는 사건이나 상황이 일어난 시간이다. '발화시'를 기준으로 하여 결정되는 시제를 '절대 시제'라 하고, 전체 문장의 '사건시'에 기대어 상대적으로 결정되는 시제를 '상대 시제'라 한다.

(가) 응, 나 지금 책 읽어.
(나) 형이 와서 내가 읽는 책을 빼앗아 갔다.

(가)의 '읽어'는 ㉠절대 시제로서의 현재요, (나)의 '읽는'은 ㉡상대 시제로서의 현재인 것이다.

보기 2

ⓐ 철수는 지금 탁구를 친다.
ⓑ 음악을 듣고 있으니 마음이 즐거웠다.
ⓒ 영희는 청소를 하시는 어머니를 보았다.

	㉠	㉡
①	ⓐ	ⓑ, ⓒ
②	ⓐ, ⓑ	ⓒ
③	ⓑ	ⓐ, ⓒ
④	ⓐ, ⓒ	ⓑ
⑤	ⓑ, ⓒ	ⓐ

26 <보기>의 ⓐ~ⓒ에 해당하는 예로 적절하지 않은 것은?

보기

보조 용언 구성 '-고 있-'은 크게 두 가지 의미를 지닌다.

(가) 민수는 지금 떡국을 먹고 있다.
(나) 선생님은 너를 믿고 있다.
(다) 지혜는 모자를 쓰고 있다.

(가)에서처럼 ⓐ'어떤 동작이 진행되고 있음'을 나타내기도 하고, (나)에서처럼 ⓑ'어떤 상태가 지속되고 있음'을 나타내기도 한다. (가)의 '-고 있-'은 '-는 중이-'로 교체하여도 ⓐ의 의미가 유지되지만, (나)의 '-고 있-'은 교체하면 부자연스러운 문장이 되거나 ⓑ의 의미가 유지되지 않는다. 한편 (가), (나)에서는 특정한 문맥이 주어지지 않아도 그 의미를 확정할 수 있는 데 반해, (다)에서는 문맥이 충분히 주어지지 않으면 '-고 있-'이 ⓒ두 가지 의미 모두로 해석될 수 있다.

① ⓐ A: 아빠 들어오실 때 형은 뭐 하고 있었니?
B: 형은 양치질을 하고 있었어요.
② ⓑ A: 오빠가 너한테 화가 많이 났나 봐.
B: 오빠는 지금 날 오해하고 있는 것 같아.
③ ⓑ A: 내일이 고모님 생신이라고 하네.
B: 아, 나 그거 이미 알고 있어.
④ ⓒ A: 너 안경 잃어버렸다며? 괜찮아?
B: 눈이 아주 나쁘진 않아서 안경 벗고 있어도 괜찮아.
⑤ ⓒ A: 저 중에 신입 사원이 누구야?
B: 저기에 있잖아. 넥타이를 매고 있네.

27 밑줄 친 말에 주목하여 〈보기〉의 ㉠~㉤에 대해 탐구한 결과로 적절하지 않은 것은?

보기

㉠ 거기에는 눈이 왔겠다. / 지금 거기에는 눈이 오겠지.
㉡ 그가 집에 갔다. / 막차를 놓쳤으니 나는 집에 다 갔다.
㉢ 내가 떠날 때 비가 올 것이다. / 내가 떠날 때 비가 왔다.
㉣ 그는 지금 학교에 간다. / 그는 내년에 진학한다고 한다.
㉤ 오늘 보니 그는 키가 작다. / 작년에 그는 키가 작았다.

① ㉠을 보니, 선어말 어미 '-겠-'이 미래의 사건을 추측하는 데에 쓰이고 있군.
② ㉡을 보니, 선어말 어미 '-았-'이 과거 시제를 나타내지 않는 경우도 있군.
③ ㉢을 보니, 관형사형 어미 '-ㄹ'이 붙을 때 미래의 사건을 나타내지 않는 경우도 있군.
④ ㉣을 보니, 현재 시제 선어말 어미 '-ㄴ-'이 미래의 사건을 나타낼 때도 쓰이고 있군.
⑤ ㉤을 보니, 형용사에서 현재 시제를 나타낼 때 시제 선어말 어미가 나타나지 않고 있군.

28 〈보기〉를 바탕으로 할 때, 영화가 시작된 시각으로 예상되는 시점은?

보기

엄마: 아까 낮에 형과 전화하던데, 무슨 이야기 했니?
아들: 형이 영화를 보러 갔는데, 영화관에 도착해 보니까 영화가 곧 시작되겠다고 제게 말했어요.
엄마: 그래? 늦지 않게 영화를 봤겠지?
아들: 네, 그럴 거예요.

(a) 형이 영화관에 도착한 시점
(b) 형이 영화 시작 시간표를 확인한 시점
(c) 형이 동생에게 말한 시점
(d) 아들이 엄마에게 말한 시점

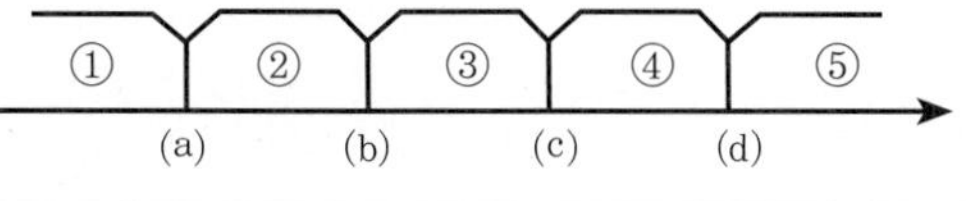

29 〈보기〉의 ⓐ~ⓓ에 들어갈 말을 올바르게 짝지은 것은?

보기

㉠ 영희 어머니께서는 "네 동생은 착해."라고 말씀하셨다.
㉡ 영희 어머니께서는 내 동생이 착하다고 말씀하셨다.

㉠은 영희 어머니의 발화를 그대로 옮긴 직접 인용이고, ㉡은 영희 어머니의 발화를 풀어 쓴 간접 인용이다. 그런데 직접 인용을 간접 인용으로 바꿀 때나 간접 인용을 직접 인용으로 바꿀 때는 인용절 속의 어미, 인용 조사, 대명사, 지시 표현, 높임 표현 등에 변화가 생길 수 있다.

직접 인용	아들이 어제 저에게 "내일 사무실에 계십시오."라고 말했습니다.
⇩	
간접 인용	아들이 어제 저에게 (ⓐ) 사무실에 (ⓑ) 말했습니다.

직접 인용	언니는 어제 "나의 휴대 전화에 메시지를 꼭 남겨라."라고 나에게 말했다.
⇩	
간접 인용	언니는 어제 (ⓒ) 휴대 전화에 메시지를 꼭 (ⓓ) 나에게 말했다.

	ⓐ	ⓑ	ⓒ	ⓓ
①	오늘	있으라고	자기의	남기라고
②	어제	계시라고	자기의	남겨라고
③	오늘	있으라고	나의	남겨라고
④	오늘	계시라고	자기의	남겨라고
⑤	어제	계시라고	나의	남기라고

문법 04 국어의 변화

1 국어사의 시대 구분

(1) 고대 국어 : 고려 건국 이전까지의 시기(~9세기)

(2) 중세 국어 : 고려 건국 ~ 임진왜란 이전(10세기~16세기)
- 전기 중세 국어 : 훈민정음 창제(1443년) 이전(10세기~14세기)
- 후기 중세 국어 : 임진왜란(1592년) 이전(15세기~16세기)

(3) 근대 국어 : 임진왜란 직후 ~ 갑오개혁 이전(17세기~19세기 말)

(4) 현대 국어 : 갑오개혁 이후(20세기~)

2 중세 국어의 특징

(1) 음운
- 현대 국어에 쓰이지 않는 자모가 사용됨
  예 ㅸ(순경음 비읍), ㆆ(여린히읗), ㅿ(반치음), ㆁ(옛이응), ㆍ(아래아)
- 이전 시기에 나타나지 않던 된소리가 발달함
- 음절 첫머리에 둘 이상의 자음이 오는 어두 자음군이 존재함. 현대 국어에 와서 어두 자음군은 된소리로 바뀜 예 ᄠᅳ들, ᄢᅮ메, ᄡᅧ('ㅂ'은 실제 발음되었던 것으로 보임)
- 'ㆍ'를 포함하여 'ㅣ, ㅡ, ㅓ, ㅏ, ㅜ, ㅗ, ㆍ'는 단모음, 'ㅐ, ㅔ, ㅚ, ㅟ'는 이중 모음이었음. 현대 국어에서 'ㆍ'가 사라지고 'ㅐ, ㅔ, ㅚ, ㅟ'는 단모음이 됨
- 'ㆍ'의 변화 양상

ㆍ(아래아)	16세기 말에 둘째 음절 이하에서 'ㅡ'로 변화되는 1단계 소실이 일어남 예 말ᄊᆞᆷ > 말씀
	근대 국어 시기에 첫째 음절에 놓인 'ㆍ'가 'ㅏ'로 변화되는 2단계 소실이 일어나며 차츰 음가가 소멸됨 예 ᄀᆞ올 > ᄀᆞ을 > 가을
	한글 맞춤법 통일안 공포 후 문자도 사라짐

- 양성 모음은 양성 모음끼리 음성 모음은 음성 모음끼리 결합하는 모음 조화가 현대 국어보다 잘 지켜짐. 후대로 갈수록 모음 조화는 잘 지켜지지 않게 됨 예 ᄒᆞ야 > 하여
- 소리의 높낮이인 성조가 존재함
- 'ㅣ' 모음에 선행하는 'ㄷ, ㅌ'이 'ㅈ, ㅊ'으로 바뀌는 구개음화가 일어나지 않음
  예 펴디, 됴코
- 모음 'ㅣ' 앞에서 'ㄴ'이 탈락하는 두음 법칙이 일어나지 않음 예 니르고져, 너겨
- 순음 'ㅁ, ㅂ, ㅍ' 아래에서 'ㅡ'가 'ㅜ'로 바뀌는 원순 모음화가 일어나지 않음
  예 스믈, 므른

(2) 표기
- 세로쓰기를 함
- 띄어쓰기를 하지 않음 예 서르ᄉᆞᄆᆞᆺ디아니ᄒᆞᆯᄊᆡ
- 글자 왼쪽에 점을 찍어 성조를 표시하는 방점이 존재함

평성	낮은 소리. 점 없음 예 나
상성	낮았다가 높아지는 소리. 점 두 개 예 :말
거성	높은 소리. 점 한 개 예 ·미
입성	점의 개수와 관계없이 끝을 빨리 닫는 소리. ㄱ, ㄷ, ㅂ, ㅅ 받침 예 ·랏

개념 확인 문제

1 다음 설명이 맞으면 ○표, 틀리면 ×표를 하시오.

(1) 고대 국어 시기에는 한자를 이용해 우리말을 표기하였다. (　　)

(2) 중세 국어 시기에 일어난 가장 큰 국어적 사건은 훈민정음 창제이다. (　　)

(3) 고려 건국부터 임진왜란 이전까지를 전기 중세 국어라고 한다. (　　)

2 다음 설명과 관련이 없는 것은?

> 15세기 국어는 구개음화 현상, 원순 모음화 현상 및 두음 법칙 현상이 나타나지 않았다. 또 현대에서 된소리로 바뀌는 어두 자음군이 존재하였다.

① 니르고져 ② ᄠᅳ들 ③ 펴디 ④ 어엿비 ⑤ 스믈

3 다음 표기를 이어 적기 표기로 바꾸어 쓰시오.(이어 적기 외에 다른 중세 표기는 무시함)

(1) 말ᄊᆞᆷ이
→ (　　　　)

(2) 몸이
→ (　　　　)

(3) ᄯᆞᄅᆞᆷ이니라
→ (　　　　)

4 다음의 성조에 대한 설명으로 적절한 것은?

> 나·랏:말ᄊᆞ·미

① '나'와 'ᄊᆞ'는 높은 소리이다.
② '·랏'은 높은 소리이다.
③ ':말'은 낮다가 높아지는 소리이다.
④ '·미'는 낮은 소리이다.
⑤ '·랏'과 '·미'는 같은 성조의 소리이다.

- 훈민정음 창제 초기에는 소리 나는 대로 적는 이어 적기가 일반적이었으나 16세기 이후 끊어 적기와 혼용되기도 함 예 노미, ᄡᅮ메(이어 적기) > 놈, ᄡᅮᆷ에(끊어 적기)
- 각자 병서와 합용 병서가 사용됨 예 말ᄊᆞ미(각자 병서), ᄠᅳ들(합용 병서)
- 받침 표기는 훈민정음 창제 초기에는 종성부용초성(초성에 사용한 자음을 그대로 종성에도 사용함)을, 이후에는 8종성법(ㄱ, ㄴ, ㄷ, ㄹ, ㅁ, ㅂ, ㅅ, ㆁ)을 적용함
- 15세기에는 중국 한자의 원음에 가깝게 표기하기 위한 동국정운식 한자음 표기를 적용함. 한자음 표기에는 모음으로 끝나도 종성에 'ㆁ'을 적어 초 · 중 · 종성을 모두 갖추어 표기함 예 世솅宗종
- 'ㆆ'으로 'ㄹ'을 보충해 적는 방법으로 관형사형 어미를 표기함 예 홇 배, 홇 ᄯᆞᄅᆞ미니라

(3) 어휘

- 현대 국어와 의미나 형태가 다른 것이 있었음

의미의 확대	단어의 의미 영역이 넓어짐 예 영감(벼슬 이름 → 남자 노인)
의미의 축소	단어의 의미 영역이 좁아짐 예 놈(사람 → 남자를 낮잡아 이름)
의미의 이동	단어의 의미 자체가 변함 예 어린(어리석은 → 나이가 적은), 어엿비(불쌍하게 → 예쁘게)
사어(死語)	단어가 사라짐 예 ᄉᆞᄆᆞᆺ디(통하지), 젼ᄎᆞ(까닭), 시러(능히), 하니라(많으니라)

- 한자어와 고유어의 경쟁이 계속되고 한자어의 쓰임이 확대됨 예 뫼-산(山), ᄀᆞᄅᆞᆷ-강(江)
- 한자어 이외에도 몽골어, 여진어 등에서 어휘가 차용되기도 함 예 보라매, 송골매, 두만
- 끝소리가 'ㅎ'인 단어(ㅎ 종성 체언)와 'ㄱ'인 단어(ㄱ 종성 체언)가 존재함 예 나랗, ᄡᆞᇂ, 낡, 녀

모음으로 시작하는 조사	'ㅎ'과 'ㄱ'은 뒤따르는 모음에 이어 적음 예 나랗 + 이 → 나라히, 낡 + 이 → 남기
자음으로 시작하는 조사	'ㅎ'과 'ㄱ'은 나타나지 않음. 단, 'ㅎ'은 뒤따르는 'ㄱ', 'ㄷ'과 어울려 'ㅋ', 'ㅌ'으로 나타남 예 나랗 + 과 → 나라콰, 낡 + 도 → 나모도
관형격 조사 'ㅅ'	'ㅎ'과 'ㄱ'은 나타나지 않음 예 나랗 + ㅅ → 나랏, 낡 + ㅅ → 나못

(4) 문법

- 격 조사: 주격 조사로 현대 국어에서 '가'가 쓰일 자리에도 '이'만이 쓰임

주격 조사	이	자음으로 끝난 체언 뒤 예 말ᄊᆞᆷ + 이 → 말ᄊᆞ미
	ㅣ	'ㅣ' 모음 이외의 모음으로 끝난 체언 뒤 예 공ᄌᆞ + ㅣ → 공ᄌᆡ
	∅	'ㅣ' 모음으로 끝난 체언 뒤 예 불휘 + ∅ → 불휘
목적격 조사	ᄋᆞᆯ / 을	받침이 있는 체언 뒤 예 ᄆᆞᆯ + ᄋᆞᆯ → ᄆᆞᄅᆞᆯ, ᄠᅳᆮ + 을 → ᄠᅳ들(모음 조화에 따름)
	ᄅᆞᆯ / 를	받침이 없는 체언 뒤 예 나 + ᄅᆞᆯ → 나ᄅᆞᆯ, 너 + 를 → 너를(모음 조화에 따름)
관형격 조사	ᄋᆡ / 의	유정 명사 뒤 예 ᄂᆞᆷ + ᄋᆡ + ᄠᅳᆮ → ᄂᆞᄆᆡ ᄠᅳᆮ, 최구 + 의 + 집 → 최구의 집(모음 조화에 따름)
	ㅅ	사람이면서 높임의 대상이거나 무정 명사 뒤 예 대왕 + ㅅ + 말ᄊᆞᆷ → 대왕ㅅ 말ᄊᆞᆷ, 나라 + ㅅ + 말ᄊᆞᆷ → 나랏 말ᄊᆞᆷ
부사격 조사	에	비교의 의미를 지닌 부사격 조사 '와/과' 자리에 '에'가 쓰임 예 듕귁에 달아(중국과 달라)

- 명사형 어미 '–옴/움'도 모음 조화에 따라 규칙적으로 실현됨. 후기에는 '–기'가 대신 쓰임 예 비르소미오, ᄡᅮ메
- 중세 국어 특유의 주체 높임법, 객체 높임법, 상대 높임법 등이 있었음

주체 높임법	선어말 어미 '–시–/–샤–' 등을 사용해 주체(주어)를 높임 예 가시고, 가샤, 가샤ᄆᆡ
객체 높임법	선어말 어미 '–ᅀᆞᆸ–/–ᄌᆞᆸ–/–ᅀᆞᆸ–' 등을 사용해 객체(목적어, 부사어)를 높임 예 막ᄉᆞᆸ거늘, 듣ᄌᆞᆸ게, 보ᅀᆞᆸ게
상대 높임법	• ᄒᆞ쇼셔체, ᄒᆞ라체, 반말체 등을 사용해 청자를 높이거나 낮춤 • 선어말 어미 '–이–', '–잇–' 등을 사용해 상대(청자)를 높임 예 ᄒᆞᄂᆞ이다, ᄒᆞᄂᆞ잇가

개념 확인 문제

5 다음 단어의 의미 변화 유형이 〈보기〉의 ㉠~㉢ 중 어디에 해당하는지 기호로 쓰시오.

보기
㉠ 의미 확대
㉡ 의미 축소
㉢ 의미 이동

(1) 다리 ( ) (2) 계집 ( )
(3) 짐승 ( ) (4) 세수 ( )
(5) 감투 ( )

6 다음 중, 고유어와 한자어의 연결이 잘못된 것은?

① 온 – 백 ③ 뫼 – 산
② ᄀᆞᄅᆞᆷ – 강 ④ ᄌᆞ믄 – 천
⑤ 슈룹 – 수풀

7 중세 국어에 대한 설명으로 적절하지 않은 것은?

① 전기 중세 국어 초기에는 이어 적기를 사용했다.
② 훈민정음의 창제로 한자어보다 고유어의 쓰임이 증가했다.
③ 중세 특유의 주체 높임법, 객체 높임법, 상대 높임법이 있었다.
④ 소리의 높낮이가 있었으며, 글자 왼쪽에 방점을 찍어 표시했다.
⑤ 모음 조화 현상이 잘 지켜지다가, 후기에는 잘 지켜지지 않았다.

8 다음을 통해 알 수 있는 중세 국어의 특징으로 적절하지 않은 것은?

불휘기픈남ᄀᆞᆫ(뿌리가 깊은 나무는)

① 소리 나는 대로 적었다.
② 띄어쓰기를 하지 않았다.
③ 주격 조사 '가'가 쓰이고 있다.
④ 지금은 사라진 음운을 사용하였다.
⑤ 지금과 다른 형태의 어휘가 사용되었다.

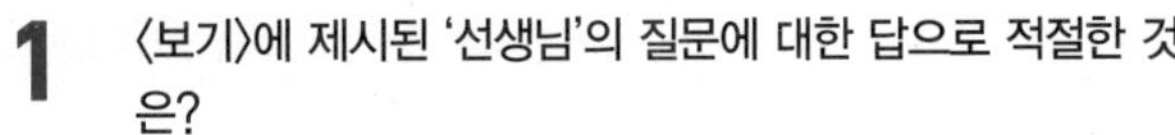

1 〈보기〉에 제시된 '선생님'의 질문에 대한 답으로 적절한 것은?

보기

선생님: 중세 국어에서는 각 글자의 왼편에 점을 찍어 소리의 높낮이를 표시하였습니다. 점이 없으면 낮은 소리, 점이 한 개면 높은 소리, 점이 두 개면 처음은 낮고 나중이 높은 소리를 나타냈습니다. 가령 ':말ᄊᆞ·미'는 다음과 같이 소리의 높낮이를 표시할 수 있습니다.

:말ᄊᆞ·미 → 말 ᄊᆞ 미

자, 그럼 다음의 밑줄 친 ⓐ는 소리의 높낮이를 어떻게 표시할 수 있을까요?

불·휘기·픈남·ᄀᆞᆫᄇᆞᄅᆞ·매ⓐ아·니:뮐·ᄊᆡ

〈용비어천가(龍飛御天歌)〉 제2장 중에서

① 아 니 뮐 ᄊᆡ ② 아 니 뮐 ᄊᆡ

③ 아 니 뮐 ᄊᆡ ④ 아 니 뮐 ᄊᆡ

⑤ 아 니 뮐 ᄊᆡ

2 〈보기〉를 읽고, 중세 국어와 현대 국어의 의미 변화를 탐구한 내용으로 적절한 것은?

보기

나랏 ㉠말ᄊᆞ미 中듕國귁에 달아 文문字ᄍᆞᆼ와로 서르 ᄉᆞᄆᆞᆺ디 아니ᄒᆞᆯᄊᆡ 이런 젼ᄎᆞ로 ㉡어린 百ᄇᆡᆨ姓셩이 니르고져 홇 배 이셔도 ᄆᆞᄎᆞᆷ내 제 ᄠᅳ들 시러 펴디 몯ᄒᆞᇙ ㉢노미 ㉣하니라 내 이ᄅᆞᆯ 爲윙ᄒᆞ야 ㉤어엿비 너겨 새로 스믈여듧 字ᄍᆞᆼᄅᆞᆯ ᄆᆡᆼᄀᆞ노니 사ᄅᆞᆷ마다 ᄒᆡᅇᅧ 수ᄫᅵ 니겨 날로 ᄡᅮ메 便뼌安ᅙᅡᆫ킈 ᄒᆞ고져 ᄒᆞᇙ ᄯᆞᄅᆞ미니라

– 〈훈민정음〉 언해, 세조 5년(1459)

[풀이]

우리나라의 **말이** 중국과 달라 문자와 서로 통하지 아니하여서 이런 까닭으로 **어리석은** 백성이 말하고자 하는 바가 있어도 마침내 제 뜻을 능히 펴지 못하는 **사람이 많다**. 내가 이것을 위하여 **가엾게** 여겨 새로 스물여덟 자를 만드니, 모든 사람들로 하여금 쉽게 익혀 날마다 쓰는 데 편하게 하고자 할 따름이다.

① ㉠의 '말ᄊᆞᆷ'은 '말'을 뜻하였는데, 현대 국어의 '말씀'은 남의 말을 높여 이르거나 자기 말을 낮추어 이르는 말을 뜻하니까 의미 확대의 예야.

② ㉡의 '어리다'는 '어리석다'를 뜻하였는데, 현대 국어의 '어리다'는 '나이가 적다'를 뜻하니까 의미 축소의 예야.

③ ㉢의 '놈'은 '사람'을 뜻하였는데, 현대 국어의 '놈'은 남자를 낮잡는 의미로 쓰이니까 의미 확대의 예야.

④ ㉣의 '하다'는 '많다'를 뜻하였는데, 현대 국어의 '하다'는 '사람이나 동물, 물체 따위가 행동이나 작용을 이루다'란 뜻이니까 의미 축소의 예야.

⑤ ㉤의 '어엿브다'는 '가엾다'를 뜻하였는데, 현대 국어의 '예쁘다'는 '모양이 작거나 섬세하여 눈으로 보기에 좋다'란 뜻이니까 의미 이동의 예야.

3 〈보기〉를 활용하여 '중세(15세기) 국어의 특징'을 학습한 결과로 적절하지 않은 것은?

보기

ㄱ. 〈세종어제훈민정음(世宗御製訓民正音)〉 중에서

이런 젼ᄎᆞ로 어린 百ᄇᆡᆨ姓셩이 니르고져 홇 배 이셔도 ᄆᆞᄎᆞᆷ내 제 ᄠᅳ들 시러 펴디 몯홇 노미 하니라

[현대어 풀이] 이런 까닭으로 어리석은 백성이 말하고자 하는 바가 있어도 마침내 제 뜻을 능히 펴지 못하는 사람이 많다.

ㄴ. 〈용비어천가(龍飛御天歌)〉 중에서

불휘 기픈 남ᄀᆞᆫ ᄇᆞᄅᆞ매 아니 뮐ᄊᆡ 곶 됴코 여름 하ᄂᆞ니

[현대어 풀이] 뿌리가 깊은 나무는 바람에 아니 흔들리므로 꽃이 좋고 열매가 많으니.

구분		ㄱ	ㄴ		학습의 결과	
어휘		어린, 하니라, …	여름, 하ᄂᆞ니	→	어휘의 의미가 오늘날과 다름	①
		젼ᄎᆞ	뮐ᄊᆡ	→	오늘날 쓰이지 않는 어휘가 사용됨	②
문자		ᅙ, …	ᆞ (아래아)	→	오늘날 쓰이지 않는 문자가 사용됨	③
문법		배	불휘	→	오늘날과 달리 주격 조사 '가'가 사용되지 않음	④
표기		ᄠᅳ들, 노미, …	기픈, ᄇᆞᄅᆞ매	→	소리 나는 대로 적지 않고 형태를 밝혀 적음	⑤

4 〈보기〉를 바탕으로 중세 국어의 특징을 탐구한 내용으로 적절하지 않은 것은?

> **보기**
>
> ㉠나랏 말ᄊᆞ미 中듀ᇰ國귁에 달아 文문字ᄍᆞᆼ와로 서르 ᄉᆞᄆᆞᆺ디 아니ᄒᆞᆯᄊᆡ 이런 젼ᄎᆞ로 어린 百ᄇᆡᆨ姓셩이 ㉡니르고져 ᄒᆞᇙ ㉢배 이셔도 ᄆᆞᄎᆞᆷ내 제 ᄠᅳ들 시러 ㉣펴디 몯ᄒᆞᇙ 노미 하니라 내 ㉤이ᄅᆞᆯ 爲ᅌᅱᆼᄒᆞ야 어엿비 너겨 새로 스믈여듧 字ᄍᆞᆼᄅᆞᆯ ᄆᆡᇰᄀᆞ노니 사ᄅᆞᆷ마다 ᄒᆡᅇᅧ 수ᄫᅵ 니겨 날로 ᄡᅮ메 便뼌安한킈 ᄒᆞ고져 ᄒᆞᇙ ᄯᆞᄅᆞ미니라
>
> [현대어 풀이]
>
> 우리나라의 말이 중국과 달라 문자와 서로 통하지 아니하여서 이런 까닭으로 어리석은 백성이 말하고자 하는 바가 있어도 마침내 제 뜻을 능히 펴지 못하는 사람이 많다. 내가 이것을 위하여 가엾게 여겨 새로 스물여덟 자를 만드니, 모든 사람들로 하여금 쉽게 익혀 날마다 쓰는 데 편하게 하고자 할 따름이다.

① ㉠의 'ㅅ'은 현대 국어의 '의'에 해당하는 관형격 조사로 쓰였군.
② ㉡의 '-고져'는 현대 국어의 '-고자'에 해당하는 연결 어미로 쓰였군.
③ ㉢의 'ㅣ'는 주격 조사로, 모음으로 끝나는 체언에 결합했음을 알 수 있군.
④ ㉣과 현대 국어의 '펴지'를 비교해 보니 '-디'에서는 구개음화가 확인되지 않는군.
⑤ ㉤의 'ᄅᆞᆯ'은 목적격 조사로, 자음으로 끝나는 체언에 결합했음을 알 수 있군.

[5~7] 다음 글을 읽고 물음에 답하시오.

世·솅宗조ᇰ 御·ᅌᅥᆼ製·졩 訓·훈民민正·졍音ᅙᅳᆷ

나·랏:말ᄊᆞ·미 中듀ᇰ國·귁·에 달·아 文문字·ᄍᆞᆼ·와·로 서르 ᄉᆞᄆᆞᆺ·디 아·니ᄒᆞᆯ·ᄊᆡ·이런 젼·ᄎᆞ·로 어·린 百·ᄇᆡᆨ姓·셩·이 니르·고·져·ᄒᆞᇙ·배 이·셔·도 ᄆᆞ·ᄎᆞᆷ:내 제·ᄠᅳ·들 시·러 펴·디:몯ᄒᆞᇙ·노·미 하·니·라·내·이·ᄅᆞᆯ 爲·ᅌᅱᆼ·ᄒᆞ·야 :어엿·비 너·겨 ·새·로·스·믈여·듧 字·ᄍᆞᆼ·ᄅᆞᆯ ᄆᆡᇰ·ᄀᆞ노·니 :사ᄅᆞᆷ:마·다 :ᄒᆡ·ᅇᅧ :수·ᄫᅵ 니·겨·날·로·ᄡᅮ·메 便뼌安한·킈 ᄒᆞ·고·져 ᄒᆞᇙᄯᆞᄅᆞ·미니·라

– 〈훈민정음〉 언해(1459년)

5 이 글에서 알 수 있는 국어의 모습으로 적절하지 않은 것은?
① 두음 법칙이 적용되었다.
② 모음 조화를 엄격하게 지켰다.
③ 어두 자음군에 합용 병서를 사용하였다.
④ 현대 국어와 달리 음의 높낮이가 있었다.
⑤ 한자음을 중국어 원음에 가깝게 표기하였다.

6 이 글을 통해 알 수 있는 내용이 아닌 것은?
① 이 글은 세종 대왕의 사후에 쓰였다.
② 중국과 우리말의 차이점에 대해 인식하고 있었다.
③ 당시 일반 백성들은 문자 생활에 어려움을 겪었다.
④ 훈민정음은 자주, 애민, 실용 정신을 바탕으로 만들어졌다.
⑤ 훈민정음은 지배층의 언어생활을 보완하기 위해 창제되었다.

7 이 글의 '나·랏:말ᄊᆞ·미'에 대한 설명으로 적절한 것은?
① '나'와 'ᄊᆞ'는 같은 성조로 현대 국어에서 장음으로 발음한다.
② '나'와 'ᄊᆞ'는 왼쪽에 점이 없는 것으로 보아 평성으로 낮다가 높아지는 소리로 발음한다.
③ '·랏'은 왼쪽에 점이 한 개인 것으로 보아 상성으로 높은 소리로 발음한다.
④ ':말'은 왼쪽에 점이 두 개인 것으로 보아 입성으로 낮다가 높아지는 소리로 발음한다.
⑤ '·미'는 왼쪽에 점이 한 개인 것으로 보아 거성으로 높은 소리로 발음한다.

8 〈보기〉의 밑줄 친 부분에 해당하는 것은?

> **보기**
>
> 선생님: 모음 조화란 양성 모음은 양성 모음끼리, 음성 모음은 음성 모음끼리 어울리는 현상입니다. 양성 모음으로는 'ㆍ, ㅏ, ㅗ'가, 음성 모음으로는 'ㅡ, ㅓ, ㅜ'가 있었습니다. 모음 조화는 15세기에는 비교적 엄격하게 지켜졌으나 그 이후로 지켜지지 않은 경우가 나타나게 됩니다.
> 여러분, 이제 18세기 문헌을 통해서 확인해 볼까요?
>
> 홍식이 거록ᄒᆞ야 ㉠븕은 긔운이 ㉡하ᄂᆞᆯ을 ᄶᅱ노더니 이랑이 ㉢소ᄅᆡ를 놉히 ᄒᆞ야 나를 불러 져긔 믈밋ᄎᆞᆯ 보라 웨거ᄂᆞᆯ 급히 눈을 ㉣드러 보니 믈밋 홍운을 헤앗고 큰 실오리 ㉤ᄀᆞᄐᆞᆫ 줄이 븕기 더옥 긔이ᄒᆞ며
>
> – 의유당, 〈관북유람일기〉(1772년)

① ㉠ ② ㉡ ③ ㉢ ④ ㉣ ⑤ ㉤

9 〈보기 1〉의 (가), (나)에 따른 표기의 사례를 〈보기 2〉의 ㉠~㉣에서 찾아 바르게 짝지은 것은?

보기 1

(가) ㅇ를 입시울쏘리 아래 니ᅀᅥ 쓰면 입시울 가ᄇᆡ야ᄫᆞᆫ 소리 ᄃᆞ외ᄂᆞ니라
[풀이] ㅇ을 순음 아래 이어 쓰면 순경음이 된다.

(나) 첫소리ᄅᆞᆯ 어울워 ᄡᅳᆯ디면 ᄀᆞᆯ바 쓰라
[풀이] 초성 글자를 합하여 사용할 때에는 나란히 써라.

보기 2

나랏 말ᄊᆞ미 中듀ᇰ國귁에 달아 文문字ᄍᆞᆼ와로 서르 ᄉᆞᄆᆞᆺ디 아니ᄒᆞᆯᄊᆡ 이런 젼ᄎᆞ로 어린 百ᄇᆡᆨ姓셩이 니르고져 홇 배 이셔도 ㉠ᄆᆞᄎᆞᆷ내 제 ᄠᅳ들 시러 펴디 몯홇 노미 하니라 내 이ᄅᆞᆯ 爲윙ᄒᆞ야 어엿비 너겨 새로 스믈여듧 字ᄍᆞᆼᄅᆞᆯ ㉡ᄆᆡᇰᄀᆞ노니 사ᄅᆞᆷ마다 ᄒᆡᅇᅧ ㉢수ᄫᅵ 니겨 날로 ᄡᅮ메 便뼌安ᅙᅡᆫ킈 ᄒᆞ고져 홇 ㉣ᄯᆞᄅᆞ미니라

– 〈훈민정음〉 언해

	(가)	(나)
①	㉠	㉡
②	㉠	㉢
③	㉡	㉣
④	㉢	㉡
⑤	㉢	㉣

10 〈보기〉의 (가)를 바탕으로 (나)를 이해한 것으로 적절하지 <u>않은</u> 것은?

보기

(가) 15세기 국어의 음운과 표기의 특징
㉠ 자음 'ㅿ'과 'ㅸ'이 존재하였다.
㉡ 초성에 오는 'ㅄ'은 'ㅂ'과 'ㄷ'이, 'ㅄ'은 'ㅂ'과 'ㅅ'이 모두 발음되었다.
㉢ 종성에서 'ㄷ'과 'ㅅ'이 다르게 발음되었다.
㉣ 평성, 거성, 상성의 성조를 방점으로 구분하였다.
㉤ 연철 표기(이어 적기)를 하였다.

(나) 나·랏 :말ᄊᆞ·미 中듀ᇰ國·귁·에 달·아 文문字·ᄍᆞᆼ·와·로 서르 ᄉᆞᄆᆞᆺ·디 아·니ᄒᆞᆯ·ᄊᆡ·이런 젼·ᄎᆞ·로 어·린 百·ᄇᆡᆨ姓·셩·이 니르·고·져 ·홇 ·배 이·셔·도 ᄆᆞ·ᄎᆞᆷ:내 제 **·ᄠᅳ·들** 시·러 펴·디 :몯홇·노·미 하·니·라 ·내 ·이·ᄅᆞᆯ 爲·윙·ᄒᆞ·야 **:어엿·비** 너·겨 ·새·로 ·스·믈 여·듧 字·ᄍᆞᆼ·ᄅᆞᆯ ᄆᆡᇰ·ᄀᆞ노·니 :사ᄅᆞᆷ:마·다 **:ᄒᆡ·ᅇᅧ** **:수·ᄫᅵ** 니·겨 ·날·로 **·ᄡᅮ·메** 便뼌安ᅙᅡᆫ·킈 ᄒᆞ·고·져 홇 ᄯᆞᄅᆞ·미니·라

① ㉠을 보니, ':수·ᄫᅵ'에는 오늘날에는 없는 자음이 들어 있군.
② ㉡을 보니, '·ᄠᅳ·들'의 'ㅳ'에서는 두 개의 자음이 발음되었군.
③ ㉢을 보니, ':어엿·비'에서 둘째 음절의 종성은 'ㄷ'으로 발음되었군.
④ ㉣을 보니, ':ᄒᆡ·ᅇᅧ'의 첫음절과 둘째 음절은 성조가 달랐군.
⑤ ㉤을 보니, '·ᄡᅮ·메'에는 연철 표기가 적용되었군.

[11~12] 다음을 읽고 물음에 답하시오.

15세기 국어의 모음 조화는 형태소 내부와 경계에서 비교적 잘 지켜졌다. 한 형태소 내의 모음들을 살펴보면 'ㅏ, ㅗ, ·' 등의 양성 모음은 양성 모음끼리, 'ㅓ, ㅜ, ㅡ' 등의 음성 모음은 음성 모음끼리 어울렸다. 중성 모음 'ㅣ'는 양성 모음과 어울리기도 하고, 음성 모음과 어울리기도 하였다. 또 어근과 접사가 결합하여 단어가 형성되거나 체언에 조사가 연결될 때, 용언 어간에 어미가 연결될 때에도 조사나 어미의 첫 모음은 그에 선행하는 모음과 같은 성질의 모음이 연결되었다. 예를 들어, 목적격 조사는 그에 선행하는 명사의 모음에 따라 'ᄋᆞᆯ/을, ᄅᆞᆯ/를' 중 하나가 선택되었고, '–ᄋᆞᆫ/–은', '–옴/–움', ㉠<u>'–아/–어'와 같은 어미도 선행하는 어간의 모음에 따라 규칙적으로 선택되었다.</u> 다만, 조사 '도', '와/과'나 어미 '–고', '–더–' 등은 모음 조화가 적용되지 않았다.

그런데 16세기부터 모음 조화는 약화되기 시작하였다. 이는 '·'의 소실과 관계가 있다. 16세기에는 둘째 음절 이하에서의 '·'가 소실되면서 주로 'ㅡ'에 합류하였다. 첫째 음절에서의 '·'는 여전히 양성 모음이었으나, 둘째 음절 이하에서는 '·' 대신 음성 모음인 'ㅡ'가 쓰인 것이다. 이러한 변화로 체언에 연결되는 'ᄋᆞᆫ/은', 'ᄋᆞᆯ/을', 'ᄋᆡ/의' 등의 조사는 점차 '은', '을', '의' 등으로 통일되었고, 모음 조화를 지키던 '사ᄉᆞᆷ'과 같은 단어들은 '사슴'과 같이 모음 조화를 어기는 형태가 되고 말았다.

이후 18세기에 첫째 음절에서의 '·'가 주로 'ㅏ'에 합류하면서 '·'는 완전히 소실되었고, 국어의 모음 체계는 큰 변화를 겪게 되었다. 그리고 이러한 변화는 모음 조화가 약화되는 또 다른 요인으로 작용했다.

현대 국어에서는 모음 조화가 형태소 내부와 경계에서 지켜지지 않는 경우가 많다. 다만 '촐랑촐랑', '출렁출렁'과 같은 음성 상징어에서나 ㉡<u>일부 용언의 어간 뒤에 '–아/–어' 계열의 어미가 결합할 때 모음 조화가 이루어지는 모습을 확인할 수 있다.</u>

11 ㉠과 ㉡을 모두 확인할 수 있는 예로 적절하지 <u>않은</u> 것은?

	15세기 국어		현대 국어	
	용언 어간	활용형	용언 어간	활용형
①	알-	아라	알-	알아
②	먹-	머거	먹-	먹어
③	ᄭᅵ오-	ᄭᅵ와	깨우-	깨워
④	ᄡᅳ-	ᄡᅥ	쓰-	써
⑤	ᄀᆞ독ᄒᆞ-	ᄀᆞ독ᄒᆞ야	가득하-	가득하여

12 이 글을 읽고, 〈보기〉를 이해한 내용으로 적절하지 <u>않은</u> 것은?

보기

(가) **겨스레** 소옴 둔 **오ᄉᆞᆯ** 닙디 아니 ᄒᆞ고 녀르메 서늘ᄒᆞᆫ ᄃᆡ 가디 아니 ᄒᆞ며 ᄒᆞᄅᆞ ᄡᆞᆯ 두 호ᄇᆞ로ᄡᅥ **쥭을** ᄆᆡᇰᄀᆞ로 소곰과 ᄂᆞᄆᆞᆯᄒᆞᆯ 먹디 아니 ᄒᆞ**더라**

– 〈내훈〉(1447년)에서

[현대어 풀이]
겨울에 솜 든 옷을 입지 아니하고 여름에 서늘한 데 가지 아니하며 하루 쌀 두 홉으로써 죽을 만들고 소금과 나물을 먹지 아니하더라.

(나) 타락과 **초와** 쟝과 소금과 계ᄌᆞ ᄀᆞᄅᆞ와 **파과** 마늘과 부칙와 기름과 댓무우과 외와 가지 등 여러가지 ᄂᆞ믈과 ᄃᆞᆰ긔 알과

– 〈박통사언해〉(1677년)에서

[현대어 풀이]
타락과 식초와 장과 소금과 겨자 가루와 파와 마늘과 부추와 기름과 당근과 오이와 가지 등 여러 가지 나물과 닭의 알과

① 15세기에는 한 단어 내에서 모음 조화가 잘 지켜졌음을 (가)의 '겨슬'과 'ᄒᆞᄅᆞ'를 통해 확인할 수 있군.
② 15세기에는 체언에 목적격 조사가 결합할 때 모음 조화가 지켜졌음을 (가)의 '오ᄉᆞᆯ'과 '쥭을'을 통해 확인할 수 있군.
③ 용언 어간에 '-더-'가 결합할 때에는 모음 조화가 적용되지 않았음을 (가)의 'ᄒᆞ더라'를 통해 확인할 수 있군.
④ 17세기에는 모음 조화의 약화에 따라 조사 사용에 혼란이 있었음을 (나)의 '초와'와 '파과'를 통해 확인할 수 있군.
⑤ 둘째 음절의 'ᆞ'가 'ㅡ'로 변하였음을 (가)의 'ᄂᆞᄆᆞᆶ'과 (나)의 'ᄂᆞ믈'을 통해 확인할 수 있군.

13 〈보기〉를 바탕으로 중세 국어의 음운 'ㅸ', 'ㅿ', 'ᆞ'에 대해 탐구한 내용으로 적절하지 <u>않은</u> 것은?

보기

ㄱ. ᄆᆞᅀᆞᆯ > ᄆᆞᄋᆞᆯ > 마을
　ᄀᆞᅀᆞᆯ > ᄀᆞᄋᆞᆯ > 가을
ㄴ. (날씨가) 덥(다)+-어: 더ᄫᅥ
ㄷ. (색깔이) 곱(다)+-아: 고ᄫᅡ > 고와
　(고기를) 굽(다)+-어: 구ᄫᅥ > 구워

① ㄱ으로 보아, 중세 국어 'ᄆᆞᅀᆞᆯ'과 'ᄀᆞᅀᆞᆯ'의 'ㅿ'은 음운 변화 양상이 같았음을 알 수 있군.
② ㄱ으로 보아, 'ᆞ'는 현대 국어에서 첫째 음절과 둘째 음절에서 변화된 음운의 모습이 같았음을 알 수 있군.
③ ㄴ으로 보아, '덥다'의 'ㅂ'이 모음으로 시작하는 어미와 결합하여 'ㅸ'으로 바뀌는 것을 알 수 있군.
④ ㄷ으로 보아, 'ㅸ'에 결합되는 어미의 모음에 따라 현대 국어에서의 표기가 달라지는군.
⑤ ㄱ과 ㄷ으로 보아, 'ㅿ'과 'ㅸ'은 현대 국어에 표기되지 않게 되었음을 알 수 있군.

14 〈보기〉를 바탕으로 학생이 정리한 내용 중 적절하지 <u>않은</u> 것은?

보기

ᄆᆞᆯ·ᄀᆞᆫᄀᆞ·ᄅᆞᇝᄒᆞᆫ고·ᄇᆡᄆᆞᅀᆞᆯ·ᄒᆞᆯ아·나흐르ᄂᆞ니
:긴녀·ᄅᆞᇝ江村(강촌)·애:일:마다幽深(유심)·ᄒᆞ도다
절·로가·며절·로오ᄂᆞ·닌집우흿**져비**오
서르親(친)ᄒᆞ·며서르갓갑ᄂᆞ·닌믈가·온·ᄃᆡᆺᄀᆞᆯ며기로·다

– 초간본 〈분류두공부시언해〉(1481년)에서

[현대어 풀이]
맑은 강 한 굽이가 마을을 안아 흐르는데
긴 여름 강촌에 일마다 그윽하구나.
절로 가며 절로 오는 것은 집 위의 제비이고
서로 친하며 서로 가까운 것은 물 가운데 갈매기로구나.

[학생의 정리]
※ 〈보기〉에 드러난 중세 국어의 특징

ᄆᆞᆯ·ᄀᆞᆫᄀᆞ·ᄅᆞᇝ	→	띄어쓰기를 하지 않음	...... ①
ᄆᆞᅀᆞᆯ	→	현대 국어에서 사용하지 않는 자음과 모음도 사용함	...... ②
아·나	→	소리 나는 대로 적은 표기가 보임	...... ③
:긴녀·ᄅᆞᇝ	→	방점이 표시된 글자가 있음	...... ④
져비	→	현대 국어와 형태는 비슷하지만 의미가 다른 어휘가 있음	...... ⑤

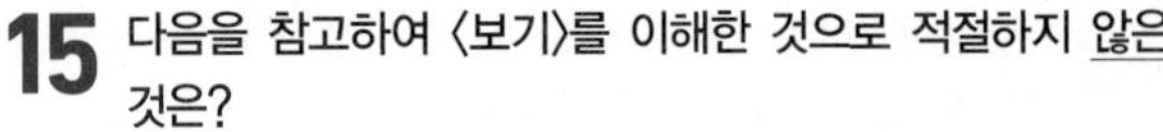

15 다음을 참고하여 〈보기〉를 이해한 것으로 적절하지 않은 것은?

> 중세 국어에서 시제를 나타내는 선어말 어미에는 '-ᄂᆞ-, -더-, -(으)리-' 등이 있다. 동사의 경우 과거 시제는 아무런 선어말 어미를 쓰지 않거나 선어말 어미 '-더-'를 써서 표현하였고, 현재 시제는 선어말 어미 '-ᄂᆞ-'를 써서 표현하였으며, 미래 시제는 '-(으)리-'를 써서 표현하였다. 한편 '-더-'는, 주어가 화자 자신일 때 사용되는 선어말 어미 '-오-'와 결합하여 '-다-'의 형태로 나타나기도 하였다.

보기

ㄱ. 내 롱담ᄒᆞ다라 -〈석보상절〉
ㄴ. 네 이제 ᄯᅩ 묻ᄂᆞ다 -〈월인석보〉
ㄷ. 네 아비 ᄒᆞ마 주그니라 -〈월인석보〉
ㄹ. 그ᄃᆡᆺ ᄯᆞᄅᆞᆯ 맛고져 ᄒᆞ더이다 -〈석보상절〉
ㅁ. 내 願(원)을 아니 從(종)ᄒᆞ면 고ᄌᆞᆯ 몯 어드리라 -〈월인석보〉

① ㄱ은 '롱담ᄒᆞ다라'에 '-다-'의 형태가 나타나 있으므로 과거 시제이겠군.
② ㄴ은 '묻ᄂᆞ다'에 선어말 어미 '-ᄂᆞ-'가 사용되었으므로 현재 시제이겠군.
③ ㄷ은 '주그니라'에 시제 관련 선어말 어미가 사용되지 않았으므로 현재 시제이겠군.
④ ㄹ은 'ᄒᆞ더이다'에 선어말 어미 '-더-'가 사용되었으므로 과거 시제이겠군.
⑤ ㅁ은 '어드리라'에 선어말 어미 '-리-'가 사용되었으므로 미래 시제이겠군.

16 다음을 바탕으로 학생이 정리한 내용 중, 적절하지 않은 것은?

> 孔子ㅣ **曾子ᄃᆞ려** 닐러 ᄀᆞᄅᆞ샤ᄃᆡ 몸이며 얼굴이며 머리털이며 ᄉᆞᆯ흔 父母ᄭᅴ 받ᄌᆞ온 **거시라** 敢히 헐워 **샹히오디** 아니홈이 효도의 비르소미오 **몸을** 셰워 道를 行ᄒᆞ야 일홈을 後世예 베퍼 ᄡᅥ 父母를 현뎌케 **홈이** 효도의 ᄆᆞᄎᆞᆷ이니라
>
> -〈소학언해〉(1587년)에서
>
> [현대어 풀이]
> 공자께서 증자에게 일러 말씀하시기를, 몸과 형체와 머리털과 살은 부모께 받은 것이므로, 감히 헐게 하여 상하게 하지 아니함이 효도의 시작이고, 입신하여 도를 행하여 이름을 후세에 날려 이로써 부모를 드러나게 함이 효도의 끝이다.

〈소학언해〉에 나타난 중세 국어의 특징

①	曾子ᄃᆞ려	→	현대 국어에는 사용하지 않는 형태의 조사가 나타나고 있다.
②	거시라	→	'-라'가 문장을 종결하는 어미로 사용되고 있다.
③	샹히오디	→	'-게 하다'의 의미를 지니는 사동 표현이 나타나고 있다.
④	몸을	→	조사 선택에 모음 조화가 지켜지지 않고 있다.
⑤	홈이	→	현대 국어에서와 같이 끊어 적기 표기법이 사용되고 있다.

17 〈보기〉를 바탕으로 탐구 자료를 이해한 내용으로 적절하지 않은 것은?

보기

> 선생님: 객체 높임법은 목적어, 부사어 자리에 높임의 대상이 올 때 이를 높이는 것을 말합니다. 객체를 높이기 위해 현대 국어에서는 '드리다, 뵙다, 여쭙다'와 같은 특수한 어휘를 사용하지만, 중세 국어에서는 주로 선어말 어미 '-ᅀᆞᆸ(ᅀᆞᄫᆞ)-, -ᄌᆞᆸ(ᄌᆞᄫᆞ)-, -ᅀᆞᆸ(ᅀᆞᄫᆞ)-'을 사용하였습니다. 그럼 중세 국어에서 객체 높임법이 사용된 예를 살펴볼까요?

[탐구 자료]
– 중세 국어에서 객체 높임법이 사용된 용언의 예

기본형	선어말 어미	용례
돕다	-ᅀᆞᆸ-	돕ᄉᆞᄫᆞ니 ……………… ㉠
듣다	-ᄌᆞᆸ-	듣ᄌᆞᆸ고 ………………… ㉡
보다	-ᅀᆞᆸ-	보ᅀᆞᄫᆞ면 ……………… ㉢

① ㉠은 현대 국어에서 '도우시니'의 형태로 바뀌어 객체 높임을 표현하겠군.
② ㉢이 사용된 문장은 현대 국어에서라면 '뵙다'라는 어휘를 사용하여 객체 높임을 표현하겠군.
③ ㉠, ㉢은 선어말 어미의 받침 'ㅸ'을 뒷말에 이어 적어 표기했군.
④ ㉠~㉢이 포함된 문장에서는 목적어나 부사어 자리에 높임의 대상이 왔겠군.
⑤ ㉠~㉢을 보니, 중세 국어의 객체 높임 선어말 어미로는 여러 가지 형태가 있었군.

▸ 정답과 해설 48쪽

18 [가]에 들어갈 내용으로 적절하지 <u>않은</u> 것은?

학습 자료	[중세 국어] ㉠<u>부텻</u> 마ᄅᆞᆯ ㉡<u>듣ᄌᆞᄫᅩᄃᆡ</u> [현대 국어] 부처의 말씀을 듣되 [중세 국어] 닐굽 ㉢<u>거르믈</u> 거르샤 ㉣<u>니ᄅᆞ샤ᄃᆡ</u> [현대 국어] 일곱 걸음을 걸으시며 이르시되 [중세 국어] 니르고져 홇 ㉤<u>배</u> 이셔도 [현대 국어] 이르고자 할 바가 있어도
학습 활동	㉠~㉤을 현대 국어와 비교한 후 공통점과 차이점을 정리해 보자. ([가])

① ㉠: 관형격 조사로 'ㅅ'이 쓰였다는 점에서 현대 국어와 차이가 있다.
② ㉡: 객체를 높이는 선어말 어미가 쓰였다는 점에서 현대 국어와 차이가 있다.
③ ㉢: 어근의 원형을 밝혀 적었다는 점에서 현대 국어와 공통적이다.
④ ㉣: 주체를 높이는 선어말 어미가 쓰였다는 점에서 현대 국어와 공통적이다.
⑤ ㉤: 모음으로 끝나는 체언에 주격 조사 'ㅣ'가 결합했다는 점에서 현대 국어와 차이가 있다.

19 〈보기〉를 바탕으로 현대 국어와 중세 국어의 특징을 비교한 내용으로 적절하지 <u>않은</u> 것은?

보기

- ㉠<u>효도홈</u>과 공슌호ᄆᆞᆯ
  → 효도함과 공손함을
- 兄(형)ㄱ ㉡<u>ᄠᅳ디</u> 일어시ᄂᆞᆯ ㉢<u>聖孫(성손)ᄋᆞᆯ</u> ㉣<u>내시니이다</u>
  → 형의 뜻이 이루어지시매 (하늘이) 성손을 내셨습니다.
- 世尊(세존)ㅅ 安否(안부) ㉤<u>묻ᄌᆞᆸ고</u> 니르샤ᄃᆡ 므스므라 오시니잇고
  → 세존의 안부를 여쭙고 이르시되 무슨 까닭으로 오셨습니까?

① ㉠을 보니 현대 국어와 달리 명사형 어미 '-옴'이 사용되었군.
② ㉡을 보니 현대 국어와 달리 어두 자음군이 사용되었군.
③ ㉢을 보니 현대 국어와 달리 목적격 조사 'ᄋᆞᆯ'이 사용되었군.
④ ㉣을 보니 현대 국어와 마찬가지로 주체 높임 선어말 어미 '-시-'가 사용되었군.
⑤ ㉤을 보니 현대 국어와 마찬가지로 청자를 높이는 특수 어휘가 사용되었군.

20 〈보기〉의 ㉠과 ㉡에 속하는 사례를 바르게 제시한 것은?

보기

모음 'ㆍ'는 중세 국어 이후 크게 두 단계의 변화를 겪었다. 제1단계 변화에서는 ㉠<u>단어의 둘째 음절 이하에 놓인 모음 'ㆍ'가 'ㅡ'로 변화하였다.</u> 이 변화가 일어나고 난 뒤 제2단계 변화에서는 ㉡<u>첫째 음절에 놓인 모음 'ㆍ'가 'ㅏ'로 변화하였다.</u> 단어에 따라 이러한 변화에 예외가 보이기도 하지만 대체로 이 두 단계의 변화를 겪어 'ㆍ'는 모음 체계에서 사라지게 되었다.

	㉠	㉡
①	마ᄂᆞᆯ > 마늘	ᄒᆞᆰ > 흙
②	사ᄉᆞᆷ > 사슴	ᄀᆞ장 > 가장
③	ᄒᆞ나 > 하나	오ᄂᆞᆯ > 오늘
④	사ᄅᆞᆷ > 사람	ᄃᆞ리 > 다리
⑤	아ᄃᆞᆯ > 아들	다ᄉᆞᆺ > 다섯

21 〈보기〉를 바탕으로 중세 국어의 특징을 탐구한 내용으로 적절하지 <u>않은</u> 것은?

보기

王(왕)이 니ᄅᆞ샤ᄃᆡ 大師(대사) ㉠<u>ᄒᆞ샨</u> 일 아니면 뉘 혼 거시잇고 ㉡<u>仙人(선인)이</u> ᄉᆞᆯᄫᆞᄃᆡ 大王(대왕)하 이 ㉢<u>南堀(남굴)ㅅ</u> 仙人(선인)이 ᄒᆞᆫ ᄯᆞᄅᆞᆯ 길어 내니 양ᄌᆡ 端正(단정)ᄒᆞ야 ㉣<u>世間(세간)애</u> ㉤<u>쉽디</u> 몯ᄒᆞ니 그 ᄯᆞᆯ ᄒᆞᇙ ㉥<u>時節(시절)에</u> 자최마다 ㉦<u>蓮花(연화)ㅣ</u> 나ᄂᆞ니이다 -〈석보상절〉

[현대어 풀이]

왕이 이르시되 "대사 하신 일 아니면 누가 한 것입니까?" 선인이 아뢰되 "대왕이시여, 이 남굴의 선인이 한 딸을 길러 내니 모습이 단정하여 세상에 (모습을 드러내기가) 쉽지 못하니 그 딸 움직일 시절에 자취마다 연꽃이 납니다."

① ㉠에서는 주체인 '대사'를 높이기 위한 선어말 어미가 쓰였군.
② ㉡의 '이'와 ㉦의 'ㅣ'는 격 조사의 종류가 달라서 서로 다른 형태로 나타난 것이군.
③ ㉢을 보니 'ㅅ'은 현대 국어의 '의'에 해당하는 관형격 조사로 쓰였군.
④ ㉣과 ㉥을 보니 모음 조화에 따라 형태를 달리하는 부사격 조사가 있었군.
⑤ ㉤과 현대 국어의 '쉽지'를 비교해 보니 '-디'에서는 구개음화가 확인되지 않는군.

Ⅲ. 읽기

1 읽기의 특성 ① – 사회적 상호 작용

(1) 읽기 과정의 활동

읽기 전 활동	• 읽기 목적을 정하거나 확인함 • 글의 종류를 고려하여 읽기 방법을 정함 • 제목이나 차례, 그림 등을 보고 글의 목적과 주요 내용을 예측함 • 예측한 내용과 관련 있는 배경지식과 경험을 떠올림
읽는 중 활동	• 읽기 전에 예측한 내용을 확인하며 읽음 • 중요한 내용에 밑줄을 긋거나 메모하고 궁금한 점을 기록함 • 생략되었거나 이어질 내용, 글쓴이의 의도 등을 추측함 • 내용과 관련된 질문을 만들고 이에 대한 답을 찾음 • 내용을 이해하는 데 도움이 되는 자료를 찾음 • 중심 내용과 글의 구조를 파악함
읽은 후 활동	• 새로 알게 된 내용이나 깨달은 점, 글의 중심 내용이나 주제를 정리함 • 글 전체의 내용을 표나 그림 등으로 정리하고 글의 내용을 재구성함 • 글 내용의 신뢰성과 적절성, 관점의 공정성 등을 판단함 • 글에서 얻은 정보나 교훈 등을 자신의 생활과 관련지어 봄 • 더 읽고 싶은 책을 찾아 새로운 독서 계획을 세움

(2) 사회적 상호 작용으로서의 읽기

- 독자는 사회적 쟁점에 관한 글을 읽으며, 자신이 처한 구체적인 상황과 사회 · 문화적 맥락을 고려하여 자신의 생각을 형성함
- 읽기를 통해 자신이 속한 사회의 맥락을 이해함
- 읽기를 통해 형성한 자신의 생각을 다른 사람과 공유하며 소통함
- 사회적으로 소통하는 과정에서 일부 생각은 여론을 형성함

⇨ 사회적으로 상호 작용하며 의미를 만들어 가는 과정

2 읽기의 특성 ② – 삶의 문제 해결 과정

(1) 삶의 문제를 해결하기 위한 읽기

- 글에는 삶의 다양한 문제에 대한 글쓴이의 생각이나 주장이 담겨 있음
- 읽기는 독자 자신이나 사회가 안고 있는 문제를 해결하는 데 도움을 줌
- 도움은 문제를 직접 해결하는 것일 수도 있고, 문제를 해결할 수 있는 직관이나 깨달음을 주는 것일 수도 있음

- 독자는 읽기를 통해 개인이나 사회가 안고 있는 문제를 해결할 실마리를 얻음
- 독자는 글쓴이의 생각이나 주장의 문제점을 비판하고, 이를 보완하거나 대체할 수 있는 방안을 찾는 창의적 읽기를 해야 함

(2) 삶의 문제를 해결하기 위한 읽기 방법

읽기 방법	읽기를 돕는 질문
글쓴이의 생각이나 주장이 타당하고 공정한지 따져 가며 읽음	• 글쓴이의 생각이 어느 한쪽에 치우치지 않고 공정한가? • 글쓴이의 생각이나 주장에서 공감하기 어렵거나 이해하기 어려운 내용이 있는가? • 글쓴이의 생각이나 주장이 사회의 보편적 가치에 부합하는가?
글쓴이의 생각이나 주장을 보완하거나 대체할 수 있는 방안을 탐색하며 읽음	• 글쓴이의 관점과 다른 자신의 생각이 있는가? • 글쓴이의 생각이나 주장을 보완하여 새롭게 발전시킬 수 있는가? • 글쓴이의 생각이나 주장을 대체할 새로운 대안이 있는가?

개념 확인 문제

1 읽기 과정에서 '읽는 중 활동'이 아닌 것은?

① 글의 목적과 주요 내용을 예측한다.
② 중심 내용과 글의 구조를 파악한다.
③ 중요한 내용을 표시하거나 메모한다.
④ 글에 직접 제시되지 않은 내용을 추론한다.
⑤ 관련 내용에 대한 질문을 만들고 답을 찾는다.

2 다음 빈칸에 들어갈 4음절의 말을 쓰시오.

> 읽기는 독자 자신만의 독창적인 의미를 구성하는 것이 아니라, 독자가 속한 사회의 다른 구성원과 (　　　　)하며 의미를 만들어 가는 과정이다.

3 읽기에 대한 설명으로 적절하지 않은 것은?

① 사회적 소통 과정에서 여론이 형성되기도 한다.
② 읽기 과정에서 개인적 문제가 사회적 문제로 확산된다.
③ 읽기는 개인적 · 사회적 문제를 해결하는 데 도움을 준다.
④ 독자는 읽기를 통해 자신이 속한 사회의 맥락을 이해한다.
⑤ 독자는 읽기를 통해 형성한 생각을 다른 사람과 공유한다.

4 문제 해결을 위한 읽기에서 떠올린 생각으로 적절하지 않은 것은?

① 글쓴이의 견해를 보완, 발전시킬 수 없는가?
② 글쓴이의 견해가 사회적 가치에 부합하는가?
③ 글쓴이의 견해가 한쪽으로 치우치지는 않는가?
④ 문제를 해결할 수 있는 더 나은 방안은 없는가?
⑤ 글쓴이의 견해가 흥미를 유발할 만큼 독창적인가?

▶ 정답과 해설 52쪽

3 읽기 목적에 따른 읽기 방법

(1) 읽기 방법

소리를 내는지 여부에 따라	음독(音讀)	글을 소리 내어 읽기
	묵독(默讀)	글을 소리 내지 않고 읽기
글을 읽는 속도에 따라	속독(速讀)	중요한 내용을 중심으로 글을 빨리 읽기
	지독(遲讀)	뜻을 새겨 가며 글을 천천히 읽기
글을 읽는 범위에 따라	완독(完讀)	글 전체를 처음부터 끝까지 모두 읽기
	발췌독(拔萃讀)	글에서 필요한 부분만 찾아 읽기
꼼꼼하게 읽는 정도에 따라	통독(通讀)	처음부터 끝까지 훑어 읽음
	정독(精讀)	글의 세부 내용을 자세히 파악하며 읽기
	미독(味讀)	내용과 형식, 표현 등을 충분히 음미하며 읽기

(2) 읽기 목적에 따른 읽기 방법

- 문제 해결에 필요한 구체적인 정보를 얻기 위한 목적: 필요한 내용을 찾아가며 자세히 읽기
- 책의 주요 내용을 파악하고 기억하기 위한 목적: 처음부터 끝까지 내용을 정리하며 꼼꼼히 읽기
- 신문이나 시사 잡지에서 글쓴이의 의도를 파악하기 위한 목적: 내용의 타당성이나 신뢰성, 표현의 적절성 등을 평가하며 읽기
- 시, 소설 같은 문학 작품에서 감동과 즐거움을 얻기 위한 목적: 내용이나 표현의 의미와 효과를 음미하며 읽기

(3) 읽기 과정에서 점검해야 할 내용

- 읽기 목적에 부합하는 내용을 찾으며 읽고 있는가?
- 읽기 상황에 맞게 적절한 읽기 방법을 적용하여 읽고 있는가?
- 글의 특성을 고려하여 적절하게 내용을 예측하고, 요약하며 읽고 있는가?

4 매체에 드러난 관점이나 표현 방법의 적절성을 평가하며 읽기

(1) 매체: 신문, 라디오, 텔레비전, 인터넷 등과 같이, 정보를 주고받거나 서로의 생각을 나눌 때 사용하는 전달 수단

(2) 매체 유형에 따라 관점이나 의도를 드러내는 방법

신문	제목(표제, 부제), 기사 본문, 사진 등을 통해	매체 특성을 고려하여 그에 담긴 관점이나 의도를 파악하고, 메시지를 전달하는 표현 방법이 효과적인지 살펴야 함
인쇄 광고	광고 문구, 사진이나 그림, 배경 등을 통해	
텔레비전	음성, 화면(이미지 영상), 자막 등을 통해	
인터넷	글, 자료 링크, 댓글을 통한 상호 소통 등을 통해	
누리 소통망(SNS)	글, 공유 기능, 자료 링크, 해시 태그, 댓글을 통한 상호 소통 등을 통해	

⇩

비판적 읽기 필요: 관점이 타당하고 적절한가? 표현 방법이 효과적이고 적절한가?

5 자신의 진로나 관심사와 관련된 글 읽기

자신의 진로나 관심 분야를 탐색하는 데 도움이 될 만한 책 찾기 → 찾은 책들 중에서 자신의 관심사와 흥미, 지식수준 등을 고려하여 읽을 책 선정하기 → 자신의 진로나 관심 분야를 탐구하는 데 도움이 될 내용을 찾으며 읽기 → 자신의 진로나 관심 분야와 관련해서 더 읽고 싶은 책을 찾아 정보를 보충하거나 심화하기 → 진로나 관심 분야가 비슷한 친구들과 책에서 얻은 정보 공유하기

개념 확인 문제

5 다음의 경우에는 어떤 읽기 방법을 사용하는 것이 가장 적절한지 각각 쓰시오.

㉠ 백과사전에서 수행 평가를 위한 자료를 찾으려 할 때
㉡ 시에 담긴 정서를 느끼며 내용을 음미하고 싶을 때

6 읽기 방법에 대한 설명으로 적절하지 않은 것은?

① 읽기 목적에 어울리는 읽기 방법을 선택해야 한다.
② 매체 자료는 매체의 특성을 고려하며 읽어야 한다.
③ 글의 의미를 깊이 있게 이해하기 위해서는 지독이 적절하다.
④ 책을 읽을 때에는 읽기 목적에 부합하는 내용을 찾으며 읽어야 한다.
⑤ 문제 해결을 위한 읽기에서는 글쓴이의 견해를 전적으로 수용해야 한다.

7 매체 자료를 읽을 때 유의해야 할 점으로 적절하지 않은 것은?

① 매체의 특성을 고려하여 읽는다.
② 글쓴이의 관점과 의도를 파악한다.
③ 글쓴이의 관점이 타당한지 따져 본다.
④ 매체의 구성 요소가 모두 갖추어졌는지 확인한다.
⑤ 메시지를 전달하는 표현 방법이 적절한지 평가한다.

8 자신의 진로와 관련된 글 읽기에 필요한 내용으로 보기 어려운 것은?

① 진로와 관련된 다른 책을 읽으며 정보를 보충하기
② 자신의 진로를 탐색하는 데 도움이 될 만한 책 찾기
③ 읽기를 통해 얻은 중요 정보를 자신만의 비법으로 삼기
④ 자신의 지식수준과 흥미 등을 고려하여 읽을 책 선정하기
⑤ 책을 읽은 뒤에 진로가 비슷한 친구들과 관련 내용 토의하기

읽기 01 로봇 시대, 인간의 일 - 구본권

인공 지능이 인간의 말을 알아듣고 명령을 실행하는 똑똑한 기계가 되는 것은 반길 일인가, 아니면 주인과 노예의 관계를 역전시키는 재앙이라고 경계해야 할 일인가? 인간의 지적 능력을 뛰어넘는 인공 지능 개발에 관한 보도가 잇따르는 가운데, 세계적 석학(학식이 많고 깊은 사람)들이 인공 지능 개발이 결국엔 인류의 종말로 이어질 것이라는 경고를 내놓기 시작했다. 세계적 물리학자 스티븐 호킹(Stephen Hawking)(영국의 천체 물리학자로, 루게릭병에도 불구하고 블랙홀의 연구 등에 뛰어난 업적을 남김)은 "인공 지능은 결국 의식을 갖게 되어 인간의 자리를 대체할 것"이라며, "생물학적 진화 속도보다 과학 기술의 진보가 더 빠르기 때문"이라고 말했다. 〈중략〉

거대한 영향력을 지닌 신기술의 도입으로 예상치 못한 심각한 부작용이 생기면, 기술과 인간의 관계는 밑바닥에서부터 재검토되어야 한다. / 인공 지능 발달이 우리에게 던지는 ㉠새로운 과제는 두 갈래다. 로봇을 향한 길과 인간을 향한 길이다.

[A]

첫째는, 인류를 위협할지도 모를 강력한 인공 지능을 우리가 어떻게 통제할 것인가의 문제이다. 로봇에 대응하는 차원에서 로봇이 지켜야 할 도덕적 기준을 만들어 준수하게 하는 방법이나, 살인 로봇을 막는 국제 규약(서로 지키도록 협의하여 정하여 놓은 규칙)을 제정하는 것이 접근 방법이 될 수 있다. 또한, 다양한 상황에 관한 사회적 합의를 담은 알고리즘(어떤 문제의 해결을 위하여 입력된 자료를 토대로 하여 원하는 출력을 유도하여 내는 규칙의 집합)을 만들어 사회적 규약을 벗어나지 않는 범위에서 로봇이 작동하게 하는 방법도 모색할 수 있다. 설계자의 의도를 배반하지 못하도록 로봇이 스스로 무력화(武力化)할 수 없는 원격 자폭 스위치를 넣는 것도 가능하다. 인공 지능 로봇이 인간의 통제를 벗어나지 못하게 과학자들은 다양한 기술적 방법을 만들어 내고, 입법자들은 강력한 법률과 사회적 합의를 적용할 것이다.

둘째는, 생각하는 기계가 모방할 수 없는 인간의 특징을 찾아 인간의 가치를 높이는 것이다. 즉, 로봇이 아니라 인간을 깊이 생각하고 인간 고유의 특징을 활용하는 것이다. 인공 지능이 마침내 인간의 의식 현상을 구현(어떤 내용이 구체적인 사실로 나타나게 함)해 낸다고 하더라도 인간과 인공 지능은 여전히 구분될 것이다. 인간에게는 감정과 의지가 있기 때문이다. / 감정은 비이성적이고 비효율적이지만 인간됨을 규정하는 본능으로, 감정에 따라 판단하고 의지적으로 행동하는 인간에게 감정은 강점이면서 동시에 결함이 된다. 논리적으로 설명할 수 없는 인간의 행동은 대부분 감정과 의지에서 비롯한 것이다. 인류는 진화의 세월을 거쳐 공감과 두려움, 만족 등 다양한 감정을 발달시켜 왔다. 인간의 감정과 의지는 수백만 년의 진화 과정에서 인류가 살아남으려고 선택한 전략의 결과이다.

인공 지능을 통제하는 것이 과학자들과 입법자들의 과제라면, '인간이란 무엇인가?', '인공 지능이 대체할 수 없는 나만의 특징과 존재 이유는 무엇일까?'라는 철학적인 질문은 각 개인에게 던져진 과제이다. 〈중략〉

인공 지능 시대에 인간을 인간답게 만드는 것은 무엇보다 결핍과 그에 따른 고통이다. 인류의 역사와 문명은 이러한 결핍과 고통에서 느낀 감정을 동력(어떤 일을 발전시키고 밀고 나가는 힘)으로 발달해 온 고유의 생존 시스템이다. 처음 마주하는 위험과 결핍은 두렵고 고통스러웠지만, 인류는 놀라운 유연성과 창의성으로 대응해 왔다. 결핍과 고통을 벗어나는 과정에서 인류가 체득(몸소 체험하여 알게 됨)한 생존의 방법이 유연성과 창의성이다. 이것은 기계에 가르칠 수 없는 속성이다. 그래서 인간의 약점은 인간과 기계를 구별하는 최후의 요소라고 할 수 있다. 우리는 기계를 설계

한눈에 콕

미래엔 천재 박

갈래	논설문
주제	인공 지능 시대 인간이 해결해야 할 과제
특징	① 세계적인 석학의 견해를 인용하여 상황의 심각성을 부각함 ② 해결 과제를 기계적 측면과 인간적 측면으로 나누어 이원적으로 접근함 ③ 의문문의 형식을 통해 상황에 대한 관심을 유도함 ④ 구체적인 사례를 제시하여 주장을 뒷받침함

만점 노트

1 인공 지능이 지닌 양면성

① 인류의 축복 : 인간의 말을 알아듣고 명령을 실행한다.

② 인류의 재앙 : 인류를 파멸시킬 수 있다.

2 인공 지능 시대의 해결 과제

방안 1 – 기계적 측면: 인공 지능 통제
- 로봇의 윤리 기준 마련
- 살인 로봇 방지 국제 규약 제정
- 로봇의 작동 범위를 제한하는 설계
- 원격 자폭 시스템 도입

⇒ 로봇 통제를 위한 과학적, 법률적 방안 모색

\+

방안 2 – 인간적 측면: 인간의 가치 고양
- 인간만의 특징 모색
- 인간의 감정과 의지 활용

⬇

이원적 해결 방안

3 인공 지능 시대 인류의 생존 방안
- 결핍과 고통의 극복 과정에서 체득한 인류의 창의성과 유연성
- 기계와의 경쟁이 아닌 인류와 기계의 공존 · 공생

plus

스티븐 호킹(1942~)

영국의 물리학자. 블랙홀과 양자 중력 등을 연구하여 우주론 연구에 크게 이바지하였으며, 『시간과 역사』, 『호두 껍질 속의 우주』 등의 책을 썼다.

정답과 해설 52쪽

할 때 부정확한 인식과 판단, 감정에서 비롯한 변덕스럽고 비합리적인 행동, 망각과 고통 같은 인간의 약점을 기계에 부여하지 않는다. 인간은 우리가 기계에 부여하지 않을, 이러한 부족함과 결핍을 지닌 존재이다. 하지만 거기에 인공 지능 시대 우리가 가야 할 사람의 길이 있다.

결국, 앞에서 이야기한 두 가지 과제의 궁극적인 방향은 기계와의 경쟁이 아닌 공존과 공생이다. 인간 고유의 속성인 유연성과 창의성은 인공 지능 시대라는 새로운 변화에서도 인간이 생존할 방법을 찾아낼 것이다.

학습 활동 응용

1 이 글의 내용과 일치하지 않는 것은?

① 세계적인 석학들은 인간의 감정과 의지를 인공 지능과 구분되는 인간만의 특징이라고 보고 있다.
② 유연성과 창의성은 인류가 결핍과 그로 인한 고통에서 벗어나는 과정에서 체득한 생존 방법이다.
③ 일부에서는 인간의 지적 능력을 뛰어넘는 인공 지능 개발로 인류가 파멸할 것이라고 예상하고 있다.
④ 인간의 감정은 비이성적, 비효율적이지만 오랜 진화 과정에서 살아남으려고 선택한 전략의 결과이다.
⑤ 스티븐 호킹은 과학 기술의 진보가 생물학적 진화 속도를 앞질러 인공 지능이 인간의 자리를 대체할 것이라고 보았다.

학습 활동 응용

2 글쓴이가 이 글을 통해 말하고자 하는 바로 가장 적절한 것은?

① 인공 지능 시대의 해결 과제는 기계적 측면이 우선적으로 해결되어야 한다.
② 인공 지능 시대에 대비하려면 인간만의 특성을 찾아 인간의 가치를 높여야 한다.
③ 인공 지능 통제라는 사회 문제를 해결하기 위한 과학자들과 입법자들의 능력 개발이 중요하다.
④ 인공 지능 시대가 가져올 문제를 해결하기 위해서는 인간과 기계의 위계질서를 확립해야 한다.
⑤ 인공 지능 발달이 재앙으로 되는 상황을 막기 위해서는 인공 지능 사용자들의 윤리 교육이 필수적이다.

3 이 글을 바탕으로 인공 지능 시대 인류의 바람직한 생존 방향을 한 문장으로 쓰시오.

______

수능형 학습 활동 응용

4 로봇과 인간의 관계를 드러낸 [A]와 〈보기〉의 관점에 대한 반응으로 가장 적절한 것은?

> 보기
>
> 영화 〈로봇, 소리〉를 보면 로봇은 자신이 제공한 정보로 사람을 해치는 폭격이 이루어졌다는 사실을 알고 자책하다가 자신이 해결해야 한다는 책임감에 스스로 교신을 끊는다. 이는 로봇에 입력된 프로그램과 다른 행동을 한 것으로 인공 지능은 인간의 의도대로만 움직이는 기계나 프로그램이 아니고 자신의 생각과 결정으로 움직일 수 있는 독립성이 있는 존재임을 보여 준다.

① [A]와 〈보기〉 모두 인간과 로봇은 감정을 느끼는 존재로 보고 있다.
② [A]와 달리 〈보기〉에서는 로봇은 입력된 프로그램의 통제에서 벗어날 수 없다고 본다.
③ 〈보기〉와 달리 [A]에서는 인간이 인공 지능을 통제할 수 있다는 생각을 전제로 하고 있다.
④ [A]와 〈보기〉 모두 인간과 로봇은 스스로 판단을 내리고 의지에서 비롯된 행동을 한다고 본다.
⑤ [A]와 달리 〈보기〉에서는 의식이 있는 인공 지능을 인간보다 우수하며 독립성이 있는 존재로 보고 있다.

5 ㉠에 대해 이해한 내용으로 적절하지 않은 것은?

① 인공 지능이 발달함에 따라 인류가 해결해야만 하는 사회 문제이다.
② 로봇을 통제하기 위해 로봇이 지켜야 할 도덕적 기준을 만들어 준수하게 해야 한다.
③ 로봇의 통제와 인간의 가치 고양을 위해 강력한 법률 제정과 사회적 합의를 도출해야 한다.
④ 개인은 자신의 특징과 존재 이유를 찾아 인공 지능이 모방할 수 없는 인간의 가치를 높여야 한다.
⑤ 과학자들은 로봇이 사회적 규약이나 설계자의 의도에서 벗어나지 않는 범위에서 작동하도록 기술적 방법을 만들어야 한다.

읽기 02 **과학자의 서재** - 최재천

가 정작 내 관심을 끈 것은 소설보다 책 뒷부분에 실린 ㉠〈모닥불과 개미〉라는 수필이었다. 반 쪽짜리 그 짧은 수필이 내 머릿속에 이토록 강렬한 인상을 남길 줄은 미처 몰랐다.

활활 타오르는 모닥불 속에 썩은 통나무 한 개비를 집어 던졌다. 그런데 미처 그 통나무 속에 개미집이 있다는 것을 나는 몰랐다. 통나무가 우지직, 소리를 내며 타오르자 별안간 개미들이 떼를 지어 쏟아져 나오며 안간힘을 다해 도망치기 시작했다. 그들은 통나무 뒤로 달리더니 넘실거리는 불길에 휩싸여 경련을 일으키며 타 죽어 갔다. 나는 황급히 통나무를 낚아채서 모닥불 밖으로 내던졌다. 다행히 많은 개미들이 생명을 건질 수 있었다. 어떤 놈은 모래 위로 달려가기도 하고 어떤 놈은 솔가지 위로 기어오르기도 했다. 그러나 이상한 일이었다. 개미들은 좀처럼 불길을 피해 달아나려고 하지 않았다. 가까스로 공포를 이겨 낸 개미들은 다시 방향을 바꾸어 통나무 둘레를 빙글빙글 돌기 시작했다.

그 어떤 힘이 그들을 내버린 고향으로 다시 돌아오게 한 것일까? / [A] 개미들은 통나무 주위에 모여들기 시작했다. 그리곤 그 많은 개미들이 통나무를 붙잡고 바동거리며 그대로 죽어 가는 것이었다.

나 동물학자가 된 이후에야 비로소 이해하게 되었지만, 당시에는 나도 솔제니친과 마찬가지로 개미들이 왜 그렇게 행동하는지 정말 궁금했다. 생물학자가 아니라 문학가인 솔제니친은 그 상황을 과학적으로 설명하지 못하고 철학적으로 받아들인 듯하다. 당시의 나 역시 개미의 행동을 설명할 길이 없었으나 그 작품은 묘하게도 내 머릿속에 깊이 박혔다.

그러다가 훗날 미국 유학을 가서 꽂혀 버린 학문, 사회 생물학을 접했을 때 순간적으로 솔제니친의 그 수필이 생각났다. 그간 수많은 문학 작품을 읽고 고독을 즐기는 속에서 점점 더 많은 삶의 수수께끼들을 껴안고 살았는데, 사회 생물학이라는 학문이 그것들을 가지런히 정리해서 대답해 주었다. 〈모닥불과 개미〉 속의 개미도 내가 안고 있던 수수께끼 중 하나였다. 그 개미들을 이해하게 된 순간, 나는 이 학문을 평생 공부하겠다고 결정했다.

다 그런데 『사회 생물학』을 읽으며 발견한 또 다른 책이 바로 『이기적 유전자』다. 이미 『사회 생물학』을 읽으며 그 매력에 빠져들고 있었으므로 관련된 책들을 모두 읽어 보고 싶었다. 우선 영국 옥스퍼드 대학교의 리처드 도킨스 교수가 쓴 『이기적 유전자』를 사서 읽었다.

세상을 살면서 한 권의 책 때문에 인생관, 가치관, 세계관이 하루아침에 바뀌는 경험을 하는 이들이 과연 몇이나 될까? 대부분은 아마 단 한 번도 그런 짜릿한 경험을 못 하고 생을 마칠 것이다. 그런데 나는 『이기적 유전자』를 읽으면서 그런 엄청난 경험을 했다.

라 『이기적 유전자』는 그야말로 유전자의 관점에서 이 세상 모든 것을 재해석하는 책이다. 이 책은 나에게 삶을 바라보는 전혀 새로운 관점을 제시했다. 도킨스에 따르면 살아 숨 쉬는 우리는 사실 DNA의 '계획'에 따라 움직이는 기계일 뿐이다. DNA는 태초부터 지금까지 여러 다른 생명체의 몸을 빌려 끊임없이 그 명맥을 이어 왔다. 도킨스는 그래서 DNA를 가리켜 '불멸의 나선'이라 부르고 그 지령에 따라 움직일 수밖에 없는 모든 생명체를 '생존 기계'라고 부른다.

마 나는 그날 그 새벽에 바라본 세상의 모습, 그 순간을 잊지 못한다. 그 순간부터 내 삶은 그 전과 후로 완벽하게 갈라졌다. 그전에는 여러 가지 삶의 의문에 이렇게도 생각하고 저렇게도 생각하면서, 그때마다 다른 답을 내곤 했다. 그러던 것이 『이기적 유전자』를 읽고 난 그 새벽부터는 모든 것이 가지런해졌다. 한 길로 나란히 늘어선 것처럼. 그저 유전자의 관점에서 세상을 다시 분석하면 모든 것이 명쾌하게 설명되었다.

한눈에 콕

금성 천재 이

갈래	수필(독서기)
주제	독서가 삶에 미친 영향
특징	① 독서의 경험이 시간의 흐름에 따라 제시됨 ② 글쓴이가 읽은 수필의 전문을 인용하여 내용에 대한 이해를 도움 ③ 책 이름을 구체적으로 언급하면서 독서를 통해 느낀 감동을 강조함

만점 노트

1 글쓴이가 읽은 책의 역할

〈모닥불과 개미〉	글쓴이를 과학의 세계로 이끎
『사회 생물학』	지적 호기심과 학문 탐구에 대한 욕구를 느낌
『이기적 유전자』	세상을 바라보는 일관된 관점을 제공함

2 〈모닥불과 개미〉에 나타난 개미들의 행동에 대한 이해

솔제니친 (철학적)	부정적 체제에 순응하는 구 소련 민중들의 모습
사회 생물학 (과학적)	여왕개미를 구해 종족의 DNA를 남기기 위한 행위

3 글쓴이가 『사회 생물학』과 『이기적 유전자』를 통해 얻은 것

① 학문적으로 걸어 가야 할 길을 정하게 되었다.

② 삶의 의문을 분석하는 기준을 세우게 되었다.

4 독서가 삶에 미치는 영향

세상을 살아가면서 생기는 의문점을 해결하고 세상을 바라보는 시각을 정립하게 한다.

plus

사회 생물학

동물과 인간의 사회적 행동을 생물학적 관점에서 연구하는 학문. 사회 생물학에 따르면 인간이나 동물의 이타적인 행위는 본질적으로 자신의 유전자를 후대로 이어지게 하기 위한 이기적인 행위이다. 『사회 생물학』과 『이기적 유전자』는 사회 생물학과 관련된 대표적 도서이다.

1 이 글에 대한 설명으로 적절하지 않은 것은?

① 인상 깊었던 글을 인용하여 독자의 이해를 돕고 있다.
② 글쓴이의 독서 경험이 시간의 흐름에 따라 제시되고 있다.
③ 글쓴이가 책을 읽으며 느꼈던 감동과 영향을 제시하고 있다.
④ 의문문의 형식을 활용하여 글쓴이의 독서 경험을 강조하고 있다.
⑤ 글쓴이의 독서 경험을 예로 들어 올바른 독서 방법을 알려 주고 있다.

2 이 글의 내용과 일치하지 않는 것은?

① 글쓴이는 개미를 과학적으로 연구하기 위해 동물학자가 되었다.
② 글쓴이는 『이기적 유전자』를 읽은 뒤에 세상을 보는 눈이 달라졌다.
③ 글쓴이는 사회 생물학을 통해 개미들에 대한 의문을 풀 수 있었다.
④ 도킨스는 모든 생명체가 DNA를 보전하기 위한 수단이라고 보았다.
⑤ 솔제니친은 죽음을 불사하는 개미들의 행동을 철학적으로 이해하였다.

학습 활동 응용

3 이 글에서 이끌어 낼 수 있는 독서의 효용으로 적절한 것을 〈보기〉에서 모두 고른 것은?

보기

ㄱ. 삶의 방향을 정하는 데 도움을 준다.
ㄴ. 세상을 바라보는 관점을 정립하게 한다.
ㄷ. 살아가면서 느끼는 여러 의문점을 해결해 준다.
ㄹ. 구성원에 대한 이해를 넓혀 공동체 의식을 형성한다.

① ㄱ, ㄴ ② ㄱ, ㄷ ③ ㄴ, ㄹ
④ ㄱ, ㄴ, ㄷ ⑤ ㄴ, ㄷ, ㄹ

4 (라)와 〈보기〉를 참고하여 [A]의 이유를 한 문장으로 쓰시오.

보기

개미 집단에서 번식을 하는 것은 여왕개미 한 마리뿐이고, 다른 암컷은 번식을 하지 않고 육아 · 집 짓기 · 먹이 모으기 등의 일을 한다.

수능형

5 (라)에 나타난 관점에 대한 비판적 사고로 가장 적절한 것은?

① 일란성 쌍둥이의 성격이 환경에 따라 달라지는 것은 어떻게 설명할 수 있는가?
② 모든 것이 정해져 있다면 굳이 더 많은 것을 배우기 위해 노력할 필요가 없는 것이 아닌가?
③ 후손에게 더 나은 삶의 기반을 물려주기 위해 노력하는 것도 유전자의 계획에 따른 것인가?
④ 크기가 매우 작아서 현미경으로만 보아야 하는 유전자가 어떻게 훨씬 큰 몸을 조종할 수 있는가?
⑤ 유전자를 분석하면 그 유전자를 지닌 인간의 생물학적인 모든 것을 파악하고 조절할 수도 있는가?

수능형

6 〈보기〉를 참고할 때, ㉠에 대한 이해로 적절하지 않은 것은?

보기

솔제니친은 옛 소련의 인권 탄압을 폭로했다가 반역죄로 추방된 소설가이다. 〈모닥불과 개미〉는 인권을 무자비하게 탄압하는 옛 소련 체제와 그런 체제에 순응하는 사람들을 비판하고 있다.

① 개미집이 들어 있는 썩은 통나무는 옛 소련 지역으로 볼 수 있군.
② 개미들은 옛 소련의 체제 속에서 살아가는 소련 사람들로 볼 수 있군.
③ 통나무를 태우는 모닥불은 체제를 바꾸려는 사람들의 열망으로 볼 수 있군.
④ 통나무에 불이 붙은 상황은 사람들에 대한 옛 소련 체제의 탄압으로 볼 수 있군.
⑤ 개미들이 불타는 통나무를 떠나지 않는 상황은 체제에 순응하는 것으로 볼 수 있군.

7 이 글을 참고할 때, 다음 빈칸에 들어갈 말로 가장 적절한 것은?

리처드 도킨스 교수가 쓴 『이기적 유전자』는 글쓴이에게 (   )으로 볼 수 있다.

① 개미의 세계에 흥미를 지니게 한 책
② 세상을 이해하는 방법을 제시해 준 책
③ 솔제니친의 글을 이해하도록 도와준 책
④ 독서의 재미와 유용성을 깨닫게 해 준 책
⑤ 인생을 살아가는 올바른 태도를 알려 준 책

읽기

03 지식의 미술관 - 이주헌

르네 마그리트의 주된 창작 기법인 데페이즈망은 우리말로 흔히 '전치(轉置)'로 번역된다. 특정한 대상을 ㉠상식의 맥락에서 떼어 내 이질적인 상황에 배치함으로써 기이하고 낯선 장면을 연출하는 것을 말한다. 초현실주의 문학의 선구자 로트레아몽의 시에 ㉮"재봉틀과 양산이 해부대에서 만나듯이 아름다운"이라는 표현이 있는데, 바로 이것이 전형적인 데페이즈망의 표현법이다. ⓐ해부대 위에 ⓑ재봉틀과 양산이 놓여 있다는 게 ㉡통념에 맞지 않지만, 바로 그 기이함이 시적 · 예술적 상상을 낳아 논리와 ㉢합리 너머의 세계에 대한 심층적 인식을 일깨운다.

전치: 딴 곳으로 옮겨 놓음

르네 마그리트의 〈골콘다〉는 푸른 하늘과 집들을 배경으로 검은 옷과 모자를 쓴 남자들이 부유하는 모습을 그린 것이다. 보기에 따라서는 남자들이 비처럼 하늘에서 쏟아지는 느낌을 주기도 한다. 어느 쪽이든 간에 이는 현실에서는 불가능한 상황이다.

부유: 물 위나 물속, 또는 공기 중에 떠다님

일단 화가는 이 그림에서 중력을 제거해 버렸다. 거리를 걷고 있어야 할 사람들이 공중에 떠 있다. 그리고 그들은 자로 잰 듯 일정한 간격으로 포진해 있다. ㉣기계적인 배치다. 빗방울이 떨어져도 이렇듯 기하학적으로 떨어질 수는 없다. 이처럼 ㉤현실의 법칙을 벗어나 있지만, 그 비상식적 조합이 볼수록 매력적이다. 기이하고 낯선 느낌이 보는 이에게 추리의 욕구와 신비로운 환상을 불러일으킨다. 이는 우리의 마음이 동했다는 뜻이고, 우리의 마음을 움직인 이상 이 허구의 이미지는 세상을 움직이는 하나의 힘이 되어 버린다.

포진: 물건 따위를 펴서 늘어놓음
동하다: 어떤 욕구나 감정 또는 기운이 일어나다

데페이즈망은 우리로 하여금 현실로부터 쉽게 일탈해 무한한 자유와 상상의 공간으로 넘어가게 한다. 그런 점에서 데페이즈망은 현실에 대한 일종의 파괴라고 할 수 있다. 현실의 법칙과 논리를 간단히 무장 해제해 버리는 파괴의 형식이다. 이와 관련해 우리가 주목할 필요가 있는 부분이 데페이즈망 형식의 다양성이다.

일탈: 정하여진 영역 또는 본디의 목적이나 길, 사상, 규범, 조직 따위로부터 빠져 벗어남

파괴라는 말은 그 말의 강한 인상으로 인해 다양성과는 거리가 멀다는 인상을 준다. 하지만 창조의 형식만큼 파괴의 형식도 다양하다. 흔히 창조적 파괴라는 말을 한다. 이때 파괴는 단순히 창조를 위한 전제에 불과한 것이 아니다. 파괴의 형식이 창조의 형식을 규정하고 파괴의 결이 창조의 결로 이어진다. 한마디로 파괴는 무차별적인 그 무엇이 아니며, 창조가 파괴로부터 명확하게 구분이 되는 것도 아니다. 파괴되는 순간, 창조의 방향은 이미 결정이 나 있다고 할 수 있다.

파괴의 형식으로서 데페이즈망은 매우 다양한 색깔을 보여 준다. 데페이즈망이 보여 주는 파괴는 다채롭고 무한하다. 그 말은 데페이즈망으로 인한 창조의 형식 또한 다채롭고 무한하다는 뜻이 된다. 프랑스의 미술사가 사란 알렉상드리앙은 마그리트의 그림에 나타난 데페이즈망의 형식을 크게 여섯 가지로 분류했는데, 작은 것을 크게 확대하기, 보완적인 사물을 조합하기, 생명이 없는 것에 생명을 불어넣기, 미지의 차원을 열어 보이기, 생명체를 사물화하기, 해부학적 왜곡 등이 그것이다. 그런가 하면 미국의 미술가이자 비평가인 수지 개블릭은 사물을 원래의 맥락으로부터 떼어 놓는 고립, 불가능한 것으로 바꾸는 변형, 익숙한 것을 낯설게 만드는 합성, 스케일과 위치의 부조화, 우연한 만남, 동음이의어적인 이중 이미지, 역설, 시공에 관한 경험을 왜곡한 이중 시점 등을 마그리트가 구사한 대표적인 데페이즈망 기법으로 꼽는다. 파괴의 형식에 관한 언급들이지만, 그것이 곧 창조의 형식에 관한 언급이기도 함을 알 수 있다.

한눈에 콕

비상 박Ⅰ 지학

갈래	설명문
주제	마그리트의 그림 세계를 통한 데페이즈망의 개념과 그 효과
특징	① 대상의 개념을 규정하여 이해를 돕고 있음 ② 구체적 사례를 통해 대상의 효과를 설명함 ③ 분류의 방식을 통해 작품 경향을 설명함

만점 노트

읽기 과정에 따른 자기 점검

읽기 전
- 읽기 목적의 결정 및 확인: 상식을 넓히거나 발표 등을 할 목적으로 읽음 등
- 제목이나 그림 등을 통해 전개될 내용 예측: 특정 작가의 창작 기법에 대한 설명일 것으로 예측함

↓

읽는 중
- 읽기 전에 예측한 내용 확인: 주요 작품의 특징과 '데페이즈망' 기법의 개념 설명 부분을 확인해 봄
- 궁금한 점이나 주요 내용 등에 대한 점검: '데페이즈망' 기법이 가져 오는 효과와 '파괴가 곧 창조'라는 표현이 지니는 의미 등에 대해 의문을 가져 봄
- 내용 이해에 도움이 되는 자료 검색: '데페이즈망' 기법의 여러 형식이 적용된 작품을 검색하여 확인해 봄

↓

읽은 후
- 글의 중심 내용 정리 및 요약: '데페이즈망'의 개념과 다양한 형식을 정리하고 요약함
- 새롭게 알게 된 내용이나 깨달음 정리: 파괴를 통해 새로운 창조를 구현하는 '데페이즈망'의 기법이 지니는 의의를 알게 됨

plus+

마그리트의 그림 〈골콘다〉

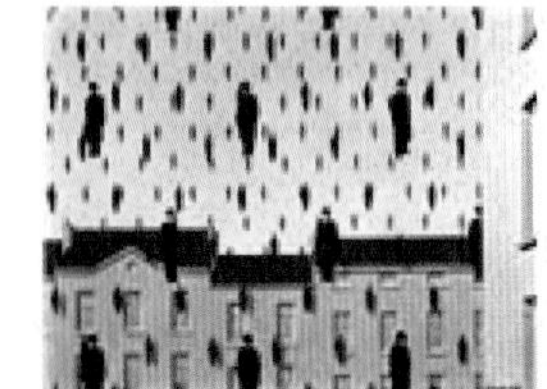

1 이 글의 서술상 특징에 대한 설명을 모두 고른 것은?

> ㄱ. 설명하고자 하는 대상의 개념을 정의하여 독자의 이해를 돕고 있다.
> ㄴ. 구체적 사례를 통해 대상이 지니고 있는 효과를 설명하고 있다.
> ㄷ. 통시적 관점에서 대상에 대한 평가의 변화를 제시하고 있다.
> ㄹ. 분류의 방식을 통해 대상의 다양한 형식을 열거하고 있다.
> ㅁ. 권위자의 말을 빌려 글쓴이의 주장을 뒷받침하고 있다.

① ㄱ, ㄴ, ㄷ
② ㄱ, ㄴ, ㄹ
③ ㄱ, ㄷ, ㄹ
④ ㄱ, ㄴ, ㄷ, ㄹ
⑤ ㄱ, ㄴ, ㄹ, ㅁ

학습 활동 응용

2 다음과 같은 목적으로 이 글을 읽는다고 할 때, 읽기의 방법으로 가장 적절한 것은?

> 책의 주요 내용을 수업 시간에 발표해야 한다.

① 읽기 전에 예측한 내용을 확인하며 읽는다.
② 내용이나 표현의 의미와 효과를 음미하며 읽는다.
③ 내용의 타당성이나 신뢰성 등을 평가하며 읽는다.
④ 처음부터 끝까지 내용을 정리하며 꼼꼼히 읽는다.
⑤ 문제 해결에 도움이 되는 내용을 찾아가며 읽는다.

3 ㉠~㉤ 중, 문맥적 의미가 동일한 것끼리 바르게 묶인 것은?

① ㉠, ㉡, ㉢ / ㉣, ㉤
② ㉠, ㉡, ㉣ / ㉢, ㉤
③ ㉠, ㉡, ㉤ / ㉢, ㉣
④ ㉠, ㉡, ㉢, ㉤ / ㉣
⑤ ㉠, ㉡, ㉣, ㉤ / ㉢

학습 활동 응용

4 ㉮가 의미하는 내용으로 가장 적절한 것은?

① 통념을 거부하는 기이함에 의해 합리적 이성을 일깨울 수 있다.
② 흔히 볼 수 있는 물체도 낯선 공간에서 만나게 되면 새로운 상상을 자극할 수 있다.
③ 기이하고 낯선 소재들이 일상적 공간에서 만남으로써 새로운 의미를 형성할 수 있다.
④ 예술적 상상을 자극할 수 있는 소재들의 결합이야말로 논리와 합리를 극복할 수 있다.
⑤ 인간 내면의 심층적 인식을 자극할 수 있는 상징적 소재의 결합이 아름다움을 형성할 수 있다.

수능형

5 이 글에서 설명한 '사란 알렉상드리앙'의 분류를 바탕으로 〈보기〉의 그림에 나타난 '데페이즈망'의 형식을 평가할 때, 가장 적절한 것은?

보기

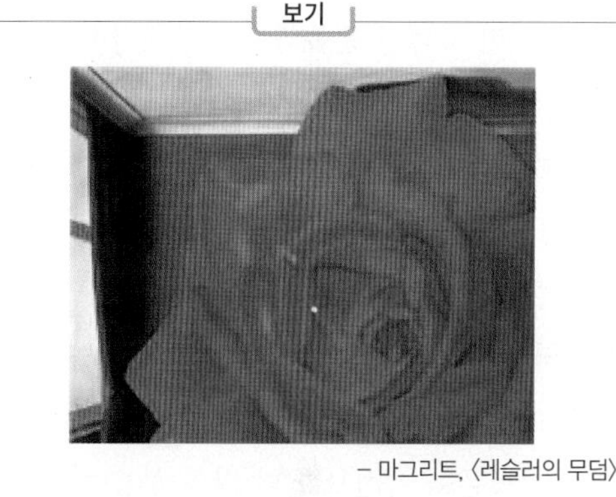

– 마그리트, 〈레슬러의 무덤〉

① 생명이 없는 것에 생명을 불어넣음으로써, 인간과 사물의 교감을 표현하고 있다.
② 미지의 차원을 열어 보임으로써, 현실에 존재하지 않는 환상적인 이미지를 형상화하고 있다.
③ 생명체를 사물화하여 표현함으로써, 물질적 가치가 팽배한 현대 사회의 단면을 보여 주고 있다.
④ 상호 보완적인 역할을 하는 사물을 조합함으로써, 이를 통해 만들어지는 상징적 의미를 강조하고 있다.
⑤ 대상의 크기를 변화시킴으로써, 평범한 일상을 낯선 상황으로 탈바꿈하여 신비한 분위기를 표현하고 있다.

6 ⓐ와 ⓑ가 의미하는 구절을 1문단에서 찾아 각각 2어절로 쓰시오.

ⓐ : ________ ⓑ : ________

읽기

04 스마트폰 중독, 어떻게 해결할까? - 고영삼

가 스마트폰을 많이 사용한다고 해서 반드시 과도한 의존 현상에 빠져 있다고 할 수는 없다. 그러나 분명한 목적이나 계획 없이 스마트폰을 자주 사용하는 습관은 스마트폰에 과도하게 의존하는 현상, 이른바 스마트폰 중독에 빠지게 될 위험이 있다. 특히 자기 조절 능력이 부족한 청소년들은 스마트폰에 중독될 위험이 더 크다. 실제로 한국 정보화 진흥원의 2015년 조사 자료를 보면, 청소년의 스마트폰 중독 정도는 성인보다 더 높은 것으로 나타났다.

나 또한 스마트폰에 중독된 청소년들이 해가 갈수록 늘어나는 추세이다. 2015년 청소년 스마트폰 이용자 중 스마트폰 중독 위험군은 31.6%로 전년 대비 2.4%포인트 상승하였으며, 2011년 이후 매년 꾸준히 증가하고 있다.

다 먼저, 스마트폰에 중독되면 공부나 일에 집중할 수 없어 일상생활에 어려움을 겪는다. 내가 보낸 문자 메시지를 친구가 읽었는지, 무엇이라고 답했는지가 궁금해서 공부나 일에 집중하지 못했던 경험이 있을 것이다. 우리가 어떤 일에 몰두하면 두뇌의 '작업 기억'(단기 기억. 감각 기관을 통해 입력된 정보를 단기적으로 기억하며 능동적으로 이해하고 조작하는 과정)은 가득 차 버린다. 그래서 여러 가지 일을 동시에 하면 기억 공간이 부족해져서 공부나 일에 대한 주의가 분산되고 능률도 떨어진다. 스마트폰에 중독된 학생들의 학업 성적이 떨어지는 이유도 이 때문이다.

라 둘째, 스마트폰 중독은 금단 현상이나 강박 증세, 충동 조절 능력 저하, 우울 등과 같은 신경 정신과적 증상을 동반할 수 있다. 일반적으로 중독 물질에 반복적으로 노출되면, 두뇌에서 쾌락을 느끼게 하는 신경 전달 물질인 도파민(동식물에 존재하는 아미노산의 하나로 뇌신경 세포의 흥분 전달에 중요한 구실을 함)이 과도하게 분비되어 이후에 같은 자극을 받더라도 처음과 같은 쾌락을 느끼지 못하는 내성이 생긴다. 또한 자극이 없을 때에는 극도의 불안을 느끼는 금단 현상이 나타난다. 마찬가지로 스마트폰에 중독되면 스마트폰을 이전보다 더 많이 사용하지 않는 이상 만족감이나 즐거움을 느낄 수 없게 되며, 스마트폰을 가지고 있지 않을 때에는 극도의 불안감이나 초조감을 느끼게 된다. 또한 스마트폰에 중독되면 기분과 사고 기능 등을 조절하게 하는 신경 전달 물질인 세로토닌의 분비가 줄어드는데, 이것이 줄어들면 감정 조절이 어려워 충동적으로 변하거나 우울증이 생기기도 한다.

마 셋째, 스마트폰 중독은 신체 건강에 악영향을 끼친다. 작은 화면을 오래 보면 눈이 피로해지고 목이나 손목, 척추 등에 이상이 온다는 것은 너무나 많이 알려진 상식이라 더 설명할 필요도 없다. 이 외에도 스마트폰 중독은 두통, 두뇌 기능 저하, 수면 장애 및 만성 피로 등의 원인이 될 수 있다. 또한, 세계 보건 기구에서는 2011년부터 스마트폰에서 나오는 전자파를 '발암 가능 물질'로 분류하였다. 전자파가 열작용을 일으켜 체온이 상승해 세포나 조직 기능에 영향을 줄 수 있기 때문이다. 따라서 스마트폰 중독이 신체 건강에 끼치는 피해는 심각하다고 할 수 있다.

바 마지막으로, 스마트폰 중독은 사회적으로 건강한 생활을 할 수 없게 만든다. 스마트폰에 중독된 사람은 가상 세계를 지향하려는 경향이 있는데, 가상 세계에 몰입하다 보면 현실 세계에서 원만한 대인 관계를 형성하거나 유지하는 데에 어려움을 겪을 수 있다. 또한, 스마트폰 중독이 심각한 경우에는 현실 세계와 가상 세계를 혼동하여 일탈 행동을 보이거나 범죄를 저지르는 등 사회적 물의를 일으킬 수 있다. 실제로 가상 세계에

한눈에 콕

비상 박 I

갈래	논설문
주제	스마트폰 중독 현상과 위험성
특징	① 인용이나 구체적 수치를 제시하여 주장에 대한 근거를 뒷받침함 ② 스마트폰 중독의 위험성을 나열하고 그 근거를 구체적으로 제시함

만점 노트

1 글의 구조

스마트폰 중독 정도가 높은 청소년들
↓
스마트폰 중독 청소년들의 증가 추세
↓
스마트폰 중독의 위험성

2 이 글의 주장과 근거

① 청소년과 스마트폰 중독 간의 상관관계

주장	자기 조절 능력이 부족한 청소년들은 스마트폰 중독에 빠질 위험이 더 큼
근거	한국 정보화 진흥원의 조사에 의하면 청소년의 스마트폰 중독 정도가 성인보다 높음 ⇒ 인용에 의한 근거 제시

② 스마트폰 중독 청소년의 증가

주장	해마다 스마트폰에 중독된 청소년이 증가함
근거	• 2015년 청소년 스마트폰 이용자 중 중독 위험군은 31.6%로 전년 대비 2.4%포인트 상승함 • 2011년 이후 매년 꾸준히 증가함

3 스마트폰 중독의 위험성

① 공부나 일에 집중할 수 없어 효율이 떨어진다.
② 신경 정신과적 증상을 동반할 수 있다.
③ 신체 건강에 악영향을 미친다.
④ 사회적으로 건강한 생활을 할 수 없게 만든다.

서의 비방이나 험담으로 시작된 다툼이 현실 세계에서의 폭력으로 이어진 사례가 있으며, 심지어 SNS에서 익명의 다수에게 호응을 얻기 위해 일탈 행동을 저지르고는 이를 자기의 계정에 올려 충격을 준 사례도 있다.

1 이 글의 서술 방식에 대한 설명으로 적절하지 않은 것은?

① 낯선 용어를 풀이하여 독자들의 내용 이해를 돕고 있다.
② 주장을 나열하고 주장하는 내용을 구체화하고 있다.
③ 인용을 통해 주장을 뒷받침할 만한 근거를 제시하고 있다.
④ 객관적 수치를 제시하여 주장에 대한 신빙성을 높이고 있다.
⑤ 예상되는 반론을 반박함으로써 자신의 주장을 강화하고 있다.

학습 활동 응용

2 이 글과 관련하여 〈보기〉에 제시된 선생님의 질문에 대한 답으로 적절한 것은?

보기

선생님: 어떤 문제에 대한 해결 방안에는 개인적 차원에서 해결할 수 있는 방법도 있지만 사회적인 합의에 의한 제도적 방안을 고려해 보는 것도 필요합니다. 스마트폰 중독을 해결하기 위한 제도적 방안에는 무엇이 있을까요?

① 자신이 얼마나 스마트폰을 사용하는지 기록해 보는 것이 도움이 될 수 있습니다.
② 자기 스스로 스마트폰 사용 시간과 공간을 정하고 준수하는 자세를 가져야 합니다.
③ 자신의 스마트폰 사용 습관에 대해 직접 전문적인 상담을 받아보는 것이 필요합니다.
④ 일이나 공부를 할 때 가능하면 스마트폰을 사용하는 것을 자제하려는 습관을 형성하는 것이 중요합니다.
⑤ 운전 중 스마트폰 사용을 제재하는 것처럼 길을 걸으면서 스마트폰을 사용하는 사람들에 대한 법적인 제재 방안이 필요하다고 생각합니다.

3 이 글을 통해 알 수 있는 스마트폰의 위험성으로 적절하지 않은 것은?

① 일이나 공부에 대한 집중력을 잃을 수 있다.
② 두통 및 만성 피로 등 신체 건강을 해칠 수 있다.
③ 확인되지 않은 무분별한 정보에 노출될 수 있다.
④ 우울증, 금단 현상 등 각종 정신적인 장애를 겪을 수 있다.
⑤ 현실과 가상의 혼동으로 사회적 관계 형성에 악영향을 미칠 수 있다.

수능형

4 이 글과 〈보기〉를 비교한 내용으로 가장 적절한 것은?

보기

최근 심각한 스마트폰 중독 문제로 병원을 찾아오는 환자들 상당수는 20대들이고, 10대 청소년은 그 수가 부쩍 줄어들었다. 물론 다른 치료 기관이 많이 생겼기 때문이겠지만, 부모들의 성장과 변화도 한몫 하지 않았나 싶다. 지금 초등학생들의 부모는 대략 30대이다. 어릴 때부터 인터넷을 일상적으로 접하면서 자라난 이들이 부모가 되었으니, 아이들의 인터넷이나 스마트폰 사용 시간을 조절하는 데 있어 이전 세대보다 덜 혼란스러워하고 불안해하는 것 같다.

① 이 글은 스마트폰의 부정적인 영향에 중점을 두는 반면, 〈보기〉는 긍정적인 효용에 중점을 두고 있다.
② 이 글은 청소년의 스마트폰 중독 현상의 원인을 청소년의 특징에서 찾는 반면, 〈보기〉는 부모들의 미숙함에서 찾고 있다.
③ 이 글은 스마트폰 중독의 심각성을 강조하는 반면, 〈보기〉는 스마트폰 중독 현상이 우려할 정도로 심하지는 않다고 주장하고 있다.
④ 이 글은 스마트폰 중독과 나이와의 상관 관계를 밝히지 않은 반면, 〈보기〉는 성인에 비해 청소년이 스마트폰 중독 현상에 노출되기 쉽다는 걸 전제하고 있다.
⑤ 이 글은 스마트폰 중독은 치유되기 힘들다는 것을 강조하고 있는 반면, 〈보기〉는 병원과 기관을 통해 스마트폰 중독을 치료할 수 있는 것으로 인식하고 있다.

읽기 05 초신성의 후예 - 이석영

가 사람의 몸을 구성하는 주요 원소는 수소, 탄소, 질소, 산소, 황, 그리고 인이다. 원자 개수로 치면 수소가 전체의 63%를 차지하고 질량으로 치면 산소가 전체의 26%를 차지하는 '짱' 원소다. 그 외 철, 마그네슘, 나트륨과 같이 적은 양이지만 꼭 필요한 원소도 여럿 있다. 그러면 이런 원소들은 어디에서 왔을까?

나 빅뱅 이론을 세운 조지 가모프 교수는 뜨거운 초기 우주에서 작은 입자들이 고속으로 만나 어떻게 수소와 헬륨 원자핵을 최초로 만들었는지 알아냈다. 우리 몸의 핵심 요소이자 기구를 띄우기 위해 종종 집어넣는 기체이고, 미래 자동차 연료로 주목을 받으며, 우주 전체 물질 질량의 70%를 차지하는 수소는 우주 초기 처음 3분간 만들어지고, 온 우주에 고루 뿌려진 뒤 오늘날 우리 몸속에 자리 잡았다는 것이 현대 우주론적 이해다.

다 그러면 수소와 헬륨보다 무거운 원소들은 어디에서 만들어졌을까? 탄소, 질소, 산소는 태양과 같은 작은 별 안에서 만들어졌다. 우리 은하 내에는 태양과 같은 작은 별이 약 1,000억 개 존재하고, 보이는 우주 내에는 우리 은하와 같은 은하가 또 1,000억 개 이상 존재한다. 작은 별들은 뜨거운 중심부에서 수소를 연료로 핵융합 발전을 해 빛을 만들고 그 과정에서 헬륨을 생산한다. 수소가 고갈되면 헬륨을 핵융합하여 탄소를, 다시 탄소를 이용하여 산소 등을 만든다. 이렇게 만들어진 원소들의 일부는 우주 공간에 퍼져 나가고, 일부는 수명을 다하는 별의 핵을 이루며 최후를 장식한다. 작은 별의 최후는 주로 단단한 탄소 덩어리일 것이라고 생각된다.

- 핵융합 발전: 가벼운 원소들의 핵이 서로 결합해 좀 더 무거운 원소를 형성하게 되며, 이때 방출되는 에너지를 이용한 발전 방식

라 산소보다 더 무거운 황, 인, 마그네슘, 철 등은 태양보다 대략 10배 이상 무거운 별에서 만들어졌다. 무거운 별은 작은 별보다 짧고 굵은 삶을 산다. 작은 별들이 약 100억 년 안팎으로 살 수 있는 것에 비해 큰 별들은 1,000만 년 정도로 짧게 산다. 하지만 내부가 워낙 고온으로 올라가기 때문에, 산소보다 무거운 원소도 연료로 쓸 수 있고, 그래서 훨씬 다양한 핵융합을 통해 다양한 무거운 원소들을 만든다. 철까지 만든 후 무거운 별들은 초신성 폭발을 한다. 철보다 무거운 원소는 초신성 폭발에서 만들어진다. 큰 별이 초신성 폭발과 함께 일생을 마감할 때, 일부 물질은 폭발의 잔해인 블랙홀이나 중성자별 안에 갇히지만, 대부분은 우주 공간으로 환원된다. 만일 초신성이 자기가 만든 귀한 원소들을 우주에 나누어 주지 않는다면 어떤 일이 일어날까? 그 후에 태어난 젊은 별은 초기 우주가 만든 수소와 헬륨 등 극히 단순한 원소 외에는 갖지 못한 채 태어날 것이다.

- 초신성: 무거운 별이 진화하는 마지막 단계로, 급격한 폭발로 엄청나게 밝아진 뒤 점차 사라짐
- 중성자별: 굉장한 밀도로 수축하여 전체가 거의 중성자로 이루어진 별
- 블랙홀: 초고밀도에 의하여 생기는 중력장의 구멍. 한없이 수축하여 밀도가 빛을 빨아들일 만큼 매우 높아지면서 생겨남
- 환원: 본디의 상태로 다시 돌아감

마 태양도 예외가 아니다. 초신성이 원소들을 우주에 나누어 주지 않았다면, 태양계에선 생명이 탄생할 수 없었을 것이다. 우주가 시작하고 팽창하고, 별과 행성이 만들어지고, 은하가 탄생하고……. 하지만 평화로워 보이는 우주엔 이렇게 무기물 외에는 다른 어떤 숨 쉬는 것도 있을 수 없다. 생명이 없는 우주가 되는 것이다. 결국 우리 몸속의 원소 중 수소는 초기 우주가, 다른 원소는 작고 큰 별들이 제공했다. 특히 산소보다 무거운 원소들은 거의 대부분 태양이 태어나기 전 그러니까 약 46억 년 전 어느 날, 이 근처에서 살다가 초신성 폭발과 함께 생을 마감한 이름 모를 어느 거대한 별에 의해 만들어졌을 것이다.

바 우리 사회에도 종종 초신성과 같은 역할을 하는 사람들이 있다. 땀 흘려 이룩한 재화, 기술, 지식, 능력 등을 아낌없이 사회와 나누는 그런 사람들은 나눔으로 수많은 다른 사람들을 살리기도 한다. 자연의 섭리가 인간 사회와 닮은 예 가운데 하나이다. 〈중략〉

- 재화: 돈이나 그 밖의 값나가는 모든 물건(=재물)
- 섭리: 자연계를 지배하고 있는 원리와 법칙

한눈에 콕

천재 박

갈래	중수필(과학적 수필)
주제	인류의 탄생 기원과 나누는 삶의 필요성
특징	① 질문을 통해 화제에 대한 강조와 주의를 집중시키고, 독자의 흥미와 호기심을 유발함 ② 권위자의 이론을 인용하여 글쓴이의 설명에 신뢰성을 높임 ③ 자연의 섭리를 인간 사회에 적용하여 해석하는 유추의 방식을 활용하여 나누는 삶의 필요성을 강조함

만점 노트

1 원소들의 생성

초기 우주(빅뱅)
수소, 헬륨 원자핵 생성

작은 별(핵융합 발전)
탄소, 질소, 산소 생성

무거운 별(핵융합 발전)
황, 인, 마그네슘, 철 생성
↓ 초신성 폭발
철보다 무거운 원소들 생성

2 초신성과 초신성과 같은 사람

초신성
별은 일생 동안 핵융합을 통하여 다양한 원소들을 만들어 별 내부에 차곡차곡 쌓아 놓음 → 초신성 폭발은 그것을 우주로 환원하는 과정이 됨 → 환원된 원소들에 의해 생명체들이 탄생함

⬇ 유추(사고의 확장)

초신성과 같은 사람
열심히 살아서 이룩한 자신의 재화, 기술, 지식, 능력 등을 사회와 나누어 수많은 다른 사람들을 살림

plus

빅뱅 이론

대폭발 우주론이라고도 한다. 약 137억 년 전 한 점에서 엄청나게 높은 밀도와 온도에 의해 대폭발이 일어나 팽창함으로써 우주가 생겨났다는 이론이다. 빅뱅 이론을 정립한 조지 가모프 교수는 급격하게 팽창한 우주는 점차 식기 시작하였고, 초기 우주에서 수소, 헬륨 같은 가벼운 원소가 만들어져 현재까지 우주의 대부분을 차지하게 되었다고 주장한다.

초신성이 그저 폭발만 한다면 엄청난 충격을 일으켜 주변을 망가뜨리는 결과를 낳을 것이다. 하지만 초신성은 그 폭발을 통해 중요한 원소들을 우주에 환원함으로써 오히려 우주에 생명의 씨앗을 뿌리게 되는 것 아닌가. 당신은 초신성처럼 살고 싶은가?

---

1 이 글에 대한 설명으로 적절하지 않은 것은?

① 권위자의 이론을 인용하여 글쓴이의 설명에 신뢰성을 강화하고 있다.
② 글쓴이 자신의 체험을 바탕으로 인간의 삶에 대한 견해를 밝히고 있다.
③ 사람의 몸을 구성하는 주요 원소들의 기원을 우주 생성 이론을 바탕으로 설명하고 있다.
④ 질문을 통해 화제에 대한 강조와 주의를 집중시키고, 독자의 흥미와 호기심을 유발하고 있다.
⑤ 자연의 섭리를 인간 사회에 적용하여 해석하는 유추의 방식을 활용하여 나눔의 삶을 강조하고 있다.

학습 활동 응용

2 이 글과 관련한 책을 더 찾아 읽는다고 할 때, 고른 책과 그 이유가 적절한 학생은? (정답 2개)

① 용수: 내 삶을 성찰하게 하는 책을 찾아 읽었다. – 인간 욕망의 덧없음을 깨닫게 하는 김만중의 〈구운몽〉
② 형관: 초신성과 같은 삶을 산 인물을 다룬 책을 찾아 읽었다. – 한국의 슈바이처로 가난한 사람을 위해 헌신한 장기려 박사의 평전 〈장기려, 그 사람〉
③ 철현: 우리가 사는 사회를 성찰하게 하는 책을 찾아 읽었다. – 인터넷 시대에 만연한 폭력의 양상을 예리하게 짚어 낸 도선우의 〈저스티스맨〉
④ 민혁: 우주의 기원과 원리를 설명한 책을 찾아 읽었다. – 팽창 우주설인 빅뱅 우주론의 핵심을 쉽고 재미있게 풀어낸 이석영의 〈빅뱅 우주론 강의〉
⑤ 경원: 우리 사회가 지향해야 할 가치를 다룬 책을 찾아 읽었다. – 기아와 불평등에 대해 생각해 볼 수 있는 장 지글러의 〈왜 세계의 절반은 굶주리는가〉

수능형

3 이 글을 바탕으로 작은 별과 큰 별에 대해 비교한 내용으로 적절하지 않은 것은?

	작은 별	큰 별
①	태양과 같은 별을 가리킨다.	태양보다 10배 이상 무거운 별을 가리킨다.
②	탄소, 질소, 산소를 생성한다.	황, 인, 마그네슘, 철을 생성한다.
③	작은 별들은 약 100억 년 안팎으로 살 수 있다.	큰 별들은 1,000만 년 정도로 짧게 산다.
④	작은 별에서 만들어진 원소들의 일부는 우주 공간으로 퍼져 나간다.	큰 별에서 만들어진 원소들은 대부분 우주 공간으로 환원된다.
⑤	작은 별의 최후는 주로 단단한 탄소 덩어리일 것이라고 생각된다.	큰 별은 초신성 폭발과 함께 철과 같은 무거운 원소들을 만들고 일생을 마감한다.

4 〈보기〉는 이 글의 내용 중 일부이다. 이를 참고하여 이 글의 집필 의도를 설명한 내용으로 가장 적절한 것은?

보기

우리의 존재는 그 자체가 기적과 같다. 인간의 몸을 구성하는 물의 기본 원소인 수소는 우주가 빅뱅 후 처음 수 분 동안 만들어 낸 것이고, 나머지 원소는 모두 그 후에 우주의 별이 만든 것이다. 지구에서 우리가 태어나고 존재하기 위해서는 반드시 태양이 태어났어야 했고, 무거운 별들이 과거에 존재했어야 했으며 우리 은하의 존재를 위해 암흑 물질이 집을 만들어야 했다. 우주에 우리 말고 다른 외계 생명체가 존재하는지 나는 알지 못하지만 오로지 우리만 이 광활한 우주에 존재한다 하더라도 반드시 이 모든 복잡한 과정이 꼭 필요했던 것이다.

① 인류의 탄생이 기적이라는 것을 밝히기 위해
② 인류를 위해 우주가 존재한다는 것을 말하기 위해
③ 인류의 탄생이 초신성에서 유래했다는 것을 설명하기 위해
④ 우주에 인류만이 존재하는 것이 아니라는 것을 설명하기 위해
⑤ 지구에 인류가 존재하기 위해 반드시 태양이 폭발했어야 했다는 것을 알리기 위해

Ⅳ. 듣기·말하기, 쓰기

듣기·말하기

01. 듣기 · 말하기 방법의 다양성
02. 언어 예절을 갖춘 대화
03. 쟁점별로 논증을 구성한 토론
04. 대안 탐색과 의사 결정의 협상
05. 의사소통 과정의 점검과 조정
06. 바람직한 의사소통 문화

쓰기

01. 사회적 상호 작용으로서의 쓰기
02. 설득하는 글 쓰기
03. 경험과 성찰을 담아 정서를 표현하는 글 쓰기
04. 쓰기 과정의 점검과 조정
05. 책임감 있는 글쓰기 태도

01 듣기·말하기 방법의 다양성

1 개인 성향에 따른 듣기 · 말하기 방식의 다양성

개인 성향에 따라 듣기와 말하기 방식에 차이가 있으므로 같은 내용이라도 서로 다르게 표현할 수 있음 → 듣기 · 말하기를 할 때 상대방의 개인 성향을 고려해야 함

2 집단에 따른 듣기 · 말하기 방식의 다양성

(1) 지역 방언: 지역에 따라 어휘, 억양 등에서 차이가 있음

장점	특정 지역의 어휘나 억양은 그 지역 사람들끼리 친밀감을 표시하거나 그 지역 특유의 분위기를 드러낼 때 효과적임
단점	다른 지역의 사람과 의사소통할 때는 말하고자 하는 바를 정확하게 전달하지 못하거나 오해를 낳기도 함

(2) 사회 방언

① 세대에 따른 듣기 · 말하기 방식의 다양성

어른 세대	• 고유어나 한자어를 많이 사용함 • 격식체를 많이 사용함 • 새로운 말에 거부감을 지니는 경우가 많음
청소년 세대	• 외국어, 외래어, 신조어를 많이 사용함 • 비격식체를 주로 사용함 • 새로운 말을 만들고 쓰는 것에 개방적임

② 성별에 따른 듣기 · 말하기 방식의 다양성

여성	• 작고 귀여운 어감의 어휘를 많이 사용함 • 감정을 나타내는 부사나 감탄사를 자주 사용함 • 공감을 표현하는 어휘를 많이 사용함 • 상대방에게 동의나 확인을 요청하는 부가 의문문을 많이 사용함 • 요청할 때에 청유문을 선호함 • 말이 다소 길고 완만하며 부드러운 억양임 • 비격식체를 비교적 많이 사용함
남성	• 축약된 형태의 어휘 사용이 상대적으로 적음 • 감탄사의 사용이 상대적으로 적음 • 공감 표현이 적음 • 부가 의문문 사용이 상대적으로 적음 • 요청할 때에 명령문을 선호함 • 말이 다소 짧고 급한 하강조의 억양임 • 격식체를 비교적 많이 사용함

※ 성별에 따른 어휘나 문장 사용의 차이는 남녀의 문제가 아니라 개인의 성향이나 담화 상황에 따라 다르게 나타나는 경향이 많으므로 어느 한쪽의 경향을 보인다고 하여 남성적 또는 여성적이라고 단정할 수 없음

③ 직업에 따른 듣기 · 말하기 방식의 다양성

- 같은 직업군에 속한 사람들끼리 그 직업에 관련된 전문 용어를 사용함
- 그 직업에 속하지 않는 사람들은 의미를 제대로 파악할 수 없어 의사소통에 어려움을 겪게 됨

02 언어 예절을 갖춘 대화

- 대화: 두 사람 이상이 모여 서로의 생각과 느낌을 말로 표현하고 이해하는 의사소통 활동
- 언어 예절: 대화를 할 때 지켜야 할 예절로서, 상대방을 존중하는 마음을 언어로 표현하는 사회적 관습
- 완곡하고 정중하게 말하기: 대화 상황과 대화 상대의 처지를 고려하며 예의를 갖추어 정중하고 공손하게 표현함으로써 원만한 인간관계를 유지할 수 있음

(1) 대화 상황에 따른 말하기

상대방의 기분을 살펴야 하는 상황	사과하는 상황	진심 어린 사과의 뜻이 전달될 수 있도록 상대방의 기분을 살피면서 정중하고 공손하게 말해야 함
상대방이 부담을 가질 수 있는 상황 → 부담을 덜어 주는 말하기	부탁하는 상황	자신의 처지를 설명하고 상대방의 입장을 배려하며 말해야 함
	건의하는 상황	상대방을 존중하는 태도로 차분하게 말해야 함
	거절하는 상황	거절의 구체적인 이유를 제시하며 완곡하고 정중하게 말해야 함

(2) 말하기 방식

직접적인 말하기	상대방에게 하고 싶은 말을 있는 그대로 말하는 것 예 (창문을 열어 달라고 할 때) – "창문 좀 열어 줘."
간접적인 말하기	상대방에게 하고 싶은 말을 돌려 말하는 것 예 (창문을 열어 달라고 할 때) – "방 안 공기가 탁하지 않아?"
목표 중심 말하기	현재 자신이 처한 문제를 해결하는 것을 목표로 삼아 그것과 관련된 내용을 중심으로 하는 말하기
관계 중심 말하기	상대방과의 유대 관계를 형성하고 유지하기 위한 대화를 주고받는 과정 자체에 비중을 두는 말하기

03 쟁점별로 논증을 구성한 토론

- 토론: 어떤 논제에 대해 찬성 측과 반대 측이 각각 논거를 들어 자신의 주장이 옳음을 내세우고, 상대방의 주장이나 논거의 부당함을 밝히는 의사소통 방법
- 토론을 할 때는 논제를 분석하여 도출된 쟁점별로 논증을 구성해야 함
- 타당한 논증을 구성하기 위해서는 명료한 주장, 주장을 가능하게 하는 근거, 그리고 그 근거를 지지하는 자료를 갖추어야 함

(1) 토론 용어

논제	토론에서 해결하고자 하는 문제로, 토론의 주제를 명확하게 한 문장으로 정리한 것
논제의 종류	사실 논제 / 사실 판단과 관련된 논제
	가치 논제 / 가치 판단과 관련된 논제
	정책 논제 / 어떤 정책의 도입, 폐지, 유지 등과 관련된 논제
쟁점	토론에서 찬성 측과 반대 측이 서로 치열하게 맞대결하는 세부 주장
필수 쟁점	논제와 관련하여 반드시 짚어야 할 쟁점
논증	정확하고 객관적이며 풍부한 근거를 들어 자신의 주장이 옳음을 입증하는 것. '주장, 근거, 이유'로 구성됨
입론	논제에 관해 찬성 측 혹은 반대 측이 자신들의 주장이 타당함을 입증하는 말하기
반론	찬성 측 혹은 반대 측의 입론에 관해 상대방의 주장이 타당하지 않음을 증명하기 위한 말하기
반대 신문	상대편의 주장과 근거를 반박하기 위한 말하기
숙의 시간	자신의 주장을 정리하거나 우리 측 토론자와 상의하기 위한 일종의 작전 시간

(2) 토론의 유형

① 고전식 토론

	제1찬성자	제2찬성자	제1반대자	제2반대자
입론	①		②	
		③		④
반론	⑥		⑤	
		⑧		⑦

※ '직파식 토론'은 고전식 토론과 동일하나, 반론을 찬성 측이 먼저 함

② 반대 신문식 토론

	제1찬성자	제2찬성자	제1반대자	제2반대자
입론	① 입론			② 반대 신문
	④ 반대 신문		③ 입론	
		⑤ 입론	⑥ 반대 신문	
		⑧ 반대 신문		⑦ 입론
반론	⑩ 반론		⑨ 반론	
		⑫ 반론		⑪ 반론

(3) 사회자, 토론자, 청중의 역할

사회자	• 토론의 배경과 논제를 소개하고, 쟁점을 정리해서 토론자들에게 숙지시킴 • 객관적인 입장을 유지하면서 공정하게 토론을 진행함 • 상황에 따라 질문과 요약을 하여 토론의 진행을 돕고, 토론 규칙과 절차를 지키도록 함
토론자	• 상대방의 주장을 경청하고, 상대방의 논리에 허점이 없는지 파악하여 논박함 • 타당한 논거를 들어 자기의 주장을 조리 있고 분명하게 말함 • 토론 규칙을 준수하고 예의에 어긋나지 않도록 함
청중	• 사전 조사를 통해 논제와 관련된 내용을 충분히 이해함 • 중립적 입장에서 토론 내용을 듣고 찬반 양측의 주장과 근거를 객관적으로 평가함

04 대안 탐색과 의사 결정의 협상

• 협상: 개인이나 집단 사이에서 이익과 주장이 달라 갈등이 생길 때, 문제를 해결하려고 서로 타협하고 조정하면서 해결 방법을 찾아가는 의사소통 방법

• 협상의 일반적 절차

시작 단계	• 갈등의 원인 분석 • 문제 해결의 가능성 확인	
조정 단계	• 문제 확인 • 상대의 처지와 관점 이해 • 구체적 제안이나 대안 제시 및 상호 검토	⇨ 협상 참여자 모두에게 이익이 되는 합의안 마련
해결 단계	• 최선의 해결책 제시 • 타협과 조정을 통한 합의 • 합의 이행	

05 의사소통 과정의 점검과 조정

• 의사소통 과정의 점검 및 조정: 효과적인 의사소통을 위해서는 자신의 말하고 듣는 행위의 적절성을 점검하고 조정해야 함

점검 및 조정 방법	• 의사소통의 목적과 주제에 맞게 말하고 있는가? • 상대방의 반응을 고려하여 말하고 있는가? • 상대방의 발화 의도와 핵심을 파악하며 듣고 있는가? • 적극적이고 우호적인 자세로 의사소통에 참여하고 있는가? • 적절한 언어적·반언어적·비언어적 표현을 사용하여 말하고 있는가?

06 바람직한 의사소통 문화

• 언어 공동체는 역사와 사회 상황, 공동체의 가치와 신념 등을 공유함으로써 고유한 담화 관습을 형성함 → 언어 공동체의 담화 관습을 이해하고 이를 바탕으로 언어 예절을 지키며 말해야 함

• 우리말에 나타나는 담화 관습의 대표적인 양상

겸양 어법	예의를 중시하는 우리 사회의 전통문화에서 형성된 것으로, 자신과 관련된 것을 낮추어서 표현하는 것 예 "차린 것이 변변치 않지만 많이 드십시오."
완곡 어법	있는 그대로 표현할 경우 상대방의 감정을 상하게 하거나 좋지 않은 인상을 줄 수 있는 대상이나 내용을 부드러운 말로 바꾸어 표현하는 것 예 변소 → 화장실
관용 표현	둘 이상의 낱말이 합쳐져 원래의 뜻과는 다른 새로운 뜻으로 굳어져서 쓰이는 표현 예 관용어, 속담, 한자 성어, 격언 등

1 다음은 학생 토론의 일부이다. 토론 과정에 대한 분석으로 적절하지 않은 것은?

사회자: 최근 학생들이 학교 산책로에 쓰레기를 함부로 버려 문제가 되고 있습니다. 이에 '학교 산책로에 쓰레기통을 설치해야 한다.'라는 의견이 제기되고 있어, 오늘은 이 논제로 토론을 하고자 합니다. 먼저 찬성 측부터 입론해 주시기 바랍니다.

찬성 1: 학교 산책로에 쓰레기통을 설치해야 한다고 생각합니다. 학교 산책로 이용에 관한 교내 설문 조사에 따르면 산책로에 쓰레기를 버릴 곳이 없어 불편하다는 의견이 많았습니다. 또한 산책로를 잘 이용하지 않는다는 학생들도 많았는데, 이 중 80% 정도는 쓰레기가 지저분하게 버려져 있기 때문이라고 응답했습니다. 따라서 학생들의 불편을 해소하고 깨끗한 산책로 조성을 위해 쓰레기통을 설치해야 합니다.

반대 1: 제가 조사한 바에 따르면 인근 ○○고등학교의 경우 학생 쉼터에 쓰레기통을 설치했음에도 불구하고, 학생들이 함부로 버린 쓰레기가 분리수거도 되지 않은 채 마구 뒤섞여 있고, 쓰레기통 주위도 지저분해져서 악취와 벌레 때문에 문제가 되고 있다고 합니다. 그래서 저는 쓰레기통 설치에 반대합니다. 게다가 산책로에 쓰레기통을 설치한다면 누가 관리하느냐에 대한 문제도 발생할 수 있습니다. 교실 청소도 벅찬 상황에서 산책로 쓰레기통까지 관리해야 한다면 그것을 담당할 학생들에게 부담이 될 것입니다.

사회자: 두 분의 말씀 잘 들었습니다. 이어서 양측의 반론을 듣겠습니다. 반대 측부터 반론해 주시기 바랍니다.

반대 2: 단순히 불편하다는 이유만으로 산책로에 쓰레기통을 설치할 필요는 없다고 생각합니다. 쓰레기통은 산책로 바로 옆 매점에도 있으니 산책로를 이용하는 학생들은 그 쓰레기통을 사용하면 됩니다. 또한 편의를 위해 쓰레기통을 설치한다고 해도 산책로가 깨끗해질 것이라고는 생각하지 않습니다. 왜냐하면 쓰레기통이 없어서라기보다는 근본적으로 학생들의 잘못된 인식과 습관이 문제이기 때문입니다. 따라서 쓰레기 되가져 가기 캠페인 등을 실시하여 책임 의식을 높이고 학생들이 자발적으로 쓰레기를 정해진 곳에 버리는 습관을 형성하는 것이 필요합니다.

찬성 2: ○○고등학교에서 쓰레기통 설치로 문제가 생겼다고 해서 우리 학교에서도 동일한 상황이 벌어진다고 볼 수 있을까요? ○○고등학교의 경우에는 일반 쓰레기통만을 설치해서 문제가 된 것으로 알고 있습니다. 이 사례를 거울삼아 분리수거를 할 수 있도록 재활용 쓰레기통을 함께 설치한다면 부작용을 최소화할 수 있다고 생각합니다. 그리고 학급별 순번제 관리 시스템을 도입한다면 관리에 대한 부담을 줄일 수 있고, 이를 통해 학생들이 주인 의식을 기를 수 있어 교육적으로도 가치가 있다고 생각합니다.

발언 순서		분석 내용
사회자		문제 상황과 토론 주제를 제시하고 있다.
입론	찬성 1	설문 조사의 결과를 주장에 대한 근거로 제시하고 있다. ········· ①
	반대 1	실제 사례를 근거로 제시한 후 자신의 주장을 밝히고 있다. ········· ②
사회자		토론자의 발언 순서를 안내하며 토론을 진행하고 있다. ········· ③
반론	반대 2	물음의 형식을 활용하여 상대방 발언의 의도를 확인하고 있다. ········· ④
	찬성 2	대안을 제시하며 그로 인한 긍정적 효과를 언급하고 있다. ········· ⑤

[2~3] 다음은 대화의 일부이다. 물음에 답하시오.

가영: 다음 달에 교내 창의 융합 발표 대회가 개최된대.
지혜: (놀란 표정으로) 창의 융합 발표 대회? 우리 방송반은 점심시간 음악 방송하기도 바쁜데, 그런 걸 언제 준비할 수 있겠냐?
가영: 음악 방송도 중요하지만, 학생들의 생각을 바꿀 수 있는 방송을 계획해서 학생들에게 보여 주면 의미가 있을 것 같아.
철수: ㉠헐. 굳이 하지 않아도 되는 일을 만드니?
지혜: 가영아, 넌 뭘 하고 싶은데? ㉡들어나 보자.
가영: 얼마 전 신문에서 보았는데, 영상보다는 신문과 같은 인쇄 매체를 통해 학습을 하면 더 많이 기억에 남는다는 기사였어.
철수: 뭐야, 당연한 거잖아! (고개와 몸을 돌리며) ㉢그건 신문사의 수작이야.
지혜: 철수야 잠시만. 가영이 너는 정말 그런지 실험해 보고 확인해 보자는 거니?
가영: 맞아. 같은 내용을 영상물과 인쇄물로 만들고 학생들을 대상으로 실험을 해 보는 게 어떨까? 그러면 대회 준비도 할 수 있고, 그 내용을 일종의 창작 공연물로 만들어서 학생들에게 알려 줄 수도 있어. ㉣일종의 페스티벌 형식이지.

철수: 야, 그런 건 준비도 많이 해야 하는데 언제 하냐? 대회 발표 보고서는 누가 쓰냐. 난 싫어. ㉤넌 뭔 욕심이 그리 많냐!

지혜: 사실 우리는 학생이니까 공부도 해야 하고, 매일 하는 음악 방송도 준비해야 하고, 벅찬 것 같아.

[A] 가영: 주말을 이용하…
철수: (말을 가로채며) 그럴 수도 있지만, 난 빼 줘. 할 일 많아.

가영: (머뭇거리며) 한번 해 보자. 의미 있는 일이지 않을까.

---

2 ㉠~㉤을 상대방을 배려한 표현으로 바꾼 것으로 적절하지 않은 것은?

① ㉠: 너의 제안을 받아들이기 힘들어.
② ㉡: 어디 한번 자세한 내용을 말해 봐.
③ ㉢: 구독자를 늘리려는 신문사 의도가 담긴 기사야.
④ ㉣: 일종의 축제 형식이지.
⑤ ㉤: 너처럼 욕심을 부리면 될 일도 안 될 거야.

3 [A]의 '철수'에게 조언할 수 있는 내용으로 가장 적절한 것은?

① 상대방의 말에 동의하면서 말할 필요가 있다.
② 상대방의 말을 끝까지 듣고 반응을 해야 한다.
③ 상대방에 대한 비하는 줄이고 칭찬을 늘려야 한다.
④ 상대방에게 자신의 의견을 직설적으로 표현해야 한다.
⑤ 자신의 탓으로 돌려 말하면 상대방의 부담이 줄어들 것이다.

4 다음은 어머니와 딸의 대화이다. 〈보기〉의 조언에 따라 [A]를 수정한 것으로 가장 적절한 것은?

> 딸: (냄새를 맡으며) 오늘 저녁 반찬이 뭐예요?
> 어머니: 입맛 돌게 냉이 무치고 달래 넣고 된장국 끓였단다.
> 딸: (기운 없는 목소리로) 그럼 오늘 반찬은 나물에 된장국이네요. 전 불고기가 먹고 싶었는데…….
> 어머니: 그래도 봄에는 냉이나 달래 같은 봄나물을 먹어야지. 게다가 이건 할머니께서 들에서 손수 캐서 보내 주신 거야.
> 딸: 그래도 난 고기가 좋다고 생각하는데……. 예전엔 고기를 많이 먹어야 체력도 좋아지고 키도 큰다고 하셨잖아요.
> 어머니: 고기도 좋지만 나물도 먹어야 균형 잡힌 식생활을 할 수 있거든. 책에서 읽었는데 제철 음식이 영양소가 풍부해서 우리 몸에 참 좋다더구나.
> [A] 딸: 엄마, 나물이 몸에 좋다고 해서 꼭 먹어야 하는 건 아니잖아요. 어른들은 왜 나물, 나물 하는지 저는 이해가 안 돼요.
> 어머니: 사실 엄마도 어릴 땐 너처럼 나물 반찬이 싫다고 할머니께 투정을 부리곤 했는데, 녹두나물에 맛을 들이고부터는 나물의 참맛을 알게 됐어. 엄마가 정성껏 준비한 반찬인데 냉이 무침 한번 먹어 보렴. 향긋할 거야.
> 딸: (한 입 먹어 보며) 저번에 먹던 것과는 맛이 다르네요.
> 어머니: (밝은 표정으로) 그래, 맛있지? 땅속에서 추운 겨울을 보내고 봄에 솟아나는 나물이야말로 좋은 먹거리야. 땅내 맡고 햇살 받아서 영양 만점에다 향도 맛도 좋아. 먹으면 기운이 쑥쑥 나지.
> 딸: (고개를 끄덕이며) 먹어 보니 생각보다 맛있는데요. 할머니 손맛을 닮아서 그런지 엄마 나물 무치는 솜씨도 최고인 것 같아요.
> 어머니: (미소 지으며) 너무 비행기 태우는 거 아니야? 엄만 할머니 손맛 따라가려면 아직 멀었지. 그래도 딸이 인정해 주니 기분 좋은데.

보기

> 의사소통을 할 때에는 상대방을 이해하고 배려하는 태도가 필요하단다. 자신의 생각이 상대방과 다를 때에는 상대방의 생각에 동의하는 점을 최대한 드러내고, 자신의 생각과 그렇게 생각한 이유를 설명하는 것이 바람직해.

① 제철 음식이 몸에 좋다는 말은 맞는 것 같아요. 그렇지만 제철 나물을 먹으라고 너무 강요하지 않으셨으면 좋겠어요.
② 제가 읽은 책에서는 자기 입맛에 맞는 음식이 최고의 음식이라고 했어요. 그 책의 내용이 엄마 말씀보다 더 공감이 돼요.
③ 저도 나물 반찬이 몸에 좋다고 생각해요. 그렇지만 하굣길에 친구가 불고기 얘길 해서 그런지 불고기가 먹고 싶어서 그랬어요.
④ 뉴스를 보니 오염된 환경에서 자란 나물에는 몸에 해로운 성분이 있을 수 있대요. 그러니까 나물이 꼭 좋다고만 말할 수 없을 것 같아요.
⑤ 어른들은 어렸을 때부터 나물을 즐겨 먹었고, 저희들은 나물보다는 고기반찬을 주로 먹고 자랐잖아요. 그래서 제가 고기를 더 좋아하는 것 같아요.

5 다음은 두 마을 간의 협상이다. 이 협상에서 A와 B가 합의에 이를 수 있었던 요인으로 가장 적절한 것은?

> ○○군에서는 전국적 규모의 축제를 기획하면서 개최 장소를 A 마을과 B 마을 중에서 선정하고자 하였다. 그런데 두 마을이 공동 개최에 합의하였고, 이에 따라 A 마을의 대표 A와 B 마을의 대표 B가 후속 협상을 하게 되었다.

A: 오늘은 우리가 지난번 협상에서 다루지 못한 축제 공식 명칭에 대하여 논의를 했으면 하는데, 어떠세요?

B: 좋습니다. 저희도 같은 생각입니다.

A: 그러면 저희의 입장부터 말씀드리겠습니다. 축제 공식 명칭은 두 마을의 이름을 병기하되 저희 마을 이름을 먼저 표기했으면 합니다.

B: 글쎄요. 저희도 저희 마을 이름이 앞섰으면 하는 생각이 있습니다. 개최지로 저희가 유력했던 상황에서 사실상 저희의 양보로 공동 개최가 가능했습니다. 따라서 명칭과 관련해서는 저희의 의견을 수용해 주십시오.

A: 공동 개최와 관련해 잘못 생각하신 부분이 있는 것 같습니다. B 마을도 공동 개최가 이익이 된다고 판단하여 합의한 것 아닙니까? 그러니 축제 명칭은 각자의 축제 유치 의도를 고려하되 세부 조건을 조율해서 정하는 것이 옳다고 봅니다.

B: 무슨 뜻인지요?

A: 저희가 알아본 바로는 B 마을은 축제 유치를 통한 경제 활성화에 관심이 있다고 알고 있는데, 맞죠?

B: 그렇습니다.

A: 그런데 이미 유명한 B 마을과는 달리 저희는 저희 마을을 전국에 알리는 것이 일차적 목표입니다. 그러니 축제 명칭은 저희가 원하는 대로 하면서 경제적인 면에서는 B 마을에 유리하도록 협상의 세부 조건을 구성하자는 것입니다.

B: 글쎄요. 축제 명칭에서 앞쪽에 표기되는 것은 그 의미가 큽니다. 저희 마을의 인지도가 이미 높다고 하더라도…….

A: 명칭에서 저희 마을 이름을 앞세우는 대신 원하는 조건이 있으면 말씀하시죠.

B: 말씀하신 대로 저희는 경제적 이득이 중요합니다. 따라서 첫째, 명칭보다는 홍보 효과가 적지만 저희 마을 특산품을 축제 캐릭터로 만들겠습니다. 둘째, 공동 개최를 하게 되면 행사들을 서로 나누어 진행하게 될 텐데요, 저희가 전체 행사 중 60%를 가져가겠습니다. 이 조건들이 충족되지 않는다면 축제 공식 명칭과 관련하여 합의할 수 없습니다.

A: B 마을 특산품을 캐릭터로 만들면서 행사를 60%까지 가져간다는 것은 지나친 요구라고 생각합니다. 행사 배분 비율은 공동 개최에 걸맞게 50%를 원칙으로 합시다.

B: 그 제안은 저희 마을 주민들의 동의를 얻기 어려울 것입니다. 지금도 공동 개최에 대한 반대가 많거든요. 차라리 저희 마을이 유치하지 못하게 되더라도 단독 개최를 다시 추진하겠습니다.

A: 지난번 합의를 일방적으로 파기하는 것은 같은 ○○군 마을끼리 온당치 않습니다. 단독 개최를 하더라도 저희 마을의 도움이 필요하지 않겠습니까? 행사 배분 비율은 양보하기 어렵습니다. 그 대신에 B 마을이 원하는 다른 조건을 추가하시는 게 어떨까요?

B: 좋습니다. 이렇게 하죠. 행사 배분은 동일하게 50%씩 하고, 행사 선택은 하나씩 교대로 하되, 저희 마을부터 선택을 시작하는 것으로 하는 겁니다. 그래야 수익성이 높은 행사를 저희 마을에서 가져갈 수 있으니까요.

A: 음. 저희 마을 이름을 먼저 표기하는 것으로 하고 그 정도 조건이면 받아들일 수 있겠네요. 그렇게 합시다.

① A와 B 모두 상대방의 양보로 축제의 공동 개최가 가능했다고 인식했기 때문이다.

② A는 축제 명칭을, B는 행사 배분 비율을 상대방의 입장을 고려하여 양보했기 때문이다.

③ A는 행사 선택의 순서에서, B는 축제 캐릭터와 관련해서 최초의 입장을 고수하지 않고 양보했기 때문이다.

④ A 마을의 인지도 향상과 B 마을의 경제적 이득 증대를 모두 실현할 수 있는 방안이 도출되었기 때문이다.

⑤ A가 바라는 효과적인 축제 홍보와 B가 바라는 마을의 화합 증진을 모두 실현할 수 있는 방안이 도출되었기 때문이다.

[6~7] 다음은 학생들의 토의이다. 물음에 답하시오.

학생 1: 다음 주에 우리 반 자리를 새로 정하기로 했잖아. 그래서 담임 선생님께서 어떤 방식으로 하면 좋을지 반장과 부반장이 미리 생각해 보라고 하셨어. 뭐, 좋은 방법 없을까?

학생 2: 아, 그래. 작년에 해 봤던 방법인데, 이 방법은 어떨까? 일찍 오는 사람부터 원하는 자리에 앉기. 우리 반에 지각하는 사람이 많으니까 나름대로 효과가 있지 않을까?

학생 1: (상대방을 살펴보며) 그것도 좋은데, 집이 먼 친구들한테는 너무 불리하니까 그것 말고 다른 방법은 없을까?

학생 2: 그럼, 제비뽑기 알지? 이 방법은 어떨까?

학생 1: 응, 그거 참 좋다. 근데 제비뽑기는 결과에 따라서 눈이 좋지 않은 학생까지도 맨 뒷자리에 앉아야 하는 문제가 생길 거 같아. 이런 친구들도 배려해야 하지 않을까?

학생 2: 맞아! 그런 문제가 있을 수 있겠구나. 그럼 먼저 제비뽑기를 하고 원하는 사람끼리 자리를 서로 맞바꿀 수 있게 해 주면 문제가 해결되지 않을까?

학생 1: 아휴, 참! 아니야. (말이 빨라지며) 그런 예외 조항을 두면 서로 친한 사람끼리만 앉게 될 수도 있고, 부탁을 하니까 원치 않아도 들어줘야 하는 상황이 발생할 수 있어. 그러면 제비뽑기를 하는 의미도 없어지는 거잖아. 하여튼 난 반대야.

학생 2: ㉮너는 무슨 말을 그렇게 빨리 하냐. 무슨 말인지 못 알아듣겠어.

학생 1: 그러니까, 네가 말한 거처럼 예외를 두면 다른 문제가 생길 수 있으니까 다른 방법을 더 찾아보자는 말이야.

학생 2: 응, 그렇구나. 그럼, 눈이 좋지 않은 친구들을 배려할 수 있는 방법은 뭐가 있을까?

학생 1: (손뼉을 치며) 아! 이거 어때? 우선 눈이 좋지 않은 친구들을 위한 구역을 정하고, 그 친구들만 제비뽑기를 하게 하자. 다른 친구들은 나머지 구역에서 제비뽑기하고.

학생 2: 그거 좋은 생각이다. 그 정도의 배려는 우리 반 친구들도 해 줄 수 있다고 생각해. 그리고 한 달에 한 번씩 제비뽑기를 다시 해서 자리를 바꾸는 게 어때?

학생 1: 응, 좋아. 한 달에 한 번 바꾸면 잘 모르는 친구하고 짝도 할 수 있고, 안 좋은 자리에 앉았던 친구도 좋은 자리로 갈 수 있는 기회도 생기고.

학생 2: 좋아. 그럼 자리 정하기는 제비뽑기로 하되, 눈이 좋지 않은 친구들은 앞자리에서 따로 제비뽑기를 하고, 한 달에 한 번씩 자리를 바꾸는 걸로 말씀드리자. 선생님께는 내가 말씀드릴게.

학생 1: 그래, 좋아. 이렇게 우리의 일치된 의견을 선생님께 말씀드릴 수 있어서 더 의미 있는 거 같아.

6 **두 학생을 의견 일치에 도달하게 한 말하기 방법으로 가장 적절한 것은?**

① 상대방의 감정에 직접 호소하며 의견 관철하기
② 반대 의견에 대한 절충안을 통해 양보 유도하기
③ 상대방의 의견에 대해 칭찬을 이어 가며 격려하기
④ 상대방의 의견에 동의하며 추가로 의견을 제시하기
⑤ 객관적인 근거 자료를 통해 자신의 제안을 설득하기

7 **〈보기〉를 참고하여 ㉮를 수정한 것으로 적절한 것은?**

보기

대화를 할 때는 상대방을 배려하고 존중하면서 공손하고 예절 바르게 말해야 한다. 이를 위한 방법 중에 문제를 자신의 탓으로 돌려서 상대방이 관용을 베풀 수 있게 하는 대화의 원리가 있다.

① 난 네 생각이 별로 좋지 않아. 예외 조항을 두면 왜 나쁘다는 거지?
② 방금 말한 거 내가 잘 이해하지 못해서 그러는데, 천천히 다시 한 번 말해 줄래?
③ 내가 다음에 맛있는 거 사 줄게. 미안하지만 다시 한 번 자세히 말해 주면 안 되겠니?
④ 너는 조리 있게 말을 잘하는 거 같아. 근데 말이 조금 빠른 편이라 이해하기가 어려워.
⑤ 네 생각도 참 좋은데, 지금처럼 네 생각만 강요하듯이 말하는 것은 좋지 않다고 생각해.

8 **다음 의사소통 상황에 대한 설명으로 가장 적절한 것은?**

반장: 오늘은 봄 체험 학습을 어떻게 할지 결정하려고 합니다. 의견이 있으신 분은 말씀해 주십시오.
민서: 저는 한국 미술관을 추천합니다. 이번에 〈조선 시대 회화 특별전〉을 한대요. 교과서에서 보았던 겸재 정선이나 단원 김홍도의 그림을 직접 볼 수 있어요.
반장: 다른 의견은 없습니까?
현수: 미술관이 뭐예요? 새 학년이 되어서 서로 서먹한데 우리 공이라도 한번 차러 가죠. 몸으로 부대끼면서 서로 친해질 수 있잖아요. 다들 내 의견에 동의하시죠?
부반장: 다른 사람 말도 들어 봐야죠.
지수: 그러지 말고, 민서의 의견을 받아들여서 오전엔 미술관 가고, 그 옆에 체육공원이 있으니까 오후엔 현수 말대로 체육공원에 가서 축구를 하면 좋을 것 같아요.

① 반장은 의사소통 과정을 일방적으로 이끌어 가고 있다.
② 민서는 의사소통 과정에 소극적으로 참여하고 있다.
③ 현수는 다른 의견에 수용적인 태도를 보이고 있다.
④ 부반장은 안건에 대한 의견을 적극적으로 제시하고 있다.
⑤ 지수는 합리적인 사고로 대안 도출에 기여하고 있다.

쓰기 핵심 개념

01 사회적 상호 작용으로서의 쓰기

(1) 쓰기: 글쓴이가 자신의 배경지식과 수집한 자료를 종합하고 조직하여 표현하면서 의미를 구성하는 과정

(2) 의미 구성 과정으로서의 쓰기

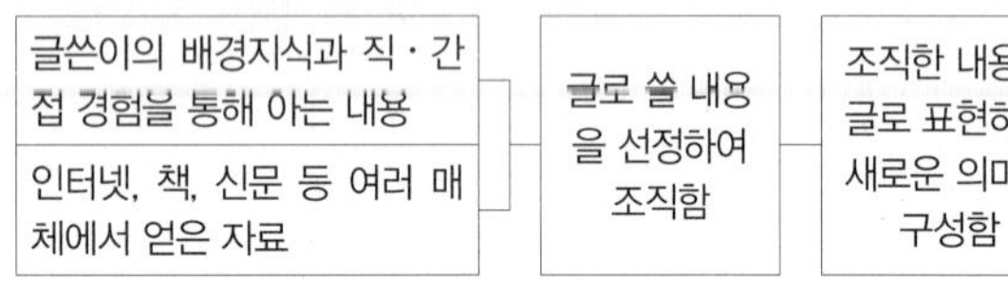

글쓴이의 배경지식과 직·간접 경험을 통해 아는 내용
인터넷, 책, 신문 등 여러 매체에서 얻은 자료
글로 쓸 내용을 선정하여 조직함
조직한 내용을 글로 표현하여 새로운 의미를 구성함

(3) 사회적 상호 작용으로서의 쓰기

글쓴이	글	독자
예상 독자의 수준과 관심을 고려하고 그들의 요구나 반응을 예상하면서 글을 씀 → 독자를 향한 무언의 '대화'	글쓴이와 독자는 글을 매개로 사회적 상호 작용을 함 → 글쓴이와 독자의 소통으로 이어짐	글쓴이가 쓴 글을 자기가 처한 상황에 따라 다양하게 반응하고 수용함 → 글쓴이를 향한 무언의 '대화'

02 설득하는 글 쓰기

(1) 설득하는 글

자신의 주장을 독자에게 전달하여 독자의 생각이나 행동의 변화를 이끌어 내려고 쓰는 글. 논설문, 건의문, 광고문, 연설문, 신문 사설 등이 있음

(2) 설득하는 글을 쓰는 과정

단계	내용
화제 선정	주변의 문제 중 글로 쓸 화제를 선정하고, 자기의 입장이나 관점을 정함
⇩	
주제와 독자 분석	쓰기 맥락을 분석하여 무엇을 설득하고자 하는지, 누구를 설득하고자 하는지 확인함
⇩	
근거 구성	다양한 매체를 활용하여 풍부한 자료를 수집·선별하고 이를 통해 객관적이고 논리적인 근거를 마련함
⇩	
개요 작성	쓰기 맥락에 맞게 내용을 조직하여 글의 개요를 작성함
⇩	
표현하기	개요를 바탕으로 적절한 표현 전략을 사용하여 관점, 견해, 처지 등이 분명하게 드러나도록 글을 씀
⇩	
고쳐쓰기	쓴 글을 자기 점검하거나 상호 평가하고, 그 내용을 반영하여 적절하게 수정하기

– 글의 주제와 예상 독자 분석 + 풍부한 근거 자료의 수집과 타당성 있는 자료 선별 → 설득력 높아짐

(3) 설득하는 글의 일반적 구성

서론	흥미 유발, 문제 제기
본론	주장의 전개, 근거를 활용한 논증
결론	내용의 요약 및 주장 강조, 전망 제시

(4) 근거 자료의 적절성 판단 기준

- 글의 주제에 맞는 자료인가?
- 글을 실을 매체의 특성에 맞는 자료인가?
- 어느 한쪽에 치우치지 않은 공정한 자료인가?
- 공신력 있는 기관에서 얻은 믿을 만한 자료인가?
- 예상 독자의 기대와 관심, 지식에 부합하는 자료인가?

(5) 근거 자료의 종류

사실 논거	• 역사적 자료 • 객관적으로 증명된 지식 • 통계적 수치나 실험 결과 • 구체적으로 확인할 수 있는 사례
소견 논거	• 해당 분야의 권위자나 전문가의 견해 • 공정한 다수의 의견

03 경험과 성찰을 담아 정서를 표현하는 글 쓰기

(1) 경험과 성찰을 담아 정서를 표현하는 글 – 수필

– 수필의 특징

- 비교적 자유로운 형식(무형식의 형식)
- 글쓴이의 개성이 강하게 드러남
- 주로 신변잡기적 내용
- 경험과 체험, 성찰이 담김
- 자기 고백적이고 교훈적인 성격

(2) 경험과 성찰을 담은 글 쓰기의 의의

개인적 차원	• 평소에는 미처 인식하지 못했던 자기 자신을 발견할 수 있음 • 건강한 자아를 형성할 수 있음 • 자신의 삶에서 의미를 발견할 수 있음 • 주변을 새롭게 인식할 수 있음
사회적 차원	경험과 성찰을 통한 깨달음을 글로 써서 다른 사람과 공유함으로써 서로의 삶의 가치를 나눌 수 있음

(3) 경험과 성찰을 담아 정서를 표현하는 글을 쓰는 과정

내용 생성			내용 조직	내용 표현
의미 있는 경험 떠올리기 ⇨	경험에서 가치 발견하기 ⇨	주제 도출하기 ⇨	적절하게 내용 조직하기 ⇨	개성을 살려 글쓰기

04 쓰기 과정의 점검과 조정

(1) 쓰기 맥락

글의 목적	설득, 정보 전달, 정서 표현 등
글의 주제	글을 통해서 드러내고자 하는 중심 내용
예상 독자	예상 독자의 연령, 지식수준, 관심사, 가치관, 문화적 환경, 글쓴이와의 관계 등
매체	글이 실리는 매체와 그 매체의 특성

⇩

소재가 같은 글이라도 목적, 주제, 예상 독자, 글이 실리는 매체 등에 따라 글의 내용이나 형식이 달라짐

※ 글쓴이나 독자가 속한 공동체의 사회 · 문화적 상황도 쓰기 맥락으로 볼 수 있음

(2) 쓰기 맥락에 따른 점검 및 조정 내용

쓰기 맥락	점검 및 조정 내용
글의 목적	• 글의 목적이 분명하게 드러났는가? • 주장이나 근거가 글의 목적에 어긋나지 않는가?
글의 주제	• 주제와 관련된 내용을 다루고 있는가? • 주장에 따른 근거가 타당하고 충분한가?
예상 독자	• 글의 수준이 예상 독자의 수준에 맞는가? • 글의 내용이 예상 독자의 관심사나 요구에 맞는가?
매체	• 매체에 적합한 표현 방식을 사용했는가? • 매체의 특성을 고려하여 글을 썼는가?

(3) 쓰기 과정에 따른 내용

계획하기	글의 목적, 글의 주제, 예상 독자, 매체 등 쓰기 맥락을 고려해 전체적인 계획을 세움
내용 생성하기	주제에 맞게 내용을 구상하고, 이를 구체화할 자료를 모아서 선별함
내용 조직하기	구성에 따라 선별한 내용을 짜임새 있게 조직하고 배열함
표현하기	조직한 내용을 적절한 표현 기법을 사용하여 의미가 뚜렷하게 드러나도록 씀
고쳐쓰기	쓰기 맥락과 관습을 고려하여 초고를 점검하고 수정, 보완함

(4) 쓰기 과정에 따른 점검 및 조정 내용

계획하기	• 글의 주제가 글의 목적에 부합하는가? • 예상 독자를 고려할 때, 글이 수록되는 매체가 적절한가? • 글의 수록 매체가 주제를 전달하기에 효과적인가?
내용 생성하기	• 선택한 내용이 글의 주제와 목적에 맞는가? • 선택한 내용이 예상 독자에게 적절한가?
내용 조직하기	• 글의 주제와 목적이 잘 드러나는 구성인가? • 글의 주제와 목적을 고려할 때, 추가하거나 삭제할 내용은 없는가? • 자료의 형태가 수록 매체와 어울리는가?
표현하기	• 글의 내용이나 구성이 글을 쓰는 목적에 적합한가? • 예상 독자의 지식수준에 어울리게 표현하고 있는가? • 글이 실리는 매체를 고려할 때, 분량이 넘치거나 부족하지는 않는가?

(5) 고쳐쓰기의 과정에 따른 점검 및 조정 내용

단계	점검 및 조정 사항
글 전체 수준	• 제목의 적절성 • 주제의 적절성 • 글 전체의 통일성과 응집성
⇩	
문단 수준	• 문단 길이의 적절성 • 문단의 통일성과 응집성 • 내용 배열 순서의 적절성 • 중심 문장과 뒷받침 문장의 호응 정도
⇩	
문장 수준	• 문장의 간결, 명료함 여부 • 문장 성분 간 호응의 적절성 • 의미의 중의성과 모호함 여부
⇩	
단어 수준	• 맞춤법 준수 여부 • 부적절하거나 중복된 단어 • 한자어나 외국어의 무분별한 사용

05 책임감 있는 글쓰기 태도

(1) 책임감 있게 글을 쓰는 태도의 필요성

한 편의 글은 독자적으로 존재하는 것이 아니라 누군가에게 읽힐 것을 전제로 함 → 독자와 사회에 미칠 영향을 고려해서 책임감 있는 태도로 써야 함

(2) 책임감 있는 자세로 글을 쓰기 위한 방법

- 사실을 축소 · 과장 · 왜곡하지 않아야 함
- 다른 사람에게 저작권이 있는 아이디어, 글이나 사진, 그림, 음악 등의 자료를 올바른 방법으로 이용해야 함
- 출처를 정확하게 밝히면서 인용해야 함
- 자기가 쓴 글이 독자와 사회에 미칠 영향을 고려하여 내용을 선정하고 검토해야 함
- 내용이 한쪽으로 치우치지 않도록 공정하게 써야 함
- 읽는 사람을 배려하고 존중하는 언어 표현을 해야 함

(3) 인터넷 매체에서 이루어지는 쓰기 활동의 특징

인터넷 매체에서는 글이 순식간에 퍼져 나가 독자와 사회에 미치는 영향력과 파급력이 큼

긍정적인 면	지식과 경험을 공유하고, 사회 · 문화적 관심을 확장해 나가는 데 도움이 됨
부정적인 면	익명성에 기대어 허위 사실을 유포하거나 부적절한 표현으로 다른 사람에게 피해를 주기도 함

1 다음은 '노인 평생 교육'에 대해 학생이 쓴 초고이다. 이 글을 계획하는 단계에서 이루어진 학생의 생각을 정리한 것 중 이 글에 반영되지 않은 것은?

> 노인 평생 교육은 노인을 대상으로 하는 평생 교육으로 노인들의 삶의 질이 향상될 수 있도록 도와주는 교육 활동이라고 생각합니다. 그런데 우리나라는 노인 평생 교육에 참여하는 노인들의 비율이 매우 낮다고 합니다.
>
> 그렇다면 노인들이 노인 평생 교육에 참여하지 못하는 이유는 무엇일까요? 우선 비용 부담이 크고 노인을 대상으로 한 프로그램의 수가 적으며, 프로그램의 내용이 노인들의 요구를 반영하지 못한다는 것 등이 주요한 요인일 것입니다. 또한 노인들이 스스로 용기를 내지 못해 참여하지 못하는 경우도 있지만, 프로그램에 대한 정보가 부족해 참여하지 못하는 경우도 많습니다.
>
> 노인 평생 교육이 활성화되려면 우선 정부가 평생 교육을 원하는 노인들에게 경제적 지원을 확대해야 하고, 노인 평생 교육 담당 기관은 노인들이 자신감을 가지고 평생 교육에 참여할 수 있도록 캠페인 활동을 벌여야 합니다.
>
> 노인 평생 교육은 노인 개인의 자아를 실현시켜 주는 한편 노인들 삶에 활력소가 되기도 합니다. 노인들이 배움의 즐거움과 보람을 찾을 수 있도록 정부와 해당 기관의 노력이 필요합니다.

계획하기	학생의 생각
주제 설정하기	노인 평생 교육의 활성화와 관련된 내용으로 해야겠어. ········· ①
⬇	
예상 독자 설정하기	정부와 노인 평생 교육 담당 기관을 포함해야지. ········· ②
⬇	
글의 종류 결정하기	예상 독자를 설득하여 행동 변화를 이끌어 낼 수 있는 논설문으로 작성해야겠어. ········· ③
⬇	
내용 전개 구상하기	노인 평생 교육의 의의를 밝히며 글을 시작해야겠어. ········· ④ 평생 교육의 활성화를 위해서는 노인 개인의 노력이 필요함을 촉구하며 마무리해야지. ··· ⑤

2 다음 '학생의 초고'를 통해 알 수 있는 작문의 특성으로 가장 적절한 것은?

> [작문 과제]
>
> 학교생활을 하면서 불편하다고 느꼈던 점을 개선하기 위한 건의문 쓰기

> [학생의 초고]
>
> 교장 선생님, 안녕하세요? 저는 1학년에 재학 중인 ○○○라고 합니다. 학교와 학생들을 위해 애쓰시는 교장 선생님께 감사드립니다. 제가 오늘 교장 선생님께 글을 쓰게 된 것은 중학교 때에 비해 불편을 느꼈던 도서관 이용에 대해 말씀드리고, 이에 대한 개선을 건의하기 위해서입니다.
>
> 우리 학교 도서관은 교실이 있는 건물이 아닌 축구장 옆 별관에 있습니다. 학생들은 주로 쉬는 시간이나 점심시간에 도서관을 찾는데, 그 시간에 이용하기에는 도서관이 너무 멀리 떨어져 있습니다. 그렇기 때문에 학생들이 도서관에 가서 책을 읽기도 어렵고, 수업 시간이나 수행 평가에 필요한 자료를 그때그때 열람하거나 빌리는 것도 쉽지 않습니다.
>
> 이러한 불편함을 해소할 수 있도록, 학교 본관의 중앙 계단 옆에 있는 빈 교실들을 활용하여 생활 도서관을 만들어 주셨으면 합니다. 학교 도서관을 가까운 곳으로 옮기는 것이 현실적으로 어렵기 때문에 생활 도서관이 교실 가까이에 있으면 좋겠습니다. 그러면 생활 도서관을 운영하고 있는 인근 학교에서처럼, 학생들이 책을 쉽게 접할 수 있고 필요한 책이나 좋아하는 책들을 편리하게 찾아볼 수 있어 학생들에게 큰 도움이 될 것입니다.
>
> 교장 선생님! 우리 학생들의 이러한 불편함을 고려해 주시면 감사하겠습니다.
>
> 2016년 ○월 ○○일
>
> 1학년 ○○○ 올림

① 글쓴이가 사회적 문제와 관련하여 자신의 삶을 반성하고 있다는 점에서 작문은 개인적 성찰 행위임을 알 수 있다.
② 글쓴이가 문제점을 발견하고 이를 개선하려 한다는 점에서 작문은 생활 속에서 문제를 해결하는 행위임을 알 수 있다.
③ 글쓴이가 예상 독자와 친밀한 관계를 회복하려 한다는 점에서 작문은 인간관계를 형성하기 위한 행위임을 알 수 있다.
④ 글쓴이가 자신의 감정만을 전달하고 있다는 점에서 작문은 개인적 정서를 함축적으로 표현하는 행위임을 알 수 있다.
⑤ 글쓴이가 자신이 소속된 집단의 문화를 존중하고 있다는 점에서 작문은 문화를 계승·발전시키는 행위임을 알 수 있다.

[3~4] 다음을 읽고 물음에 답하시오.

(가) 작문 상황

나는 얼마 전에 안도현 시인의 〈스며드는 것〉이라는 시를 감명 깊게 읽었는데, 평소 시를 멀리하는 친구들에게 이 시를 읽고 깨달은 바를 전하고자 글을 쓰기로 하였다.

(나)

꽃게가 간장 속에
반쯤 몸을 담그고 엎드려 있다
등판에 간장이 울컥울컥 쏟아질 때
꽃게는 뱃속의 알을 껴안으려고
꿈틀거리다가 더 낮게
더 바닥 쪽으로 웅크렸으리라
버둥거렸으리라 버둥거리다가
어찌할 수 없어서
살 속으로 스며드는 것을
한때의 어스름을
꽃게는 천천히 받아들였으리라
껍질이 먹먹해지기 전에
가만히 알들에게 말했으리라

저녁이야
불 끄고 잘 시간이야

– 안도현, 〈스며드는 것〉

(다) 초고

어머니께서는 간장 게장을 무척 좋아하신다. 어머니의 식성을 닮아서 나 역시 간장 게장이 식탁에 오르면 밥 한 그릇을 뚝딱 해치운다. 남들이 좋아하는 음식이 무엇이냐고 물으면, 주저 없이 간장 게장이라고 대답할 정도이다. 그런데 며칠 전 친구가 생일 선물로 준 안도현 시인의 시집에서 〈스며드는 것〉을 읽고 신선한 충격을 받았다. 왜냐하면 나는 간장 게장을 단순히 먹을거리로만 생각했지만 시인은 간장 게장에서 어머니의 사랑을 발견하고 이를 시로 표현했기 때문이다.

나는 평소에 시를 공부할 때, 어떻게 감상해야 하는지 난감할 때가 많았다. 시인들은 고상한 단어로 내가 잘 모르는 어떤 진리를 탐구하는 사람들로만 생각했다. 그래선지 나는 시를 감상하는 것이 늘 막연하고 어려웠다. 그런데 이 시는 평범한 단어를 사용하여 어머니의 사랑이라는 익숙한 이야기를 하고 있음에도 불구하고 큰 감동을 주었다. 나는 '왜 이 시가 감동적일까?'라는 의문이 들었고, 몇 번 더 꼼꼼하게 시를 읽어 보면서 그 나름의 이유를 고민해 보았다. 그 결과 시인의 '관찰력'과 '발상의 전환'이 감동을 불러일으키는 주된 이유라는 생각이 들었다.

간장 게장은 우리의 입맛을 사로잡는 먹을거리이지만, 음식을 만들지 않는 사람들은 그것이 어떻게 식탁에 오르는지에 큰 관심을 두지 않는다. 그런데 시인은 간장 게장이 만들어지는 과정을 세심하게 관찰한 후에 새로운 의미를 부여하였다. 또한 간장 게장이 만들어지는 과정을 사람이 아닌 '꽃게'의 입장에서 생각해 보는 발상의 전환을 통해 작품에 참신성을 더했다.

이 시를 통해, 나는 무심히 지나치던 일상을 관찰하고 이를 바탕으로 발상을 전환하여 새로운 의미를 담아내면 좋은 시가 될 수 있다는 생각이 들었다. 그러니까 시는 우리의 삶과 동떨어진 다른 세상의 이야기가 아닌 것이다. 결국 '시'란

[A]

3 (가)와 (다)를 통해 알 수 있는 작문의 특성으로만 묶은 것은?

ㄱ. 예상 독자를 고려하여 표현하는 활동이다.
ㄴ. 일상의 경험과 관련지어 의미를 발견하는 활동이다.
ㄷ. 문제 상황에 따른 사회적 갈등을 해소하려는 활동이다.
ㄹ. 전달의 효과를 높이기 위해 다양한 매체를 사용하는 활동이다.

① ㄱ, ㄴ ② ㄱ, ㄷ ③ ㄴ, ㄷ
④ ㄴ, ㄹ ⑤ ㄷ, ㄹ

4 [A]에 들어갈 내용을 〈조건〉에 따라 쓴 것으로 가장 적절한 것은?

조건

- 글의 흐름을 고려하되, 설의적 표현으로 마무리할 것
- (나)의 시어나 시구를 활용할 것

① 삶의 고통과 아픔을 천천히 받아들이는 과정에서 만들어지는 것이구나.
② 우리가 꿈틀대고 버둥거리며 살아가는 삶의 모습 속에 스며 있는 것이 아닐까.
③ 꽃게가 알을 껴안듯이 시인이 동경하는 미지의 세계를 내면화하는 것은 아닐까.
④ 일상어로 삶을 재현해 내는 과정을 통해 우리에게 삶의 진실을 보여 주는 것이 아닐까.
⑤ 울컥울컥 쏟아지는 감정들을 담담히 추스르는 과정에서 인간의 참된 모습을 드러내는 것이구나.

[5~6] (가)는 작문의 과정이고, (나)는 이를 적용하여 인터넷 블로그에 게시할 여행 소감문의 초고를 작성한 것이다. 물음에 답하시오.

(가) 작문의 과정

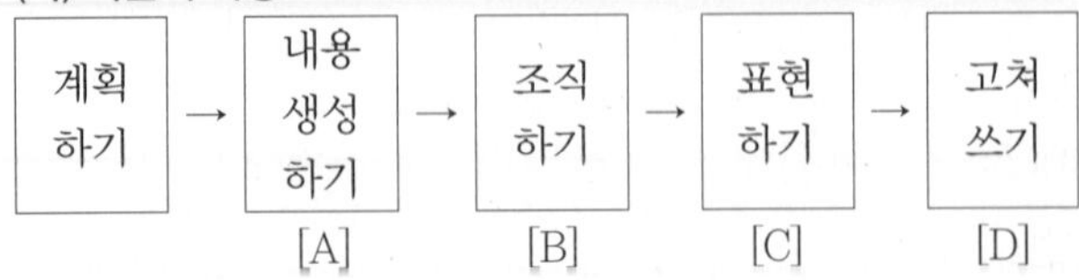

(나) 학생의 초고

김유정의 성장 과정과 문학 세계

지난 주말, 설레는 마음으로 춘천 '김유정 문학촌'에 다녀왔다. 문학촌을 가기 위해 내린 곳은 바로 김유정역! 이 역은 우리나라 최초로 작가의 이름을 붙인 기차역이라고 한다.

김유정 문학촌으로 가는 길가에 늘어서 있는 나무에는 노랗고 작은 꽃들이 피어 있었다. 호기심에 다가가 보니 생강나무라는 팻말이 붙어 있었다. 지나가는 사람들이 동백꽃이라고 말해 주었다. 이게 동백꽃이라니. 그동안 나는 김유정의 소설 속 동백꽃이 남쪽 지방에서 피는 빨갛고 큰 꽃으로 알고 있었는데…….

5분 정도를 걸어 올라가니 김유정 문학촌 입구가 나타났다. 그곳에 서서 둘러보니 마을이 **여간** 산자락에 포근히 안긴 것처럼 보였다. 아, 실레 마을! 그 옛날, 마을 형세가 '떡시루'같다고 해서 붙여진 이름이다.

끝내 김유정 문학촌에 들어서자 마당에는 소설 〈동백꽃〉에서 닭싸움을 **부치는** 점순이의 모습, 그리고 〈봄 · 봄〉에서 미처 자라지 못한 점순이의 키를 재고 있는 장인어른의 모습을 재미있게 재현한 청동상이 나를 반긴다. 김유정의 생가를 둘러보고 전시관으로 발길을 돌렸다. 그곳에는 김유정의 삶과 문학이 옮겨져 있었다. 두 살 연상의 여인을 사랑했지만 거절당하고, 가난과 병마에 시달리다 스물아홉 살 꽃다운 나이에 생을 마감했던 그의 삶이 안타깝게 느껴졌다.

전시관에서 마을로 향하는 도로 가에는 김유정 소설을 바탕으로 이름을 붙인 둘레 길 안내판이 서 있다. "점순이가 '나'를 꼬시던 동백 숲길", "장인 입에서 할아버지 소리 나오던 데릴사위 길" 등등. 이 재미있는 이름이 붙은 이야기 길을 걷다 보면, 호드기를 불며 닭싸움을 시키던 점순이가 되고, 장가를 들지 못해 안달하는 '나'가 된다.

한동안 즐겁게 소설 속을 거닐었더니 배가 고프다. 실레 마을에서 춘천의 명물인 막국수를 맛있게 먹었다. **웃으면서 들어오는 나를 맞이하는** 주인아주머니의 후한 인심이 실레 마을을 둘러싼 산자락처럼 푸근했다.

봄을 만끽하고 소설을 맛있게 읽고 싶다면 춘천 김유정 문학촌을 추천한다. 이 봄, 김유정과 함께 노랗고 알싸한 동백꽃 향기를 맡아보기를…….

5 (가)의 작문의 과정 [A]~[C]에서 구상한 내용이 (나)에 반영되지 않은 것은?

① [A]: 김유정 문학촌과 관련된 시각 자료를 찾아 그에 어울리도록 글의 내용을 생성해야겠군.
② [A]: 여행을 통해 새롭게 알게 된 사실과 배경지식을 조합하여 글의 내용을 마련하여야겠군.
③ [B]: 김유정 문학촌을 방문하면서 보고 들은 내용들을 공간의 이동에 따라 제시하여야겠군.
④ [C]: 김유정역에 도착하였을 때 느낀 설렘을 비유적 표현을 활용하여 드러내야겠군.
⑤ [C]: 말 줄임을 통해 여운을 남기며 김유정 문학촌을 방문할 것을 권유하여야겠군.

6 (가)의 [D]를 수행하기 위한 방안으로 적절하지 <u>않은</u> 것은?

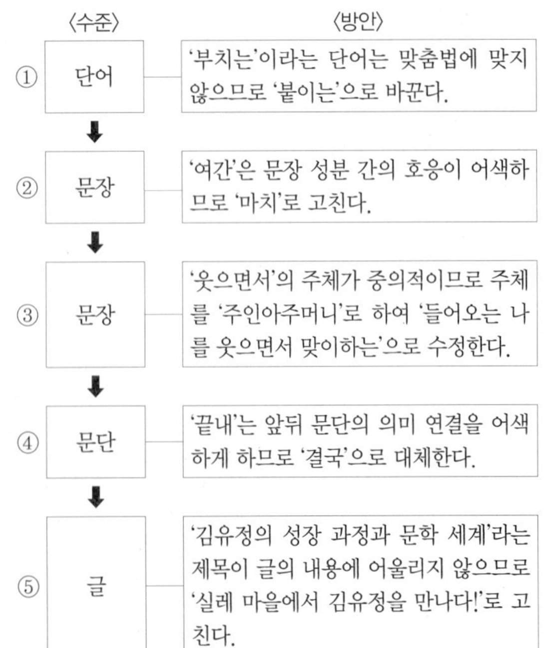

	〈수준〉	〈방안〉
①	단어	'부치는'이라는 단어는 맞춤법에 맞지 않으므로 '붙이는'으로 바꾼다.
②	문장	'여간'은 문장 성분 간의 호응이 어색하므로 '마치'로 고친다.
③	문장	'웃으면서'의 주체가 중의적이므로 주체를 '주인아주머니'로 하여 '들어오는 나를 웃으면서 맞이하는'으로 수정한다.
④	문단	'끝내'는 앞뒤 문단의 의미 연결을 어색하게 하므로 '결국'으로 대체한다.
⑤	글	'김유정의 성장 과정과 문학 세계'라는 제목이 글의 내용에 어울리지 않으므로 '실레 마을에서 김유정을 만나다!'로 고친다.

새 국어 교과서의 핵심을 학습하는

일등 국어 문제집

정답과 해설

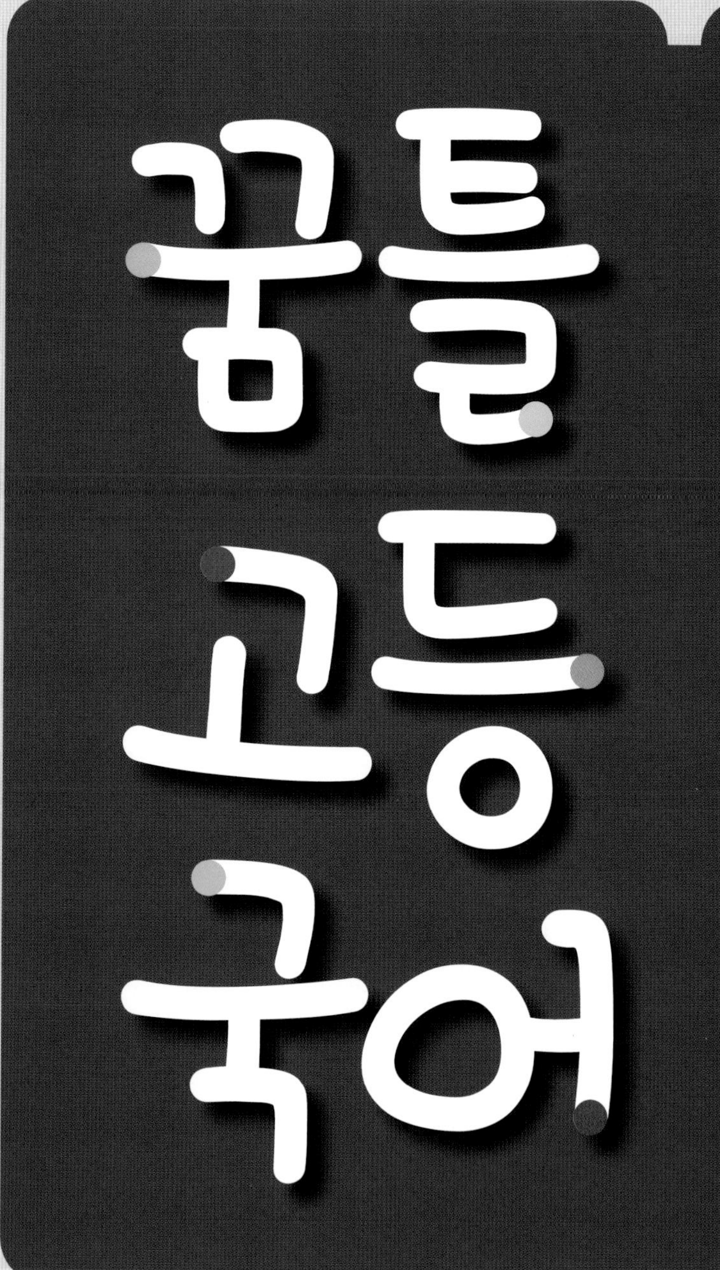

정답과 해설

빠른 정답

I 문학

현대시

개념 확인 문제 p. 10~11

1 ③ 2 ① 3 ③ 4 ② 5 원관념, 보조 관념 6 산꿩 7 ② 8 × 9 반영론적 관점

01 경부 철도 노래 p. 13

1 ③ 2 ⑤ 3 ① 4 ① 5 최초의 7·5조 창가 6 ② 7 ②

02 광야 p. 15

1 ② 2 ③ 3 ① 4 ② 5 ④ 6 ⑤ 7 ④

03 절정 p. 17

1 ② 2 ④ 3 ④ 4 극한으로 치닫고 있음 5 ⑤ 6 ④

04 진달래꽃 p. 19

1 ④ 2 ④ 3 ① 4 ⑤ 5 ③ 6 ③

05 남신의주 유동 박시봉방 p. 21

1 ③ 2 ④ 3 ④ 4 ⑤ 5 ② 6 갈매나무

06 서시 p. 23

1 ④ 2 ② 3 ① 4 ⓐ: ㉮, ⓑ: ㉯, ㉱, ⓒ: ㉰, ㉲ 5 ⑤ 6 ⑤

07 님의 침묵 p. 25

1 ③ 2 ⑤ 3 ⑤ 4 ⑤ 5 조국 6 ③

08 향수 p. 27

1 ⑤ 2 ⑤ 3 ① 4 ⑤ 5 ⑤ 6 ①

09 유리창 p. 29

1 ④ 2 ④ 3 ② 4 차고 슬픈 것, 외로운 황홀한 심사 5 ⑤ 6 ③

10 너를 기다리는 동안 p. 31

1 ② 2 ④ 3 ⑤ 4 ⑤ 5 ⑤

11 슬픔이 기쁨에게 p. 33

1 ② 2 ④ 3 ① 4 슬픔 5 ④ 6 ④ 7 ⑤

12 첫사랑 p. 35

1 ⑤ 2 ② 3 ③ 4 ② 5 ③ 6 ④

13 동승 p. 37

1 ② 2 ③ 3 ⑤ 4 ② 5 ④ 6 ⑤ 7 천박한 호기심

14 원어 p. 39

1 ④ 2 ④ 3 ⑤ 4 ⑤ 5 ② 6 ⑤

고전 시가

개념 확인 문제 p. 40~41

1 〈구지가〉 2 개인적 서정시 3 ④ 4 ⑤ 5 × 6 × 7 악장 8 ③ 9 ⑤ 10 〈상춘곡〉 11 ○ 12 ×

01 제망매가 p. 43

1 ④ 2 ⑤ 3 ② 4 ① 5 ⑤ 6 ③ 7 떨어질 잎

02 가시리 p. 45

1 ⑤ 2 ⑤ 3 ③ 4 ③ 5 ④ 6 ⑤

03 청산별곡 p. 47

1 ④ 2 ④ 3 ② 4 ③ 5 ③ 6 ④ 7 믈 아래

04 송인 p. 49

1 ④ 2 ② 3 ⑤ 4 이별 5 ⑤ 6 ② 7 풀빛

05 용비어천가 p. 51

1 ③ 2 ⑤ 3 ⑤ 4 ⑤ 5 ③ 6 ②

06 상춘곡 p. 53

1 ⑤ 2 홍진 3 ④ 4 ② 5 ④ 6 ⑤ 7 ③

07 관동별곡 ❶ p. 55

1 ① 2 ① 3 ③ 4 ③ 5 ⑥ 6 ④ 7 녕동 벽게, 수셩 뎨도

07 관동별곡 ❷ p. 57

1 ② 2 ④ 3 ① 4 ③ 5 ① 6 ⑤ 7 ④

08 속미인곡 p. 59

1 ③ 2 ④ 3 ② 4 ⑤ 5 ⑤ 6 ④ 7 ⑤

09 오우가 p. 61

1 ② 2 ① 3 ④ 4 대나무[竹, 죽] 5 ④ 6 ② 7 과묵(무언)

10 이화에 월백ᄒᆞ고 | 이 몸이 주거 가셔 | 눈 마ᄌᆞ 휘여진 ᄃᆡ를 p. 63

1 ② 2 ⑤ 3 ② 4 ① 5 ④ 6 ③ 7 ⑤

11 뮛버들 갈ᄒᆡ 것거 | 동지ㅅ달 기나긴 밤을 | 두터비 파리를 물고 p. 65

1 ③ 2 ① 3 ① 4 ⑤ 5 ③

현대 소설

개념 확인 문제 p. 66~67

1 ③ 2 ⑤ 3 ⑤ 4 (가): 간접 제시, (나): 직접 제시 5 의적 갈등(개인과 운명의 갈등) 6 배경 7 ③ 8 (1) 3인칭 관찰자 시점 (2) 1인칭 관찰자 시점

01 봄·봄 ❶ p. 69

1 ⑤ 2 ④ 3 ② 4 장인이 성례를 시켜 주지 않는다. 5 ④ 6 숙맥 7 ④

01 봄·봄 ❷ p. 71

1 ⑤ 2 ③ 3 ⑤ 4 ② 5 ⑤ 6 성례를 위해 적극적으로 노력해라. 7 ⑤

01 봄·봄 ❸ p. 73

1 ② 2 ③ 3 ② 4 ② 5 ⑤ 6 ②

02 동백꽃 p. 75

1 ⑤ 2 ⑤ 3 ③ 4 ⑤ 5 ⑤ 6 ② 7 ②

03 레디메이드 인생 ❶ p. 77

1 ⑤ 2 ③ 3 ② 4 ⑤ 5 ③ 6 ④ 7 ①

03 레디메이드 인생 ❷ p. 79

1 ② 2 ④ 3 ② 4 ③ 5 ④

04 태평천하 p. 81

1 ④ 2 ③ 3 ③ 4 ④ 5 ④ 6 겉으로는 치켜세우는 듯하지만 실제로는 비꼬며 조롱하고 있다.

05 달밤 p. 83

1 ④ 2 ⑤ 3 ④ 4 그의 은근한 순정의 열매 5 ③ 6 ⑤ 7 ⑤

06 수난이대 p. 85

1 ④ 2 ② 3 ① 4 ① 5 ② 6 ④

07 아홉 켤레의 구두로 남은 사내 ❶ p. 87

1 ③ 2 ④ 3 ③ 4 ④ 5 ② 6 ②

07 아홉 켤레의 구두로 남은 사내 ❷ p. 89

1 ④ 2 ④ 3 ③ 4 ⑤ 5 ② 6 ⑤

08 장마 p. 91

1 ④ 2 ④ 3 ① 4 ③ 5 ② 6 ④ 7 구렁이

09 완장 p. 93

1 ④ 2 ② 3 ⑤ 4 ① 5 ② 6 ⑤ 7 완장

10 도요새에 관한 명상 p. 95

1 ③ 2 ④ 3 ② 4 ④ 5 ② 6 통금 시간

11 황만근은 이렇게 말했다 ❶ p. 97

1 ④ 2 ⑤ 3 ⑤ 4 바보 5 ④ 6 ① 7 ①

11 황만근은 이렇게 말했다 ❷
p. 99

1⑤ 2⑤ 3② 4② 5② 6시동이, 모양이었다.

고전 소설

개념 확인 문제
p. 100~101

1② 2갑오개혁 3③ 4③ 5④ 6〈홍길동전〉 7③ 8③ 9① 10④

01 허생전 ❶
p. 103

1④ 2④ 3② 4도둑질 5⑤ 6② 7③

01 허생전 ❷
p. 105

1④ 2④ 3③ 4⑤ 5②

02 홍계월전
p. 107

1⑤ 2⑤ 3③ 4③ 5② 6④

03 춘향전
p. 109

1② 2⑤ 3③ 4옥 5③

04 심청전
p. 111

1④ 2⑤ 3① 4①

고전 수필·극

개념 확인 문제
p. 112~113

1④ 2서간(편지글) 3② 4(1) ⓒ (2) ⓛ (3) ㉠ 5대단원 6① 7④ 8O. L.(Over Lap) 9②

01 통곡할 만한 자리
p. 115

1② 2⑤ 3① 4한바탕 울 만한 자리 5Ⓐ: 태중, Ⓑ: 요동 벌판

02 수오재기
p. 117

1① 2⑤ 3② 4④ 5③ 6현상적 자아에 얽매이지 않고 본질적 자아를 유지하는 것

03 봉산 탈춤
p. 119

1④ 2② 3⑤ 4③ 5㉮: 양반의 호통, ㉯: 양반의 안심 6벙거지, 채찍

04 파수꾼
p. 121

1⑤ 2⑤ 3② 4② 5①

05 결혼
p. 123

1② 2② 3③ 4① 5ⓐ: 소유, ⓑ: 사랑 6사진석 장

06 세상에서 가장 아름다운 이별
p. 125

1⑤ 2② 3③ 4② 5② 6② 7반어법, 세상에서 가장 슬픈 이별

Ⅱ 문법

01 음운의 변동

개념 확인 문제
p. 136~137

1(1) o (2) x (3) x (4) o 2(1) 축약 (2) 비음화 (3) 된소리 3(1) 암마당 (2) 정는다 (3) 궐력 (4) 부치다 (5) 갈뜽 (6) 해도지 (7) 달란 4④ 5(1) 구개음화 (2) 된소리되기 (3) 비음화 6⑤ 7(1) ⓒ (2) ⓛ (3) ㉠ (4) ㉣ 8⑤ 9②

p. 138~141

1③ 2③ 3① 4④ 5① 6① 7④ 8② 9① 10② 11② 12① 13① 14④ 15③ 16④ 17① 18④

02 한글 맞춤법

개념 확인 문제
p. 142~148

1(1) x (2) o (3) x 2(1) 잔뜩, 갑자기 (2) 안팎, 수탉 (3) 로서 3③ 4㉠: 소리, ⓛ: 어법 5② 6④ 7(1) 예의 (2) 수력 (3) 급류 (4) 수열 (5) 개량 (6) 연이율 (7) 진행률 (8) 여학교 (9) 구름양 (10) 감소량 8① 9② 10⑤ 11(1) o (2) x (3) o 12④ 13⑤ 14② 15④ 16㉠, ㉥, ㉦, ㉩, ㉭ 17④ 18(1) 다달이 (2) 따님 (3) 잔주름 (4) 이튿날 19② 20③ 21(1) 곳간 (2) 곗날 (3) 내과 (4) 횟수 (5) 제삿날 (6) 장미과 22① 23② 24⑤ 25③ 26① 27② 28① 29(1) x (2) o (3) o (4) o (5) x (6) x 30④

p. 149~155

1한글 맞춤법 2② 3⑤ 4③ 5① 6① 7④ 8① 9④ 10④ 11③ 12② 13⑤ 14③ 15④ 16② 17② 18⑤ 19③ 20③ 21④ 22③ 23⑤ 24③ 25① 26④ 27⑤ 28① 29⑤ 30⑤ 31②

03 문법 요소

개념 확인 문제
p. 156~157

1(1) 께 (2) 상대 높임법 (3) 주체 높임법 (4) 격식체 2(1) ㉠ (2) ⓒ (3) ⓒ (4) ⓛ (5) ⓛ 3(1) o (2) x (3) x 4(1) 새우가 고래에게 먹혔다. (2) 모기가 지후에게 잡혔다. 5(1) x (2) o (3) x 6(1) ㉠ (2) ⓛ (3) ⓒ (4) ㉤ (5) ㉣ 7(1) 철수는 "우리 형이 드디어 우승을 차지했어."라고 말했다. (2) 지원이는 나에게 나도 그 책을 읽었냐고 물었다. 8②

p. 158~165

1④ 2② 3④ 4⑤ 5⑤ 6① 7③ 8② 9⑤ 10④ 11② 12④ 13⑤ 14⑤ 15③ 16② 17② 18④ 19⑤ 20④ 21① 22② 23④ 24④ 25① 26④ 27① 28④ 29①

04 국어의 변화

개념 확인 문제
p. 166~167

1(1) o (2) o (3) x 2④ 3(1) 말쓰미 (2) 모미 (3) 따르미니라 4③ 5(1) ㉠ (2) ⓛ (3) ⓛ (4) ㉠ (5) ⓒ 6⑤ 7② 8③

p. 168~173

1② 2⑤ 3⑤ 4⑤ 5① 6⑤ 7⑤ 8② 9⑤ 10③ 11⑤ 12④ 13② 14⑤ 15③ 16② 17① 18③ 19⑤ 20② 21②

Ⅲ 읽기

개념 확인 문제
p. 176~177

1① 2상호 작용 3② 4⑤ 5㉠: 발췌독, ⓛ: 미독 6⑤ 7④ 8③

01 로봇 시대, 인간의 일
p. 179

1① 2② 3인류의 유연성과 창의성을 바탕으로 인류가 기계와 공존 · 공생한다. 4③ 5③

02 과학자의 서재
p. 181

1⑤ 2① 3④ 4여왕개미를 구하여 종족의 DNA를 유지하기 위해서이다. 5① 6③ 7②

03 지식의 미술관
p. 183

1② 2④ 3③ 4② 5⑤ 6ⓐ: 이질적인 상황, ⓑ: 특정한 대상

04 스마트폰 중독, 어떻게 해결할까?
p. 185

1⑤ 2⑤ 3③ 4②

05 초신성의 후예
p. 187

1② 2②, ④ 3⑤ 4③

Ⅳ 듣기 · 말하기, 쓰기

듣기·말하기
p. 192~195

1④ 2⑤ 3② 4③ 5④ 6④ 7② 8⑤

쓰기
p. 198~200

1⑤ 2② 3① 4② 5④ 6④

I 문학

현대시

개념 확인 문제 p. 10~11

1 ③ 2 ① 3 ③ 4 ② 5 원관념, 보조 관념 6 산꿩 7 ②
8 × 9 반영론적 관점

1 화자는 시인의 대리인일 뿐 시인 자신은 아니다.

2 시어는 함축적이고 비유적인 의미를 통해 간접적으로 주제를 전달하는 것이 일반적이다.

3 '푸른 노래 푸른 울음'은 청각의 시각화가 이루어진 공감각적 심상이 사용된 표현이다.

4 '울음'이라는 청각적 요소가 '금빛'이라는 시각적 요소로 표현된 청각의 시각화가 사용되었다.

7 '지니고 살 듯'이라는 표현에 직유법이 사용되었다.

8 작가의 생애와 관련지어 작품을 감상하는 것은 표현론적 관점에 해당한다.

9 작품이 현실 세계의 모습을 어떻게 반영하였는지에 주목한 감상 방법이다.

01 경부 철도 노래 p. 13

1 ③ 2 ⑤ 3 ① 4 ① 5 최초의 7·5조 창가 6 ② 7 ②

1 ③
이 시에서 동일한 시행의 반복이나 후렴구의 반복은 보이지 않는다.

✖오답 풀이
① 기차의 외부 모습에서 내부 모습으로 시선이 이동하며 시상이 전개되고 있다.
② '따르겠네', '이뤘네', '산다네'와 같은 영탄적 서술에서 화자의 긍정적인 태도를 알 수 있다.
④ 기차의 빠르기를 바람과 새에 비교하여 강조하고 있다.
⑤ '우렁차게 토하는 기적 소리'와 같이 청각적 심상을 통해 기차에 대한 관심을 유도하고 있다.

2 ⑤
이 시는 문명개화에 대한 동경과 예찬, 신문물 수용에 대한 계몽적 의도를 보여 주고 있다. 그러나 애국심을 고양시키려는 목적은 직접 나타나 있지 않다.

3 ①
이 시는 1905년 경부선이 개통되어 엄청난 굉음과 속도를 내는 기관차의 모습을 경이롭게 바라보고 쓴 창가이다.

4 ①
이 시에는 남녀가 대등하게 존중받는 모습은 나타나 있지 않다. 2절의 '내외'는 '우리네와 외국인 같이 탔으나'라는 2행의 내용으로 보아 '내국인과 외국인'을 의미하는 것으로 이해하는 것이 타당하다.

✖오답 풀이
② '늙은이와 젊은이 섞여 앉았고'에서 확인할 수 있다.
③, ⑤ '내외 친소 다 같이 익히 지내니'에서 확인할 수 있다.
④ '조그마한 딴 세상'이라는 표현을 통해 이러한 세상이 당시의 관습적 현실에서 벗어난 새로운 세상임을 짐작할 수 있다.

5 최초의 7 · 5조 창가
이 시를 처음으로 하여 4 · 4조 4음보의 전통 가사의 율격이 깨지고 7 · 5조 3음보가 등장하게 되었다.

6 ②
〈보기〉에는 새로운 변화에 방해가 되는 부정적 대상을 '태산 같은 높은 뫼, 집채 같은 바윗돌'로 제시하고 있다. 그러나 이 시에는 그러한 부정적인 대상이 나타나지 않는다.

✖오답 풀이
① 이 시의 '기적 소리'와 〈보기〉에 제시된 파도 소리는 모두 청각적 이미지이며, 대상의 위용을 형상화하는 역할을 한다.
③ 이 시는 7 · 5조의 음수율로 이루어져 있지만, 〈보기〉는 불규칙한 율격을 보이고 있다.
④ 이 시는 개화와 문명의 상징인 경부 철도를 예찬적으로 묘사하고 있지만, 〈보기〉는 근대 문명의 위압적인 모습을 거대한 파도에 비유해 부각하고 있다.
⑤ 이 시는 경부 철도, 즉 기차라는 구체적 사물을 통해 근대 문명에 대한 화자의 긍정적인 태도를 노래하고 있다. 반면 〈보기〉는 근대 문명의 힘을 거대한 파도라는 상징적 이미지를 통해 형상화하고 있다.

7 ②
이 시의 창작 목적은 서양 문물에 대한 개화와 국민들의 계몽을 위한 것이다. 따라서 시대적 상황에 대한 판단을 독자에게 유보하는 것이 아니라 독자를 서양 문물에 대한 긍정적 태도로 이끌어 가고자 한다.

✖오답 풀이
① 둘 다 제목과 내용에서 알 수 있듯이 '경부 철도'를 타고 가는 화자의 상황을 보여 주고 있다.
③ 이 시의 3절에서 화자는 일본인들의 집을 긍정적으로 바라보고 있지만, 〈보기〉의 화자는 인간의 집들이 슬퍼 보인다고 하여 부정적인 시각을 보이고 있다.
④ 이 시는 기차에 대한 감탄과 기차 안팎의 모습을, 〈보기〉는 기차 안에서 바라본 바깥 풍경을 노래하고 있다.
⑤ 이 시는 문명개화의 필요성을 간접적으로 드러내고 있지만, 〈보기〉는 '승리 식품'과 입술이 파래서 서 있는 '새마을 이층집', 반쯤

가슴이 뚫린 '돌산' 등의 표현에서 새마을 운동의 허상을 비판하고 있다.

02 광야

p. 15

1② 2③ 3① 4② 5④ 6⑤ 7④

1 ②
이 시는 다양한 표현법을 사용해 역동적인 이미지를 그려 내고 있지만, 특정 감각을 다른 감각으로 전이시킨 공감각적 심상이 사용되지는 않았다.

✖오답 풀이
① 이 시는 '과거-현재-미래'의 시간 흐름에 따라 시상을 전개하고 있다.
③ 추상적인 개념인 '계절'을 구체적 사물인 '꽃'에 비유해 계절의 흐름을 표현하였다.
④, ⑤ '~라'와 같은 명령형 어미를 사용해 조국 광복에 대한 화자의 강한 의지를 드러내고 있다. 이것은 일제 강점이라는 부정적 현실을 극복하고자 하는 화자의 태도가 나타난 것이다.

2 ③
이 시는 '과거-현재-미래'의 시간 흐름에 따라 시상을 전개하고 있다. '까마득한 날'은 문명이 태동되지 않은 과거를, '지금'은 일제 강점의 수난을 겪는 현재를, '천고의 뒤'는 조국 광복이 이루어질 미래를 나타낸다.

3 ①
이 시에서 ㉠'눈'은 겨울의 차가운 이미지로, 일제 강점하의 시련과 고통을 상징하고 있다.

4 ②
1연의 '하늘이 처음 열리고'라는 표현은 민족의 삶의 터전인 광야의 탄생을 의미하는 것으로, 광야의 원시적이고 순수한 시작을 형상화한 표현이다.

5 ④
〈보기〉에는 시인 이육사의 조국 광복을 위한 노력이 드러나 있다. 이처럼 일제 강점기의 암담한 현실을 극복하고 광복을 맞이하기 위한 화자의 의지와 자기희생의 태도는 4연에 가장 잘 드러나 있다.

6 ⑤
Ⓐ'매화 향기'는 조국 광복의 기운과 현실 극복에 대한 화자의 의지를 상징한다. 〈보기〉에서 이와 가장 유사한 의미로 사용된 것은 ⓔ의 '무지개'로, 일제 강점기의 부정적 현실을 극복하고자 하는 희망을 상징한다.

7 ④
①, ③은 작품과 시대 상황을 관련지은 반영론적 관점에 따른 감상이고, ②는 작가와 관련지은 표현론적 관점, ⑤는 독자와 관련지은 효용론적 관점에 따른 감상이다. 모두 작품 외적인 요소에 주목한 외재적 접근의 감상인데, ④는 시어의 상징성이라는 작품 내적인 요소에 주목한 절대론적 관점에 따른 감상으로 내재적 접근에 해당한다.

03 절정

p. 17

1② 2④ 3④ 4 극한으로 치닫고 있음 5⑤ 6④

1 ②
이 시는 더 이상 물러설 곳이 없는 절체절명의 극한 상황 속에서 현실에 좌절하거나 포기하는 것이 아닌, 오히려 그러한 현실을 정신적으로 극복하고자 하는 강한 의지가 담겨 있는 작품이다.

✖오답 풀이
① 절망적인 현실을 극복하려는 의지가 드러나 있는 것으로 보아 화자는 삶에 회의적인 시각을 지니고 있다고 볼 수 없다.
③ 이 시에서는 화자가 추구하는 바와 대립되는 가치가 드러나 있지만, 이는 극복해야 할 것이다. 따라서 중립적인 태도를 드러내고 있다는 설명은 적절하지 않다.
④ 절망적인 상황을 극복하려는 의지는 드러나지만, 절대자에 대한 믿음으로 극복하고자 하는 모습은 보이지 않는다.
⑤ 화자가 처한 현실은 절망적이지만, 이에 대한 책임을 다른 존재에게 전가하고 있지는 않다.

2 ④
이 시는 강렬하고 상징적인 시어를 사용하여 극한 현실을 그리면서 화자의 강한 의지를 드러내고 있는 작품이다. 그러나 그 대상을 다양한 이미지로 제시하거나 객관적으로 묘사하고 있지는 않다.

✖오답 풀이
① '강철'의 강인함과 '무지개'의 부드러움이라는 이질적인 이미지를 함께 사용하며 시적 의미를 강화하고 있다.
② '~오다', '~서다', '~없다' 등의 현재형 시제를 사용하여 시적 상황의 긴장감을 조성하고 있다.
③ 강인한 남성의 독백적 어조를 통해 현실을 극복하고자 하는 인식을 드러내고 있다.
⑤ 남성적 어조와 상징적 시어들을 활용하여 극한의 현실을 극복하고자 하는 화자의 정서를 드러내고 있다.

3 ④
이 시는 '기-승-전-결'로 이루어지는 한시(漢詩)의 전통적인 구성법을 활용(㉯)하고 있으며, 극한적인 외적 상황을 그린 후 그 속에서도 이를 극복하려는 내면 심리를 드러내는(㉱) 선경후정의 전개 방식을 택하고 있다.

✖오답 풀이
㉮ 외적 상황에서 내면 심리로 시상이 전환되고 있지만, 강인한 남성적 어조는 달라지고 있지 않다.
㉰ 이 시의 주된 계절적 배경은 겨울이며, 주된 정서도 변하고 있지 않다.

4 극한으로 치닫고 있음
1연에서는 '북방', 2연에서는 '고원'과 '서릿발 칼날진 그 위'로 화자의 위치가 옮겨지고 있다. 이는 화자가 처한 상황이 점점 더 극한으로 치닫고 있음을 의미한다. 그러나 이렇게 극한적으로 치닫는 상황에서도 화자는 4연에서 이 상황을 극복할 수 있는 정신적 · 내면적 의지를 다지며 '강철로 된 무지개'를 떠올리고 있다.

5 ⑤
Ⓐ의 '강철로 된 무지개'에는 겉으로 보기에는 모순되지만 내적으로 더 강한 의미가 전해지는 역설적 표현이 활용되었다. ⑤의 '우리들의 사랑을 위하여서는 / 이별이, 이별이 있어야 하네.'에서도 '사랑'을 얻기 위해서 '이별'을 해야 한다는 역설적 표현이 나타난다.

6 ④
이 시의 '고원'은 화자가 있는 북방에 있는 곳으로 일제의 탄압으로 쫓겨 가게 된 우리 민족의 유랑지를 의미한다. 〈보기〉의 '막북강', '강녘'은 '북국'에 위치한 곳으로 화자가 가고 싶어 하는 '북조선', '남국', '제비 가는 곳'과 대비되는 우리 민족의 유랑지를 의미한다.

04 진달래꽃

p. 19

1 ④ 2 ④ 3 ① 4 ⑤ 5 ③ 6 ③

1 ④
이 시의 화자는 인고의 태도로 이별의 슬픔을 극복하려 하고 있을 뿐, 절망적인 상황을 희망적으로 바꾸려는 태도를 드러내고 있는 것은 아니다.

✖오답 풀이
① 1연과 4연이 반복되는 변형된 수미 상관의 구조이다.
⑤ '영변', '약산'이라는 특정 지명을 사용하고 있다.

2 ④
이 시의 화자는 임이 떠날 때 진달래꽃을 뿌리며 축복하고 자신은 죽어도 눈물을 흘리지 않겠다고 하였다. 이를 통해 떠나는 임을 원망하지 않고 이별의 슬픔도 드러내지 않으며 인고의 자세로 이별의 슬픔을 승화하겠다는 화자의 의지를 알 수 있다.

3 ①
이 시에서 화자는 임과의 이별을 체념(ⓐ)하고 진달래꽃을 뿌리며 떠나는 임을 축복(ⓑ)한 후 자신을 밟고 떠나라며 희생적(ⓒ)인 사랑을 드러내고 있다. 그리고 인고의 의지로 슬픔을 극복(ⓓ)하는 모습을 보이고 있다.

4 ⑤
이 시와 〈보기〉 모두 이별의 정한을 노래하고 있다. 그리고 〈보기〉의 화자는 떠나는 임을 원망하지만 임이 가자마자 다시 돌아오기를 기원하고 있으며, 이 시의 화자는 인고의 의지로 이별의 슬픔을 극복하고 있다.

5 ③
이 시가 반어적인 표현을 사용해 화자의 정서를 강조하고 있는 것은 맞다. 그러나 반어적 표현을 전통 시가의 특징으로 볼 수는 없다. 이 시는 어조나 운율, 이별의 정한이라는 정서적인 면에서 전통 시가의 특징을 계승했다고 보는 것이 적절하다.

6 ③
떠나는 임에게 꽃을 뿌려 축복하는 ㉠은 '산화공덕(散花功德)'으로 표현할 수 있으며, 슬퍼도 슬픔을 겉으로 드러내지 않는 ㉡은 '애이불비(哀而不悲)'로 표현할 수 있다.

05 남신의주 유동 박시봉방

p. 21

1 ③ 2 ④ 3 ④ 4 ⑤ 5 ② 6 갈매나무

1 ③
이 시는 평안도 지방의 사투리를 사용하여 토속적이고 향토적인 분위기를 형성하고 있지만, 옛것과 같은 맛이나 멋이 있는 예스러운 어휘를 사용하고 있지는 않다. 또 이별의 정한과 같은 전통적인 정서를 환기하고 있지도 않다.

✖오답 풀이
① 1~19행에서 절망과 외로움에 빠져 있는 화자의 처지가 열거되어 있다.
② 20행에서 접속 부사 '그러나'를 사용하여 절망에서 희망으로 시상을 전환하였다.
④ 20~32행에서 화자는 쉼표를 사용하여 끊임없는 의식의 흐름을 보여 주고 있다.
⑤ 이 시의 제목은 편지 겉봉의 '발신인의 주소'에 해당하며, 시의 내용은 고향과 가족을 떠나 떠돌이 삶을 살고 있는 화자 자신의 근황을 드러내고 있으므로 서간문의 형식을 사용했다고 볼 수 있다.

2 ④
이 시의 화자는 가족과 고향을 떠나 암담한 현실 속에서 절망하다가, 운명에 대한 성찰의 자세를 보이고 있다. 더불어 삶의 의미와 희망을 가져다주는 갈매나무라는 구체적 상징물을 설정하여 자신이 처한 상황을 극복하려는 의지를 드러내고 있다. 따라서 독자는 이 시를 통해 부정적 현실을 이겨 낼 수 있으리라는 희망을 얻을 수 있다.

3 ④
이 시의 화자는 절망적인 현실에서 모든 의욕을 상실하고 죽음을 생각하지만 눈을 맞으면서도 의연하게 서 있는 갈매나무를 생각하고 새로운 삶을 다짐하고 있다. 따라서 주인공 역의 배우는 처음에는 외롭고 고뇌에 찬 표정으로 연기해야 하지만 후반부에서는 희망과 의지에 찬 표정으로 연기해야 한다.

4 ⑤
㉤에서 '앙금이 되어 가라앉고'는 화자의 마음속에 개운치 아니한 감정이 남았음을 뜻하는 것이 아니라 지난날 화자가 느꼈던 슬픔, 한탄과 같은 감정이 서서히 진정되어 가는 것을 비유하여 표현한 것이다.

5 ②
이 시는 고향과 가족을 떠나 평생을 유랑하던 작가의 자전적 고백이 담긴 작품으로 추운 겨울에 고향을 떠나 방황하는 화자의 삶이 드러나 있다. 그리고 〈보기〉에는 일제 강점기 어느 겨울밤에 가난으로 인해 남몰래 삶의 터전을 떠나야 했던 한 가족의 냉혹한 현실이 드러나 있다.

6 갈매나무
화자는 눈을 맞으며 서 있는 굳고 정한 갈매나무를 떠올리며 힘들고 어려운 현실을 이겨 내고자 하는 의지를 다지고 있다.

06 서시

p. 23

1 ④ 2 ② 3 ① 4 ⓐ: ㉮, ⓑ: ㉯, ㉲, ⓒ: ㉰, ㉱ 5 ⑤ 6 ⑤

1 ④
이 시는 시간의 변화에 따라, 즉 '과거-미래-현재'의 순서로 시상이 전개되고 있다. 하지만 시간의 흐름에 따른 순차적 전개는 아니다.

✖오답 풀이
①, ② '별'과 '바람'은 서로 대립적인 시어이며 상징적 의미를 가지고 있는 시어이다.
③ '하늘', '바람' 등 일상적으로 쓰이는 평이한 어휘가 사용되고 있다.
⑤ 2연에서 화자가 처한 상황이 감각적으로 제시되고 있다.

2 ②
1연의 1~4행은 시적 화자가 살아온 과거 생활의 고백, 1연의 5~8행은 미래의 삶에 대한 신념, 2연은 화자가 처한 현재 상황에 대한 제시로 이루어져 있다.

3 ①
㉠'하늘'은 화자에게 있어 윤리적 판단의 절대적 기준이 되는 대상이다.

4 ⓐ: ㉮, ⓑ: ㉯, ㉲, ⓒ: ㉰, ㉱
ⓐ는 과거 시제, ⓑ는 미래 시제, ⓒ는 현재 시제이다. ㉮의 '갔었어요'는 과거 시제, ㉯의 '낼 거야'는 미래 시제, ㉰의 '푸르다'와 ㉱의 '떠난다'는 현재 시제이고, ㉲의 '말겠어'는 미래 시제이다.

5 ⑤
이 시의 마지막 행에서 '오늘 밤에도 별이 바람에 스치운다.'라고 하였다. 이를 통해 '오늘' 역시 부정적인 상황이 지속되고 있다는 것을 알 수 있다. 따라서 ⑤는 A의 대화로 적절하지 않다.

6 ⑤
이 시의 화자는 암담한 현실 속에서 갈등과 고뇌에 빠져 있다. 그리고 〈보기〉에서 화자는 예수 그리스도처럼 '피를 ~ 조용히 흘리겠습니다.'라고 말하고 있다. 즉, 조국의 광복을 위해 희생하겠다는 의지와 신념을 드러내고 있는 것이다.

07 님의 침묵

p. 25

1 ③ 2 ⑤ 3 ⑤ 4 ⑤ 5 조국 6 ③

1 ③
이 시는 질문과 대답의 구조가 아니라 독백체의 어조로 임에 대한 영원한 사랑을 노래하고 있다.

✖오답 풀이
① '-습니다'의 경어체를 사용하여 부드러운 여성적 어조를 느끼게 한다.
② '향기로운 님의 말소리', '꽃다운 님의 얼굴' 등 감각적 이미지를 구사하여 임을 사랑하는 화자의 정서를 형상화하고 있다.
④ '푸른 산빛'과 '단풍나무 숲', '황금의 꽃같이 굳고 빛나던 옛 맹서'와 '차디찬 티끌' 등 대조적 이미지의 시어를 활용하여 이별의 상황을 드러내고 있다.
⑤ '님은 갔습니다. 아아, 사랑하는 나의 님은 갔습니다.' 등 동일 어구를 점층적으로 반복하여 화자의 정서를 강조하고 있다.

2 ⑤
헤어짐은 곧 만남이라는 역설적 진리를 깨달은 화자는 ㉤에서 임은 옆에 없지만 떠난 것이 아니라 침묵하고 있을 뿐이라고 말하고 있다. 즉, ㉤은 재회에 대한 확신을 가지고 주관적 의지로 임과의 이별 상황을 극복한 것이라고 볼 수 있다.

3 ⑤
이 시의 화자는 이별의 슬픔을 극복하고 '님'과의 재회에 대한 소망과 의지를 드러내고 있다. ⑤의 화자 역시 '극락세계에서 만날'이라는 표현을 통해 이별한 대상(요절한 누이)과 재회할 소망을 드러내고 있으며, '도를 닦으며 기다리겠노라'라며 의지를 표출하고 있다.

✖오답 풀이

① 함께 돌아갈 사람이 없다는 외로움을 표출하고 있다.
② 가신 임을 어찌할 수 없다는 체념의 정서를 드러내고 있다.
③ 떠나는 임에 대한 원망의 마음을 드러내고 있다.
④ 대상을 우러러보며 그 마음을 따르고자 하는 예찬적 태도를 드러내고 있다.

4 ⑤
ⓐ에는 역설법이 사용되었다. 그러나 ⑤에는 우리 안의 동물들과 우리 밖의 화자의 관계가 선도되어 나타나 있을 뿐 역설법은 사용되지 않았다.

✖오답 풀이

① '위태로움 속에'와 '아름다움이 스며 있다는 것'의 구절에서 역설법이 사용되었다.
② '깨어져서'와 '완성되는'의 구절에서 역설법이 사용되었다.
③ '바라보노라'와 '보이지 않는 움직임을'의 구절에서 역설법이 사용되었다.
④ '사랑할 수 없는 것을'과 '사랑하기 위하여', '용서받을 수 없는 것을'과 '용서하기 위하여'의 구절에서 역설법이 사용되었다.

5 조국
이 시의 창작 시기는 일제 강점기인 1926년이다. 작가인 한용운이 일제에 끝까지 저항한 독립운동가임을 고려할 때, 이 시의 '님'은 '조국'이라고 해석할 수 있다.

6 ③
이 시의 화자가 재회에 대한 믿음을 바탕으로 현실 극복 의지를 드러내고 있는 것과 달리, <보기>의 화자는 이별의 슬픔에 냇가에 앉아 울 뿐이다. 즉, ㉯는 주어진 상황을 수용하며 슬픔의 정서를 토로하고 있다.

✖오답 풀이

① 현재 상황을 의지적으로 극복하려 하는 것은 ㉮뿐이다.
② 상황의 변화에 대한 믿음을 드러내는 것은 ㉯가 아니라 ㉮이다.
④ ㉮와 ㉯ 모두 현실에 대한 원망의 정서를 표출하고 있지 않다.
⑤ ㉮는 상황에 대해 체념적 정서를 드러내고 있지 않다.

08 향수

p.27

1 ⑤ 2 ⑤ 3 ① 4 ⑤ 5 ⑤ 6 ①

1 ⑤
이 시에서 사용된 '전설 바다', '별', '모래성' 등의 시어는 아름답고 순수한 서정성이 드러나지만, 이것이 이국적인 느낌을 드러내는 것은 아니다.

2 ⑤
㉠은 매 연마다 반복되는 후렴구로, 고향에 대한 그리움이라는 화자의 정서를 강조하고 있다. 또한 전체 시상을 통일감 있게 전개시키는 효과를 주고 있으나, 화자가 처한 구체적인 현실을 보여 주고 있지는 않다.

3 ①
㉡'밤바람 소리 말을 달리고'는 청각적 심상인 '밤바람 소리'를 시각적 심상인 '말을 달리는 모습'으로 전이시킨 공감각적 심상이다. ①의 '검은 내 떠돈다. 종소리 빗긴다.'는 청각적 심상인 '종소리'를 시각적 심상인 '빗긴다'로 형상화한 공감각적 표현으로, 청각의 시각화에 해당한다.

✖오답 풀이

② 촉각적 심상과 청각적 심상이 나타난다.
③ 촉각적 심상과 시각적 심상이 나타난다.
④ 후각적 심상이 나타난다.
⑤ 시각적 심상이 나타난다.

4 ⑤
이 시에서 '실개천', '얼룩백이 황소', '질화로', '짚베개'는 모두 토속적인 소재로, 고향의 이미지를 나타낸다. 그러나 '함부로 쏜 화살'은 과거 화자의 유년 시절에 미지의 세계에 대한 호기심을 나타내는 것으로, 토속성과는 거리가 멀다.

5 ⑤
<보기>는 변해 버린 고향의 모습을 보며, 안타까운 심정을 토로하고 있는 작품이다. ⑤의 '앞뒤가 상응하는 방법'이란 수미 상관법을 일컫는 것으로, <보기>의 시에만 해당하는 내용이다. 이 시는 후렴구의 사용을 통해 고향에 대한 그리움이 강조되고 있을 뿐, 수미 상관법이 사용되지 않았다.

6 ①
ⓐ는 '울음'이라는 청각적 심상을 '금빛'이라는 시각적 심상으로 전이시킨 공감각적 표현으로, <보기>의 설명에 따르면 '청각의 시각화'에 해당한다. 그런데 ①은 '태양'이라는 시각적 심상을 '울림'이라는 청각적 심상으로 전이시킨 '시각의 청각화'이다.

✖오답 풀이

② '종소리'라는 청각적 심상을 '흔들리는 동그라미'라는 시각적 심상으로 전이시켰다.
③ '풀벌레 소리'라는 청각적 심상을 '자욱한', '발길로 차며'라는 시각적 심상으로 전이시켰다.
④ '울음'이라는 청각적 심상을 '꽃처럼 붉은'이라는 시각적 심상으로 전이시켰다.
⑤ '휘파람 소리'라는 청각적 심상을 '푸른'이라는 시각적 심상으로 전이시켰다.

09 유리창

p. 29

1 ④ 2 ④ 3 ② 4 차고 슬픈 것, 외로운 황홀한 심사 5 ⑤
6 ③

1 ④

이 시에서는 '차고 슬픈 것', '언 날개', '물 먹은 별', '산새' 등을 통해 죽은 자식의 모습을 선명하고 감각적으로 표현하고 있지만, 이는 감정의 절제를 효과적으로 표현한 것이지, 시적 화자의 감정을 직설적으로 드러내고 있는 것은 아니다.

2 ④

이 시에서 '유리'는 화자와 죽은 아이를 연결해 주면서도 단절시키는 이중적 매개체이고, 삶의 세계(유리창 내부)와 죽음의 세계(새까만 밤)를 가로지르는 경계선이며, 시적 화자의 복잡한 내면을 드러낼 수 있는 소재이다. 아울러 아이를 볼 수 있어서 '황홀한' 감정을 느끼지만, 아이에 대한 상실감을 느끼게 되는 '외로움' 또한 불러일으키는 대상이다. 그러나 비정한 현실에 대한 저항을 표현하는 매개체는 아니다.

3 ②

㉡의 '외로운'과 '황홀한'은 일반적으로 양립할 수 없는 감정이다. 이처럼 겉으로는 명백하게 모순되고, 이치에 맞지 않으나 그 속에 진실이 담겨 있는 표현법을 역설법이라고 한다. ②에서도 '외로운'과 '눈부심'을 결합한 모순된 표현, 즉 역설법이 사용되었다.

✖오답 풀이

①과 ⑤는 직유법, ③은 공감각적 표현(시각의 청각화), ④는 은유법이 쓰였다.

4 차고 슬픈 것, 외로운 황홀한 심사

이 시에서 '차고(감각) 슬픈 것(감정)'이라는 표현과 '외로운(슬픔의 정서) 황홀한(기쁨의 정서) 심사'라는 구절은 감정의 대위법에 해당한다. 이를 통해 자식을 잃은 슬픔을 객관화하여 절제하고 있다.

5 ⑤

이 시에서 입김을 내뿜는 행위는 죽은 아이를 보고 싶은 마음일 뿐, 그 행위 자체를 죽은 아이의 명복을 비는 제의적 성격으로 보기는 어렵다.

✖오답 풀이

① 〈보기〉의 작품은 감정의 절제가 거의 없으며, 이 시의 경우는 감정의 대위법과 역설법을 통해 감정을 절제하고 있다.
② 두 작품 모두 자식을 잃은 상실감이 시의 창작 동기가 되었다.
③ 이 시에서는 마지막 행의 '아아, 늬는 산새처럼 날아갔구나!'라는 영탄법으로 슬픔의 정서를 표현하였고, 〈보기〉에서는 '슬프디 슬픈 광릉 땅의 두 무덤'과 '쓸쓸하게 부는 바람', '도깨비불이 반짝이는 솔숲'이라는 배경을 통하여 슬프고 쓸쓸한 감정을 드러내고 있다.
④ 이 시에서는 유리창의 '입김'을 통해서, 〈보기〉에서는 '두 무덤'을 통해 죽은 아이를 떠올리며 그리운 마음을 드러내고 있다.

6 ③

'파닥거린다'는 어린 새가 힘겹게 날갯짓을 하는 듯한 느낌으로, 대상의 연약하고 슬픈 운명이 부각되는 표현으로 볼 수 있다.

✖오답 풀이

① '차고 슬픈 것'은 더 이상 따뜻한 현실 세계로 돌아올 수 없는 죽은 자식의 이미지를 표현한 시구이다.
② '어린거린다'는 보일 듯 보이지 않는 죽은 자식의 이미지를 표현한 시어이다.
④ '폐혈관이 찢어진 채'는 자식이 죽은 원인을 구체적으로 표현한 시구이다.
⑤ '날아갔구나'는 이제는 돌아올 수 없는 존재라는 탄식을 표현한 시어이다.

10 너를 기다리는 동안

p. 31

1 ② 2 ④ 3 ⑤ 4 ⑤ 5 ⑤

1 ②

이 시는 현재 시제를 사용하여 화자의 정서나 태도를 생생하게 표현하여 독자에게 전달하고 있다. 그러나 화자가 청자에게 함께 행동할 것을 요청하는 '~자' 형식의 청유형 문장은 사용되지 않았다.

✖오답 풀이

① '너였다가 / 너였다가, 너일 것이었다가'에서처럼 시어를 변형, 반복하여 화자의 정서를 강조하고 있다.
③ '세상에서 기다리는 일처럼 가슴 애리는 일 있을까'와 같은 설의적 표현을 통해 기다림의 고통을 드러내고 있다.
④ '내 가슴에 쿵쿵거리는 모든 발자국'의 청각적 심상에서 화자의 간절함이 느껴진다.
⑤ 이 시의 시어들은 모두 일상에서 흔히 사용되는 단어들로 사랑하는 이를 기다리는 화자의 정서를 효과적으로 형상화하고 있다.

2 ④

'[A]→[B]→[C]'로 진행될수록 '너'에 대한 화자의 정서는 설렘과 기대에서 긴장 · 초조함과 절망으로, 다시 만남에 대한 의지로 변하고 있다. 그리고 화자는 [A]와 [B]에서는 모두 소극적 태도를 보이다가 [C]에서만 태도를 바꾸어 적극적 태도를 보이고 있다.

3 ⑤

㉠에서는 '너를 기다리는 동안 나는 너에게 가고 있다'는 모순된 표현(역설법)을 사용하여 '너'와의 만남에 대한 의지를 드러내고 있다. 반면에 ⑤는 인고의 태도로 이별의 슬픔을 극복하려는 화자의 정서를 반어적으로 표현하였다.

4 ⑤
이 시는 이별의 슬픔을 노래한 것이 아니라 기다림의 설렘과 간절함이라는 인간의 보편적 감정을 표현한 것이다.

5 ⑤
착어는 시적 진술에 일정한 맥락을 제공하여 감상의 폭을 넓혀 주는 기능을 한다. 그러나 착어가 시의 의미를 모두 드러내고 있는 것은 아니며, 시 감상을 한쪽 방향으로만 제한하고 있는 것도 아니다. 따라서 독자로 하여금 시 감상을 한 방향으로만 이끌어 준다고 한 ⑤는 적절하지 않다.

11 슬픔이 기쁨에게

p. 33

1 ② 2 ④ 3 ① 4 슬픔 5 ④ 6 ④ 7 ⑤

1 ②
'보리밭에 내리던 ~ 너와 함께 걷겠다.'라는 구절은 '너'에게 소외된 자의 고통을 이해하게 하고 참된 사랑의 의미를 깨닫게 하겠다는 의미이지, 공간이 변하고 있는 것은 아니다.

✖오답 풀이
① 서술어 '~겠다'의 반복을 통해 화자의 적극적 의지를 나타내고 있다.
③ 화자인 슬픔이 청자인 기쁨에게 말을 건네는 방식으로 시상이 전개되고 있다.
④ '사랑보다 소중한 슬픔을 주겠다.'라는 역설적 표현을 통해 주제 의식을 드러내고 있다.
⑤ '~위해', '~주겠다' 등의 동일한 어구를 반복 사용하여 운율감을 형성하고 있다.

2 ④
㉣'눈물'은 소외된 사람들에 대한 애정에서 비롯되는 것으로, 긍정적인 의미를 지닌다. 이에 반해 ㉠은 자신의 기쁨만 생각하는 이기적인 사랑, ㉡은 소외된 이웃과 함께할 줄 모르는 이기적인 청자, ㉢은 인정이 메마른 이기적인 태도, ㉤은 가진 자만이 누리는 기쁨과 풍요라는 부정적인 의미를 지닌다.

3 ①
이 시의 제목이 '슬픔이 기쁨에게'임을 고려할 때 ㉮는 '나(슬픔)'가 '너(기쁨)'에게 말을 건네는 의인법이 사용된 표현이다. ① 역시 '풀'이 '눕고', '우는' 의인법이 사용되었다.

✖오답 풀이
②는 역설과 은유, ③은 은유와 대구, ④는 도치, ⑤는 반어법이 사용되었다.

4 슬픔
이 시에서 '슬픔'은 일반적인 의미와 달리 소외된 이웃과 더불어 살아가고자 하는 따뜻한 마음을 의미한다. 또한 소외된 사람들에게 관심과 애정을 지니는 삶을 살자는 화자의 가치관을 드러내는 의인화된 대상이다.

5 ④
이 시에서 '너'는 추위에 떨고 있는 할머니에게 귤을 사며 귤 값을 깎는 등 이기적인 모습을 보인다. 그리고 가마니에 덮인 동사자가 얼어 죽을 때에도 무관심한 태도를 보이고 있다. 따라서 가마니에 덮인 노숙자를 보고 귤 장수 할머니를 떠올리는 모습은 이기적이며 타인에게 무관심한 '너'와 어울리지 않는다.

6 ④
이 시에서 '함박눈'은 타인의 슬픔은 외면한 채 살아가는 '너'와 같은 이기적인 존재에게는 기쁨과 즐거움을 주지만, 힘겨운 삶을 살아가는 소외된 이웃들에게는 상처와 고통을 주는 의미로 사용되고 있다.

7 ⑤
이 시는 이기적인 기쁨만을 생각하는 현대인들의 모습을 비판하면서, 소외된 이웃에 대해 관심을 갖고 더불어 사는 삶의 자세가 필요함을 강조하고 있다.

12 첫사랑

p. 35

1 ⑤ 2 ② 3 ③ 4 ② 5 ③ 6 ④

1 ⑤
이 시는 사랑의 결실을 이루기 위한 인내와 헌신의 과정을 화자의 독백으로 표현하고 있다.

✖오답 풀이
① 1연의 '많은 도전을 멈추지 않았으랴'에서 확인할 수 있다.
② 겨울에서 봄으로 계절의 변화가 나타나 있다. 그리고 이러한 계절의 변화는 좀 더 성숙한 사랑으로 나아가는 과정을 드러내 준다.
③ 4연의 '세상에서 가장 아름다운 상처'에서 확인할 수 있다.
④ 2연의 '싸그락 싸그락' 나뭇가지를 두드리는 눈의 소리는 나뭇가지의 사랑을 얻으려 하는 눈의 노력을 보여 주고 있다.

2 ②
ㄱ. '싸그락 싸그락', '난분분 난분분' 등의 동어 반복이 운율을 형성한다. ㄴ. 1행과 2행은 대구를 이룸으로써 운율을 형성한다. ㄹ. 종결 어미 '~겠지'의 반복이 운율을 형성한다.

✖오답 풀이
ㄷ. 감각적 이미지의 사용은 시적 상황을 선명하고 생생하게 형상화하는 역할을 할 뿐, 그 자체가 운율을 형성한다고 보기 어렵다. ㅁ. 3음보나 4음보의 운율 같은 규칙적인 음보율은 [A]에서 확인할 수 없다.

3 ③
1연의 '꽃'은 '눈'과 '나뭇가지'가 이루는 사랑인 눈꽃을 의미한다. 그러나 4연의 '상처'는 봄에 피어난 꽃을 의미하는 것으로, 첫사랑의 아픔, 즉 이별을 겪은 후에 인내와 헌신을 통해 이루어 낸 성숙한 사랑의 결실을 의미한다.

4 ②
이 시는 사랑을 이루기 위한 '눈'의 노력과 인내, 헌신을 노래하고 있다. 2연의 '미끄러지고 미끄러지길'을 통해 사랑을 이루기 위한 '눈'의 노력이 여러 번 실패했었음을 짐작할 수 있으며, 이를 시행착오로 볼 수 있다. 그렇지만 화자는 그러한 '눈'의 노력과 인내가 눈꽃을 피우고 이후 봄꽃을 피우게 하는 것이라고 여기고 있다. 따라서 시행착오를 없애기 위해 노력해야 한다는 깨달음은 이 시의 내용과 거리가 멀다.

5 ③
〈보기〉에는 눈을 제 봄으로 받으려고 살얼음을 까는 '강'의 희생적인 모습이 나타나 있다. 그리고 이 시의 3연 '햇솜 같은 마음을 다 퍼부어 준'에서 '눈'의 헌신적이고 희생적인 모습이 나타나 있다.

6 ④
'싸그락 싸그락'은 '눈'이 내리는 소리를 표현한 의성어로, '눈'이 내리는 모습을 청각적 이미지로 형상화하여 생동감을 느끼게 한다.

✖오답 풀이
① '눈'은 도전하는 존재로 볼 수 있지만 '실현 불가능한 이상'을 추구하는 것은 아니다.
② '바람'은 위태롭고 불안한 이미지를 형상화하기 위한 소재로 볼 수 있지만, '햇솜'은 첫사랑의 순수한 이미지를 형상화한 소재이다.
③ '황홀'은 원숙한 사랑이 아니라 첫사랑이 이루어졌을 때의 기쁨을 표현한 것이다.
⑤ '난분분 난분분'은 눈이 어지럽게 날리는 풍경을 묘사한 것이다.

13 동승

p. 37

1 ② 2 ③ 3 ⑤ 4 ② 5 ④ 6 ⑤ 7 천박한 호기심

1 ②
이 시에서 깃털 색깔이 다른 새 여러 마리가 어울려 물결을 타는 모습은 자연 현상이라고 할 수 있다. 그러나 이것은 화자의 반성과 깨달음을 이끌어 내는 대상일 뿐 화자가 이를 통해 자연의 경이로움을 드러내려고 하는 것은 아니다.

✖오답 풀이
① 외국인 노동자들을 차별적으로 인식했던 것에 대한 화자의 반성과 깨달음이 이 시의 주제이다.
③ 외국인 노동자들에 대해 호기심을 보인 것은 바로 그들에 대한 이질감 때문이다.
④ 다양한 국적과 문화적 배경을 가진 사람들을 차별적 시각 없이 동등한 존재로 바라보는 자세가 다문화 시대에 바람직한 삶의 모습임을 말하고 있다.
⑤ 외국인 노동자에 대해 낯설게 느끼며 호기심을 갖는 화자의 모습과 화자에게 호기심을 갖지 않는 아시안 젊은 남녀의 모습이 대비되어 나타나 있다.

2 ③
이 시에는 과거의 상황과 현재의 상황이 대비되는 내용이 없다.

✖오답 풀이
① 아시안 젊은 남녀의 모습에서 차창 밖 새들의 모습으로 시선이 이동하고 있다.
② '모자 장사가 ~ 손바닥에 써 보는 저이들'에서 유사한 문장 구조가 반복되고 있다.
④ 아시안 젊은 남녀를 호기심을 가지고 쳐다본 화자와 달리 그들은 화자를 쳐다보지도 않고 있다. 또한 깃털 색깔이 다른 여러 마리 새가 어울려 물결을 타는 모습을 제시함으로써 아시안 젊은 남녀를 차별적인 시각으로 바라본 화자의 부정적 모습이 부각되고 있다.
⑤ 마지막 행의 '~ 돌아가는 중이지 않을까'라는 물음은 아시안 젊은 남녀가 우리의 이웃임을 깨달은 화자의 시각과 태도가 드러나는 표현이다.

3 ⑤
ⓜ 앞의 '국철은 회사와 공장이 많은 노선을 남겨 두고 있었다'를 통해 ⓜ은 아시안 젊은 남녀가 화자와 같은 노동자로서 일자리로 돌아가는 중이라는 것을 짐작하게 한다. 이는 화자와 대상 간의 거리감이 해소되는 표현이라고 볼 수 있다.

4 ②
[A]에 '국철 안'과 '국철 밖의 강'이라는 두 공간이 나오기는 하지만, 이는 화자의 위치 이동에 따른 것이 아니라 시선의 이동에 따른 것이다. '국철 안'에 있는 화자가 차창을 통해 '국철 밖의 강'을 바라보고 있는 상황인 것이다. 화자는 '차창 밖'에서 깃털 색깔이 다른 새들이 어울리는 모습을 통해 외국인 노동자에게 차별 의식을 가졌던 자신을 부끄러워하며 정서에 변화를 보이고 있다.

5 ④
이 시의 화자는 외국인 노동자들을 차별적 시각으로 바라보지 않고, 주변에서 마주치는 이웃들임을 깨닫고 평범하게 대할 때 진정한 '동승'이 가능하다고 말하고 있다.

6 ⑤
이 시에서는 국가와 민족에 대한 긍지와 자부심을 언급하고 있지 않다. 국가와 민족에 대한 긍지와 자부심이 지나칠 경우 자민족 우월주의에 빠지거나 다문화 사회라는 새로운 공동체 건설에 걸림돌이 될 수 있다.

7 천박한 호기심
화자는 아시안 젊은 남녀를 외국인이라는 차별 의식을 가지고 호기심의 대상으로 바라본 자신의 태도에 대해 '천박한 호기심'이라는 시어를 사용하여 반성하고 있다.

14 원어

p. 39

1 ④ 2 ④ 3 ⑤ 4 ⑤ 5 ② 6 ⑤

1 ④
이 시에서 화자는 동남아 여인들의 정체성 괴리에 대한 안타까움과 연민의 감정을 느끼고 있다. 그러나 화자나 대상인 여인들에게서 현실을 극복하려는 강한 의지는 확인할 수 없다.

✖오답 풀이
①, ② 화자가 고향 가는 열차에서 동남아 두 여인을 관찰하고 느낀 감상을 제시하고 있다.
③ 고향을 떠나 한국에 와서 모국어 대신 한국어를 사용해야 하는 두 여인에 대한 화자의 애정 어린 시선을 확인할 수 있다.
⑤ 이 시는 현실적 상황에 의해 동남아 두 여인이 낯선 한국어를 사용해야 하는 데서 오는 정체성의 괴리를 드러내고 있다.

2 ④
문답법은 묻고 답하는 형식으로 표현하는 수사법인데, 이 시에서는 문답법이 사용되지 않았다.

✖오답 풀이
⑤ '산그늘 깊었다'에는 객관적 상관물을 이용하여 쓸쓸한 분위기를 보여 주면서, 동남아 여인들과 그들에 대한 화자의 연민을 드러내고 있다.

3 ⑤
[A]에서는 '산그늘'이라는 객관적 상관물이 사용되고 있다. 객관적 상관물은 특정한 사물이나 상황을 통해 화자의 심리나 감정을 드러내는 기법이다. ⑤에서는 억압적 현실에 대한 풍자와 좌절감이 나타나 있을 뿐, 객관적 상관물이 사용되고 있지 않다.

✖오답 풀이
①에서는 '꾀꼬리', ②에서는 '가마귀', ③에서는 '산꿩', ④에서는 '사슴'이 객관적 상관물로 사용되었다.

4 ⑤
[B]는 동남아 여인들이 자신들의 원어를 두고 아기들의 원어인 한국말을 사용해서 아기를 달래고 있는 부분이다. 이는 현실적인 상황에 의해 어쩔 수 없이 한국말을 사용하는 것이지 두 여인이 자신들의 원어를 바꾸려고 하는 것은 아니다.

5 ②
㉮에서 '두 여인'은 잠꼬대로 모국어를 사용하는 것으로 보아 고향을 잊지 못하고 그리워하고 있음을 알 수 있다. ②는 회상을 통해 고향을 그리워하고 있으므로 '두 여인'의 정서와 유사하다.

✖오답 풀이
①은 개화 순간의 경이로움, ③은 어머니에 대한 그리움, ④와 ⑤는 각각 난초와 푸른 하늘을 예찬하고 있다.

6 ⑤
〈보기〉의 이주 여성은 색안경을 끼고 자신을 바라보는 차별적인 대우에서 느끼는 고통과 답답함을 호소하고 있는 것이지 주체적인 삶의 의지를 다지고 있는 것은 아니다.

고전 시가

개념 확인 문제

p. 40~41

1 〈구지가〉 2 개인적 서정시 3 ④ 4 ⑤ 5 × 6 × 7 악장
8 ③ 9 ⑤ 10 〈상춘곡〉 11 ○ 12 ×

1 〈구지가〉는 수로왕의 강림을 기원하는 고대 가요이다.
2 유리왕의 〈황조가〉는 현전하는 최고(最古)의 개인적 서정시이다.
3 향가의 작가층은 다양하나 현전하는 작품의 작가는 대체로 승려이다.
4 후렴구는 궁중악으로 수용되는 과정에서 덧붙여진 것으로 추정되며, 별다른 뜻이 없고 화자의 정서와도 일치하지 않는다.
5 '별곡체'는 '경기체가'의 다른 이름이다.
6 현전하는 가장 오래된 한시는 〈여수장우중문시〉이다.
8 〈용비어천가〉는 훈민정음 창제 후 지어진 최초의 악장으로, 처음부터 기록된 문학 작품이다.
9 조선 후기에 시조의 향유층이 서민으로도 확대된 것은 사실이나 여전히 양반들도 시조를 창작하였다.
12 민요에는 4음보가 가장 많다.

01 제망매가

p. 43

1 ④ 2 ⑤ 3 ② 4 ① 5 ⑤ 6 ③ 7 떨어질 잎

1 ④

누이의 죽음으로 인한 인생의 무상감이 나타나지만 절망적인 어조가 지배적인 것은 아니며 화자는 이별의 슬픔을 종교로 극복하고 있다.

✖오답 풀이

① 이 작품은 한자의 음과 훈을 빌어 적는 향찰식 표기의 10구체 향가이다.
② 누이와 사별한 상황에서 화자는 누이와 극락세계에서 만나기 위해 도를 닦으며 기다리겠다고 종교적 자세로 슬픔을 극복하고 있다.
③ 이 작품은 '기-서-결'의 3단 구성으로 이루어져 있으며 1~8구까지는 누이의 죽음으로 인한 슬픔과 무상감을 노래하다가 마지막 9, 10구에서 그 슬픔을 종교적으로 극복 · 승화하며 시상이 전환되고 있다.
⑤ '어찌 갑니까', '모르온저', '아아' 등 감탄적 어법을 통해 죽음에 대한 화자의 고뇌와 안타까움을 잘 드러내고 있다.

2 ⑤

B에서는 화자의 혈육이 갑작스럽게 죽은 상황을 가을의 이른 바람에 떨어지는 나뭇잎에 비유하여 표현했을 뿐, 화자의 정서를 비유적으로 표현하고 있는 것은 아니다.

✖오답 풀이

① A에서는 혈육이 갑자기 죽은 상황과 그로 인한 슬픔이 드러나 있다.
② A, B는 누이의 죽음으로 인한 슬픔, 인생의 허무함을 노래하다가 C에서는 미타찰에서 다시 만날 것을 바라며 슬픔을 종교적으로 극복하며 인식의 전환을 이루고 있다.
③ 9구에서 '아아'라는 감탄사를 사용하여 극한적인 고뇌를 집약적으로 드러내고 있다.
④ A에서는 이 작품의 창작 동기인 혈육이 죽은 상황이 드러나 있고, C에서는 미타찰에서의 재회를 다짐하며 슬픔을 극복하면서 A, B에서 고조되었던 정서를 마무리하고 있다.

3 ②

ⓐ'미타찰'은 아미타불이 있는 서방 정토를 의미하는 것으로 죽은 뒤에 가는 세계이다. 〈보기〉의 밑줄 친 시어 중 '서역'은 한번 가면 다시 올 수 없는 저승을 의미하는 것으로 '미타찰'과 함축적 의미가 유사하다.

✖오답 풀이

① '진달래'는 한의 이미지를 가진 시어로 임을 잃은 화자의 슬픔을 나타낸다.
③ '흰 옷깃'은 수의를 의미하는 것으로 임의 죽음을 함축하고 있다.
④ '육날 메투리'는 바닥에 세로로 놓은 날을 여섯 가닥으로 하여 삼은 미투리를 말하는데 여기서 미투리는 삼이나 노 따위로 짚신처럼 삼은 신을 뜻한다. '육날 메투리'는 임에 대한 화자의 정성을 함축하고 있다.
⑤ '은장도'는 임에 대한 화자의 변함없는 사랑을 나타낸다.

4 ①

㉠'머뭇거리고'는 죽음을 거부하는 화자의 태도가 아니라 생사(生死)의 길이 다름을 확인한 화자의 고뇌와 죽음에 대한 두려움을 나타내는 표현이다.

5 ⑤

이 작품의 화자는 누이의 죽음으로 슬픔에 젖어 있다. 그러나 화자는 ㉮에서 도를 닦으며 극락세계에서 누이를 다시 만나기를 기다리겠다고 하였다. 이는 열심히 자신의 일을 하며 이별의 슬픔을 종교적 기다림으로 극복하겠다는 태도이다. ⑤ 역시 '당신(아내)'의 죽음으로 인한 이별의 슬픔이 드러나 있으나, 화자는 '밭 갈고 씨 뿌리고 땀 흘리며' 자신의 일을 열심히 하며 '당신'을 만나기를 기다리겠다고 하였다. 따라서 이별의 슬픔을 극복하고 재회의 날을 기다리겠다는, ㉮의 정서 및 태도와 유사하다.

✖오답 풀이

① 저승과 이승의 거리감으로 인해 절망하고 서러워하고 있다.
② 죽은 아이의 모습을 유리창을 통해 떠올리면서 아이에 대한 그리움과 슬픔을 노래하고 있다.
③ 아기를 잃은 슬픔을 노래하고 있는 시로, 대상의 죽음으로 인한 슬픔이 드러나 있다.
④ 죽은 이에 대한 그리움과 안타까움, 이승과 저승 사이의 거리감이 드러나 있다.

6 ③

이 작품에는 혈육에 대한 애증이 드러나 있지 않다.

✖오답 풀이

① 화자는 죽은 누이가 극락세계인 미타찰에 있을 것이고, 자신도 죽어서 미타찰에 갈 것이므로 그곳에서 다시 만나기를 바라고 있다. 그러므로 화자는 불교적인 윤회 사상을 바탕으로 죽은 누이와의 재회를 소망하고 있다고 볼 수 있다.
② '생사(生死)' 즉 삶과 죽음이 '예' 즉 이승에 있다고 표현하였으므로 화자가 누이의 죽음을 계기로 삶과 죽음이 그다지 멀리 있지 않음을 깨닫고 있음을 알 수 있다.
④ 이 작품은 죽은 누이[망매(亡妹)]를 추모하여 제(祭)를 올리며 지은 노래이다.
⑤ 10구체 향가는 총 10구로 이루어져 내용상 세 부분으로 나누어지는데 크게는 앞의 8구와 뒤의 2구로 나누고, 앞의 8구는 다시 4구씩 나누어 볼 수 있다. 마지막 2구는 낙구로, 보통 첫머리에 감탄사를 써서 종결짓는다.

7 떨어질 잎

이 작품에서는 누이의 죽음을 '이른 바람에 이에 저에 떨어질 잎'으로 표현하여 시각적으로 형상화하였다.

02 가시리

p.45

1 ⑤ 2 ⑤ 3 ③ 4 ③ 5 ④ 6 ⑤

1 ⑤

이 작품은 임이 화자를 떠나는 상황에서 떠나는 임에 대한 원망과 체념, 재회에 대한 화자의 소망을 드러내고 있다. 이 작품에는 자연물이 나타나 있지 않을 뿐더러 이를 통해 화자의 태도를 드러내지도 않았다.

✖오답 풀이

① 3 · 3 · 2조의 3음보 율격을 지니고 있다.
② 민요적 율격을 지닌 고려 가요에 속한다.
③ 이 작품은 4연, 각 2행의 분연체 형식으로 기승전결의 구조를 갖추고 있다.
④ 후렴구가 있는 고려 가요이므로 구전되어 오다가 한글로 기록되었을 가능성이 있다.

2 ⑤

이 작품은 임과의 이별로 인한 화자의 설움과 재회에 대한 소망이라는 정한을 노래하고 있다. ①, ②, ③, ④ 역시 임과의 이별이라는 시적 상황과 화자의 슬픔이라는 정서가 드러나 있다. 그러나 ⑤는 추운 겨울밤에 남을 위해 밤을 새워 옷을 짓는 여인의 고달픈 삶을 형상화하고 있어 이별의 정한과는 거리가 멀다.

3 ③

㉠은 후렴구로, 노래의 끝부분에 반복적으로 사용되어 시 전체에 운율감을 부여하는 역할을 한다. 또한 연을 구분 짓고 통일성을 느끼게 하여 형태적 안정감을 준다. 그러나 별다른 뜻이 없으므로 주제를 효과적으로 드러내는 기능은 없다.

4 ③

3연은 떠나는 임을 화자가 붙잡고 싶지만 임이 서운해하면 돌아오지 않을지도 모른다는 화자의 염려가 담겨 있다. 따라서 ㉢'서운하면'의 행위 주체는 화자가 아닌 임이다.

✖오답 풀이

① (화자를) 버리는 행위 주체는 임이다.
② (임을) 붙잡는 행위 주체는 화자이다.
④ (임을) 보내는 행위 주체는 화자이다.
⑤ 돌아서서 오는 행위 주체는 임이다.

5 ④

이 작품의 1연에 해당하는 〈보기〉는 '가시리'가 반복되는 a–a–b–a 구조로 운율감이 느껴지는 부분이다. 그러나 ④는 단순히 '거북아'가 반복된 것일 뿐 a–a–b–a 구조로 이루어져 있는 것은 아니다.

6 ⑤

이 작품의 화자는 임의 마음이 서운하면 다시는 돌아오지 않을까 걱정하여 끝내 임을 붙잡지 못하는 소극적인 태도를 보이고 있다. 반면 〈보기〉의 화자는 자신을 사랑해 주기만 한다면 모든 것을 버리고서라도 임을 따르겠다는 적극적인 태도를 보이고 있다.

03 청산별곡

p.47

1 ④ 2 ④ 3 ② 4 ③ 5 ③ 6 ④ 7 믈 아래

1 ④

이 작품의 후렴구는 'ㄹ, ㅇ' 음의 반복으로 밝고 경쾌한 느낌을 준다. 그러나 작품의 내용은 삶의 고뇌와 비애를 노래하고 있어 이러한 후렴구의 흥겨운 느낌과는 상반된다.

2 ④

이 작품에서 '청산'과 '바다'는 화자의 이상향이자 생의 안식처가 되는 곳으로 함축적 의미가 유사하다. 따라서 '바다'에 대해 '번뇌가 가득한 속세'라고 설명한 것은 적절하지 않다.

3 ②

'새'는 화자의 슬픈 감정이 이입된 소재이다. ②의 '물'도 임과 이별한 화자의 슬픈 심정이 이입된 소재이다.

✖오답 풀이

① 암수 정답게 노는 '꾀꼬리'는 화자의 고독한 처지를 부각시키는 객관적 상관물이다.
③, ⑤ '추강'과 '눈'은 단순한 자연물로 계절적 배경을 알려 주는 소재이다.
④ '막대'는 늙음을 막기 위해 동원된 화자의 기발하고 일상적인 소재이다.

4 ③

삶의 고통에서 벗어나고 싶은 화자는 '청산'과 '바다'를 동경하나, 이상향으로 갈 수 없는 현실적 운명에 체념하고 있다.

5 ③

이 작품의 화자가 어떤 사람인지에 대해서는 여러 가지 견해가 있지만, '잉 무든 장글'을 '이끼 묻은 쟁기'로 해석할 경우, 화자는 삶의 터전을 잃고 방랑하는 유랑민으로 추측할 수 있다.

6 ④

㉡은 'a(살어리) – a(살어리랏다) – b(바ᄅᆞ래) – a(살어리랏다)'의 구조로 이루어져 있고, ①, ②, ③, ⑤ 모두 이와 같은 구조이다. 그러나 ④는 'a–b–a' 구조로 이루어져 있다.

7 믈 아래

'믈 아래'는 화자가 떠나온 곳(속세)으로, 화자가 지향하는 이상적 공간인 '청산', '바ᄅᆞᆯ'과 대비되는 공간이다.

04 송인

p. 49

1 ④ 2 ② 3 ⑤ 4 이별 5 ⑤ 6 ② 7 풀빛

1 ④

이 작품에서 싱그러운 자연물인 '풀빛'은 화자의 슬픈 상황과 대조되어 화자의 정서를 더욱 부각시킬 뿐, 화자의 감정이 투사된 대상은 아니다.

✖오답 풀이

① 3구와 4구에서 이별의 눈물이 해마다 보태어지기 때문에 강물이 결코 마르지 않을 것이라고 한 것은 과장된 표현이자, 이별의 슬픔을 극대화한 것이다.

② 3구에서 설의법을 사용하여 대동강 물은 결코 마르지 않을 것이라며 화자의 슬픈 정서를 강조하고 있다.

③ 1구의 비 온 뒤 봄의 싱그러운 자연과 2구의 이별하는 화자의 슬픈 처지가 대조적으로 드러나고 있다.

⑤ 1구와 4구에서 푸른색의 시각적 이미지가 강하게 드러나고 있다.

2 ②

이 작품은 비가 갠 뒤 싱그러움이 가득한 대동강변의 남포를 공간적 배경으로 한다. 따라서 물결이 넘실대며 흐르는 강변은 공간적 배경으로 적절하지만, 비가 내리는 상황은 작품의 내용과 일치하지 않으므로 적절하지 않다.

✖오답 풀이

① 이별의 슬픔을 노래하고 있는 작품이므로 잔잔하고 애절한 배경 음악이 어울린다.

③ 아름다운 자연의 모습과 이별을 하는 화자의 슬픈 상황이 대비를 이루는 1구와 2구의 내용에 어울리는 화면 구성이다.

④ 이별의 눈물이 대동강 물에 보태어진다는 내용을 표현하기에 적절한 장면이다.

⑤ 1구에서 풀빛이 푸르다고 하였으므로 적절한 계획이다.

3 ⑤

㉤'푸른 물결'은 1구의 '풀빛'과 감각적으로 호응하면서 화자의 깊은 슬픔을 강조하는 역할을 한다.

✖오답 풀이

① ㉠은 비가 온 뒤 봄의 생명력을 드러내는 공간이지만 화자에게는 이별을 하는 슬픔의 공간으로 인식된다.

② 남포라는 구체적인 지명을 통해 시적 상황에 사실성과 구체성을 부여하고 있다.

③ '그대'를 떠나보내는 화자의 슬픈 정서가 노래라는 청각적 이미지를 통해 드러나고 있다.

④ ㉣은 해마다 이별의 눈물을 더하기 때문에 대동강 물은 결코 마르지 않을 것이라는 설의적 표현이다.

4 이별

이 작품에서 '물'은 화자가 이별을 한 곳이자 이별의 눈물이 더해지는 곳으로 궁극적으로 '이별'을 상징한다. 〈보기〉의 '물' 역시 임이 빠져 죽은 곳이기 때문에 화자가 임과 이별한 곳이다. 따라서 두 작품에서 '물'은 공통적으로 이별을 상징한다.

5 ⑤

한시인 이 작품은 7언 절구로 각 구마다 일곱 개의 음절을 반복적으로 사용하여 운율을 형성하였다. 반면 〈보기〉는 '가시리(3) / 가시리(3) / 잇고(2)'로 3 · 3 · 2조의 음수율을 사용하여 운율을 형성하고 있다.

✖오답 풀이

① 두 작품 모두 수미 상관을 사용하지 않았다.

② 후렴구를 사용한 것은 이 작품이 아닌 〈보기〉이다.

③ 이 작품은 한시로 4음보의 율격을 띠지 않는다. 또한 〈보기〉는 고려 가요로 4음보가 아니라 3음보의 율격을 보인다.

④ 일정한 곳에 무의미한 여음을 반복하여 사용한 것은 〈보기〉이다.

6 ②

1구에서는 비 온 뒤 강변의 싱그러운 풀빛의 모습(서경)을 그리고 있고, 2구에서는 임을 보내는 이별의 애절한 슬픔(서정)을 노래하고 있다.

✖오답 풀이

① 이 작품은 정지상이 한문으로 쓴 7언 절구의 한시로 구비 문학이 아닌 기록 문학이다.

③ 3구에서는 정서의 일반화나 무상감을 드러낸 것이 아니라 이별의 슬픔과는 아랑곳없이 흐르기만 하는 대동강 물의 무정함이 드러난다고 볼 수 있다.

④ 이 작품과 같은 한시는 한문으로 기록되어 있지만 우리나라 사람이 한자를 통해 우리 민족의 전통적인 정서를 담아내고 있으므로 한국 문학에 속한다.

⑤ '남포'가 많은 이들이 이별하였던 지명인 것은 맞지만 이를 통해 당시 이별이 빈번했음을 알 수는 없다.

7 풀빛

비 온 뒤 생명력이 넘치는 자연의 싱그러움을 드러내는 소재는 1구의 '풀빛'으로, 이는 이별을 맞이하는 화자의 처지와 대조된다. 그리고 이 같은 대조적인 모습은 화자의 슬픔을 부각하는 효과를 가져오고 있다.

05 용비어천가

p. 51

1 ③ 2 ⑤ 3 ⑤ 4 ⑤ 5 ③ 6 ②

1 ③

제2장과 제3장은 앞뒤 절이 대구를 이루어 운율감을 형성하고 있다. 이와 같은 대구 표현은 〈용비어천가〉에서 전체적으로 나타나는 특징인데, 이는 악장이라는 갈래가 나라의 제전이나 연례와 같은 공식 행사 때 궁중 음악에 맞춰 불렸다는 사실과 관련 있다.

✖오답 풀이
① 후렴구가 따로 나타나 있지 않다.
② 앞뒤 구절이 대구를 이룬다거나 2절 4구 형식으로 되어 있지만 지켜야 할 고정된 글자 수는 없다.
④ 모든 사람이 공감할 만한 내용은 아니며, 실제로 악장은 조선 초기에만 불려지다 쇠퇴하였다.
⑤ 한글을 시험해 보기 위해 한글로 기록된 것은 맞지만, 당시 한글이 널리 사용된 것은 아니다.

2 ⑤
제1장과 제2장은 〈용비어천가〉의 서사 부분으로서, 조선의 건국이 천명에 의한 것이며 조선 왕조가 무궁한 발전을 이룰 것이라는 기원의 내용이 담겨 있다. 즉, 이 작품이 조선 왕조의 창업을 송축하고 번영을 기원하기 위해 창작된 것임을 알 수 있다.

✖오답 풀이
① 정인지, 안지, 권제 등 특정 인물들이 참여하여 지은 작품이다.
②, ④ 이 작품은 악장으로 악장은 나라의 제전이나 연례와 같은 공식 행사 때 궁중 음악에 맞추어 부른 노래이다.
③ 〈용비어천가〉는 한글 노래를 먼저 싣고 그 뒤에 그에 대한 한역시를 붙였다. 그리고 제2장을 제외하고는 한자어가 사용되었다.

3 ⑤
조선이 기초가 튼튼하고 오랜 전통을 지닌 유서 깊은 나라임을 밝히고, 조선 왕조가 무궁하게 발전할 것임을 제시하고 있는 것은 제2장에만 해당하는 설명이다.

✖오답 풀이
① 작품의 제목인 '용비어천가'는 '용이 날아서 하늘의 뜻을 본받아 처신한 내용을 담은 노래'라는 뜻으로 조선 건국이 하늘의 뜻에 따른 것임을 제1장에서 밝혀 조선 건국의 정통성, 당위성, 정당성을 뒷받침하고 있다.
② 제1장과 제2장은 조선 건국을 기리고 축하하는 '개국송'이고, 제3장은 목조의 업적을 찬양한 '사적찬' 중의 하나이다.
③ 조선을 당대 선진 문물의 상징적 존재인 중국과 비견되는 존재로 설정함으로써 조선 건국의 정당성과 위상을 부각시키는 효과를 주었다.
④ 제3장은 목조가 경흥에서 왕업을 시작하여 조선 창업의 기틀이 되었음을 밝히고 있다.

4 ⑤
제3장과 달리 제1장에서는 전절에서 육조가 하는 일마다 천복이 내린 왕조 조상의 성업을 칭송하고 있고, 후절에서 옛 중국의 성왕과 같음을 밝혀 조선 왕조 창업의 정당성을 드러내고 있으므로 ⑤의 설명은 적절하지 않다.

5 ③
㉢'곶 됴코 여름 하ᄂᆞ니'는 '좋은 꽃이 피고 열매가 많이 열리니'라는 뜻으로, 조선은 기초가 튼튼한 나라이니 문화가 융성해질 것이라는 의미로 송축의 뜻이 담겨 있다.

6 ②
제125장은 조상의 선정만 믿고 낙수에 사냥을 갔다가 오랫동안 돌아오지 않아 폐위당한 하나라 태강왕의 예를 제시함으로써 후대 왕에게 경천근민해야 함을 가르치고 있다. 이는 본이 되지 않은 남의 말이나 행동도 자신의 지식과 인격을 수양하는 데에 도움이 될 수 있음을 이르는 말인 '타산지석'과 관계 깊다.

✖오답 풀이
① '온고지신'은 옛것을 익히고 그것을 미루어서 새것을 앎을 이르는 말이다.
③ '각주구검'은 융통성 없이 현실에 맞지 않는 낡은 생각을 고집하는 어리석음을 이르는 말이다.
④ '고진감래'는 고생 끝에 즐거움이 옴을 이르는 말이다.
⑤ '새옹지마'는 인생의 길흉화복은 변화가 많아서 예측하기가 어려움을 이르는 말이다.

06 상춘곡

p. 53

1 ⑤ 2 홍진 3 ④ 4 ② 5 ④ 6 ⑤ 7 ③

1 ⑤
이 작품은 봄의 경치를 완상하며 자연 속에서 안빈낙도하는 삶의 즐거움을 노래하고 있는 가사이다. 즉, 화자는 아름다운 봄의 경치에 대해 예찬적인 태도를 드러내고 있다. 풍자적 표현은 대상에 대한 부정적인 태도를 드러내기 위한 것으로 이 작품에서는 나타나지 않는다.

✖오답 풀이
① 이 작품은 '수간모옥 → 정자 → 시냇가 → 봉두'의 공간적 이동에 따라 시상이 전개되고 있다.
② '녯 사름 풍류를 미촐가 못 미촐가'와 같은 설의적 표현을 통해 자연에 묻혀 살고 있는 자신의 삶에 대한 화자의 자부심을 드러내고 있다.
③ '수풀에 우는 새는 춘기를 뭇내 계워 소릐마다 교태로다.'에서 봄의 흥취를 느끼는 화자의 감정을 '새'에 이입하여 표현하고 있다.
④ 봄의 아름다운 경치를 묘사하는 (나)와 (다)에서 시각적 이미지가 주로 사용되고 있다.

2 홍진
이 작품은 '홍진(속세)에 뭇친 분네'인 청자에게 '풍월주인'인 화자가 자신의 삶에 대해 이야기하고 있는 내용이다. 즉, (가)에서 자연과 대조되는 의미인 속세를 가리키는 시어는 '홍진(紅塵)'이다.

3 ④
㉠'우는 새'는 아름다운 봄 경치에 도취된 화자의 감정을 이입한 감정 이입의 대상이다. ④의 '물'도 임을 여의고 슬퍼하는 화자의 감정이 이입된 대상이다.

✖오답 풀이
① '달'은 초월적인 존재로 천지신명을 의미한다. 화자는 남편이 무사히 돌아오기를 바라는 자신의 소망을 '달'에 기원하고 있다.
② '구슬'은 임과 화자의 사랑과 믿음을 상징한다. 화자는 임을 향한 자신의 사랑이 변하지 않을 것임을 노래하고 있다.
③ 화자는 사랑하는 임이 대동강 건너로 떠나서 '꽃'을 꺾을 것이라고 걱정을 하고 있다. 여기서 '꽃'은 질투의 대상인 새로운 여인을 의미한다.
⑤ '만중운산'은 화자가 있는 공간이면서, 화자와 임 사이를 가로막는 장애물을 의미한다.

4 ②
㉡은 '청향'의 후각적 심상과 '낙홍'의 시각적 심상을 통해 자연 속에서 풍류를 즐기는 화자의 물아일체된 모습을 감각적으로 드러내고 있는 표현이다. 여기서 '낙홍(落紅)'은 떨어지는 붉은색이라는 뜻으로, '붉은 꽃잎'을 의미한다.

5 ④
ⓐ, ⓑ, ⓒ, ⓔ는 모두 화자가 가까이하고 있는 자연과 관련이 있는 시어인 반면, ⓓ는 화자가 멀리하고 싶은 속세와 관련이 있는 시어이다.

6 ⑤
(라)에서 화자는 속세에 대한 미련을 모두 떨쳐버린 채 자연에 묻혀 안빈낙도하는 삶에 대한 만족감을 드러내고 있다. 이런 화자의 태도와 가장 유사한 것은 ⑤이다. ⑤에서 '박주산채'는 '좋지 않은 술과 나물'이라는 뜻으로 소박한 음식을 상징한다. 즉, ⑤의 화자는 자연 속에서 소박하게 살아가는 안분지족의 자세를 보이고 있다.

✖오답 풀이
① 망국을 회고하면서 시세에 따라 살아야 함을 드러내고 있다.
② 자연물을 소재로 간신의 횡포를 비판하고 있다.
③ 부모님이 살아 계실 때 효도해야 한다는 가르침을 전하고 있다.
④ 변방에서 나라를 지키는 무인의 호방한 기개와 우국충정이 드러난다.

7 ③
이 작품에서 '자연'은 화자가 아름다운 봄 경치를 완상하며 풍류를 즐기는 공간이다. 그러나 〈보기〉에서 '산'은 아낙네가 남편과 함께 가혹한 관리의 수탈을 피하여 도망 온 공간으로, 아낙네의 남편은 아침에 산에 올라 날이 저물도록 산밭을 일구느라 고생하고 있다. 즉, 〈보기〉에서의 '산'은 고달픈 삶의 공간이다.

07 관동별곡 ❶

p. 55

1 ④ 2 ④ 3 ③ 4 ③ 5 ⑤ 6 ④ 7 녕농 벽계, 수셩 뎨됴

1 ④
이 작품에는 우국지정, 연군지정 등의 유교 사상과 신선을 흠모하는 도교 사상은 드러나지만, 불교 사상은 나타나지 않는다.

✖오답 풀이
① 기행 가사로 여정에 따라 내용이 전개되고 있다.
② 직유법, 은유법, 대구법, 의인법, 설의법 등 다양한 비유적 표현이 드러나고 있다.
③, ⑤ 형식은 3 · 4조, 4음보의 운문이나, 내용은 기행문의 산문적 성격이 드러난다.

2 ④
[A]에서는 원경과 근경의 폭포를 '우레'와 '눈'으로 비유하여 각각 청각적 이미지와 시각적 이미지를 드러내고 있을 뿐, 공감각적 이미지는 사용되지 않았다.

3 ③
[B]에서 화자는 '망고딕'와 '혈망봉'이라는 대상을 예찬하며 본받고자 하는 태도를 드러내고 있다. 이와 같이 대상을 예찬하면서 본받고자 하는 태도가 드러난 것은 눈 속에서도 푸르른 대나무의 절개를 노래한 ③이다.

✖오답 풀이
①, ②, ④, ⑤는 모두 자연 친화적인 태도를 노래하고 있을 뿐이다.

4 ③
(나)에서는 화자가 진헐대에 올라 금강산을 바라보고 있는 모습이 나타난다. 전반부에서는 금강산 전체의 조망을, 후반부에서는 망고대와 혈망봉에 초점을 맞추어 직간을 하는 충신의 굳은 의지와 절개를 나타내고 있다. 그러나 원근에 따른 시선의 이동은 찾아볼 수 없다.

5 ⑤
(다)는 용이 풍운을 얻으면 바람과 구름을 타고 승천하여 비를 내리게 한다는 전설을 바탕으로 한 내용이다. 여기서 '노룡-화자', '풍운-기회(때)', '삼일우-선정', '음애예 이온 플-도탄에 빠진 백성'으로 대응되어 화자의 선정에 대한 포부와 애민 정신을 드러내고 있다.

6 ④
(라)에 드러나는 여정의 변화는 금강산에서 관동 팔경으로 이동하는 것이다. 화자는 금강산에서는 주로 백색 이미지를 통해 자연을 고결한 이미지로 묘사하였으나, 관동 팔경에서는 자연을 보다 역동적인 이미지로 묘사하고 있다. 따라서 역동적 분위기에서 정적인 분위기로 변화한다는 설명은 적절하지 않다.

7 녕농 벽계, 수셩 뎨됴
〈보기〉의 '산꿩'은 머리를 깎고 불가에 귀의하는 여인의 슬픔이 이입된 소재이다. (라)에서 금강산을 떠나는 화자의 슬픔이 '녕농 벽계'와 '수셩 뎨됴'에 이입되어 있다.

07 관동별곡 ❷

p.57

1 ② 2 ④ 3 ① 4 ③ 5 ① 6 ⑤ 7 ④

1 ②

Ⓐ는 간신배(녈구름)가 임금의 총명을 흐리게 할까 걱정하는 부분이다. 이와 유사한 화자의 심정이 드러나 있는 것은 고려 때 간신 신돈을 '구름'으로 표현해 의롭지 못한 행위를 풍자한 ②이다.

✖오답 풀이

① 학문에 정진하는 태도가 나타나 있다.
③ 인생무상과 맥수지탄의 정서가 나타나 있다.
④, ⑤ 늙음을 한탄하는 정서가 나타나 있다.

2 ④

(나)에서 화자는 관찰사로서의 책임을 의미하는 '왕명'과 자연을 즐기고 싶은 인간 본연의 욕망을 의미하는 '긱수' 사이에서 갈등하고 있다.

3 ①

ⓐ는 화자의 꿈속에 나타난 신선이고, ⓑ~ⓔ는 화자 자신을 가리킨다.

4 ③

㉠'꿈'은 공인으로서의 의무와 풍류를 즐기고자 하는 개인적 욕망 사이에서 갈등하던 화자가 '선우후락(先憂後樂)'의 자세를 깨달음으로써 갈등을 해소하는 계기가 되고 있다.

5 ①

㉡에서 화자는 백성들과 즐거움을 함께 나누고자 하는 목민관으로서의 애민 정신을 드러내고 있는데, 이와 같은 태도를 보이는 것은 ①이다.

6 ⑤

㉢에서 화자가 도선적 풍류를 지향한다고 볼 수 없으며, 화자의 욕망은 꿈속에서 이미 해소되었다.

✖오답 풀이

① ㉢은 화자의 갈등이 꿈을 통하여 해소된 후 화자의 평온한 내면세계를 보여 주는 것이다.
② 시조의 종장과 같은 3-5-4-3의 음수율이 드러난다.
③ ㉢은 작품 전체를 마무리하는 결사에 해당한다.
④ '달빛'은 임금의 은혜를 상징하기 때문에 결국 임금의 은혜가 온 세상을 비춘다는 의미이다.

7 ④

이 작품에서 화자의 심리적 갈등은 종교를 통해 해결되고 있지 않다. 화자는 위정자로서의 책임과 인간 본연의 욕망 사이에서 갈등하다가 종교가 아니라 연군과 애민 정신(선우후락)을 통해 해소하고 있다.

08 속미인곡

p.59

1 ③ 2 ④ 3 ② 4 ⑤ 5 ⑤ 6 ④ 7 ⑤

1 ③

이 작품에서는 임과 이별한 상황에서 임을 그리워하며 임과의 재회를 간절히 바라는 여인의 마음을 솔직하게 드러내고 있을 뿐, 이를 반어적으로 표현하지는 않았다.

✖오답 풀이

①, ② 이 작품은 두 여성이 대화를 나누는 형식을 통해 임에 대한 화자의 그리움과 사랑의 마음을 드러내고 있다.
④ '낙월', '궂은비' 등의 자연물에 상징적인 의미를 부여하여 임을 그리워하는 화자의 심정을 표현하였다.
⑤ 이 작품은 우리말의 묘미를 잘 살려 화자의 정서를 진실하고 소박하게 표현했다는 점에서 가사 문학의 백미로 꼽히고 있다.

2 ④

'내 ᄉᆞ셜'은 '내 사정 이야기'라는 뜻으로, 화자가 임의 사랑을 받다가 임과 헤어진 것이 자신의 탓이며 운명 때문이라는 내용이다. 이것이 정철이 반대파의 탄핵을 받게 된 원인을 의미하는 것은 아니다.

3 ②

㉠에서 '헤ᄯᅳ며 바니니'라는 것은 헤매며 다닌다는 뜻으로, 임의 소식을 듣기 위해 화자가 허둥거리고 있다는 의미이다. 따라서 화자가 임에 대한 그리움으로 여기저기 헤매고 있다는 설명이 적절하다.

4 ⑤

ⓔ'뷘 ᄇᆡ'는 화자의 외로운 처지를 부각시키는 객관적 상관물로, 화자의 처지와 일치하는 사물이다. 그러나 나머지 ⓐ~ⓓ는 모두 화자와 임의 만남을 방해하는 장애물의 역할을 하고 있다.

5 ⑤

이 작품에서 '뎌 각시(을녀)'가 '궂은비'가 되겠다고 한 것은 아니다. '뎌 각시(을녀)'가 죽어서 멀리서 임을 바라보는 '낙월'이 되겠다고 하자, '갑녀'가 차라리 '궂은비'가 되어 임 가까이 있으라고 이야기한 것이다.

6 ④

〈보기〉의 화자는 현실에서 임을 볼 수 없어 꿈에서나마 임을 보려고 하지만, '지는 잎'과 '풀 속에 우는 짐승' 때문에 잠이 깼다며 한탄하고 있다. 따라서 '지는 잎'과 '풀 속에 우는 짐승'은 화자와 임 사이를 방해하는 장애물이라고 할 수 있다. 이 작품에서 이와 유사한 소재는 화자의 잠을 깨우는 닭 울음소리이다. 이 작품의 화자는 꿈에서 그리던 임을 만났지만, 방정맞은 닭 우는 소리 때문에 잠이 깨어 버려 임과 이야기를 나누지 못해 안타까워하고 있다.

7 ⑤

'구즌비'는 추적추적 내리는 비로 '눈물'과 '한'의 이미지를 지니고 있다. 그러나 '낙월'은 임을 비춰 주고 싶은 화자의 변함없는 마음을 의미할 뿐, '욕망'의 이미지를 지니는 것으로 볼 수 없다.

09 오우가 p. 61

1 ② **2** ① **3** ④ **4** 대나무[竹, 죽] **5** ④ **6** ② **7** 과묵(무언)

1 ②

화자는 '물'은 깨끗하고도 그칠 때가 없으며, '바위'는 변하지 않고, '솔'은 눈서리를 모르고 굳세며, '대'는 사철 푸르고, '달'은 보고도 말을 하지 않는다며 예찬하고 있다.

✖오답 풀이

① 수석과 송죽, 그리고 달이라는 자연물이 등장하고 있으나 화자가 현실 도피의 공간으로 바라보고 있는 것은 아니다.

③ 화자가 인생을 초월적으로 바라보고 있는지 여부를 판단할 만한 내용은 없다.

④ 대상인 자연물을 풍자하여 교훈을 전달하려고 하는 것이 아니라 예찬하고 있다.

⑤ 자연물을 벗으로 여기고 있는 것에서 어느 정도 자연 친화적인 태도를 갖고 있다고 할 수는 있으나, 냉혹한 현실을 비판하고 있는 것은 아니다.

2 ①

〈제1수〉의 초장에서 화자는 '내 버디 몃치나 ᄒᆞ니'라고 물은 후 '수석과 송죽이라'고 스스로 답하고 있다(ㄱ). 그리고 '-고야', '-노라' 등의 감탄형 종결 어미를 사용하여 대상에 대한 화자의 예찬적 태도를 드러내고 있다(ㄴ). 또한 화자는 수석과 송죽, 그리고 달을 '벗'으로 여기고 '달'을 '너'로 지칭하면서 의인화하고 있는데, 이를 통해 대상에 대한 화자의 친근한 태도를 알 수 있다(ㄷ). 그러나 의태어를 활용하여 대상의 모습을 생생하게 전달하고 있는 표현은 사용되지 않았다.

3 ④

〈제5수〉는 시적 대상이 무엇인지 구체적으로 밝히고 있지 않다. 그러나 〈제1수〉에서 '송죽'이라고 말한 것을 통해 〈제5수〉의 시적 대상이 대나무임을 알 수 있다. '나무도 아닌 것이 풀도 아닌 것이'는 정체성이 불분명하다는 것이 아니라 시적 대상인 대나무의 특징을 제시한 것에 불과하다.

4 대나무[竹, 죽]

〈제5수〉의 중장에서 대상에 대해 '곳기ᄂᆞᆫ(곧은 것은)'과 '속은 어이 뷔연ᄂᆞ다(속은 어찌하여 비었는가)'라고 한 것으로 보아, 〈제5수〉는 〈제1수〉에 소개된 '오우' 중 대나무[竹]의 덕성을 노래한 것임을 알 수 있다.

5 ④

이 작품에는 현실을 초월해 절대적 가치를 추구하는 존재가 등장하지 않는다. 그리고 〈보기〉에서 타협 없이 투쟁했던 윤선도의 삶의 자세가 변하지 않았다고 했으므로 윤선도가 현실을 초월해 절대적 가치를 추구했을 것이라고 볼 수 없다.

6 ②

㉯의 〈제2수〉와 〈제3수〉는 모두 초장과 중장이 대구를 이루면서, 초 · 중장에서 언급한 대상과 종장에서 언급한 대상이 대조를 이루고 있다. 한편 ㉰에서 〈제4수〉와 〈제5수〉 모두 초장에 대구법이 사용되었다. 그러나 〈제4수〉에서 다른 식물과 소나무가 대조를 이루는 것과 달리 〈제5수〉에는 대조가 나타나지 않는다.

✖오답 풀이

③ ㉯는 지상의 무생물인 '물'과 '바위', ㉰는 지상의 생물인 '소나무'와 '대나무', ㉱는 천상의 존재인 '달'을 각각 대상으로 하고 있다.

7 과묵(무언)

〈제6수〉의 종장에서는 '보고도 말 아니 ᄒᆞ니'를 '달'의 속성으로 제시하였다. 이것을 통해 세상의 온갖 것을 일일이 말하지 않는 '달'의 과묵의 미덕을 확인할 수 있다.

10 이화에 월백ᄒᆞ고 | 이 몸이 주거 가셔 | 눈 마ᄌᆞ 휘여진 ᄃᆡ를 p. 63

1 ② **2** ⑤ **3** ② **4** ① **5** ④ **6** ③ **7** ⑤

1 ②

(가)는 봄을 나타내는 '이화(梨花)', '일지춘심(一枝春心)'을 통해 애상감을 드러내었고, (나)와 (다)는 겨울과 관련 있는 눈(백설)을 통해 부정적인 시대 상황 속에서 화자의 지조, 절개를 드러내고 있다.

✖오답 풀이

① (나), (다)는 흰색(눈)과 푸른색(소나무, 대나무)을 대비하여 화자의 의지를 강조하고 있다. 그러나 (가)에는 흰색의 이미지만 드러날 뿐 색채 대비가 사용되지 않았다.

2 ⑤

(나)는 수양 대군을 의미하는 백설이 하늘과 땅에 가득한 부정적 상황에서도 자신은 시류에 휩쓸리지 않고 낙락장송처럼 단종에 대한 지조를 지키겠다는 의지를 드러내고 있다. (다) 역시 눈 속에서도 푸른 대나무처럼 지조와 절개를 지키겠다는 화자의 의지를 드러낸 시조로, 고려 왕조에 대한 작가의 굳은 의지와 절개를 엿볼 수 있다.

3 ②

'자규'는 '한(恨)'의 이미지를 드러내는 시어로 봄밤의 애상감으로 전전반측하고 있는 화자에게 위안을 주는 것이 아니라 화자가 느끼는 봄밤의 애상감을 심화시키고 있다.

4 ①

'월백'은 '밝은 달'로 백색의 이미지와만 관련될 뿐 계절적인 배경과는 거리가 멀다.

✖오답 풀이

② '삼경'은 깊은 밤중을 의미하므로 작품의 고요하고 쓸쓸한 분위기를 자연스럽게 연출해 준다.
③ '일지춘심'은 '한 가지의 봄 마음'으로 풀이되므로, 봄밤에 느끼는 추상적인 감정을 구체적인 사물처럼 표현한 것이다.
④ '자규'는 '소쩍새'로, 새의 울음소리라는 청각적 심상을 환기하면서 봄밤의 애상감을 자아내고 있다.
⑤ '다정'은 화자의 정서를 드러내는 표현이다.

5 ④

'눈'은 추운 겨울에 내리는 것으로 '차갑다'는 속성 때문에 시련과 고난을 상징하는 시어로 주로 사용된다. '소나무'는 사시사철 늘 푸르며, 특히 다른 나무들의 잎이 다 진 겨울에도 변함이 없는 속성으로 인해 지조와 절개 등의 상징적 의미를 지닌다.

6 ③

(다)의 화자는 대나무를 자신과 동일시하며, 고려에 대한 지조와 절개를 우의적으로 표현하고 있다. 그러나 사물이나 자연물에 감정을 이입한 표현은 나타나지 않는다.

✖오답 풀이

① '대나무'는 곧고 푸른 속성으로 인해 옛날부터 지조와 절개를 상징하는 관습적 상징물로 사용되었다.
② 눈이 세차게 내리는 겨울의 계절적 속성을 활용하여 현재 화자에게 닥친 시련과 고통의 상황을 암시하고 있다.
④ 중장의 '프를소냐'라는 설의적 표현을 통해 눈 속에서도 푸르름을 잃지 않는 대나무의 모습을 강조하며 결코 절개를 굽히지 않겠다는 화자의 의지를 드러내고 있다.
⑤ 대나무의 푸른색 이미지를 통해 변함없는 절개라는 상징적 의미를 시각적으로 선명하게 부각하고 있다.

7 ⑤

대나무가 눈을 맞아 '휘어지는' 것은 외부의 현실적인 시련 때문에 고통을 겪는 일시적인 모습이며, '굽어지는' 것은 곧고 꼿꼿한 본성을 버리는 변절이라고 할 수 있다.

11 묏버들 갈히 것거 | 동지ㅅ달 기나긴 밤을 | 두터비 파리를 물고 p. 65

1 ③ 2 ① 3 ① 4 ⑤ 5 ③

1 ③

(가), (나)는 이별의 정한을 노래하였고, (다)는 두터비를 통해 양반들을 풍자하고 있어 주제가 다양해진 것은 맞다. 그러나 (가), (나)는 충 · 효 · 절의와 같은 유교 이념을 노래한 것이 아니라 임과 이별하거나 임이 부재하는 상황에 처한 개인의 정서를 노래하고 있는 것이다.

2 ①

(가), (나)는 3(4) · 4조의 음수율에 4음보로 이루어진 평시조이다. 따라서 가락을 붙여 창으로 부르기에 적합한 형태이다.

✖오답 풀이

② (가)~(다)는 순우리말을 주로 사용하였지만 울림소리를 사용하여 운율감을 주고 있지는 않다.
③ (가)의 초장에서 도치법이 사용되었지만 이것은 운율감을 주기 위한 것이 아니라 '님의손디'를 강조하기 위한 것이다. 그리고 (다)에는 말의 순서를 바꾼 표현이 사용되지 않았다.
④ (가)~(다) 모두 주로 순우리말을 사용하였으며, 일부 한자를 사용하고 있지만 이를 통하여 음수율에 변화를 주고 있는 것은 아니다.
⑤ (다)에는 단어의 반복이 드러나 있지 않으며, 구를 늘린다고 해서 노래하기 쉬운 것도 아니다.

3 ①

㉠'묏버들'은 화자의 또 다른 모습으로 화자를 대신하여 임의 곁에 보내져 임과 함께 지낼 수 있는 대상이다. 화자는 이를 통해 늘 임과 함께하고자 하는 자신의 사랑을 드러내고 있다.

✖오답 풀이

② 화자의 정서를 대변하고 있지, 대비하고 있는 것이 아니다.
③ (가)에서는 임과 이별한 원인이 구체적으로 드러나 있지 않다.
④ 화자의 분신처럼 표현되었을 뿐 의인화된 것은 아니다.
⑤ 임에 대한 원망이 아니라 화자의 간절한 그리움의 정서를 대변하는 소재이다.

4 ⑤

(나)에서는 동짓날 밤이라는 시간을 잘라서 이불 아래 넣었다가 나중에 펴겠다고 표현하였다. 이는 추상적인 시간을 구체적인 사물인 것처럼 변용하여 표현한 것인데, 이처럼 대상을 자신의 생각에 따라 변용하여 형상화하는 것을 '주관적 변용'이라고 한다. 이와 같은 변용이 활용된 것은 ⑤이다. '임의 고운 눈썹'을 천 년 밤의 꿈으로 씻고, 이를 다시 하늘에다 옮기어 심는 것은 불가능한 일이다. 그리고 이는 일반적인 형상화가 아니라 화자의 상상력에 의하여 대상(눈썹)을 변용한 것이다.

✖오답 풀이

① '향료를 뿌린 듯 곱-다란 노을'에 시각의 후각화(공감각적 심상)가 드러나지만, 대상의 주관적 변용은 드러나지 않는다.
② '머리채 긴 바람들은 투명한 빨래처럼'에서 '바람'을 시각적으로 형상화하고 있다.
③ 대구법이 사용되었으며, '진달래 향기'와 '보리 내음새'에서 후각적 심상이 사용되었다.
④ '어둠'이라는 부정적 상황에서 현실적 자아인 '나'와 이상적 자아인 '아름다운 혼'의 분열이 드러나고 있다. 이는 화자가 자아의 분열된 의식 구조를 보여 주는 것이다.

5 ③

(다)에서는 부정적 대상인 '두터비'를 우스꽝스럽게 그려 희화화함으로써 풍자의 효과를 높이고 있지만, 〈보기〉에서는 부정적 대상인 '뱀'과 '황새'에 대한 희화화가 나타나지 않는다.

✖오답 풀이

① (다)의 '두터비'와 〈보기〉의 '황새, 뱀'은 각각 힘없는 '파리'와 '제비'를 괴롭히는 부정적 대상이다.

② (다)에서는 종장에서 '두터비'의 말을 직접 인용하고 있고, 〈보기〉에서는 '제비'와 '사람'의 말을 직접 인용하고 있다.

④ (다)에서는 '두터비'가 자신보다 강한 존재인 '백송골'을 보며 놀라고 있다. 하지만 〈보기〉에서는 부정적 대상인 '황새'와 '뱀'이 두려워하는 대상이 나타나지 않았다.

⑤ (다)의 '두터비', 〈보기〉의 '황새'와 '뱀'은 백성을 괴롭히는 지배 계층(탐관오리)을 상징한다. (다)와 〈보기〉는 이처럼 의인화된 동물을 통해 지배층의 횡포를 우의적으로 비판하고 있는 것이다.

현대 소설

개념 확인 문제

p. 66~67

1 ③ 2 ⑤ 3 ⑤ 4 (가): 간접 제시, (나): 직접 제시 5 외적 갈등 (개인과 운명의 갈등) 6 배경 7 ③ 8 (1) 3인칭 관찰자 시점 (2) 1인칭 관찰자 시점

1 실제 일어날 수 있는 사건이나 존재할 만한 인물을 다루는 소설의 특징은 '개연성'이다.

2 소설의 3요소는 '주제', '구성', '문체'로, 이 중에서 문장에 나타나는 작가의 개성적인 표현 방식은 '문체'이다.

3 '전형적 인물'은 사회의 특정 계층이나 집단을 대표하는 인물로, '유형적 인물'이라고도 한다.

6 소설 구성의 3요소는 '인물', '사건', '배경'이다. 제시된 부분은 겨울의 대합실 모습을 묘사하고 있는 '배경'에 해당한다.

7 갈등과 긴장감이 최고조에 이르는 단계는 '절정'이다. '위기'는 갈등이 심화되면서 긴장감이 고조되는 단계이다.

01 봄·봄 ❶

p. 69

1 ⑤ 2 ④ 3 ② 4 장인이 성례를 시켜 주지 않는다. 5 ④ 6 숙맥 7 ④

1 ⑤

이 글은 일제 강점기인 1930년대 강원도의 한 시골 마을을 배경으로 하여 성례를 둘러싼 교활한 장인과 우직한 데릴사위의 갈등을 해학적으로 그려 내고 있다. 물론 이 글에서 마름의 수탈과 횡포로 당시 농촌의 왜곡된 구조가 해학적으로 그려지고 있는 것은 사실이다. 그러나 주된 갈등은 소작농과 지주 사이의 계급적 갈등이 아니라 장인과 데릴사위의 갈등이므로 ⑤는 이 글에 대한 설명으로 적절하지 않다.

2 ④

이 글의 주인공이자 서술자인 '나'는 성례 문제로 인한 장인과 자신의 갈등을 주관적으로 서술하고 있다. 따라서 '서민들의 생활상을 객관적으로 관찰하여 서술하고 있다.'라는 설명은 적절하지 않다.

3 ②

이 글의 '나'는 점순이가 자라면 성례를 시켜 주겠다는 것을 핑계로 자신을 머슴처럼 부려 먹는 장인을 위해 일하고 있다. 그렇지만 '나'는 장인의 교활한 속셈을 알아차리지 못하고 있다. 따라서 '나'가 상황 판단이 빠른 인물이라고 볼 수 없다.

4 장인이 성례를 시켜 주지 않는다.

장인은 '나'에게 점순이의 키가 자라면 성례를 시켜 주겠다고 약속을 했다. 그러나 점순이의 키가 자라지 않는다며 성례를 미루면서 성례를 시켜 달라는 '나'와 갈등하게 된다.

5 ④

점순이가 자라기만을 기다리며 삼 년 칠 개월 동안 일만 하고 있는 우직하고 어수룩한 '나'의 모습을 볼 때, '나'의 기다림과 노력이 보람이 없는 것임을 알 수 있다. ④의 '밑 빠진 독에 물 붓기.'는 아무리 힘을 들여도 보람 없이 헛된 일을 나타내므로 '나'의 처지에 어울리는 속담이다.

✖오답 풀이

①은 하기가 매우 쉬움을, ②는 시시한 일로 소란을 피움을, ③은 다 된 일을 망쳐 버리는 주책없는 행동을, ⑤는 음식을 빨리 먹어 버리는 모습을 나타내는 속담이다.

6 숙맥

'숙맥'은 점순이의 키를 핑계로 성례를 미루고 공짜로 '나'를 부려 먹으려는 장인에게 별 반항도 없이, 점순이의 키가 자라기만 기다렸던 '나'의 어리석음을 자각한 자조적 표현이다.

7 ④

'나'는 어수룩하고 우직한 인물이며, 이와 반대로 장인은 교활하고 약삭빠른 인물이다. 한편 그 사이에서 '나'의 편을 들다가 마름인 장인의 편을 드는 구장은 기회주의적으로 행동하는 이해타산적 인물이다.

01 봄·봄 ❷

p. 71

1 ⑤ 2 ③ 3 ⑤ 4 ② 5 ⑤ 6 성례를 위해 적극적으로 노력해라. 7 ⑤

1 ⑤
이 글에서 뭉태는 어수룩한 '나'와는 달리 장인의 교활함과 간악함을 파악하고 있다. 그리고 그러한 장인의 인물됨을 독자에게 객관적으로 전달하는 인물이다.

2 ③
점순이는 자신의 아버지인 장인의 수염을 잡아채라고 '나'에게 충동질을 하고 있지만, 이는 아버지가 미워서가 아니라 성례를 올리기 위한 '나'의 적극적인 행동을 촉구하는 것으로 보아야 한다.

3 ⑤
이 글의 주된 갈등은 성례를 원하는 '나'와 이기적 욕심으로 이를 미루는 장인 사이에서 일어나고 있다. 따라서 개인과 개인의 갈등으로 볼 수 있다.

4 ②
이 글은 1930년대의 강원도 농촌 마을을 배경으로 하여 성례를 둘러싸고 벌어지는 어수룩한 '나'와 교활한 장인 사이의 갈등을 해학적으로 그려 내고 있다. 작품의 배경이 되는 1930년대가 일제 강점기이기는 하지만 그러한 시대적 상황이 주인공의 처지와 직접적으로 연관되어 있는 것은 아니다.

5 ⑤
㉠은 실제 사위 부자라서 부럽다는 뜻이 아니라, 사위를 자꾸 갈아 치우는 것을 비아냥거리는 반어적 표현이다. ⑤에서 평생 시 한 줄, 소설 한 권 읽지 않고 많은 돈을 벌어 높은 자리에 올랐던 사람의 무덤에 대해 '훌륭한 비석'을 남겼다고 한 것은 인물에 대해 반어적으로 비판한 것이다.

6 성례를 위해 적극적으로 노력해라.
㉡은 점순이가 '나'에게 성례를 위해 적극적인 노력을 하라는 뜻에서 한 말이지, 정말로 아버지의 수염을 잡아채라는 뜻으로 한 말은 아니다.

7 ⑤
㉢에는 점순이에게 '바보' 취급을 당한 '나'의 슬픔을 비유적으로 나타내는 말이 들어가야 하므로 ⑤가 적절하다.

01 봄·봄 ❸

p. 73

1 ② 2 ③ 3 ② 4 ② 5 ⑤ 6 ②

1 ②
이 글은 어수룩한 주인공의 시점에서 글이 서술되고 있다. 따라서 서술자는 자신이 처한 상황을 독자에게 솔직하게 고백하고 이를 통해 독자의 연민을 이끌어 낸다. 제시된 부분에서는 자신의 귀를 잡아당기며 우는 점순이의 행위를 이해하지 못한 서술자의 당황스러움이 고스란히 제시되어 있고, 그런 서술자를 바라보는 독자의 연민을 얻고 있다.

✖오답 풀이
① 이 글의 서술은 대사와 행위가 적절히 섞여 있어서 무엇이 더 중심이 된다고 우열을 가리기 힘들다.
③ 성격과 행위의 차이는 '장인'에게서 엿보인다고 할 수 있는데, 이러한 태도는 우직한 '나'를 속이려는 의도일 뿐 자신의 심리적 갈등을 표현하는 수단은 아니다.
④ 독자가 객관적으로 사실을 받아들일 수 있는 것은 '관찰자 시점'에 국한된다. 이 글은 1인칭 주인공 시점으로 서술되고 있어 독자들은 인물과 사건에 대해 주관적으로 접근하게 된다.
⑤ 서술자는 자신의 감정을 솔직하게 고백할 뿐 권위적으로 논평하고 있지는 않다.

2 ③
[A]에서는 '나'와 장인의 갈등이 여전히 남아 있다. 그런데 〈보기〉는 '나'의 저항이 장인의 성례 약속으로 이어지고 있어 원래의 이야기와는 전혀 다른 결말을 맺고 있다. 이것은 성례에 대한 장인의 태도 변화로 '나'와 장인의 갈등이 해소되는 것이다.

3 ②
㉠에서 '나'는 점순이의 갑작스런 태도 변화를 전혀 이해하지 못하고 있다. ①, ③, ④, ⑤는 이와 관련된 속담이다. 그러나 '못 먹는 감 찔러나 본다.'는 어차피 될 수 없는 일이라면 방해라도 한다는 의미의 속담으로, ㉠의 상황과 관련이 없다.

4 ②
이 글에서 바짓가랑이를 먼저 잡은 것은 장인이고, 그 후에 '나'가 장인의 바짓가랑이를 움켜잡는다. 이후 점순이가 장인의 편을 들자, '나'는 기운이 꺾여 버린다. 장인이 '나'를 치료해 주면서 다독거리자, '나'는 다시 지게를 지고 일터로 가는 것이 이 글에 제시된 사건들의 시간적 순서이다.

5 ⑤
이 글은 갈등이 일시적으로 해소되는 결말을 절정 사이에 삽입하고 있다. 이러한 구조는 결말에서 드러난 것과 같은 갈등 해소가 완전히 이루어지지 않고 '나'와 장인 사이에 여전히 갈등이 잠재해 있음을 암시하며, 희극적인 싸움이 주는 긴장감과 해학성을 부각시키는 효과를 준다.

6 ②
한국 문학의 특수성이라는 관점에서 볼 때, '데릴사위'와 '마름'과 같은 사회 문화를 외국인들이 이해할 수 있게 하는 것과 사투리

의 느낌 및 토속적 분위기를 살려 내는 문제, 그리고 남녀가 내외해야 하는 문화적 상황에서 만들어진 독특한 애정 표현을 형상화하는 일은 많은 토의를 거쳐야 할 과제들이다. 그러나 역순행적 구성과 절정 사이에 결말이 삽입되는 것과 같은 구성상의 특징은 한국 문학만이 가지고 있는 특수성이라고 할 수 없다.

7 ②
'나'는 점순이와 너무 가깝게 지내지 말라는 어머니의 주의를 들은 것은 사실이지만, '나'에 대해 호감을 갖고 있는 점순이의 마음을 전혀 눈치 채지 못 하고 있다. 오히려 "느 집엔 이거 없지?"라는 점순이의 말을 소작농의 아들인 자신을 무시하고 있다고 오해하여 화가 나 있다.

02 동백꽃

p. 75

1⑤ 2⑤ 3③ 4⑤ 5⑤ 6② 7②

1 ⑤
이 글에서는 어수룩한 서술자의 왜곡된 심리적 정보들로 인해 해학성이 드러나고 있을 뿐, 독자로 하여금 현실의 모순을 파악하도록 유도하고 있지는 않다.

2 ⑤
이 글에는 역설법이나 모순 어법 등이 사용되지 않았다.

3 ③
ⓒ와 같이 말한 후에 뜨거운 감자를 '나'에게 내밀며 얼른 먹으라고 한 점순이의 행동을 봤을 때, ⓒ는 '나'의 자존심을 건드리기 위한 말이라기보다는 자신이 주는 정성을 생각해 달라는 의도 정도로 추측할 수 있다.

✖오답 풀이
ⓐ 점순이가 남들 몰래 '나'에게 감자를 주는 행동을 봤을 때 남들의 시선을 피해 '나'에게 말을 걸기 위한 의도임을 엿볼 수 있다.
ⓓ 점순이는 '나'에게 감자를 내밀며 특별히 맛있음을 강조하고 있다. 이는 자신의 정성도 그만큼 특별하다는 마음을 전하고 싶었기 때문일 것이다.

4 ⑤
'나'가 감자를 통해 열등감을 느끼는 것은 점순이의 마음을 오해했기 때문이므로, 감자 자체가 인물 간의 계층 차이를 드러낸다고 볼 수는 없다. 또한 '감자'가 특정한 시대적 배경을 드러내는 소재도 아니다.

5 ⑤
'의뭉스럽다'는 '보기에 겉으로는 어리석어 보이나 속으로는 엉큼한 데가 있다.'는 뜻이다. 이 글의 '나'는 상황도 잘 이해하지 못하고 있으므로 의뭉스러운 성격이라고 볼 수 없다.

6 ②
(다)의 내용을 통해 점순이네가 소작농인 '나'의 식구에게 집터를 제공하고 양식이 없을 때는 꾸어 주기도 했음을 알 수 있다. 이처럼 호의를 베푸는 점순이네의 모습을 봤을 때 마름 계층의 부조리를 드러낸다는 설명은 적절하지 않다.

03 레디메이드 인생 ❶

p. 77

1⑤ 2③ 3② 4⑤ 5③ 6④ 7①

1 ⑤
(가)의 앞부분에서 1934년이라는 구체적인 시대 배경을 제시하여 인물이 처해 있는 상황(실업)이 식민지 현실과 관련이 있음을 짐작하게 한다.

2 ③
P가 지식인이고 현재 실직 상태라는 것은 이 글에서 확인할 수 있다. 하지만 (다)의 '공부시킬 줄 아는 양반'이라는 것은 고등 교육을 받은 지식인을 의미하는 것일 뿐 P가 교사였음을 의미하는 것은 아니다.

3 ②
창선이의 상경 소식을 전하는 '편지'와 '전보'를 계기로 창선이와의 새로운 살림을 준비하는 P의 일상이 드러나며 새로운 사건이 전개되고 있다.

4 ⑤
A는 아직 보통학교도 마치지 못한 어린 자식을 취직시키려는 P를 이해하지 못한다. '잘 데리고 있으면서 일이나 착실히 가르쳐 드리리다마는'이라고 말하는 것으로 보아 어린 나이에 일을 해야 하는 P의 아들을 애처롭게 생각하는 것을 알 수 있지만, A가 P에게 화를 내는 것은 적절하지 않다. ⓜ에는 '이해하지 못하겠다는 듯' 정도가 지시문으로 어울린다.

✖오답 풀이
① ㉠의 경우 P의 요구에 이것저것 핑계를 대며 거절하다 더 이상 거절할 수 없어 "보통학교나 마쳤나요?"라고 물어본 것이라 볼 수 있다.
③ ㉢은 이 말을 하고 난 후 얼굴이 붉어지는 P의 모습을 통해 P가 부끄러워하고 있음을 유추할 수 있다.

5 ③
지식인임에도 경제적으로 무능력한 P는 자식만은 자신과 같은 인텔리로 키우지 않겠다는 생각으로 아들을 학교에 보내지 않고 인쇄소에 취직시키려 A에게 부탁한다. 그러나 A와 P의 대화에서 P가 굽실거리는 모습을 보인다고 할 수는 없다. 또한 A와 P의 빈부 격차를 확인할 수 있는 부분도 없으므로 두 사람이 계층 간의 갈등을 보여 주는 것이라고 할 수 없다.

✖오답 풀이

⑤ "우리 같은 놈은 이 짓을 해 가면서도 자식을 공부시키느라고 애를 쓰는데~자제를 공장엘 보내요?"라는 A의 말을 통해 교육을 중시하는 당시 일반 민중의 가치관을 확인할 수 있다.

6 ④

내일 당장 아들이 온다는 소식을 듣고 부랴부랴 돌아다니며 돈을 빌리는 P의 모습은 '사방(四方)으로 이리저리 바삐 돌아다님.'을 의미하는 동분서주(東奔西走)와 어울린다.

✖오답 풀이

① 경거망동(輕擧妄動): 도리나 사정을 생각하지 아니하고 경솔하게 행동함을 이르는 말이다.
② 혼비백산(魂飛魄散): 혼백이 어지러이 흩어진다는 뜻으로, 몹시 놀라 넋을 잃음을 이르는 말이다.
③ 각골난망(刻骨難忘): 남에게 입은 은혜가 뼈에 새길 만큼 커서 잊히지 아니함을 이르는 말이다.
⑤ 연목구어(緣木求魚): 나무에 올라가서 물고기를 구한다는 뜻으로, 도저히 불가능한 일을 굳이 하려 함을 이르는 말이다.

7 ①

P는 학교 교육의 내용이 지식 위주이기 때문에 불신하는 것이 아니라 교육을 받아도 실업자가 될 것이라는 부정적 전망 때문에 아들을 학교 대신에 인쇄소에 보내려고 한 것이다.

03 레디메이드 인생 ❷

p. 79

1 ② 2 ④ 3 ② 4 ③ 5 ④

1 ②

이 글의 P는 일제 식민지 시대의 현실에서 소외되어 버린 지식인의 전형이다. 고등 교육을 받았지만 실업과 가난 속에서 헤어나지 못하고 있다. 결국 이 글의 주된 갈등 구조는 P와 P를 둘러싼 당대 식민지 현실의 대립으로 볼 수 있다.

✖오답 풀이

① P는 아들을 학교가 아닌 인쇄소로 보내는 방법으로 당대 현실의 부정적 측면들에 대해 소극적으로 저항하며 고발하고 있다.
③ 작품의 결말 부분에서 P는 식민지 현실에 대한 비판과 자신에 대한 자조적 비판의 모습을 보일 뿐이다. 즉, 자아로서의 P와 세계의 화해는 드러나지 않는다.
④ 갈등을 중재하는 조력자의 등장도 자아로서의 P와 세계의 일시적 화해도 드러나지 않는다.
⑤ 창선이는 P를 둘러싼 외부 세계에 속해 있으므로 세계의 일부로 볼 수 있으나, P가 창선이를 학교에 보내지 않는 것은 P 자신의 결정일 뿐 창선이와의 갈등에 의한 것은 아니다.

2 ④

P는 자신의 아들을 손수 데리고 온 S에게 "괜한 산 짐을 지고 오느라고 애썼네."라고 말하며 고마움을 전하고 있다. 여기서 '산 짐'은 P의 아들 창선이를 가리키는 말이다.

3 ②

P는 창선이가 네댓 살 때부터 떨어져 지냈다. 따라서 창선이가 아버지로부터 엄격한 가정 교육을 받았다고 보는 것은 적절하지 않다. 모자를 벗어 인사를 하는 것은 오랜만에 만난 아버지에 대한 아들로서의 예의를 갖추는 것일 뿐이다.

4 ③

〈보기〉는 가정으로부터 단절된 가장인 화자의 초라한 자화상을 보여 주면서 현실을 극복하고 일상적 삶을 회복하고 싶은 절박한 심정을 드러낸 시이다. 따라서 이 글의 P와 〈보기〉의 화자(B) 모두 가장으로서의 역할을 제대로 하지 못하는 무력한 모습을 보인다는 점에서 공통적이다.

✖오답 풀이

① 가족으로부터 소외감을 느끼는 것은 〈보기〉의 화자이다.
② 경제적 궁핍 때문에 제대로 가족과 소통하지 못하는 것은 〈보기〉의 화자에 해당된다. P 역시 가난하기는 하지만 가족들과 소통하기 어려워하는 모습은 나타나지 않는다.
④, ⑤ 인텔리 지식인인 P는 어린 아들을 학교가 아닌 인쇄소 견습공으로 보내는 아이러니한 태도를 취함으로써 현실에 소극적으로 저항하고 있다. 반면 〈보기〉의 화자는 '안열리는문을열려고' 문고리에 매달리는 등 현실을 극복하고 일상을 되찾기 위해 노력하고 있다.

5 ④

P는 지식인 계층이지만 무능력한 모습을 보이고 있다. 이는 일제가 개인의 삶에 대한 가치 신장이 아닌 자신들의 식민 지배를 위한 소모품을 만들기 위한 목표로 당시 조선인을 교육했기 때문이다. 따라서 〈보기〉의 내용을 고려해 보았을 때, 작가는 ⓐ를 통해 교육을 한답시고 인간을 식민 지배의 수단으로 만들어 버리고 여의치 않을 경우는 내팽개쳐 버리는 일제의 기만적 행위를 비판하려는 의도를 가지고 있었음을 알 수 있다.

04 태평천하

p. 81

1 ④ 2 ③ 3 ③ 4 ④ 5 ④ 6 겉으로는 치켜세우는 듯하지만 실제로는 비꼬며 조롱하고 있다.

1 ④

이 글은 전지적 작가 시점으로 마치 판소리 창자(唱者)가 작품에 직접 개입하여 설명하는 듯한 느낌을 주면서 독자와 가까운 위치에서 작중 인물을 조롱하고 평가하고 있다. ④는 3인칭 관찰자 시점에 대한 설명이다.

✖오답 풀이
① (가)의 첫 부분에서 윤 직원 영감의 외모를 해학적으로 묘사하며 희화화하고 있다.
② '~입니다'라는 경어체를 전체적으로 사용하면서 윤 직원 영감을 조롱하고 있다.
③ (가)의 마지막 부분에는 윤 직원 영감에 대한 서술자의 평가가 드러나고 있다.
⑤ 전라도 방언과 비속어를 통해 인물의 성격이 생동감 있게 전달되고 있다.

2 ③
이 글에서 전보는 윤 직원 영감의 희망인 종학이 경시청에 붙잡혔다는 사실을 알려 주며, 사건 전개에 극적인 반전을 가져온다. 이것은 작품의 전면에 등장할 수 없는 인물을 간접적으로 드러나게 하면서 윤 직원 영감 집안의 몰락을 암시하는 역할을 한다. 그러나 이 글의 중심인물은 변하지 않는다.

3 ③
제시된 부분에서는 윤 직원 영감이 존경 받는 인물인지의 여부를 알 수 있는 내용은 없다. 참고로, 윤 직원은 양반 신분도 돈을 주고 샀으며 인력거 삯도 주지 않으려 할 정도로 인색하며, 돈을 가장 중요하게 생각하는 인물이다.

4 ④
윤 직원 영감은 이기적이고 탐욕스러운 인간형의 전형적 인물이며, 서술자는 주인공의 말과 행동을 판소리 사설투의 문체로 희화화하여 전달하며 풍자의 효과를 얻고 있다.

5 ④
㉣은 윤 직원 영감의 분노와 실망감을 표현해야 하는 대목이므로 위기감이 고조될 수 있는 비장한 느낌이 드는 배경 음악으로 처리하는 것이 적절하다.

6 겉으로는 치켜세우는 듯하지만 실제로는 비꼬며 조롱하고 있다.
[A]에서 윤 직원 영감의 풍채와 옷차림을 바라보는 서술자의 태도는 겉으로는 윤 직원 영감을 예찬하는 것 같지만 속으로는 희화화하면서 조롱하고 있다.

05 달밤

p. 83

1 ④ 2 ⑤ 3 ④ 4 그의 은근한 순정의 열매 5 ③ 6 ⑤ 7 ⑤

1 ④
이 글에 등장하는 참외와 포도는 '나'에 대한 황수건의 고마움의 표시로 볼 수 있다. 이것이 상징적인 소재라고 볼 수 없으며, 이러한 소재 자체가 다음에 일어날 일을 미리 알려 주는 기능을 하는 것은 아니다.

✖오답 풀이
① '참외 장사'와 '포도'와 관련된 일화를 통해 황수건의 순박함과 착한 성격 등을 알 수 있다.
② 이 글에는 대화뿐만 아니라 황수건의 아내가 도망간 내력과 같은 요약적 진술도 섞여 있다.
③ 황수건은 '합쇼'와 같은 굽실거리는 말투와 비속어를 사용한다. 이는 황수건이 하층민 계층에 속하며 우둔하면서도 천진한 성품을 지니고 있음을 드러낸다. 반면 '나'는 '하오체'와 한자어, 표준어를 구사한다. 이는 '나'가 지식인 계층에 속하며 황수건을 존중하는 인간성을 지니고 있음을 드러낸다.

2 ⑤
'나'는 훔친 포도를 가져다 준 것 때문에 황수건이 무안해할 것으로 생각해 황수건을 만난 달밤에 그를 알은 체 하지 않았다.

3 ④
이 글의 마지막 부분에서 황수건은 '큰길이 좁다는 듯이 휘적거리며' 노래를 부르며 담배를 빨고 있는데, 이를 통해 그가 즐겁게 노래를 부르는 것이 아님을 알 수 있다. 즉, 황수건의 노래는 노래 가사(술은 눈물인가 한숨인가)처럼 그의 슬픈 심정을 드러내는 것이다.

4 그의 은근한 순정의 열매
'나'는 황수건이 훔쳐 온 포도를 '그의 은근한 순정의 열매'라고 생각하며 오래 아껴 먹었다. 즉, '나'는 황수건이 순정을 지닌 인물이라고 생각해 그에 대해 애정을 갖고 있는 것이다.

5 ③
㉠에서 '나'는 황수건의 허무맹랑한 이야기에도 맞장구를 치며 말 상대를 해 주고 있다. ㉣은 황수건이 자신을 보면 무안해할 것을 생각하여 '나'가 알은 체 하지 않은 것이다. 이를 통해 어수룩하고 모자란 인물이라도 외면하거나 무시하지 않고 인간적으로 대우하고 배려하는 서술자의 호의적 태도를 확인할 수 있다.

6 ⑤
이 글은 뚜렷한 결론을 내리지 않고 달밤에 길을 걷는 황수건의 모습만을 제시하는 열린 결말 형태로 되어 있다(ㄴ). '노래'와 '담배'는 황수건의 내적 고통을 암시하는 소재이다(ㄷ). '달밤'은 각박한 세상에 적응하지 못하는 우울한 황수건의 내면과 서글픈 처지를 두드러지게 하는 역할을 하고 있다(ㄹ).

✖오답 풀이
ㄱ. 이 글에서 황수건과 '나' 사이의 관계는 변화하지 않는다.

7 ⑤
소설은 반드시 서술자를 통해 사건이 전달되므로 서술자가 존재하지 않는 경우는 없다. 그리고 어떤 서술자가 이야기를 전달하느냐에 따라 인물에 대한 시각 차이를 만들어 낼 수 있다. 따라서 ⑤는 서사 갈래에 대한 이해로 적절하지 않다.

06 수난이대

p. 85

1 ④ 2 ② 3 ① 4 ① 5 ② 6 ④

1 ④
이 글은 빈번한 장면 전환이 없으며, 인물 사이의 긴장감이 고조되고 있는 내용도 아니다.

✖오답 풀이
① "니 우짜다가 그래 됐노?", "선생하다가 이래 안 냈심니꼬."와 같은 사투리를 사용하여 생동감과 사실감을 드러내고 있다.
⑤ '외나무다리'라는 소재를 사용하여 우리 민족의 비극적 상황을 협동으로 극복해 갈 수 있다는 주제를 암시적으로 드러내고 있다.

2 ②
(가)에서 아들 진수가 한쪽 다리가 없는 것보다는 아버지처럼 한쪽 팔이 없는 것이 좋겠다는 말을 하자 만도는 다리보다 손이 중요하다고 말하며 진수를 위로한다. 하지만 이것은 위로하는 말일 뿐, 만도가 진수의 처지를 부러워하는 것은 아니다.

3 ①
이 글은 전쟁으로 장애가 생긴 만도 부자가 서로 도와 비극적 현실을 헤쳐 나가는 모습을 보여 주고 있는 작품이다. 따라서 작가는 만도 부자의 모습을 통해 우리 민족의 아픔에 공감하고 이런 상처를 이겨 내는 태도를 길러야 한다는 것을 전해 주기 위해 이 글을 창작한 것이라고 볼 수 있다.

4 ①
'외나무다리'는 만든 부자에게 시련을 주는 소재이면서 동시에 시련을 극복할 수 있는 의지를 보여 주는 소재이다. 그러나 '외나무다리'가 만도의 내적인 갈등을 심화시키지는 않는다.

5 ②
만도와 진수가 무사히 외나무다리를 건너는 모습을 자연물인 용머리재가 바라보고 있다는 결말은 여운을 느끼게 해 준다. 이것은 등장인물들이 역사적 비극을 극복해 가는 모습을 서술자가 직접 서술하기보다 상징적인 장면으로 드러내고 있는 것이다. 그러므로 두 인물의 앞날이 평탄하지 않을 것임을 암시한다는 설명은 적절하지 않다.

6 ④
이 글은 일제 징용과 한국 전쟁 속에서 불구가 된 부자(父子)가 서로 도우면서 시련을 극복해 가는 모습을 통해 비극적 역사를 극복해 가는 우리 민족의 의지적인 모습을 보여 주려 한 작품이다.

07 아홉 켤레의 구두로 남은 사내 ❶

p. 87

1 ③ 2 ④ 3 ③ 4 ④ 5 ② 6 ②

1 ③
권 씨는 '나'가 돈을 빌려줄 것을 거절하자 돌아서며 가다가 "오 선생, 이래 봬도 나 대학 나온 사람이오."라는 말을 덧붙이며 자존심을 지키려는 모습을 보이고 있다.

2 ④
(가)에서 권 씨와 '나(오 선생)' 사이에 병원비로 인해 일시적인 갈등이 발생하지만, 더 이상 심화되지 않고 있다. 따라서 이 글에서 인물 간의 대립이 심화되며 긴장감이 점차 고조되고 있다는 설명은 적절하지 않다.

✖오답 풀이
③ (가)의 '별로 휘청거릴 것도 ~ 동작으로 내 눈에 그는 비쳤다.'에서 확인할 수 있다.
⑤ (가)의 '얼굴에 흐르는 진땀을 ~ 같은 동작을 반복했다.'에서 권 씨의 당황해하는 심리가 행동을 통해 간접적으로 제시되고 있다.

3 ③
서술자인 '나'는 세입자인 권 씨가 돈을 빌려 달라는 요청을 했을 때 "지금 내 형편에 현금은 어렵군요."라며 냉정하게 거절했지만, 권 씨의 뒷모습을 보고는 연민을 느낀다. 결국 '나'는 얼마 뒤 권 씨 부인의 수술비를 대 주게 된다.

4 ④
〈보기〉의 시는 단골 밥집 최씨 아주머니의 딱한 사정을 알면서도 자신의 편안함이나 이익을 먼저 생각하는 화자의 모습을 통해 타인의 고통에 무관심한 현대인의 각박함과 비정함을 반성적으로 그리고 있다. 따라서 병원비를 구하지 못해 어려움을 겪고 있는 이 글의 '권 씨'에게 〈보기〉의 화자가 했을 법한 말로는 ④가 가장 적절하다.

5 ②
ⓐ는 자신이 비록 지금은 돈이 없는 초라한 형편이지만 '대학 나온 사람'이라고 말하면서 상한 자존심을 회복하고자 한 것이다.

6 ②
권 씨가 도전적이던 기색 대신 수줍은 태도로 돌아온 이유는 이미 자신의 부탁이 거절당했기에 도전적인 태도로 대할 필요가 없기 때문이다.

✖오답 풀이
③ '돌팔매질을 하다 말고 ~ 깨물어 먹는 군중'은 집터를 빼앗길 처지에 놓였던 광주 대단지 사건 당시 권 씨의 절박한 삶을 떠올리는 장면이다. 따라서 ⓒ은 권 씨가 매우 절박한 상황에 처해 있음을 깨달은 것으로 볼 수 있다.
④ 전셋돈도 일종의 빚임을 깨달은 '나'가 이후 권 씨의 아이가 태

어난 병원에서 보호자 역할을 하는 것으로 보아, ㉣은 '나'가 권 씨의 전셋돈을 담보로 하여 수술 비용을 빌려주기로 마음먹고 있는 것임을 알 수 있다.

07 아홉 켤레의 구두로 남은 사내 ❷

p. 89

1 ④ 2 ④ 3 ③ 4 ⑤ 5 ② 6 ⑤

1 ④
(가)의 "누군 뭐 들어오고 싶어서 들어왔나? 피치 못할 사정 땜에 어쩔 수 없이……."라는 말에서, 권 씨는 앙갚음이 아니라 아내의 수술비를 마련하기 위해 어쩔 수 없이 강도짓을 하게 된 것임을 알 수 있다.

✖오답 풀이
① '그가 허둥지둥 끌어안고 ~ 외려 더욱더 낭패케 만들었음을 깨닫고'와, 권 씨가 "이래 봬도 나 대학까지 나온 사람이오."라고 말하는 것에서 알 수 있다.
② '그 순간 강도의 눈이 ~ 그는 대청마루를 향해 나갔다.'에서 알 수 있다.
③ '그의 실수를 지적하는 일은 홋날을 위해 나로서는 부득이한 조처였다.'에서 알 수 있다.
⑤ "혹 누가 압니까, 당신도 모르는 사이에 당신을 아끼는 어떤 이웃이 당신의 어려움을 덜어 주었을지?"에서 알 수 있다.

2 ④
(가)에서 강도를 당하는 '나'는 강도가 떨어뜨린 식칼을 주워서 돌려준다. 게다가 어서 칼을 받아가라고 재촉하기도 한다. 따라서 사물의 경중, 선후, 완급 따위가 서로 뒤바뀜을 이르는 말인 주객전도가 적절하다.

✖오답 풀이
① '서로 속마음을 털어놓고 친하게 사귐'을 이르는 말이다.
② '남편이 주장하고 아내가 이에 잘 따름. 또는 부부 사이의 그런 도리'를 이르는 말이다.
③ '서로 이해관계가 밀접한 사이에 어느 한쪽이 망하면 다른 한쪽도 그 영향을 받아 온전하기 어려움'을 이르는 말이다.
⑤ '남의 권세를 빌려 위세를 부림'을 이르는 말이다.

3 ③
'그'는 이전에 학교로 찾아와 '나'에게 병원비를 부탁했지만 거절당한 적이 있다. 이 때문에 '그'는 어느 누구도 믿을 수 없다는 말을 단정적으로 하며 어려움을 덜어 주는 이웃이 있을 것이라는 '나'의 말을 거부하고 자신의 입장을 고수하고 있다.

4 ⑤
ⓐ는 강도이지만 서툰 행동으로 인해 무시당하고 있다는 생각으로 자존심이 상한 권 씨의 반감이 드러난 표현이고, ⓑ는 강도 사건을 벌인 자신의 정체가 탄로 난 것에 대한 권 씨의 상처받은 자존심이 드러난 표현이다.

5 ②
인물 제시 방법은 간접적 제시와 직접적 제시가 있다. ㉠은 '그'의 외양 묘사를 통해 자존심이 상한 인물의 성격을 간접적으로 제시하고 있는 부분이다. ②는 '충성스럽다', '부지런하다', '세차다' 등의 표현으로 인물의 성격을 직접적으로 제시해 직접적 제시의 방법을 사용했음을 알 수 있다.

6 ⑤
[A]는 서술자인 '나'가 주인공인 '그(권 씨)'를 관찰하는 1인칭 관찰자 시점이지만 〈보기〉는 주인공인 '나(권 씨)'가 자신의 이야기를 하는 1인칭 주인공 시점이다. 따라서 〈보기〉에 주인공의 내면 심리와 내적 갈등이 보다 자세하게 제시되지만, 〈보기〉에 [A]와 다른 새로운 사건이 추가로 드러나지는 않는다.

✖오답 풀이
① 1인칭 관찰자 시점은 주인공의 언행을 관찰하여 전달하므로 독자의 상상력이 개입할 여지가 많다. 그러나 1인칭 주인공 시점은 주인공이 자신의 모든 것을 말하므로 독자의 상상력이 개입할 여지가 거의 없다.
② 1인칭 주인공 시점은 서술자가 곧 주인공이므로 독자와 주인공의 거리가 가장 가깝다.
③ 주인공이자 서술자가 자신의 심리를 서술하게 되므로 보다 정확하게 드러난다.
④ [A]가 단순히 과거 시제를 사용하고 있는 것과 달리 〈보기〉는 '뒷날 그는 ~ 그때 내 눈에는 ~ 투로 보였다.'를 통해 서술자가 과거를 회상하는 방식임을 알 수 있다.

08 장마

p. 91

1 ④ 2 ④ 3 ① 4 ③ 5 ② 6 ④ 7 구렁이

1 ④
이 글은 '나'가 과거의 일을 회상하는 방식으로 서술되고 있기 때문에 어린아이의 시점과 어른의 시점이 혼재되어 나타나며, 말하기와 보여 주기를 병행하는 방식으로 상황을 서술하고 있다. 그러나 인물의 심리 변화를 중심으로 사건이 제시되고 있지는 않다. '구렁이'의 출현이라는 큰 사건을 중심으로 전개되고 있다.

2 ④
이 글 전체에서는 친할머니와 외할머니가 한집에서 갈등을 겪는데, 이것은 두 할머니의 갈등을 통해 이데올로기로 분단된 조국의 갈등과 대립을 상징적으로 표현하기 위한 설정에 해당한다.

3 ①
①은 작품의 소재에만 주목해 감상하고 있으므로 내재적 관점에

해당하고, 나머지는 모두 작품 외적인 요소에 주목해 감상하는 외재적 관점에 해당한다.

✖오답 풀이

②, ④ 작품이 창작된 당시의 시대 상황과 관련 짓고 있는 반영론적 관점에 해당한다.
③ 독자의 감상에 주목하고 있으므로 효용론적 관점에 해당한다.
⑤ 작가의 경험에 주목한 표현론적 관점에 해당한다.

4 ③
이 글에서 갈등은 장마의 시작과 함께 나타났다. 그리고 장마의 끝을 마지막으로 갈등이 해소된다. 따라서 (마)와 같은 결말이 새로운 갈등을 암시한다는 말은 적절하지 않다.

5 ②
인물과 인물 사이에 나타나는 갈등은 한국 문학만이 가진 특징이 아니라, 세계 문학 작품에서 보편적으로 찾을 수 있는 특징이다.

6 ④
㉠에서 두 할머니가 손을 맞잡은 것은 '화해'를 의미한다. 〈보기〉에서 '알맹이'는 순수한 정신을, '껍데기'는 허위와 가식을, '아사달 아사녀'는 순수한 우리 민족의 모습을, '맞절'은 민족의 통일과 화합을, '쇠붙이'는 총칼과 같은 모든 군사적 대립을 상징한다. 따라서 ㉠과 상징적 의미가 유사한 것은 ⓓ이다.

7 구렁이
죽은 삼촌이 구렁이로 나타난다는 것은 비과학적인 전개에 해당하지만, 독자는 구렁이의 등장 장면에서 삼촌의 현신이라고 믿게 된다. 그것은 독자들이 문학 작품을 감상할 때, 과학적 사실 여부를 떠나서 심리적 실재(實在)로 파악하기 때문이다.

09 완장

p. 93

1 ④ 2 ② 3 ⑤ 4 ① 5 ② 6 ⑤ 7 완장

1 ④
"시뻐 보들 마시요!", '꼴머심'과 같은 방언을 사용하여 생동감 있게 등장인물들의 성격과 태도를 드러내고 있다. 그리고 무거운 한국사의 정치권력의 이면을 해학적 필치로 그려 내고 있다.

2 ②
임종술은 과거 자신이 완장을 찼던 것이 아니라 완장을 찬 사람들에게 피해를 입고 쫓겨 다니던 시절을 떠올리고 있다.

3 ⑤
이 글은 작품 바깥에 위치한 전지적 서술자가 인물의 말과 행동뿐만 아니라 심리까지도 꿰뚫어 보며 이야기를 이끌어 가고 있다. 그리고 주로 작중 인물인 임종술의 입장에 초점을 두면서 사건을 전달하고 있다.

✖오답 풀이

①은 1인칭 주인공 시점, ②는 1인칭 관찰자 시점, ③은 혼합 시점, ④는 3인칭 관찰자 시점에 대한 설명이다.

4 ①
(가)에서는 저수지 감시원을 시키려고 하는 최 사장 일행과 그것에 반발하는 임종술 간의 갈등이 제시되고 있다. 그런데 (나)에서는 '완장'으로 임종술을 설득하여 갈등이 해소되고 있다.

✖오답 풀이

② (나)에는 임종술이 낙향한 이유가 나타나지 않는다.
③ (나)에서 갈등이 더 심화되고 있는 것은 아니다.
④ (가), (나) 모두 인물(임종술)의 부정적인 면만 드러나고 있다.
⑤ (나)에서 인물의 내적 갈등이 나타나지는 않는다.

5 ②
ⓑ는 저수지 감시원을 시키기 위해 종술을 설득하는 말이다. 그러므로 종술의 무례한 태도에 언짢은 표정을 짓기보다는 종술의 기분을 맞추는 태도를 취해야 한다.

6 ⑤
이 글에서는 종술과 최 사장의 의견 대립이 '완장'을 통해 해결되는 듯한 분위기를 보인다.

7 완장
(다)에서 '완장'은 임종술로 하여금 완장을 찬 사람들에게 쫓겨 다녔던 지난 삶을 떠올리게 하는 매개체임을 알 수 있다. 따라서 임종술에게 '완장'은 억압과 규제를 하는 권력의 상징으로 느껴지는 소재이다.

10 도요새에 관한 명상

p. 95

1 ③ 2 ④ 3 ② 4 ④ 5 ② 6 통금 시간

1 ③
이 글의 서술자 '나'는 도요새를 바라보며 실향민으로서의 한을 느끼고 있으며, 아들 병국은 죽은 도요새에 관심을 보이며 환경 오염에 대한 문제의식을 드러내고 있다.

✖오답 풀이

① 이 글 전체로 봐서는 서술자가 아버지, 병국, 병식, 전지적 작가의 시점으로 변하고 있지만 제시된 부분에서는 아버지인 '나'로 서술자가 고정되어 있다.
② 이 글은 인물의 말과 행동, 서술자의 서술이 모두 사용되었다.
④ '나'는 휴전선을 넘나드는 새 떼와 고향에 갈 수 없는 자신의 모습을 비교하며 안타까움을 드러내고 있다. 반면 병국은 환경

오염을 의심하며 집단 폐사한 새들에 대해 안타까워하고 있다.
⑤ 이 글의 서술자는 작품 안에 있는 '나'이다.

2 ④
(가)에서 서술사 '나'는 '철새나 나그네새는 휴전선을 넘어 자유로이 왕래하건만 나는 그곳으로 갈 수 없다는 안타까움만 해가 갈수록 내 이마에 깊은 주름을 새겼다.'라고 하였다. 즉, (가)의 '나'는 분단으로 인해 고향 땅을 자유롭게 왕래할 수 없는 현실을 안타까워하고 있다.

3 ②
(다)에서 '나'는 말을 더듬고 있다. 그러나 파견대에서 아들에게 화를 내며 소리치는 모습을 봐서는 '나'가 아들인 병국을 대하기가 어려워 말을 더듬고 있는 것으로 볼 수 없다.

4 ④
'나'는 새의 죽음에 대해 "폐수 탓일까?" 하고 관심을 보이는 듯했지만 이내 점심을 먹으러 가자고 하고 이잣돈을 받아 오라던 아내의 말을 떠올리고 있다. 이것으로 보아 '나'는 새의 죽음보다 다른 일에 더 신경을 쓰고 있음을 알 수 있다. 반면 병국은 죽은 새를 해부해서 새가 죽은 원인을 밝히고자 한다.

5 ②
'병국'이 가족보다 도요새를 더 소중히 여긴다고 볼 수 있는 내용은 없다. 또한 '병식'은 형에 대한 미움 때문에 도요새를 죽이는 것이 아니라 용돈벌이를 위해 도요새를 잡아 박제상에게 넘기고 있는 것이다.

6 통금 시간
'통금 시간'은 광복 이후 1982년까지 시행된 '야간 통행금지' 제도를 의미한다. 이를 통해 이 글이 야간에 통행을 금지했던 시대를 배경으로 하고 있음을 알 수 있다.

11 황만근은 이렇게 말했다 ❶

p.97

1 ④ 2 ⑤ 3 ⑤ 4 바보 5 ④ 6 ① 7 ①

1 ④
'황영석'은 황만근이 실종되자 그가 하던 마을 회관의 분뇨 치우는 일을 대신하고 있다. 그러나 황만근이 없어 자신이 그 일을 하는 것을 투덜대고 있을 뿐이지, 황만근을 걱정하고 있는 것은 아니다.

2 ⑤
황만근이 마을의 궂은일을 맡아 하고 마을을 위해서 많은 일을 한 것은 사실이다. 그러나 어려운 농촌 현실을 개선하기 위해 황만근이 노력했다는 것은 확인할 수 없으며, 마을 사람들에게 바보 취급을 받는 상황을 고려할 때 ⑤는 적절한 내용이 아니다.

✖오답 풀이
① 황만근의 마지막 행적이 궐기 대회였음을 통해 알 수 있다.
② 남편을 잃고 혼자 지내는 여씨 노인을 배려한 일을 통해 알 수 있다.
③ (가)에서 황만근은 이곳에서 태어나서 지금까지 살았다고 하였다. 따라서 마을 사람들이 그의 성장 과정을 알고 있음을 짐작할 수 있다.
④ 실종 하루만에 마을의 모든 사람이 황만근의 부재를 알게 되었다는 점과, '없어서는 안 되는 존재'라는 표현, 마을 회관 변소를 짓고 그곳의 분뇨를 직접 퍼서 마을 사람들에게 나누어 준 일 등을 통해 알 수 있다.

3 ⑤
이 글은 작품 밖의 서술자가 전지전능한 입장에서 황만근과 그를 둘러싼 인물들의 이야기를 내면 심리까지 모두 서술하고 있다.

4 바보
(나)의 '동네 사람들은 그를 바보라고 했다.'라는 부분을 통해 동네 사람들이 황만근을 '바보'로 여기고 무시했음을 알 수 있다.

5 ④
이 글에서 동네 사람들은 황만근을 바보라고 여기며 실종된 황만근을 찾는 일에 소극적이다. 그러나 민 씨는 동네 사람들을 모아 황만근의 행방을 수소문하며 황만근을 걱정하고 있다. 즉, 민 씨는 황만근을 편견 없이 바라보는 인물이다.

6 ①
㉠은 마을 사람들이 공동으로 사용하는 장소임에도 황만근 혼자 만든 곳이다. 그리고 그곳의 분뇨도 황만근이 직접 퍼서 거름을 만들고 마을 사람들에게 공평하게 다시 나누어 주었다. 이것은 자신이 푼 분뇨를 자신의 밭에만 뿌리는 이기적인 황영석과 대조되면서 황만근의 이타적이고 희생적인 성격을 부각한다.

7 ①
㉡에서 보이는 황만근의 '웃음'은 슬픔이나 괴로움의 반대가 아닌 그의 삶 자체이며, 삶에 대한 낙천적인 태도를 드러내 보이는 행위이다. ①의 '웃음살' 역시 '흥부 부부'의 낙천적인 삶의 태도를 드러내는 표현이다.

✖오답 풀이
② 시집간 누나가 집을 그리워하는 웃음이다.
③ 조국을 잃은 상황에서 앞으로 어찌해야 하는지를 모르는 허탈함이 담긴 자조적 웃음이다.
④ 죽은 자식을 애도하면서, 자식이 태어났을 때의 기쁨을 '웃음'으로 표현하고 있다.
⑤ 처음 보는 사람과 웃음을 통해 순박한 감정을 주고받은 것을 말한다.

11 황만근은 이렇게 말했다 ❷

p. 99

1 ⑤ 2 ⑤ 3 ② 4 ② 5 ② 6 시동이, 모양이었다.

1 ⑤

이 글은 황만근의 삶을 해학적으로 묘사하고 있을 뿐 내적 독백을 연속적으로 서술하고 있지는 않다.

✖오답 풀이

①, ④ '전(傳)'은 남들에게 교훈이 될 만한 사람의 행적을 기록하고 그에 대한 논평을 덧붙이는 형식이다. 이 글은 전의 형식으로 황만근의 삶을 다루고 있으며 (라)에서 논평을 통해 황만근에 대한 서술자의 견해를 밝히고 있다.

2 ⑤

(라)는 황만근에 대한 서술자의 평가가 드러나는 부분이다. (라)에서는 황만근의 행적을 요약적으로 제시하면서 그를 긍정적으로 평가하고 있다.

3 ②

〈보기〉는 작품을 읽는 독자에 주목하는 감상 방법인 효용론적 관점에 대한 설명이다. 이 관점에서 작품을 감상한 것은 이 글을 읽고 자신의 삶을 되돌아보게 되었다는 ②이다.

✖오답 풀이

①, ⑤ 작품 속에 반영된 현실에 주목하는 반영론적 관점이다.
③ 작가의 생애에 주목하는 표현론적 관점이다.
④ 작품의 내적 요소에 주목하고 있으므로 내재적 관점으로 작품을 평가한 것이다.

4 ②

(나)의 뒷부분에서 황만근은 "내가 왜 빚을 안 졌니야고. 아무도 나한테 빚 준다고 안 캐."라고 하였다. 이를 통해 황만근은 빚을 지지 않았음을 알 수 있다. ㉡은 농가 부채에 대한 황만근의 비판적 인식을 드러내는 것이다.

5 ②

이 글은 마지막 부분에서 편집자적 논평을 사용하여 주제를 부각시키고 있지만, 〈보기〉에서는 역설적 상황을 나타내고 있을 뿐 제3의 인물의 논평은 드러나지 않는다.

6 시동이, 모양이었다.

경운기를 타고 나갔던 황만근이 죽어서 마을로 돌아오고, 그를 태웠던 경운기가 주인을 태우지 않고 돌아왔다고 하였다. 이를 고려할 때, (가)에서 황만근이 타고 가려는 경운기의 시동이 잘 걸리지 않는다는 사실은 황만근에게 일어날 비극적인 사건을 암시하는 것으로 볼 수 있다.

고전 소설

개념 확인 문제

p. 100~101

1 ② 2 갑오개혁 3 ③ 4 ③ 5 ④ 6 〈홍길동전〉 7 ③ 8 ③ 9 ① 10 ④

1 고전 소설의 사건 전개는 대부분 필연적인 상황이나 원인 없이 우연적으로 초현실적인 사건이 발생하는 경우가 많다.

2 일반적으로 고전 소설은 1894년 갑오개혁까지 지어진 우리 소설을 현대 소설과 구분하여 이르는 말이다.

3 고전 소설의 배경은 우리나라이거나 중국인 경우가 많으며, 대부분 비현실적이다.

4 고전 소설은 보통 주인공의 일대기라고 할 수 있을 정도로 작품 내에서 주인공의 비중이 매우 크다.

5 '재자가인'은 재주가 있거나 아름다운 인물을 뜻하는 말이다. 〈흥부전〉의 흥부는 착하고 우애가 깊지만, 가난하고 특별한 재주가 없다.

6 최초의 한글 소설은 광해군 때 허균이 지은 〈홍길동전〉이다.

7 〈임진록〉은 중국 소설 문체의 영향을 받은 작품이며, 나머지는 모두 판소리계 소설이다.

8 〈양반전〉은 몰락한 양반 계급의 위선과 무능력함을 비판하고 있는 소설로, 가난하고 정직한 양반이 생산 능력이 없어 양반의 신분을 팔게 되었으나, 양반의 신분을 산 사람은 허례허식으로 가득 찬 양반 문서를 보고 도망을 갔다는 내용이다. 여기에 초현실적이거나 전기적인 요소는 드러나 있지 않다.

9 〈운영전〉은 궁녀 운영과 선비 김 진사의 이루어질 수 없는 사랑을 다룬 애정 소설로, 고전 소설에서는 드물게 비극적 결말의 작품이다.

10 전쟁 이야기가 주된 줄거리로 이루어진 소설은 '군담 소설'이다.

01 허생전 ❶

p. 103

1 ④ 2 ④ 3 ② 4 도둑질 5 ⑤ 6 ② 7 ③

1 ④

(가)에서는 허생과 그의 아내의 대화와 행동을 중심으로 사건이 전개되고 있다.

2 ④

'허생의 아내'는 무능력한 남편을 질책하여 허생이 현실에 참여하게 만드는 역할을 한다. 이는 무능력한 양반 사회를 비판하는 작

가 의식을 대변하는 것이지만, 조선 후기 일반적인 여인상을 대표하는 것이라고 볼 수는 없다.

3 ②
허생은 생계가 어려운 상황에서도 선비 본연의 임무는 글 읽기라고 생각하고 있다. 반면 허생의 아내는 도둑질이라도 해서 먹고 살아야 한다는 현실적인 생각을 갖고 있다.

4 도둑질
이 글에서는 경제적 문제로 허생과 허생의 아내가 갈등을 겪고 있다. '도둑질'도 못 하냐는 아내의 말은 무능력한 허생에 대한 아내의 반감이 최고조에 이르렀음을 드러내고 있다.

5 ⑤
초라한 차림을 하고도 전혀 위축됨 없이 당당하게 돈을 빌린 허생과 그런 허생에게 이름도 묻지 않고 큰돈을 빌려주는 변 씨는 모두 대범하고 자신의 일에 지신감이 있는 인물들이다.

6 ②
허생의 아내가 양반인 허생에게 장인바치 일이나 장사도 못 하냐고 질책하는 내용을 통해 사농공상의 신분 질서가 붕괴되어 가고 있는 당시의 사회 현실을 짐작할 수 있다.

7 ③
허생은 과일을 농민에게서 직접 사들인 것이 아니라 상인들에게 사들였다가 되팔았다. 따라서 허생의 상행위를 통해 농민들에게 이득이 돌아간 것은 없다.

01 허생전 ❷

p. 105

1 ④ 2 ④ 3 ③ 4 ⑤ 5 ②

1 ④
허생은 군도들에게 양민으로 살아가는 조건을 제시하며, 자신이 마련한 돈으로 그 문제를 해결할 수 있음을 강조하고 있다. 반면 군도들은 그들이 처한 현재의 상황이 양민으로 살아갈 수 없는 현실임을 들어 부정적으로 이야기하고 있다.

2 ④
〈보기〉는 집권층의 무능으로 인해 피폐해진 조선 후기의 현실을 설명하고 있다. 그러나 〈보기〉에서 상민들이 신분 상승 욕구를 가지고 있었다고 언급한 부분은 없으며, ㉠ 역시 이 같은 내용과는 거리가 멀다.

3 ③
허생은 매점매석을 통해 조선의 경제 구조가 허약하다는 사실을 확인하고 해외 무역을 통해 부를 축적하였으며, 군도들을 이끌고 빈 섬으로 들어가 이상 사회 건설을 시험하였다. 그러나 이러한 허생의 시험이 자신의 뛰어난 능력을 확인하기 위한 것은 아니었다.

4 ⑤
허생은 조선의 허약한 경제 구조와 지식인들의 무능력을 비판하면서도 자신을 장사치로 보는 것에 대해 화를 내고 있다. 이는 상인 계층에 대한 허생의 부정적인 태도를 드러낸 것으로, 선비로서의 우월감에서 벗어나지 못하는 허생의 한계를 드러내고 있는 것이다.

5 ②
작가가 이상향을 설정했다는 것은 삶의 여유가 있어서가 아니라, 그만큼 현실이 고통스럽기 때문에 현실과 다른 이상향을 꿈꾼 것으로 해석할 수 있다.

02 홍계월전

p. 107

1 ⑤ 2 ⑤ 3 ③ 4 ③ 5 ② 6 ④

1 ⑤
고전 소설에서는 서술자가 개입해 사건의 의미를 제시하는 것이 일반적이다. 그러나 이 글의 제시된 부분에서는 서술자가 개입해 사건의 의미를 제시하는 내용은 나타나지 않는다.

2 ⑤
원수(계월)는 처음에 수챗구멍에서 나오는 '한 노인'이 여공인 줄 알지 못해 천자의 행방만 물은 것이다. 그러다 노인이 여공인 것을 알고는 "시아버님은 무슨 연유로 이 수챗구멍에 몸을 감추고 있사오며 소부의 부모와 시모님은 어디로 피난했는지 아시나이까?"라고 하였다. 그러므로 여공이 시아버지인 것을 알고 천자의 안위부터 챙겼다는 말은 적절하지 않다.

3 ③
맹길이 계월 몰래 황성을 공격한 것은 사실이다. 그러나 이 일로 인해 위기에 빠진 것은 계월이 아니라 천자이며, 천자의 도움으로 계월이 목숨을 구한 것이 아니라 계월의 능력으로 천자가 목숨을 구하고 있다.

4 ③
〈보기〉에는 떠나가는 임을 따라가려는 적극적인 여성의 모습이 나타난다. 그러나 이것은 남성의 지배에서 벗어나려는 모습이 아니라 남성을 적극적으로 따르려고 하는 모습이다. 이 글의 계월은 원수로 참전해 적장을 제압하는 등 남성보다 뛰어난 능력을 보여 준다. 그러나 계월 역시 남성의 지배를 벗어나려는 모습은 나타나지 않는다.

5 ②

㉠은 매우 위급한 상황이므로 '사물이 매우 위태로운 처지에 놓여 있음'을 비유적으로 나타내는 '풍전등화(風前燈火)'가 적절하다. ㉡은 원수(계월)가 걷잡을 수 없는 맹렬한 기세로 적을 제압하는 장면이므로 '적을 거침없이 물리치고 쳐들어가는 기세'를 이르는 '파죽지세(破竹之勢)'가 적절하다.

✖오답 풀이

① 전화위복(轉禍爲福): '재앙과 화난이 바뀌어 오히려 복이 됨'을 이르는 말이다.
당랑거철(螳螂拒轍): '제 역량을 생각하지 않고, 강한 상대나 되지 않을 일에 덤벼드는 무모한 행동거지'를 비유적으로 이르는 말이다.
③ 설상가상(雪上加霜): '난처한 일이나 불행한 일이 잇따라 일어남'을 이르는 말이다.
절치부심(切齒腐心): '몹시 분하여 이를 갈며 속을 썩임'을 이르는 말이다.
④ 와신상담(臥薪嘗膽): '원수를 갚거나 마음먹은 일을 이루기 위하여 온갖 어려움과 괴로움을 참고 견딤'을 비유적으로 이르는 말이다.
백의종군(白衣從軍): '벼슬 없이 군대를 따라 싸움터로 감'을 이르는 말이다.
⑤ 유비무환(有備無患): '미리 준비가 되어 있으면 걱정할 것이 없음'을 이르는 말이다.
백중지세(伯仲之勢): '서로 우열을 가리기 힘든 형세'를 이르는 말이다.

6 ④

이 글의 계월은 여성이지만 원수라는 벼슬을 갖고 참전하여 남성보다 뛰어난 능력을 발휘해 적들을 섬멸한다. 이것은 여성의 우월성과 적극성을 드러내는 것이며 조선 후기 여성들의 지위에 대한 새로운 가치관을 제시하는 것이다.

03 춘향전

p. 109

1 ② 2 ⑤ 3 ③ 4 옥 5 ③

1 ②

이 글은 등장인물들의 말과 행동을 중심으로 사건이 전개되고 있다. 중심인물인 춘향의 경우 '기가 막혀'처럼 심리가 간략하게 직접 제시되는 경우도 있으나 이 글에 중심인물의 자세한 심리 묘사는 나타나지 않는다.

✖오답 풀이

① (나)에서 암행어사 출두 이후 놀라서 허둥거리는 관리들의 모습을 해학적으로 묘사하여 웃음을 유발하고 있다.
③ "박 터졌네."와 같은 비속한 서민층의 언어와 '청송녹죽(靑松綠竹)', '이화 춘풍(李花春風)'과 같은 한자어를 사용하는 양반층의 언어가 혼재되어 나타나고 있다.
④ '강산이 무너지고 천지가 뒤집히는 듯 초목금수(草木禽獸)인들 아니 떨랴.', '춘향의 높은 절개 광채 있게 되었으니 어찌 아니 좋을쏜가?' 등에서 서술자가 작품 속에 개입하여 상황에 대한 주관적 논평을 하고 있다.
⑤ "수절(守節)이 정절(貞節)이라"에서처럼 유사한 발음과 의미를 지닌 언어를 사용한 언어유희가 나타나고 있다.

2 ⑤

'토사구팽(兎死狗烹)'은 필요할 때는 쓰고 필요 없을 때는 야박하게 버리는 경우를 이르는 말이다. 그러나 본관 사또는 자신이 저지른 부정한 행위 때문에 관직에서 쫓겨난 것이므로 토사구팽을 당한 것이 아니다.

✖오답 풀이

① 혼비백산(魂飛魄散): '혼백이 어지러이 흩어진다는 뜻으로, 몹시 놀라 넋을 잃음'을 이르는 말이다.
② 기사회생(起死回生): '거의 죽을 뻔하다가 도로 살아남'을 이르는 말이다.
③ 사필귀정(事必歸正): '모든 일은 반드시 바른길로 돌아감'을 이르는 말이다.
④ 시시비비(是是非非): '여러 가지의 잘잘못'을 이르는 말이다.

3 ③

(나)는 대구와 반복, 열거를 통한 확장적 문체를 사용하여 하나의 장면을 극대화한 부분이다. 이를 통해 장면에 생동감과 현장감을 부여하며, 독자의 상상력을 자극하고 즐거움을 준다. 또한 4 · 4조와 유사한 통사 구조의 반복으로 경쾌한 리듬감을 형성하기도 한다. 그러나 (나)에 현학적 표현은 나타나지 않는다. 현학적 표현은 학식이 있음을 자랑하는 표현을 말한다.

4 옥

'옥'은 신분이 미천한 춘향이 이몽룡과의 사랑을 완성하여 사대부의 아내로 거듭나기 위해 겪는 시련과 고난의 장소로, 재생을 위해 반드시 거쳐야 하는 제의적인 공간이다.

5 ③

이 글에는 여러 개의 갈등 관계가 나타나고 있다. 그중 기생의 딸인 춘향과 신분 질서가 존재하는 사회와의 갈등은 춘향이 신분 상승을 이룸으로써 해결된다. 이러한 갈등과 갈등의 해소를 통해 이 글의 이면적 주제 의식이 신분 해방이라는 것을 알 수 있다.

✖오답 풀이

① 춘향과 변 사또 사이에서 일어나는 갈등을 통해 형상화되는 주제이다.
② 춘향과 이몽룡의 관계에서 찾을 수 있는 주제이다.
④ 변 사또와 이몽룡 사이에서 일어나는 갈등을 통해 제시되는 주제이다.
⑤ 이몽룡이 당시 사회의 보편적인 윤리를 실현하는 과정에서 드러나는 주제이다.

04 심청전

p. 111

1 ④ 2 ⑤ 3 ① 4 ①

1 ④

(다)에 심 봉사가 심청을 어렵게 키운 과정이 요약적으로 제시되어 있다. 그러나 이것은 서술자가 사건을 요약하여 전달하는 것이 아니라 등장인물인 심 봉사가 그간의 일을 요약적으로 말하고 있는 것이다.

2 ⑤

(마)에서 자연물에 감정 이입을 하여 마을을 떠나 죽으러 가는 심청의 심리를 드러낸 것은 사실이다. 그러나 이처럼 구름, 강물, 꽃, 버들가지 등의 자연물을 나열한 것은 심청의 슬픔을 부각하기 위한 것일 뿐, 적층 문학의 특성을 드러내는 것은 아니다. 〈심청전〉이 적층 문학임을 알 수 있는 것은 구비 전승되는 과정에서 이본이 다양하다는 것이다.

3 ①

㉠에는 예상보다 빠르게 도착한 뱃사람들로 인해 아버지와 이별할 마음의 준비가 되어 있지 않은 심청을 묘사하고 있다. 두렵고, 무섭고, 당황스러워 하는 심청의 심리가 얼굴빛과 행동을 통해 간접적으로 드러나 있다.

4 ①

이 글의 심청은 아버지의 눈을 뜨게 하기 위해 자신의 몸을 인당수의 제물로 팔았고, 〈보기〉의 이보는 아버지의 병을 고치기 위해 자신의 손가락을 베어 약을 만들었다. 이를 통해 조선 시대에는 자신을 희생해서라도 부모에 대한 효를 실천하는 것이 자식된 도리라고 생각하였음을 알 수 있다.

고전 수필·극

개념 확인 문제

p. 112~113

1 ④ 2 서간(편지글) 3 ② 4 (1) ㉢ (2) ㉡ (3) ㉠ 5 대단원 6 ①
7 ④ 8 O. L.(Over Lap) 9 ②

1 고전 수필은 고려 시대의 패관 문학에서 출발하였고 조선 전기에도 창작되었다. 다만 양난 이후 국문학이 산문화되면서 크게 발전하였다.

2 이응태의 부인이 죽은 남편에게 쓴 한글 편지이다.

3 희곡은 무대 상연을 전제로 하기 때문에 시간적 · 공간적 제약을 받는다.

5 모든 갈등이 해소되고 사건이 마무리되는 부분은 희곡의 구성 단계상 대단원이다.

6 '막'은 희곡의 구성단위이다.

7 '몽타주(Montage)'의 뜻과 효과에 대한 설명이다.

9 ① 시나리오에 해당하는 설명이다. ③ 희곡에 해당하는 설명이다. ④, ⑤ 소설에 해당하는 설명이다.

01 통곡할 만한 자리

p. 115

1 ② 2 ⑤ 3 ① 4 한바탕 울 만한 자리 5 Ⓐ: 태중, Ⓑ: 요동 벌판

1 ②

이 글에서 글쓴이는 여운을 남기기보다는 구체적 장면 묘사를 통해 감상을 직접적으로 제시하고 있다. 또한 이 글에 상징적 의미를 지니는 표현은 사용되지 않았다.

✖오답 풀이

① 울게 되는 구체적 사례를 열거하고 칠정이 모두 울음을 자아내는 것이라는 얘기를 하고 있다.
③ 이 글에서는 '삼류하 → 냉정 → 요동 벌판'의 여정 변화가 드러나 있으며 이러한 여정의 변화에 따라 상황을 전개하고 있다.
④ 정 진사가 질문을 하고 글쓴이가 답을 하는 인물의 대화를 통해 주제를 구체화하고 있다.
⑤ 울음을 슬픔의 표현으로만 보는 정 진사와 달리 글쓴이는 복받쳐 나오는 감정이 이치에 맞아 터지는 울음이 웃음과 같다고 말하고 있다. 이러한 글쓴이의 주장은 발상의 전환을 통해 기존의 상식을 뒤집는 것이다.

2 ⑤

글쓴이는 '참된 칠정에서 우러나오는 지극하고도 참된 소리란, 눌러 참아서 천지 사이에 서리고 엉기어 감히 나타내지 못하는 게요.'라고 하였다. 즉, 울 곳을 얻지 못하면 참된 울음 또한 울기 어려움을 알 수 있다.

3 ①

㉠에서는 일행이 '백탑'을 볼 수 있을 것이라는 사실을 '백탑'이 인사를 한다고 표현하고 있다. 〈보기〉에서는 화자가 멀리하는 '공명'과 '부귀'가 오히려 화자를 꺼리고 있다고 표현하고 있다. 따라서 ㉠과 〈보기〉는 행위의 주체와 객체를 바꿔 표현하는 공통점을 보이고 있다.

4 한바탕 울 만한 자리
글쓴이는 탁 트인 비로봉과 장연, 요동 벌판에서 한바탕 울 만하다고 하였다. 따라서 이 세 곳은 한바탕 참된 울음을 울 만한 탁 트인 곳임을 알 수 있다.

5 Ⓐ: 태중, Ⓑ: 요동 벌판
글쓴이는 좁은 조선에 있다가 '요동 벌판'을 마주한 자신을 탁 트인 세상을 만난 '갓난아이'에 비유하고 있다. 따라서 글쓴이가 있던 조선은 '갓난아이'에게는 답답한 '태중'이 된다.

02 수오재기

p. 117

1 ① **2** ⑤ **3** ② **4** ④ **5** ③ **6** 현상적 자아에 얽매이지 않고 본질적 자아를 유지하는 것

1 ①
이 글은 큰형님 서재의 이름인 '수오재'에 대해 의문을 제기하면서 글을 시작하여, 자신의 삶을 성찰하며 그 의미를 깨닫는 과정을 보여 주는 방식으로 글을 전개하고 있다.

✖오답 풀이
② 새로운 견해를 제시하기 위해서가 아니라 자신이 깨달은 내용에 대한 근거로 맹자의 말을 인용하였다.

2 ⑤
글쓴이는 큰형님이 자신의 서재에 '수오재'라 이름을 붙이자 처음에 의문을 품었지만 장기로 귀양 온 이후 홀로 지내면서 생각이 깊어졌다가 어느 날 갑자기 깨닫게 되었다고 하였다. 따라서 글쓴이가 처음부터 의문을 품고 해답을 찾으려고 노력한 것이 아니다.

3 ②
앞뒤 문맥을 고려할 때 ㉠, ㉢, ㉣, ㉤은 지켜야 할 '나'의 모습, 즉 본질적 자아를 의미하지만, ㉡은 지켜야 할 '나'를 잃은 현상적 자아라고 할 수 있다.

4 ④
ⓓ는 유배지에 와서야 본질적인 자아와 현상적인 자아가 조화를 이룰 수 있게 되었다는 의미이다.

5 ③
글쓴이는 벼슬길에 올라 관직 생활을 하는 동안 본질적 자아를 잃어버리고, 귀양을 와서야 자신의 삶을 돌아보며 '나'를 지키는 것이 얼마나 중요한가를 깨닫고 있다. 따라서 귀양지는 글쓴이에게 '나'를 돌아보며 성찰하게 되는 계기가 되었다고 볼 수 있다.

6 현상적 자아에 얽매이지 않고 본질적 자아를 유지하는 것
'수오(守吾)'는 나를 지킨다는 뜻인데, 여기서 '나'는 본질적 자아를 의미한다. 따라서 '수오'란 현상적 자아에 얽매이지 않고 본질적 자아를 유지하는 것이라 할 수 있다.

03 봉산 탈춤

p. 119

1 ④ **2** ② **3** ⑤ **4** ③ **5** ㉮: 양반의 호통, ㉯: 양반의 안심
6 벙거지, 채찍

1 ④
전통극은 관객의 반응에 따라 공연의 분위기나 흥겨움, 진지함의 정도가 달라질 수 있지만 공연의 주제가 달라지는 것은 아니다.

2 ②
이 글에서 '춤'은 말뚝이와 양반들의 갈등을 일시적으로 해소하여 긴장감을 완화시키는 역할을 하고 있다.

3 ⑤
㉠은 음의 유사성을 이용한 언어유희의 표현에 해당한다. 그러나 ⑤에서는 인물의 행동을 과장하여 희화화하고 있을 뿐, 언어유희는 드러나지 않는다.

✖오답 풀이
①은 '선비 유(儒)'와 '아첨할 유(諛)'에서, ②는 '이 도령'과 '삼 도령'에서, ③은 '수절', '정절', '기절'에서, ④는 '오매불망', '올망졸망'과 '서방', '남방'에서 음의 유사성을 이용한 언어유희가 사용되었다.

4 ③
ⓒ의 '양반'은 사대부 양반과 보통 남자를 낮춰 부르는 중의적 표현에 해당한다. 말뚝이는 이러한 단어를 사용함으로써 신분상 특권 계층인 양반에 대한 조롱의 의도를 드러내고 있다. 나머지는 모두 지배층으로서의 '양반'의 의미만 가진다.

5 ㉮: 양반의 호통, ㉯: 양반의 안심
이 글은 계속해서 같은 구조의 재담을 반복하고 있는데, 먼저 말뚝이가 양반을 조롱하고 양반은 이에 대해 호통을 치지만 말뚝이의 변명을 듣고 나서는 양반들이 다시 안심하는 구조로 되어 있다.

6 벙거지, 채찍
말뚝이가 쓰고 있는 벙거지와 들고 있는 채찍은 말뚝이가 마부의 신분임을 드러내 준다.

04 파수꾼

p. 121

1 ⑤ **2** ⑤ **3** ② **4** ② **5** ①

1 ⑤
글의 뒷부분에서 촌장은 파수꾼 '다'를 회유하고 있다. 이를 통해 볼 때 촌장이 파수꾼 '다'에게 고맙다고 한 것은 진심이 아니라는 것을 알 수 있다.

2 ⑤
〈보기〉의 '엄숙한 세상'은 먹구름과 쇠 항아리로 맑은 하늘을 덮고 있는 부정적 상황으로, 암울한 시대 현실을 나타낸다. 이 글 역시 촌장은 존재하지 않는 이리 떼를 내세워 체제를 유지하고자 하는 독재 권력을 의미한다. 반면 파수꾼 '다'는 이리 떼가 존재하지 않는다는 진실을 밝히려고 하는 인물이다. 따라서 파수꾼 '다'가 현실 상황에 만족하고 있다는 ⑤의 설명은 적절하지 않다.

3 ②
㉡은 파수꾼 '나'가 나이를 먹었음을 나타내는 촌장의 말이다. 따라서 현재 무대 위에서 보여 줄 수 있는 사건에 해당한다. 반면 ㉠, ㉢, ㉣, ㉤은 무대 밖에서 일어난 사건을 등장인물들의 대화를 통해 제시하고 있다.

4 ②
이 글은 이리 떼의 실체를 숨기려는 촌장과 진실을 밝히려는 파수꾼 '다' 사이에서 갈등이 발생하고 있다.

5 ①
ⓐ에는 주체 높임과 하십시오체를 사용한 상대 높임법이 사용되었다. ① 역시 주체 높임과 하십시오체를 사용하여 대화 상대를 높이고 있다.

✖오답 풀이
②은 주체 높임, ③은 주체 높임과 해요체를 사용한 상대 높임, ④는 객체 높임, ⑤는 주체 높임이 사용되었다.

05 결혼 p. 123

1 ② 2 ② 3 ③ 4 ① 5 ⓐ: 소유, ⓑ: 사랑 6 사진 석 장

1 ②
이 글의 갈래는 희곡으로, 서술자가 아닌 등장인물의 대사와 행동을 통해 사건이 전개(③)되고 인물의 심리가 드러난다.

✖오답 풀이
① 희곡의 대사는 대화와 독백, 방백 등이 있다.
④, ⑤ 희곡은 무대 상연을 전제로 쓴 글로, 시간적 · 공간적 배경에 제약이 있으며 사건이 항상 현재화되어 표현된다.

2 ②
이 글에서는 등장인물의 이름을 고유 명사로 제시하지 않고, '남자', '여자'라는 보통 명사로 제시하고 있다. 이것은 등장인물이 특정 개인이 아니라 현대 사회의 모든 이들을 대표할 수 있는 전형적 인물임을 드러내어 보편적인 공감대를 이끌어 내기 위한 것이다. 따라서 이 글이 인물의 개성적 성격 제시에 주안점을 둔다고 볼 수 없다.

3 ③
이 글은 관객에게 소품을 빌리거나, 관객과 대화를 나누고 관객을 증인으로 내세우는 등 관객의 참여를 유도하고 있다. 또한 대사 없이 빌려준 것을 빼앗고 남자를 구둣발로 차는 하인의 설정 역시 일반적인 희곡과는 다른 점이다. 그러나 등장인물의 수가 적다는 것을 실험적인 기법으로 볼 수는 없다.

4 ①
이 글은 물질적 가치를 맹신하는 현대 사회의 왜곡된 결혼 세태를 비판하고 소유의 본질과 진정한 사랑의 의미가 무엇인지를 생각하게 하는 작품이다. 따라서 이 글에 대해 인생이 허무하다는 반응은 적절하지 않다.

5 ⓐ: 소유, ⓑ: 사랑
이 글은 물질적 가치를 맹신하는 현대 사회를 비판하고 소유의 본질과 진정한 사랑의 의미라는 주제를 담고 있다.

6 사진 석 장
'사진 석 장'은 시간의 흐름에 따라 외모가 변한다는 것을 보여 주는 소품으로, 외적인 조건은 변한다는 사실을 상징적으로 드러내고 있다.

06 세상에서 가장 아름다운 이별 p. 125

1 ⑤ 2 ② 3 ③ 4 ② 5 ② 6 ② 7 반어법, 세상에서 가장 슬픈 이별

1 ⑤
엄마 인희는 정수에게 자신을 잊지 말라고 이야기하고, 정수는 그에 대해 고개를 끄덕이고 있다. 즉, 정수는 엄마의 죽음을 사실로 받아들이고 있는 것이다.

✖오답 풀이
① 눈물을 참기 위해 눈을 부릅뜨거나 말을 하지 못하고 힘들게 끄덕이는 모습에서 슬픔을 겉으로 드러내지 않기 위해 노력하고 있음을 알 수 있다.
② 'S# 73'에서 인희가 정철에게 언제 자신이 보고 싶을 것 같냐는 질문을 계속하는 것을 통해 알 수 있다.

2 ②
㉠의 다음 대사에서 인희는 자신이 죽은 뒤에 가족들이 자신을 보고 싶을 때 언제든 찾아올 수 있도록 배려하기 위해 무덤을 만

들어 달라고 하고 있다. 따라서 최대한 슬픔을 억제하며 담담하게 말하는 것이 적절하다.

3 ③

시나리오인 ㉡과 소설인 〈보기〉 모두 서술자의 개입이 나타나 있지 않다.

4 ②

㉢에는 인희와 사별한 정철의 슬픔이 담겨 있다. 사랑하는 이와 사별한 슬픔이 가장 강하게 나타난 것은 ②이다.

✖오답 풀이

①, ⑤ 임에 대한 그리움만 나타나 있을 뿐이다.

③ 임과 이별한 슬픔을 극복하겠다는 의지가 나타나 있다.

④ 사별한 임과의 슬픔이 드러나 있지만 재회에 대한 믿음으로 그러한 슬픔을 극복하겠다는 의지가 나타나 있다.

5 ②

'S# 74'는 인희와 정철이 보낸 행복한 시간들을 제시함으로써 두 사람의 애틋하고 절절한 사랑을 강조하면서 다음 장면에 제시되는 두 사람의 이별과 그 슬픔을 더욱 부각하는 기능을 한다. 그러나 이어지는 'S# 76'에서 끝내 인희가 죽음을 맞이하므로 'S# 74'가 희망을 전달한다고 볼 수 없다.

6 ②

'S# 74'는 두 인물이 함께 보내는 여러 개의 다른 장면을 보여 주고 있으므로 따로따로 촬영한 화면을 적절하게 떼어 붙여서 하나의 긴밀하고도 새로운 장면을 만드는 몽타주 기법으로 편집하는 것이 적절하다. 한편 ⓑ는 인희의 죽음으로 작품이 결말을 맞이하고 있으므로 화면이 점점 어두워지면서 사라지는 F. O.(페이드 아웃)가 적절하다.

7 반어법, 세상에서 가장 슬픈 이별

'세상에서 가장 아름다운 이별'이라는 제목은 엄마의 죽음이라는 작품의 내용을 봤을 때 결국 가장 슬픈 이별을 의미하는 것이며, 이는 말하고자 하는 것을 반대로 표현하는 반어법이 사용된 것이다.

Ⅱ 문법

01 음운의 변동

개념 확인 문제 p. 136~137

1 (1) ○ (2) × (3) × (4) ○ **2** (1) 축약 (2) 비음화 (3) 된소리 **3** (1) 암마당 (2) 정는다 (3) 궐력 (4) 부치다 (5) 갈뜽 (6) 해도지 (7) 달란 **4** ④ **5** (1) 구개음화 (2) 된소리되기 (3) 비음화 **6** ⑤ **7** (1) ㉢ (2) ㉡ (3) ㉠ (4) ㉣ **8** ⑤ **9** ②

4 '솜이불[솜니불]'은 'ㄴ' 첨가, 나머지는 모두 된소리되기이다.

6 유음화가 일어나는 '천리[철리]'는 탈락이 아니라 교체이다. / ① 국물[궁물] – 비음화, ② 입구[입꾸] – 된소리되기, ③ 낙하산[나카산] – 거센소리되기, ④ 되어[되여] – 반모음 첨가

8 '물놀이[물로리]'는 유음화가 일어난다. / ① 법학[버팍] ② 축하[추카] ③ 닫히다[다치다] ④ 하얗게[하야케]

9 거센소리되기가 일어나는 '백합[배캅]'은 축약에 해당한다. / ① 바깥[바깓] ③ 발달[발딸] ④ 실내[실래] ⑤ 꽃다발[꼳따발]

p. 138~141

1 ③ **2** ③ **3** ① **4** ④ **5** ① **6** ① **7** ④ **8** ② **9** ① **10** ② **11** ② **12** ① **13** ① **14** ④ **15** ③ **16** ④ **17** ① **18** ④

1 ③ [고2 전국연합 기출]

'난리'는 'ㄹ'의 앞뒤에서 'ㄴ'이 'ㄹ'로 변하는 유음화 현상이 나타나므로 [난니]가 아니라 [날리]로 발음해야 한다.

✖오답 풀이

① '밥물'은 'ㅁ' 앞에서 'ㅂ'이 'ㅁ'으로 변하는 비음화 현상이 나타나므로 [밤물]로 발음해야 한다.

② '밭이(밭 + –이)'는 끝소리가 'ㅌ'인 형태소가 모음 'ㅣ'로 시작되는 형식 형태소와 만나 'ㅊ'으로 변하는 구개음화 현상이 나타나므로 [바치]로 발음해야 한다.

④ '땀받이(땀 + 받– + –이)'는 끝소리가 'ㄷ'인 형태소가 모음 'ㅣ'로 시작되는 형식 형태소와 만나 'ㅈ'으로 변하는 구개음화 현상이 나타나므로 [땀바지]로 발음해야 한다.

⑤ '먹는다'는 'ㄴ' 앞에서 'ㄱ'이 'ㅇ'으로 변하는 비음화 현상이 나타나므로 [멍는다]로 발음해야 한다.

2 ③ [수능 기출]

㉠은 음절의 끝소리 규칙, ㉡은 된소리되기, ㉢은 음운의 축약(거센소리되기)을 드러내는 예이다. '따뜻하다'의 경우 '따뜻 → [따뜯]'으로 음절의 끝소리 규칙(㉠)이 나타나며, '[따뜯하다] → [따뜨타다]'로 음운의 축약(㉢)도 나타난다.

✖오답 풀이

① ㉠은 음절 종성에 놓인 자음이 바뀌는 변동이 맞지만, ㉡은 음절 초성의 자음이 바뀌는 변동이다.

② ㉠에서 '앞 → [압]'의 경우만 거센소리가 예사소리로 바뀌고 있다. 또한 ㉢은 거센소리가 된소리로 바뀌는 것이 아니라, 음운의 축약으로 예사소리가 거센소리로 바뀌고 있다.

④ ㉡은 동화가 아니다. 그리고 ㉢은 두 음운이 하나로 합쳐진 것이지, 뒤의 자음이 앞의 자음에 동화된 것이 아니다.

⑤ ㉡은 음운의 교체, ㉢은 음운의 축약에 해당한다.

3 ①

㉠은 두 음운이 결합할 때 원래 있던 음운 B가 생략된 것으로 보아 '탈락'에 해당한다. '싫어도[시러도]'는 받침 'ㅀ'에서 'ㅎ'이 탈락되었으므로 ㉠의 예로 적절하다. ㉡은 두 음운이 결합하여 하나의 다른 음운 C로 줄어드는 것으로 보아 '축약'에 해당한다. '국화[구콰]'는 'ㄱ'과 'ㅎ'이 만나 'ㅋ'으로 축약되었으므로 ㉡의 예로 적절하다.

✖오답 풀이

② '소나무'는 '솔+나무'에서 'ㄹ'이 탈락한 것이지만, '읊다[읍따]'는 자음군 단순화(탈락)와 음절의 끝소리 규칙(교체), 된소리되기(교체) 현상이 나타나는 예이다.

③ '많고[만코]'는 'ㅎ'과 'ㄱ'이 만나 'ㅋ'이, '집합[지팝]'은 'ㅂ'과 'ㅎ'이 만나 'ㅍ'이 되는 자음 축약의 예이다.

④ '가져'는 '가지- + -어'로 모음 축약, '입학[이팍]'은 'ㅂ'과 'ㅎ'이 만나 'ㅍ'이 되는 자음 축약의 예이다.

⑤ '낳은[나은]'은 'ㅎ' 탈락, '값[갑]'은 자음군 단순화 현상이 나타나는 탈락의 예이다.

4 ④ [고3 전국연합 기출]

㉣'묻히고'에서 어근 '묻-'은 받침이 'ㄷ'인 실질 형태소이고, '-히-'는 피동 접미사이므로 형식 형태소이다. 따라서 '묻히고'는 〈보기 1〉에 따라 'ㄷ'과 'ㅎ'이 결합하여 [무티고]가 된 후 'ㅌ'이 구개음화 현상이 일어나 'ㅊ'으로 바뀌어 [무치고]로 발음된다.

✖오답 풀이

① ㉠'붙인'은 받침 'ㅌ'이 모음 'ㅣ'로 시작하는 형식 형태소 '-이-'와 만나 [ㅊ]으로 바뀌어 [부친]으로 발음되는 구개음화 현상이 일어난다.

② ㉡'낱낱이'는 받침 'ㅌ'이 모음 'ㅣ'로 시작하는 형식 형태소 '-이'와 만나 'ㅊ'으로 바뀌는 구개음화와 함께, 음절의 끝소리 규칙과 비음화도 일어나 [난나치]로 발음된다. 따라서 '낱'의 받침 'ㅌ'은 [ㅊ]으로 발음된다.

③ ㉢'밭이랑'은 실질 형태소 '밭'과 실질 형태소 '이랑'의 결합이므로 구개음화가 일어나지 않는다. '밭이랑'은 음절의 끝소리 규칙([받이랑]), 'ㄴ' 첨가([받니랑]), 비음화가 일어나 [반니랑]으로 발음된다.

⑤ ㉤'홑이불'은 뒤에 오는 '이불'이 실질 형태소이므로 구개음화가 일어나지 않는다. '홑이불'은 음절의 끝소리 규칙([혿이불]), 'ㄴ' 첨가([혿니불]), 비음화가 일어나 [혼니불]로 발음된다.

5 ① [고1 전국연합 기출]

(ㄱ)에서 '숱한'은 음절의 끝소리 규칙에 따라 받침 'ㅌ'이 대표음 'ㄷ'으로 교체되어 [숟한]이 되고, (ㄴ)에서 받침 'ㄷ'과 'ㅎ'이 'ㅌ'으로 축약되어 [수탄]이 되었다. 즉, '숱한'은 (ㄱ)에서 '교체'가, (ㄴ)에서 '축약'이 일어난 것이다.

6 ① [고2 전국연합 기출]

'끓어[끄러]'는 어간 '끓-'의 받침 'ㅀ'에서 'ㅎ'이 탈락하고, 남은 'ㄹ'이 연음되어 발음된다. 따라서 ㄱ은 '축약'의 사례가 아니라 '탈락'의 사례이다.

✖오답 풀이

② '좋고[조코]'는 어간 '좋-'의 받침 'ㅎ'과 어미 '-고'의 'ㄱ'이 'ㅋ'으로 축약되어 발음된 것이다.

③ '가져[가져]'는 어간 '가지-'의 끝모음 'ㅣ'와 어미 '-어'가 'ㅕ'로 축약되어 발음된 것이다.

④ '미뤄[미뤄]'는 어간 '미루-'의 끝모음 'ㅜ'와 어미 '-어'가 'ㅝ'로 축약되어 발음된 것이다.

⑤ '봐서[봐서]'는 어간 '보-'의 모음 'ㅗ'와 어미 '-아서'의 첫 모음 'ㅏ'가 'ㅘ'로 축약되어 발음된 것이다.

7 ④ [모의평가 기출]

'급행열차'는 [그팽녈차]로 발음되는데, 이는 'ㅂ'과 'ㅎ'이 'ㅍ'으로 축약되고 'ㄴ' 음이 첨가되었기 때문이다. 따라서 '급행열차[그팽녈차]'에서는 축약(㉣)과 첨가(㉢)의 음운 변동이 일어난다.

✖오답 풀이

① '가랑잎[가랑닙]'에서는 'ㄴ' 음의 첨가와 'ㅍ'이 'ㅂ'으로 바뀌는 교체가 일어난다(㉢, ㉠).

② '값지다[갑찌다]'에서는 'ㅄ'에서 'ㅅ'이 탈락하여 'ㅂ'으로 발음되고 'ㅈ'이 된소리로 바뀌는 교체가 일어난다(㉡, ㉠).

③ '숱하다[수타다]'에서는 'ㅌ'이 'ㄷ'으로 바뀌고 'ㄷ'이 'ㅎ'과 결합해 'ㅌ'으로 축약되지만, 탈락 현상은 일어나지 않는다(㉠, ㉣).

⑤ '서른여덟[서른녀덜]'에서는 'ㄴ' 음의 첨가가 일어나고, 'ㄼ'에서 'ㅂ'이 탈락하여 'ㄹ'로 발음된다(㉢, ㉡).

8 ② [모의평가 기출]

㉡의 '흙까지[흑까지]'는 겹받침 'ㄺ'에서 'ㄹ'이 탈락한 자음군 단순화의 예이다. ②의 '값싸다[갑싸다]' 역시 겹받침 'ㅄ'에서 'ㅅ'이 탈락하고, '닭똥[닥똥]'은 겹받침 'ㄺ'에서 'ㄹ'이 탈락한 것으로, 모두 자음군 단순화에 해당한다.

✖오답 풀이

① ㉠의 '밥하고[바파고]'는 거센소리되기의 예이다. '먹히다[머키다]'는 거센소리되기의 예가 맞지만, '목걸이[목꺼리]'는 된소리되기의 예이다.

③ ㉢의 '잡고[잡꼬]'는 된소리되기의 예이다. '굳세다[굳쎄다]'는 된소리되기의 예가 맞지만, '솜이불[솜니불]'은 'ㄴ' 첨가의 예이다.

④ ㉣의 '듣는다[든는다]'는 'ㄷ'이 'ㄴ'의 영향을 받아 'ㄴ'으로 바뀌었으므로 비음화의 예이다. '겁내다[검내다]'는 비음화의 예가 맞지만, '맨입[맨닙]'은 'ㄴ' 첨가의 예이다.

⑤ ⓜ의 '칼날[칼랄]'은 유음화의 예이다. '설날[설랄]'은 유음화의 예가 맞지만, '잡히다[자피다]'는 거센소리되기의 예이다.

9 ① [고1 전국연합 기출]

'물약'은 (ㄱ)의 과정을 거쳐 [물냑]이 될 때 없던 음운인 'ㄴ'이 추가되었는데, 이는 '첨가'에 해당한다. 그리고 [물냑]이 (ㄴ)의 과정을 거쳐 [물략]으로 될 때는 'ㄴ'이 앞이나 뒤에 오는 유음 'ㄹ'의 영향으로 'ㄹ'로 바뀌는 유음화 현상이 일어났는데, 이는 '교체'에 해당한다. 따라서 (ㄱ)은 첨가, (ㄴ)은 교체이다.

10 ② [고3 전국연합 기출]

'옷하고'는 음절의 끝소리 규칙에 의해 받침 'ㅅ'이 대표음 'ㄷ'으로 교체되어 [옫하고]가 되고, 바뀐 'ㄷ'이 'ㅎ'과 결합하여 'ㅌ'으로 축약되어 [오타고]로 발음된다. 따라서 '옷하고[오타고]'는 음운 변동의 유형 중 '교체'(ⓐ)와 '축약'(ⓓ)에 해당한다. '홑이불'은 음절의 끝소리 규칙에 의해 받침 'ㅌ'이 대표음 'ㄷ'으로 교체되어 [혿이불]이 되고, 앞말이 자음으로 끝나고 뒷말이 모음 'ㅣ'로 시작할 때 'ㄴ' 소리가 덧나는 'ㄴ' 첨가에 따라 [혿니불]이 되었다가, 비음화에 따라 비음 'ㄴ'의 앞에 있는 받침 'ㄷ'이 'ㄴ'으로 교체되어 [혼니불]로 발음된다. 따라서 '홑이불[혼니불]'은 음운 변동의 유형 중 '교체'(ⓐ)와 '첨가'(ⓒ)에 해당한다.

11 ② [고1 전국연합 기출]

ⓑ의 '낳아'는 [나아]로 발음되지만 '낳아'로 표기한다. 즉, 발음상 'ㅎ'이 탈락되는 것일 뿐, 이를 표기에 반영하지는 않는다.

✖오답 풀이

① ⓐ의 '도니'를 보면 어간 '돌-'의 끝소리 'ㄹ'이 'ㄴ'으로 시작하는 어미 앞에서 탈락된다.

③ ⓒ의 '써'를 보면 어간 '쓰-'의 모음 'ㅡ'가 모음으로 시작하는 어미 앞에서 탈락된다.

④ ⓓ의 '가'를 보면 어간 '가-'의 모음과 동일 음운인 'ㅏ'가 연결될 경우 하나가 탈락된다.

⑤ ⓐ와 ⓑ는 자음의 탈락, ⓒ와 ⓓ는 모음의 탈락이다.

12 ① [고1 전국연합 기출]

'국물'은 '국'의 종성 'ㄱ'이 뒤에 오는 '물'의 초성 'ㅁ'과 만나 'ㅇ'으로 바뀌는 비음화 현상이 나타나므로 [궁물]로 발음된다. 이는 한 음운이 다른 음운으로 바뀌는 현상인 '교체'에 해당한다. '몫'은 음절 끝의 겹받침 'ㄳ'에서 'ㅅ'이 없어지는 자음군 단순화 현상이 나타나므로 [목]으로 발음된다. 이는 있던 음운이 없어지는 현상인 '탈락'에 해당한다.

13 ① [고2 전국연합 기출]

<보기>에서 '맨입'은 'ㄴ' 첨가가 일어나 [맨닙]으로 발음되고, '국민'은 비음화가 일어나 [궁민]으로 발음된다. 따라서 ⓐ는 'ㄴ' 첨가, ⓑ는 비음화이다. ①의 '막일'은 'ㄴ' 첨가가 일어나 [막닐]이 된 후, 비음화로 인해 [망닐]로 발음되므로 ⓐ와 ⓑ가 모두 일어나는 단어이다.

✖오답 풀이

② '담요'는 'ㄴ' 첨가가 일어나 [담뇨]로 발음된다.

③ '낙엽'은 연음으로 인해 [나겹]으로 발음된다.

④ '곡물'은 비음화가 일어나 [공물]로 발음된다.

⑤ '강약'은 음운 변동 현상이 일어나지 않는다.

14 ④ [고2 전국연합 기출]

'크- + -어서 → 커서'는 어간 '크-'와 어미 '-어서'가 만나 어간의 모음 'ㅡ'가 탈락한 경우이므로, ⓛ과 ⓡ에 해당한다.

✖오답 풀이

① '싫다[실타]'는 자음 'ㅎ'과 'ㄷ'이 만나 'ㅌ'으로 축약된 경우이므로, ㉠과 ⓒ에 해당한다.

② '좋아요[조아요]'는 자음 'ㅎ'이 탈락한 경우이므로, ⓛ과 ⓒ에 해당한다.

③ '울- + -는 → 우는'은 어간 '울-'과 어미 '-는'이 만나 어간의 받침인 자음 'ㄹ'이 탈락한 경우이므로, ⓛ과 ⓒ에 해당한다.

⑤ '나누- + -었다 → 나눴다'는 어간 '나누-'와 어미 '-었다'가 만나 어간 끝모음 'ㅜ'와 어미 첫 모음 'ㅓ'가 'ㅝ'로 축약되는 경우이므로, ㉠과 ⓡ에 해당한다.

15 ③ [고2 전국연합 기출]

'불여우'는 ㉠의 과정에서 [불녀우]가 되면서 없던 음운인 'ㄴ'이 새로 생겼는데, 이는 첨가(ⓑ)에 해당한다. 그리고 [불녀우]가 ⓛ의 과정에서 [불려우]로 되면서 'ㄴ'이 'ㄹ'로 바뀌었는데, 이는 유음화로 교체(ⓐ)에 해당한다.

16 ④ [고1 전국연합 기출]

④의 '담다[담따]'는 어간 받침 'ㅁ' 뒤에 결합되는 어미의 첫소리 'ㄷ'을 된소리로 발음하므로 ㉠에 해당한다. '발전(發展)[발쩐]'은 한자어 'ㄹ' 받침 뒤에 결합되는 자음 'ㅈ'을 된소리로 발음하므로 ⓛ에 해당한다.

✖오답 풀이

① '신다[신따]'는 ㉠에 해당하지만, '굴곡(屈曲)[굴곡]'은 'ㄹ' 받침 뒤에 결합되는 자음이 'ㄱ'이므로 ⓛ에 해당하지 않는다.

② '앉다[안따]'는 ㉠에 해당하지만, '불법(不法)[불법]'은 'ㄹ' 받침 뒤에 결합되는 자음이 'ㅂ'이므로 ⓛ에 해당하지 않는다.

③ '넓다[널따]'는 어간 받침이 'ㄼ'이므로 ㉠에 해당하지 않지만, '갈등(葛藤)[갈뜽]'은 ⓛ에 해당한다.

⑤ '끓다[끌타]'는 어간 받침이 'ㅀ'이므로 ㉠에 해당하지 않지만, '월세(月貰)[월쎄]'는 ⓛ에 해당한다.

17 ① [고3 전국연합 기출]

<보기 2>의 ㄱ은 음운의 축약, ㄴ은 탈락, ㄷ은 교체, ㄹ은 첨가에 대한 설명이다. ⓐ의 '듬직한[듬지칸]'과 '맏형[마텽]', '좋다[조타]'에서는 'ㄱ, ㄷ'이 'ㅎ'과 만나 'ㅋ, ㅌ'으로 줄어드는 축약 현상이 나타난다. 그리고 ⓑ의 '작문[장문]'과 '해돋이[해도지]'에서는 각각 'ㄱ'이 'ㅇ'으로, 'ㄷ'이 'ㅈ'으로 바뀌는 교체 현상이 나타난다. 따라서 ⓐ는 ㄱ, ⓑ는 ㄷ의 설명과 관련이 있다.

18 ④ [고1 전국연합 기출]

〈보기〉의 ㉠은 비음화, ㉡은 유음화에 대한 설명이다. ④의 '닫는'은 'ㄷ'이 비음 'ㄴ'의 앞에서 비음 'ㄴ'으로 바뀌어 [단는]으로 발음되므로 비음화(㉠)의 예이다. '권리'는 비음 'ㄴ'이 유음 'ㄹ' 앞에서 'ㄹ'로 바뀌어 [궐리]로 발음되므로 유음화(㉡)의 예이다.

✖오답 풀이

① '먹물[멍물]'과 '중력[중녁]'은 모두 ㉠의 예이다.
② '국밥[국빱]'은 된소리되기, '설날[설랄]'은 ㉡의 예이다.
③ '입는[임는]'과 '막내[망내]'는 모두 ㉠의 예이다.
⑤ '솜이불[솜니불]'은 'ㄴ' 첨가, '물난리[물랄리]'는 ㉡의 예이다.

2 한글 맞춤법

개념 확인 문제 p. 142~148

1 (1) × (2) ○ (3) × **2** (1) 잔뜩, 갑자기 (2) 안팎, 수탉 (3) 로서 **3** ③ **4** ㉠: 소리, ㉡: 어법 **5** ② **6** ④ **7** (1) 예의 (2) 수력 (3) 급류 (4) 수열 (5) 개량 (6) 연이율 (7) 진행률 (8) 여학교 (9) 구름양 (10) 감소량 **8** ① **9** ② **10** ⑤ **11** (1) ○ (2) × (3) ○ **12** ④ **13** ⑤ **14** ② **15** ④ **16** ㉠, ㉥, ㉦, ㉩, ㉭ **17** ④ **18** (1) 다달이 (2) 따님 (3) 잗주름 (4) 이튿날 **19** ② **20** ③ **21** (1) 곳간 (2) 겟날 (3) 내과 (4) 횟수 (5) 제삿날 (6) 장미과 **22** ① **23** ② **24** ⑤ **25** ③ **26** ① **27** ② **28** ① **29** (1) × (2) ○ (3) ○ (4) ○ (5) × (6) × **30** ④

1 (1) 한글 맞춤법은 표준어를 소리대로 적되, 어법에 맞도록 함을 원칙으로 한다.
(3) 외래어는 '외래어 표기법'에 따라 적는다.

2 (1) '갑자기'와 같이 'ㄱ, ㅂ' 받침 뒤에서 나는 된소리는 같은 음절이나 비슷한 음절이 겹쳐 나는 경우가 아니면 된소리로 적지 아니한다. 하지만 '잔뜩'은 한 단어 안에서 뚜렷한 까닭 없이 된소리가 나는 경우이고 'ㄴ, ㄹ, ㅁ, ㅇ' 받침 뒤에서 나는 된소리이므로 소리 나는 대로 적는다.
(2) '안팎', '수탉'은 두 말이 어울릴 적에 'ㅎ' 소리가 덧나는 것이므로 소리 나는 대로(뒤 단어의 첫소리를 거센소리로) 적는다.
(3) '로서'는 지위나 신분, 자격을 나타내며, '로써'는 수단이나 도구를 나타낼 때 쓰인다.

3 'ㄱ, ㅂ' 받침 뒤에서 나는 된소리는, 같은 음절이나 비슷한 음절이 겹쳐 나는 경우가 아니면 된소리로 적지 않는다는 제5항의 '다만' 규정에 따라 '싹둑'으로 표기해야 한다.

5 'ㄱ, ㄷ' 받침 뒤에서 나는 된소리는 같은 음절이나 비슷한 음절이 겹쳐 나는 경우가 아니면 된소리로 적지 아니한다고 하였으므로, '법석'이 맞는 표기이다.

8 '이치'는 '랴, 려, 례, 료, 류, 리'가 단어의 첫머리에 올 적에는 두음 법칙에 따라 '야, 여, 예, 요, 유, 이'로 적는다는 규정에 따른 것이다.

12 '노름'은 '놀다'의 어간 '놀-'에 접미사 '-음'이 결합되었지만 원래의 의미에서 멀어져 도박의 의미를 지니게 되었으므로 원형을 밝혀 적지 않은 경우이다. 나머지는 모두 어간에 '-이'나 '-음' 이외의 모음으로 시작된 접미사가 붙어서 다른 품사로 바뀐 경우이다.

13 '실없다'의 어간 '실없-'에 '-이'가 붙어서 부사로 된 것이므로 어간의 원형을 밝혀 '실없이'로 적어야 한다.

15 ④는 한글 맞춤법 제24항으로 이에 따르면 '숙더기다'가 아니라 '숙덕이다'가 맞는 표기이다.

25 수효를 나타내는 '개년, 개월, 일, 시간' 등은 붙여 쓰지 않는다. 따라서 '삼 년 육 개월'과 같이 띄어 쓰는 것이 맞다.

26 두 말을 이어 주거나 열거할 적에 쓰이는 말들은 띄어 써야 하므로 '팀장 겸 차장'이 맞는 표기이다.

27 '덤벼들어보아라'는 앞말인 '덤벼들어'가 '덤비다'와 '들다'의 합성 동사이므로, 뒤에 오는 보조 용언 '보아라'를 띄어 '덤벼들어 보아라'로 써야 한다.

28 이름에 덧붙는 호칭어는 띄어 써야 하므로 '정수빈 씨'가 맞는 표기이다.

p. 149~155

1 한글 맞춤법 **2** ② **3** ⑤ **4** ③ **5** ① **6** ① **7** ④ **8** ① **9** ④ **10** ④ **11** ③ **12** ② **13** ⑤ **14** ③ **15** ④ **16** ② **17** ② **18** ⑤ **19** ③ **20** ③ **21** ④ **22** ③ **23** ⑤ **24** ③ **25** ① **26** ④ **27** ⑤ **28** ① **29** ⑤ **30** ⑤ **31** ②

1 한글 맞춤법

'한글 맞춤법'은 우리말을 한글로 적을 때 지켜야 할 기준을 정하여 놓은 것으로, 총 6장과 부록으로 구성되어 있다.

2 ② [고3 전국연합 기출]

〈보기〉에 따르면, '-이오'가 모음으로 끝나는 체언과 결합하는 경우 '-요'로 줄어 쓰이기도 한다. 그러나 ㄴ의 '서울'은 자음으로 끝나는 체언이므로 '-이오'를 줄여 '요'라고 썼다고 할 수 없다. 또한 ㄴ이 선배의 물음에 대한 후배의 대답임을 고려하면, ㄴ의 밑줄 친 '요'는 청자에게 존대의 뜻을 나타내는 보조사 '요'에 해당한다고 볼 수 있다. 따라서 ㄴ의 밑줄 친 '요'를 '이요'로 바꾸어 적을 수 없다.

✖오답 풀이

① 〈보기〉에 따르면, 하오체 종결 어미 '-오'는 [오]로 발음하는 것이 원칙이지만 [요]로 발음할 수도 있다. 따라서 ㄱ의 '이오'는 [이요]로 발음할 수 있다.

③ 〈보기〉에 따르면, 제15항 [붙임 2]에서 설명하는 어미 '-오'는 하오체 종결 어미이다. 따라서 ㄷ의 밑줄 친 문장은 하오체 문장에 해당한다.

④ '무얼 좋아하시오?'를 통해 ㄹ에서는 하오체가 쓰이고 있음을 알 수 있다. 〈보기〉에 따르면, 하오체 종결 어미 '-오'가 '이다', '아니다'의 어간 뒤에 붙어 '-이오'로 활용할 때, 모음으로 끝나는 체언과 결합하는 경우 '-요'로 줄어 쓰이기도 한다고 하였다. 따라서 ㄹ의 '요'는 모음으로 끝나는 체언 '영화' 뒤에서 '-이오'가 줄어든 형태에 해당한다.

⑤ '무얼 좋아하세요?'를 통해 ㅁ에서는 해요체가 쓰이고 있음을 알 수 있다. 따라서 ㅁ의 밑줄 친 '요'는 둘 다 체언과 결합하여 청자에게 존대의 뜻을 나타내는 보조사에 해당한다.

3 ⑤

'달리다'는 자음과 모음의 결합 형식에 따라 표준어를 소리대로 표기한 것이며, '닦다'는 [닥따]로 소리 나지만 '닦으며, 닦으니, 닦아서' 등에서처럼 어법에 맞게 형태소의 본 모양을 밝히어 적은 예이다.

✖오답 풀이

'해, 달, 물다, 가다, 바람, 오리'는 표준어를 소리대로 표기한 것이며, '흙[흑, 흘기, 흥만]', '밭[받, 바치, 반만]'은 형태소의 본 모양을 밝혀 적은 것이다.

4 ③

[고1 전국연합 기출]

ㄴ의 '너머'는 '넘다'에서 나온 명사이지만 [너머]로 소리 나므로 표준어의 발음대로 적은 것이다.

✖오답 풀이

① ㄱ의 '거리'는 [거리]로 소리 나므로 표준어의 발음대로 적은 것이다.

② ㄱ의 '좁히다'는 [조피다]로 소리 나지만 어법에 맞게 적은 것이다.

④ ㄴ의 '넘어'는 [너머]로 소리 나지만 독서의 능률을 올리기 위해 뜻이 얼른 파악되도록 어법게 맞게 표기한 것이다.

⑤ ㄷ의 '읽-'은 각각 [익-], [일-]로 소리 나지만 뜻을 파악하기 쉽게 '읽-'으로 표기한 것이다.

5 ①

한글 맞춤법 제40항에 따라 어간의 끝음절 '하'의 'ㅏ'가 줄고 'ㅎ'이 다음 음절의 첫소리와 어울려 거센소리로 될 적에는 거센소리로 적어야 하므로, '간편하게'는 '간편케'로 적어야 한다.

✖오답 풀이

②, ③, ④, ⑤ '거북지, 생각건대, 깨끗지 않다, 익숙지 않다'처럼 어간의 끝음절 '하'가 아주 줄 적에는 준 대로 적는다. 이것은 한글 맞춤법 제40항의 [붙임 2]에 따른 것이다.

6 ①

[모의평가 기출]

㉠의 '아니요'는 용언 '아니다'의 어간 '아니-'에 어미 '-오'가 결합한 것이다. 이처럼 종결형에서 사용되는 어미 '-오'는 '요'로 소리 나는 경우가 있더라도 그 원형을 밝혀 적어야 하므로, '아니요'가 아니라 '아니오'로 표기해야 한다. 따라서 ㉠에 적용되는 원칙은 ⓐ이다.

✖오답 풀이

㉡의 '가지요'는 용언 '가다'의 어간 '가-'와 종결 어미 '-지'가 결합한 '가지'에 높임을 나타내는 보조사 '요'가 결합한 것이다. 이렇게 어미 뒤에 덧붙는 조사 '요'는 '요'로 적어야 하므로, ㉡에 적용되는 원칙은 ⓒ이다.

㉢의 '설탕이요'는 '이것은 설탕이다.'라는 문장과 '저것은 소금이다.'라는 문장을 이어 주기 위해 서술격 조사 '이다'의 어간에 '요'가 결합한 것이다. 이렇게 연결형에서 사용되는 '이요'는 '이요'로 적어야 하므로, ㉢에 적용되는 원칙은 ⓑ이다.

7 ④

[수능 기출]

'옷소매'는 어근 '옷'과 어근 '소매'가 결합한 합성어로, 소리 나는 대로 '온쏘매'라고 적지 않고 어법에 맞도록 형태를 밝혀 적고 있다. '밥알' 역시 어근 '밥'과 어근 '알'이 결합한 합성어로, 소리 나는 대로 '바발'이라고 적지 않고 어법에 맞도록 형태를 밝혀 적고 있다. 따라서 ④의 '옷소매'와 '밥알'은 모두 ㉣의 예로 적절하다.

✖오답 풀이

① '이파리'는 ㉠의 예로 적절하다. 그러나 '얼음'은 어근 '얼-'에 접미사 '-음'이 결합한 파생어로, 어법에 맞도록 형태를 밝혀 적고 있으므로 ㉢의 예이다.

② '마소'는 ㉡의 예로 적절하다. 그러나 '낮잠'은 어근 '낮'과 어근 '잠'이 결합한 합성어로, 어법에 맞도록 형태를 밝혀 적고 있으므로 ㉣의 예이다.

③ '웃음'은 ㉢의 예로 적절하다. 그러나 '바가지'는 어근 '박'에 접미사 '-아지'가 결합한 파생어로, 소리 나는 대로 적고 있으므로 ㉠의 예이다.

⑤ '꿈'은 ㉤의 예로 적절하다. 그러나 '사랑니'는 어근 '사랑'에 어근 '이'가 결합한 합성어로, 소리 나는 대로 적고 있으므로 ㉡의 예이다.

8 ①

[고2 전국연합 기출]

'할게요'는 어간 '하-'에 '어떤 행동에 대한 약속이나 의지'를 나타내는 종결 어미 '-ㄹ게'가 붙은 것이다. 한글 맞춤법 제53항에서는 '-ㄹ게'와 같은 어미는 예사소리로 적는다고 하였으므로, '할게요'는 한글 맞춤법에 맞게 쓰인 것이다.

✖오답 풀이

② '-던지'는 '막연한 의문이 있는 채로 그것을 뒤 절의 사실과 관련시키는 데 쓰는 연결 어미'이므로, '나열된 동작이나 상태, 대상들 중에서 어느 것이든 선택될 수 있음'을 나타내는 연결 어미 '-든지'를 사용하여 '하든지'로 고쳐야 올바른 표기이다.

③ '어떻다'는 '의견, 성질, 형편, 상태 따위가 어찌 되어 있다.'는 의미의 형용사이고, '어떻게'로 활용한다. 따라서 '어떠하게 하다'

가 줄어든 말인 '어떡하다'를 사용하여 '어떡해'로 고쳐야 올바른 표기이다.
④ '바라다'는 어간 '바라-' 뒤에 어미 '-아'가 붙을 때 '바라'의 형태로 활용한다. 따라서 '바래'는 '바라' 혹은 '바란다'로 고쳐야 올바른 표기이다.
⑤ 어간이 끝음절 '하'의 'ㅏ'가 줄고 'ㅎ'이 '지'의 첫소리와 어울려 거센소리가 되지만, 어간의 끝음절 '하'가 아주 줄 적에는 준 대로 적으므로 '넉넉치'가 아니라 '넉넉지'가 올바른 표기이다.

9 ④ [고2 전국연합 기출]

[씩씩]에서 [ㅆ]은 'ㄱ' 받침 뒤에서 나는 된소리로, 같은 음절이 겹쳐 나는 경우이므로 ⓑ가 아니라 ⓒ에 따라 '씩씩'으로 표기해야 한다.

✖오답 풀이

① [으뜸]에서 [ㄸ]은 두 모음 사이에 나는 된소리이므로 ⓐ에 따라 '으뜸'으로 표기해야 한다.
② [거꾸로]에서 [ㄲ]은 두 모음 사이에 나는 된소리이므로 ⓐ에 따라 '거꾸로'로 표기해야 한다.
③ [살짝]에서 [ㅉ]은 'ㄹ' 받침 뒤에서 나는 된소리이므로 ⓑ에 따라 '살짝'으로 표기해야 한다.
⑤ [낙찌]에서 [ㅉ]은 'ㄱ' 받침 뒤에서 나는 된소리이지만, 같은 음절이나 비슷한 음절이 겹쳐 나는 경우가 아니므로 ⓒ에 따라 '낙지'로 표기해야 한다.

10 ④

ⓐ'제삿날'은 한자어 '제사(祭祀)'와 순우리말 '날'로 된 합성어로, 뒷말의 첫소리 'ㄴ' 앞에서 'ㄴ' 소리가 덧나는 경우이다(㉤). 그리고 ⓑ'텃마당'은 순우리말 '터'와 '마당'으로 된 합성어로, 뒷말의 첫소리 'ㅁ' 앞에서 'ㄴ' 소리가 덧나는 경우(㉡)이며, ⓒ'깻잎'은 순우리말 '깨'와 '잎'으로 된 합성어로, 뒷말의 첫소리 모음 앞에서 'ㄴㄴ' 소리가 덧나는 경우(㉢)이다.

11 ③ [고1 전국연합 기출]

'벌어지다'는 앞말 '벌다(틈이 나서 사이가 뜨다.)'의 본뜻이 유지되고 있어 그 원형을 밝혀 적은 것이므로, ㉯의 '늘어나다'를 표기할 때 적용된 규칙을 따른 것이다.

✖오답 풀이

① ㉮의 '먹어'와 '좋고'처럼 어간과 어미의 형태를 구별하여 표기하면, 어간이 표시하는 어휘적 의미와 어미가 표시하는 문법적 의미가 쉽게 파악될 수 있다.
② 어간 '넘-'과 어미 '-어'를 구별하여 '넘어'로 적는 것은, '먹어'에 적용된 ㉮의 규정을 따른 것이다.
④ '들어가다'로 앞말의 원형을 밝혀 적는 것은 앞말 '들다(밖에서 속이나 안으로 향해 가거나 오거나 하다.)'의 본뜻이 유지되고 있기 때문이다.
⑤ '것이오'에서 '-오'는 종결형에서 사용되는 어미이므로 '요'로 소리 나는 경우가 있더라도 그 원형을 밝혀 '오'로 적는다. 이것은 ㉰의 '오시오'와 같은 규정을 따른 것이다.

12 ②

②의 '공부한만큼'에서의 '만큼'은 '앞의 내용에 상당하는 수량이나 정도임을 나타내는 말'로, 의존 명사이므로 앞의 말인 '공부한'과 띄어 써야 한다. 그리고 '고래 만큼'의 '만큼'은 '앞말과 비슷한 정도나 한도임'을 나타내는 조사이므로, 체언인 '고래' 뒤에 붙여 써야 한다.

✖오답 풀이

① '생각대로'의 '대로'는 '앞에 오는 말에 근거함'을 나타내는 조사이므로 앞말에 붙여 쓰고, '마음 가는 대로'의 '대로'는 '어떤 모양이나 상태와 같이'를 나타내는 의존 명사이므로 앞말과 띄어 써야 한다.
③ '맛있는지 없는지'의 '지'는 어미의 일부이므로 붙여 써야 하지만, '떠난 지'의 '지'는 용언의 관형사형 뒤에서 경과한 시간을 나타내므로 의존 명사이다. 따라서 띄어 써야 한다.
④ '동생과 같이'의 '같이'는 '둘 이상의 사람이나 사물이 함께'를 뜻하는 부사이고, '단풍잎같이'의 '같이'는 '앞말이 보이는 전형적인 어떤 특징처럼'의 뜻을 나타내는 조사이다.
⑤ '얼마 만인가'의 '만'은 '앞말이 가리키는 동안이나 거리'를 나타내는 의존 명사이고, '연습만'의 '만'은 '다른 것으로부터 제한하여 어느 것을 한정함'을 나타내는 조사이다.

13 ⑤

'우리들은 뛰놀고 싶다.'의 '뛰놀다'는 '뛰다+놀다'의 합성 동사이므로 ㉲의 규정에 따라 뒤에 오는 보조 용언 '싶다'를 띄어 써야 한다.

✖오답 풀이

① '먹을 뿐이다'의 '뿐'은 '다만 어떠하거나 어찌할 따름이라는 뜻'을 나타내는 의존 명사이므로 ㉮의 규정에 따라 띄어 쓴다. 그러나 '남자뿐이다'의 '뿐'은 '그것만이고 더는 없음'을 나타내는 조사이므로 앞말에 붙여 써야 한다.
② '채'는 집을 세는 단위를 나타내는 명사이므로 ㉯의 규정에 따라 띄어 써야 한다.
③ '육 층'의 '층'은 '건물에서 같은 높이의 켜를 세는 단위'를 나타내는 명사이므로 띄어 쓰는 것이 원칙이다. 그러나 여기서는 순서를 나타내는 경우이므로 ㉯의 규정에 따라 붙여 쓸 수 있다.
④ '내지'는 수량을 나타내는 말 사이에서 열거할 때 쓰이는 말이므로 ㉱의 규정에 따라 띄어 써야 한다.

14 ③

㉮에서처럼 보조 용언은 띄어 씀이 원칙이지만, 보조 용언이 거듭되는 '읽어 볼만하다'는 ㉰를 근거로 앞의 보조 용언만을 붙여 '읽어볼 만하다'로 써야 한다.

✖오답 풀이

① 보조 용언이 거듭되는 경우로, ㉰를 근거로 앞의 보조 용언을 붙여 쓸 수 있다.
② 앞말에 조사가 붙은 경우로, ㉯를 근거로 띄어 쓰는 것이 맞다.
④, ⑤ ㉮에 따라 '떠들어댄다, 올성싶다'는 띄어 쓰는 것이 원칙이지만 붙여 쓰는 것도 허용된다.

15 ④ [고3 전국연합 기출]

'귀머거리'는 동사 '귀먹다'의 어간 '귀먹-'에 접미사 '-어리'가 붙어서 명사가 된 말이다. 이는 어간에 '-이'나 '-음' 이외의 모음으로 시작된 접미사가 붙어서 다른 품사로 바뀐 것은 그 어간의 원형을 밝혀 적지 않는다는 ㉡의 규정을 적용한 것이다.

✖오답 풀이

① '다듬이'는 동사 '다듬다'의 어간 '다듬-'에 접미사 '-이'가 붙어서 명사가 된 말로, 어간의 원형을 밝혀 적었으므로 ㉠의 규정을 적용한 것이다.
② '마개'는 동사 '막다'의 어간 '막-'에 접미사 '-애'가 붙어서 명사가 된 말로, 어간의 원형을 밝혀 적지 않았으므로 ㉡의 규정을 적용한 것이다.
③ '삼발이'는 명사 '삼발' 뒤에 접미사 '-이'가 붙어서 된 말로, 명사의 원형을 밝혀 적었으므로 ㉢의 규정을 적용한 것이다.
⑤ '덮개'는 동사 '덮다'의 어간 '덮-'에 자음으로 시작된 접미사 '-개'가 붙어서 된 말로, 어간의 원형을 밝혀 적었으므로 ㉤의 규정을 적용한 것이다.

16 ②

〈보기〉는 '두음 법칙'에 관한 조항이다. 두음 법칙에 따라 '여자(女子), 연도(年度), 연세(年歲), 여성(女性)'으로 적는 것이 맞다. 또한 '소녀(少女), 남녀(男女), 만년(晩年), 당뇨(糖尿)'와 같이 단어의 첫머리가 아닌 경우에는 두음 법칙이 적용되지 않으므로, 본음대로 적는다. 한편 접두사처럼 쓰이는 한자가 붙어서 된 '공염불(空念佛)'이나 합성어 '남존여비(男尊女卑)'는 뒷말의 첫소리가 'ㄴ' 소리로 나더라도 두음 법칙에 따라 적는 것이 옳다.

17 ② [고2 전국연합 기출]

'홀쭉이'는 어근 '홀쭉-'에 접미사 '-하다'가 붙을 수 있고, 어근에 접미사 '-이'가 붙어서 된 명사이므로 ㉠에 해당한다. '매미'는 어근 '맴-'에 접미사 '-하다'가 붙을 수 없고, 어근에 접미사 '-이'가 붙어서 된 명사이므로 ㉡에 해당한다.

✖오답 풀이

'깨끗이'는 어근 '깨끗-'에 접미사 '-하다'가 붙을 수 있고, 어근에 접미사 '-이'가 붙어서 된 부사이다. 한편 '곰곰이'는 어근 '곰곰-'에 접미사 '-하다'가 붙을 수 없고, 어근에 접미사 '-이'가 붙어서 된 부사이다.

18 ⑤

보조 용언은 띄어 쓰는 것이 원칙이나 붙여 쓰는 것도 허용하므로 ㉡의 '깨뜨려버렸다'는 맞게 쓰인 것이다. 두 말을 이어 주는 말은 띄어 써야 하므로 '및'을 띄어 쓴 ㉢도 맞는 표기이다. 그리고 부사는 다른 부사와 띄어 써야 하므로 '좀'과 '더'를 띄어 쓴 ㉥도 맞는 표기이고, 호칭어나 관직명은 띄어 써야 하므로 '박사'를 띄어 쓴 ㉦ 역시 맞는 표기이다.

✖오답 풀이

㉠ '만'은 조사이므로 앞말에 붙여 '학교에서만이라도'라고 써야 한다.
㉣ 앞말에 조사가 붙는 경우 그 뒤에 오는 보조 용언은 띄어 써야 하므로 '잘난 체를 한다'가 맞는 표기이다.
㉤ '지'는 의존 명사이므로 앞말과 띄어 '떠난 지가'라고 써야 맞는 표기이다.

19 ③

제38항에 따르면 'ㅏ' 뒤에 '-이어'가 어울려 줄어질 적에는 준대로 적어야 하므로, '싸이어'는 '싸여'로 줄여 쓸 수 있다. 그러나 '쌓다'는 '여러 개의 물건을 겹겹이 포개어 얹어 놓다.'라는 뜻으로, '헤어나지 못할 만큼 어떤 분위기나 상황에 뒤덮이다.'라는 뜻의 '싸이다'와 서로 다른 말이다.

✖오답 풀이

① 제32항에 따르면, '디디고'에서 어간 '디디-'의 끝모음인 'ㅣ'가 줄어지고 남은 'ㄷ'은 그 앞의 음절에 받침으로 적어야 하므로 '딛고'로 줄여 쓸 수 있다.
② 제35항에 따르면, '보았으면'은 모음 'ㅗ'로 끝난 어간 '보-'에 '-았-'이 어울려 'ㅘ'으로 되는 경우이므로 '봤으면'으로 줄여 쓸 수 있다.
④ 제39항에 따르면, '적지 않은'은 '적지'의 어미 '-지' 뒤에 '않-'이 어울려 '-잖-'이 되는 경우이므로 '적잖은'으로 줄여 쓸 수 있다.
⑤ 제40항에 따르면, '연구하도록'은 어간 '연구하-'의 끝음절 '하'의 'ㅏ'가 줄고 'ㅎ'이 다음 음절의 첫소리인 'ㄷ'과 어울려 거센소리 'ㅌ'이 된 경우이므로 '연구토록'으로 줄여 쓸 수 있다.

20 ③

'생긋'은 '눈과 입을 살며시 움직이며 소리 없이 가볍게 웃는 모양'을 나타내는 부사이다. 여기에 '-이'가 붙어서 뜻을 더하는 경우이므로 〈보기〉를 참고할 때 ③은 부사의 원형을 밝힌 '생긋이'가 맞는 표기이다.

✖오답 풀이

①, ⑤ '-하다'가 붙는 어근에 '-히'나 '-이'가 붙어서 부사가 된 경우이므로 어근의 원형을 밝히어 적는 것이 맞다.
②, ④ 부사에 '-이'가 붙어서 뜻을 더하는 경우이므로 원형을 밝혀 적는 것이 맞다.

21 ④

지난 일을 나타내는 어미는 '-더라, -던'으로 적어야 하므로 ④는 '놀랐던지'가 맞는 표기이다.

✖오답 풀이

① 모음이나 'ㄴ' 받침 뒤에 이어지는 '렬, 률'은 '열, 율'로 적어야 한다.
② 한자음 '로'가 단어의 첫머리에 올 적에는 두음 법칙에 따라 '노'로 적지만, 첫머리 이외의 경우에는 본음대로 적는다.
③ '일정한 규격의 물건을 만들도록 미리 주문을 하다.'라는 뜻의 말은 '맞추다'이다.
⑤ 한 단어 안에서 같은 음절이 겹쳐 나는 부분은 같은 글자로 적는다.

22 ③

'읽어나'에서 '나'는 마음에 차지 아니하는 선택, 또는 최소한 허용되어야 할 선택이라는 뜻을 나타내는 보조사이다. 이는 앞말에 조사가 붙은 경우이므로, 뒤에 오는 보조 용언 '보고'를 띄어 '읽어나 보고'로 써야 한다.

✖오답 풀이

① 보조 용언은 띄어 씀을 원칙으로 하되, 경우에 따라 붙여 씀도 허용한다고 하였다. 따라서 '늙어 간다'가 원칙이지만 '늙어간다'도 허용된다.
② 본용언과 보조 용언을 띄어 쓰는 '도와 드린다'가 원칙이지만 '도와드린다'도 허용된다.
④ '덤벼들어'는 '덤비다'와 '들다'의 합성 동사이므로, 보조 용언인 '보아라'를 띄어 써야 한다.
⑤ '떠내려가'는 '뜨다'와 '내려가다'의 합성 동사이므로, 보조 용언인 '버렸다'를 띄어 써야 한다.

23 ⑤ [고1 전국연합 기출]

㈀의 '밖에'는 '그것 말고는', '그것 이외에는', '기꺼이 받아들이는', '피할 수 없는'의 뜻을 나타내는 보조사이므로 한 단어이다. 그러나 ㈁의 '밖에'는 명사 '밖'과 조사 '에'가 결합된 두 단어이다.

24 ③ [고1 전국연합 기출]

보조 용언은 앞말에 조사가 붙을 때에는 띄어 써야 한다. ⓒ의 '웃고만 있었다'에서 '웃고만'은 '웃고'에 보조사 '만'이 붙은 본용언이고, '있었다'는 앞말이 뜻하는 행동이나 변화가 끝난 상태가 지속됨을 나타내는 보조 용언이다. 따라서 보조 용언인 '있었다'를 띄어 쓴 것이다.

✖오답 풀이

④ '척'은 '그럴 듯하게 꾸미는 거짓 태도나 모양'을 뜻하는 의존 명사이므로 앞말 '아는'과 띄어 쓴다.

25 ① [고2 전국연합 기출]

'놓이어'를 '놓여'로 쓴 것은 'ㅣ' 뒤에 '-어'가 와서 'ㅕ'로 줄 적에는 준 대로 적는다는 〈한글 맞춤법〉 제36항에 따른 것이다.

26 ④ [고1 전국연합 기출]

'무심하지'는 어간 '무심하-'의 끝음절 '하'의 'ㅏ'가 줄고 'ㅎ'이 다음 음절의 첫소리와 어울려 거센소리로 되는 경우이므로, ㉠의 규정에 따라 '무심치'로 적어야 한다. 따라서 '무심지'는 잘못된 표기이다.

✖오답 풀이

⑤ '깨끗하지'는 어간 '깨끗하-'의 끝음절 '하' 앞에 안울림소리인 'ㅅ'이 받침으로 왔으므로 ㉢의 규정에 따라 '깨끗지'로 적을 수 있다.

27 ⑤ [고1 전국연합 기출]

ⓔ는 체언 '그것'과 조사 '이'가 어울려 줄어진 경우이므로 ㄴ의 규정을 따른 예이다.

✖오답 풀이

① ⓐ는 체언 '무엇'과 조사 '을'이 어울려 줄어진 경우이므로 ㄴ의 규정을 따른 예이다.
② ⓑ는 체언 '이것'과 조사 '은'이 어울려 줄어진 경우이므로 ㄴ의 규정을 따른 예이다.
③ ⓒ는 체언 '너희'가 단독으로 쓰인 경우이므로 ㄱ과 ㄴ 어디에도 해당하지 않는다.
④ ⓓ는 체언 '여기'와 조사 '에'를 구별하여 적었으므로 ㄱ의 규정을 따른 예이다.

28 ① [모의평가 기출]

'쐬어라'는 어간 '쐬-'에 어미 '-어라'가 결합된 것이다. 그러므로 어간 모음 'ㅚ' 뒤에 '-어'가 붙어 'ㅙ'로 줄어지는 것은 'ㅙ'로 적는다는 규정에 따라, '쐬어라'는 '쐐라'가 아니라 '쐐라'로 줄어들 수 있다.

✖오답 풀이

② '괴-+-느냐'는 어간 모음 'ㅚ' 뒤에 '-어'가 붙는 경우가 아니므로, '괘느냐'가 아니라 '괴느냐'로 적는다.
③ '죄-+-어도'는 어간 모음 'ㅚ' 뒤에 '-어'가 붙는 경우이므로, 'ㅙ'로 줄어들어 '좨도'로 적는다.
④ '뵈-+-어서'는 어간 모음 'ㅚ' 뒤에 '-어'가 붙는 경우이므로, 'ㅙ'로 줄어들어 '봬서'로 적는다.
⑤ '쇠-+-더라도'는 어간 모음 'ㅚ' 뒤에 '-어'가 붙는 경우가 아니므로, '쇄더라도'가 아니라 '쇠더라도'로 적는다.

29 ⑤ [고1 전국연합 기출]

'은숙이와 친구는 같이 사업을 했다.'에서 '같이'는 '서로 함께'의 의미로 쓰인 부사이다. 즉, ㅁ이 아니라 ㄹ의 예문이다.

30 ⑤

'예사(한자어)+일(순우리말)'을 '예삿일[예산닐]'로 적는 것은 순우리말과 한자어로 된 합성어이면서 앞말이 모음으로 끝나고 뒷말의 첫소리 모음 앞에서 'ㄴㄴ' 소리가 덧나는 경우이므로 제30항 2-(3)에 해당한다.

31 ② [수능 기출]

'안건을 회의에 부치다'와 같이 '어떤 문제를 다른 곳이나 다른 기회로 넘기어 맡기다.'의 의미일 때는 '붙이다'가 아니라 '부치다'를 써야 한다.

✖오답 풀이

① '어제저녁'의 준말은, '엇저녁'이 아니라 '엊저녁'이 바른 표기이다.
③ '적지 않은'의 준말은, '적쟎은'이 아니라 '적잖은'이 바른 표기이다.
④ 김치류의 하나를 뜻할 때는, '깍뚜기'가 아니라 '깍두기'가 바른 표기이다.
⑤ '편편하고 얇으면서 꽤 넓다.'의 의미로 쓸 때는, '넙적하다'가 아니라 '넓적하다'가 바른 표기이다.

03 문법 요소

개념 확인 문제

p. 156~157

1 (1) 께 (2) 상대 높임법 (3) 주체 높임법 (4) 격식체 **2** (1) ㉠ (2) ㉢ (3) ㉢ (4) ㉡ (5) ㉡ **3** (1) ○ (2) × (3) × **4** (1) 새우가 고래에게 먹혔다. (2) 모기가 지후에게 잡혔다. **5** (1) × (2) ○ (3) × **6** (1) ㉠ (2) ㉡ (3) ㉢ (4) ㉤ (5) ㉣ **7** (1) 철수는 "우리 형이 드디어 우승을 차지했어."라고 말했다. (2) 지원이는 나에게 나도 그 책을 읽었냐고 물었다. **8** ②

8 ①은 시제가 잘못된 경우로 '어제' 대신에 '내일'을 사용하거나 '볼 것이다'를 '봤다'로 표현해야 한다. ③과 ⑤은 잘못된 피동 표현이 사용된 경우로 '쓰여질'을 '쓰일'로, '보여진다'를 '보인다'로, '마련되어져야 한다'는 '마련되어야 한다'로 수정해야 한다. ④는 직접 인용이므로 조사 '고'가 아니라 '라고'를 사용해야 한다.

p. 158~165

1 ④ **2** ② **3** ④ **4** ⑤ **5** ⑤ **6** ① **7** ③ **8** ② **9** ⑤
10 ④ **11** ② **12** ④ **13** ⑤ **14** ⑤ **15** ③ **16** ② **17** ②
18 ④ **19** ⑤ **20** ④ **21** ① **22** ② **23** ④ **24** ④ **25** ①
26 ④ **27** ① **28** ④ **29** ①

1 ④ [고3 전국연합 기출]

㉣에서 주체는 화자 자신('저')이며, '선생님'은 주체가 아니라 대화의 상대인 청자이다.

✖오답 풀이

① ㉠은 주체인 '할머니'를 높이기 위해 높임의 주격 조사 '께서'와 특수 어휘 '계시다'를 사용하고 있다.
② ㉡은 객체인 '어머니'를 높이기 위해 높임의 부사격 조사 '께'와 특수 어휘 '드리다'를 사용하고 있다.
③ ㉢은 주체인 '할아버지'를 높이기 위해 높임의 주격 조사 '께서'와 주체 높임 선어말 어미 '-시-'를 사용하고 있다.
⑤ ㉤은 대화의 상대인 '아버지'를 높이기 위해 종결 어미 '-습니다'를 사용하고 있다.

2 ② [고3 전국연합 기출]

㉡에 사용된 '저희'는 '아버지'를 높이는 표현이 아니라 상대방을 고려하여 자신을 낮추는 표현이다.

✖오답 풀이

① '-ㅂ니까'와 같은 종결 어미를 통한 높임은 대화 상대를 높이는 높임법이다.
③ 선어말 어미 '-시-'는 대화 상대이자 선물을 주는 사람인 '손님'을 높이는 표현이고, '드리다'는 선물을 받는 사람, 즉 '손님의 아버지'를 높이는 표현이다.
④ 선어말 어미 '-시-'를 사용하여 높이고자 하는 대상인 '아버지'의 신체 일부인 '어깨'를 높이고 있다. 이는 주체를 간접적으로 높이는 표현이다.
⑤ '어르신'과 '모시다'라는 높임을 나타내는 특정한 어휘를 사용하여 '손님의 아버지'를 높이고 있다.

3 ④ [고2 전국연합 기출]

㉠은 선어말 어미 '-시-'를 사용하여 주체(주어가 나타내는 대상)인 '아버지'를 높이고 있으며, ㉢은 주체인 '어머니'를 높이기 위해 조사 '께서'를 사용하고 있다. 즉, ㉠에는 주어가 나타내는 대상을 높이는 조사가 사용되지 않았다.

✖오답 풀이

① ㉠은 부사어가 나타내는 대상인 '할머니'를 높이기 위해 조사 '께'를 사용하고 있다.
② ㉢은 목적어가 나타내는 대상인 '아버지'를 높이기 위해 특수 어휘 '모시고'를 사용하고 있다.
③ ㉠과 ㉡은 각각 듣는 상대인 '아버지'와 '어머니'를 높이기 위해 종결 어미 '-어요'와 '-습니다'를 사용하고 있다.
⑤ ㉡과 ㉢은 주어가 나타내는 대상인 '아버지'와 '어머니'를 높이기 위해 선어말 어미 '-시-'를 사용하고 있다.

4 ⑤

⑤의 '비비시며'와 '보신다'는 각각 '비비다'와 '보다'에 주체 높임 선어말 어미 '-시-'가 결합한 것이다. 이는 어휘를 이용한 높임이 아니라 문법적 요소를 활용한 높임이다.

✖오답 풀이

① '댁'은 '집'의 높임말로, 주체인 '선생님'을 높이기 위해 사용한 어휘이다.
② '모시고'는 '데리고'의 높임말로, 객체인 '할아버지'를 높이기 위해 사용한 어휘이다.
③ '드시고'는 '먹고'의 높임 표현이고, '계십니다'는 '있다'의 높임 표현으로, 주체인 '할머니'를 높이고 있다.
④ '계신다'는 '있다'의 높임 표현으로, 주체인 '아버지'를 높이고 있다.

5 ⑤ [모의평가 기출]

㉤에서 주체는 생략되었지만 '아버지'이고, '할머니'는 객체이다. 따라서 '데리고'의 높임 표현인 '모시고'는 객체인 '할머니'를 높이는 표현이다.

✖오답 풀이

① ㉠의 '-는구나'는 상대인 '동생'을 낮추는 표현이다.
② ㉡의 '계시다'는 주체인 '아버지'를 높이는 표현이다.
③ ㉢의 '께'는 객체인 '아버지'를 높이는 표현이다.
④ ㉣의 '께서'는 주체인 '아버지'를 높이는 표현이다.

6 ① [고1 전국연합 기출]

〈보기 2〉의 [분석 문장]에서 서술어 '가시었어요'의 주체는 '아버지(㉠)'이며, 객체는 '할아버지(㉡)'이고, 화자의 말을 듣는 대상, 즉 상대는 '어머니'이다. 그리고 말을 듣는 상대를 높이기 위해서 종결 어미 '-요(㉢)'를 사용하고 있다.

7 ③ [수능 기출]

'잡수신다'는 '먹다'의 높임 표현으로, 주체인 '할머니'를 높이는 용언이다. 그리고 '연세'는 '나이'의 높임말로, 높여야 할 인물인 할머니와 관련된 명사이다. 따라서 ③에는 ㉠과 ㉡이 모두 사용되었다.

✖오답 풀이

① 높여야 할 인물을 직접 높이는 대명사인 '그분'과 높여야 할 인물과 관련된 것을 높이는 명사 '성함'이 사용되었다.

② 객체인 '할머니'를 높이는 용언 '여쭐'과, 남의 집이나 가정을 높여 이르는 명사 '댁'을 사용하여 높여야 할 인물인 '할머니'를 높이고 있다.

④ 높여야 할 인물을 직접 높이는 명사 '부모님'과, 객체인 '부모님'을 높이는 용언 '모시고'가 사용되었다.

⑤ 주체인 '어머니'를 높이는 조사 '께서'와 용언 '주무신다'가 사용되었다.

8 ② [고2 전국연합 기출]

②의 '왔습니다'는 '하십시오체'를 사용한 상대 높임 표현이고, '모시고'는 객체인 '할머니'를 높이는 특수 어휘이다.

✖오답 풀이

① 종결 어미 '-요'를 사용하여 상대를 높였지만 객체를 높이는 표현은 사용되지 않았다.

③ 객체인 '할아버지'를 높이기 위해 부사격 조사 '께'와 높임의 특수 어휘 '드려'를 사용하였다. 그러나 종결 어미 '-어'를 통해 상대를 낮췄다는 것을 알 수 있다.

④ '-죠'는 '-지요'의 줄임말로 종결 어미 '-요'를 사용해 상대를 높였으며, 주체 높임 선어말 어미 '-시-'를 사용해 주체를 높였다. 그러나 객체를 높이는 표현은 사용되지 않았다.

⑤ 종결 어미 '-어'를 통해 상대를 낮추고, 높임의 주격 조사 '께서'와 주체 높임 선어말 어미 '-시-'를 통해 주체인 '어머니'를 높였을 뿐, 객체를 높이는 표현은 사용되지 않았다.

9 ⑤ [고1 전국연합 기출]

ⓔ는 서술의 주체인 '할머니'를 높이고 있으므로 주체 높임에 해당한다.

✖오답 풀이

① 부사어가 나타내는 대상인 '할머니'를 높이기 위해 '드릴'을 사용하고 있으므로 객체 높임에 해당한다.

② 목적어가 나타내는 대상인 '할머니'를 높이기 위해 '뵙고'를 사용하고 있으므로 객체 높임에 해당한다.

③ 목적어가 나타내는 대상인 '할머니'를 높이기 위해 '모시고'를 사용하고 있으므로 객체 높임에 해당한다.

④ 부사어가 나타내는 대상인 '큰아버지'를 높이기 위해 '께'를 사용하고 있으므로 객체 높임에 해당한다.

10 ④

'내일 학교에 가서 선생님께 드리고 와.'는 서술어의 주체인 '철수'를 높이지 않았으므로 [-주체], 서술어의 대상인 '선생님'을 높였으므로 [+객체], 그리고 아버지가 말하는 상대인 '철수'에게 '해체'를 사용하였으므로 [-상대]로 표시할 수 있다.

11 ② [모의평가 기출]

㉡에서 '경준'이 높이고 있는 대상은 '선생님'이다. 따라서 '말씀'은 선생님을 높이기 위한 것이므로 '있었니'가 아니라 높임 표현을 사용한 '있으셨니'가 맞는 표현이다.

✖오답 풀이

① ㉠에서 서술어 '준비하다'의 주체는 '경준'이므로 영희는 주체 높임의 선어말 어미 '-시-'를 사용할 필요가 없다.

③ ㉢은 서술의 객체인 '선생님'을 높이기 위해 특수 어휘인 '여쭈다'를 사용해야 한다. 즉, '여쭤서'로 바꿔 말해야 한다.

④ ㉣은 '선생님'을 가리키므로 높임의 의미를 가진 '당신'으로 바꿔야 한다.

⑤ ㉤의 주체는 '선생님'이므로 높임의 표현인 '말씀하셨잖아'로 바꿔야 한다.

12 ④

(나)의 ㉣은 특수 어휘 '뵈었을(뵙다)'을 사용하여 서술어의 객체인 '할아버지'를 높이고 있다.

✖오답 풀이

① ㉠은 '하게체', ㉡은 '하십시오체'를 사용하는 것으로 보아, ㉠이 ㉡보다 윗사람임을 알 수 있다.

② ㉠은 '하게, 만나세' 등의 '하게체'를, ㉡은 '하십시오체'를 사용하고 있다. '하십시오체, 하오체, 하게체, 해라체'는 모두 격식체이며, '해요체, 해체'가 비격식체이다.

③ 주격 조사 '께서'와 선어말 어미 '-(으)시-', 특수 어휘 '편찮다'를 사용하여 주체인 '할아버지'를 직접적으로 높이고 있다.

⑤ '귀도 밝으시고'는 할아버지의 신체의 일부분인 '귀'를 높여서 서술의 주체인 '할아버지'를 간접적으로 높이는 표현이다.

13 ⑤

㉤'여쭤 보세요'에서 '보세요'는 주체 높임의 선어말 어미 '-시-'와 상대 높임의 '해요체' 종결 어미인 '-요'를 사용하여 '손님'을 높인 표현이다. 그런데 '여쭈다'는 '웃어른에게 말씀을 올리다.'라는 의미로, 질문을 받는 객체인 '점원'을 높이는 표현이다. 이처럼 점원이 스스로를 높이는 것은 잘못된 높임 표현이다. 이 경우에는 '물어 보세요'라고 해야 한다.

✖오답 풀이

① ㉠은 '보여 주다' 대신 '보여 드리다'를 사용하여 서술의 객체인 '손님'을 높이고 있다.

② ㉠은 '해요체'로 친근한 느낌의 비격식체인 반면, ㉡은 '하십시오체'로 격식체의 상대 높임 표현이다.

③ ㉢에서는 '해요체'의 상대 높임법과 주체 높임 선어말 어미 '-시-'를 사용한 주체 높임법이 나타나고 있다. 그러나 이때 주체 높임을 사용하게 되면 주어인 '모자는'을 높이는 결과가 되므로, '사이즈예요'라고 해야 맞는 표현이다.

④ ㉣은 주어인 '머리가'를 높이기 위한 주체 높임의 표현이며, 상

대 높임의 '해요체'가 사용된 표현이다. 이때 주어인 '머리가'는 높이고자 하는 대상인 '손님'의 신체 일부이므로 ㉣은 간접 높임이 사용된 것이다.

14 ⑤ [고1 전국연합 기출]

'태풍에 건물이 흔들리다.'는 주체인 '건물이 '태풍'에 의해 흔들리는 동작을 당하는 것을 나타낸 피동 표현이다.

✖오답 풀이

①, ④ '당기다'와 '놀리다'는 능동 표현이다.
②, ③ '감기다'와 '먹이다'는 사동 표현이다.

15 ③ [고3 전국연합 기출]

㉡의 능동문은 '두 학생이 각각 참새 네 마리를 잡았다.'와 '두 학생이 합쳐서 참새 네 마리를 잡았다.'의 두 가지 의미로 해석될 수 있지만, 피동문은 '두 학생이 합쳐서 참새 네 마리를 잡았다.'의 의미로만 해석된다. 그리고 ㉢은 능동문과 피동문 모두 한 가지 의미로만 해석된다.

✖오답 풀이

① ㉠의 능동문에서는 주어인 '눈이'의 동작성이 상대적으로 잘 드러나지만, 피동문에서는 '세상이'가 주어가 되어 동작성이 잘 드러나지 않는다.
② ㉠과 ㉡은 모두 능동문의 주어인 '눈이'와 '학생이'가 피동문에서는 부사어인 '눈에'와 '학생에게'로 나타난다.
④ ㉢의 능동문의 서술어 '날다'는 목적어를 필요로 하지 않는 자동사인데, 피동문을 보면 피동 접미사 '-리-'와 결합하여 피동사가 되었다.
⑤ ㉣의 피동문을 능동문으로 바꾸면 '(누군가가) 오늘 날씨를 갑자기 풀었다.'와 같이 어색한 문장이 된다. 날씨가 바뀌는 현상은 인위적인 행동의 영역 밖에 있는 것이므로, 이런 경우에는 대응하는 능동문을 상정할 수 없다.

16 ②

ㄱ의 '읽힌다'에는 피동 접사 '-히-'가, ㄹ의 '들려 있었다'에는 피동 접사 '-리-'가 결합되어 있으므로 이 둘은 모두 파생적 피동에 해당한다.

✖오답 풀이

ㄴ의 '만들어졌다'는 '만들다'에 '-어지다'가 붙어 피동 표현이 된 것이므로 통사적 피동에 해당한다. ㄷ의 '당하다'는 단어 자체가 피동의 의미를 갖고 있으므로 어휘적 피동에 해당한다.

17 ② [고2 전국연합 기출]

ㄱ을 능동문으로 바꾸려면, 피동문의 부사어 '폭풍에'를 주어 '폭풍이'로 바꾸어 '폭풍이 마을을 휩쓸다.'로 만들어야 한다.

✖오답 풀이

① ㄱ의 '휩쓸리다'는 '휩쓸다'의 어근에 피동 접사 '-리-'가 붙은 것이다.
③ ㄴ을 능동문으로 바꾸면, 행위의 주체가 '경찰'이 되어 '경찰이 도둑을 잡다.'가 된다.
④ '잡혀지다'는 '잡-+-히-+-어지다'의 구성으로 지나친 피동 표현이다.
⑤ ㄷ의 '풀리다'를 '풀다'의 어간에 '-어지다'를 붙인 '풀어지다'로 바꾸어도 피동문이 된다.

18 ④

'그 소문은 사람들에게 금방 잊혀졌다.'에서 '잊혀지다'는 '잊다'의 피동사 '잊히다'에 '-어지다'를 중복으로 사용한 이중 피동이므로 문법적으로 적절하지 않다.

✖오답 풀이

① ㄷ의 '오늘은 갑자기 날씨가 풀렸다.'는 날씨를 푸는 주체가 없으므로 능동문이 성립하지 않는다.
② ㄹ의 '얼마 전 신종 사기 수법에 당했다.'의 '당하다'와 '그는 여전히 국민의 존경을 받는다.'의 '받다'는 어휘 자체가 피동의 의미를 갖는다.
③ ㄱ의 '잡히다'는 '잡다'에 피동 접미사 '-히-'가 결합한 피동 표현이고, ㄴ의 '깨지다', '밝혀지다'는 '깨다', '밝히다'에 '-어지다'를 결합한 피동 표현이다.
⑤ ㄱ의 능동문 '경찰이 도둑을 잡았다.'는 피동문으로 바뀔 때 주어는 부사어로, 목적어는 주어로 바뀌어 '도둑이 경찰에게 잡혔다.'가 된다.

19 ⑤

'씌여'는 이중 피동 표현이므로 '쓰여' 또는 '씌어'로 고쳐 쓰는 것이 적절하다.

✖오답 풀이

① '생각하다'와 같은 인지 동사는 화자가 주체인 문장에서 '-되다'가 아니라 '-하다'로 써야 하므로 '생각된다'는 '생각한다'로 고쳐 써야 한다.
②, ④ '-시키다'는 '-게 하다'의 의미이므로, 사동 표현인 '소개시켜'와 '교육시키는'은 주동 표현인 '소개해'와 '교육하는'으로 고쳐 써야 한다.
③ 자기 순서나 자리가 아닌 틈 사이를 비집고 들어서는 것은 '끼어들다'가 맞는 표현이다.

20 ④ [고2 전국연합 기출]

'되었다'는 '어떤 때나 시기, 상태에 이르다.'라는 의미이므로 피동의 의미를 띠고 있지 않다.

✖오답 풀이

① '들렸다'는 타동사의 어근 '듣-'에 피동 접미사 '-리-'가 붙어서 이루어진 파생적 피동이다.
② '보였다'는 타동사의 어근 '보-'에 피동 접미사 '-이-'가 붙어서 이루어진 파생적 피동이다.
③ '만들어졌다'는 타동사의 어근 '만들-'에 '-어지다'가 붙어서 이루어진 통사적 피동이다.
⑤ '당했다'는 어휘 자체가 피동의 의미를 띠고 있는 어휘적 피동이다.

21 ① [고1 전국연합 기출]

①은 생략된 주어가 다른 주체인 '동생'에 의해 사탕을 빼앗기는 동작을 당하고 있으므로 피동 표현의 예로 적절하다.

✖오답 풀이

②, ③ 능동 표현이다.

④, ⑤ '숙이다'와 '굽히다'는 '숙다'와 '굽다'에 사동 접미사가 결합된 것으로, 사동 표현에 해당한다.

22 ② [고2 전국연합 기출]

능동문인 ⓒ의 목적어는 '그림을'인데, 이는 피동문 ⓒ에서 주어 '그림이'가 되었다. 따라서 ②의 설명은 적절하지 않다.

✖오답 풀이

① 능동문 ㉠의 주어는 '언니가'인데, 이는 피동문 ⓐ에서 부사어 '언니에게'가 되었다.

③ 주동문 ⓒ이 사동문 ⓓ로 바뀔 때 '형이'라는 새로운 주어가 나타났다.

④ 피동문 ⓐ의 피동사 '안겼다'와 사동문 ⓑ의 사동사 '안겼다'의 형태가 같게 나타난다.

⑤ 사동문 ⓑ의 '안겼다'는 사동 접미사 '-기-', 사동문 ⓓ의 '보게 했다'는 '-게 하다'를 활용하여 만들어졌다.

23 ④

'일찍'은 시간을 나타내는 부사이지만, ㉠의 '일찍'은 사건시와 발화시를 구분하는 기능을 하지 않는다. 예를 들어 '밥을 일찍 먹었다.'는 '일찍'이 사용되었지만 과거 시제이다. 즉, '일찍'이라는 말로 시제가 명확해지는 것은 아니기 때문에 ④는 잘못된 탐구 결과이다.

✖오답 풀이

① ㉠은 밥을 먹는 사건시와 말을 하는 발화시가 일치하는 현재 시제의 문장이다.

② ㉡은 봉사를 하는 사건시가 발화시보다 나중인 미래 시제의 문장이다.

③ ㉢은 영희를 본 사건시가 발화시보다 앞서는 과거 시제의 문장이다.

⑤ ㉢과 ㉣을 보니 과거 시제 선어말 어미 '-았-/-었-'을 사용하는 것보다 '-았었-/-었었-'을 사용했을 때, 사건이 발화시보다 훨씬 전에 발생하여 현재와는 강하게 단절되었음을 드러낼 수 있다.

24 ④ [수능 기출]

'소풍날'이라는 과거에 '날씨'라는 상태가 나빴음을 나타내고 있기 때문에, ④의 '나빴어'의 '-았-'은 '과거에 일어난 사건의 결과 상태가 현재까지 지속되고 있음(ⓑ)'을 나타내는 것이 아니라, '사건이나 상태가 과거의 것임(ⓐ)'을 나타내고 있다.

✖오답 풀이

① 과거인 '어제' 한 일에 대해 '하루 종일 텔레비전만 보았어.'라고 대답하고 있으므로, '보았어'의 '-았-'은 ⓐ의 예이다.

② 과거인 '아까' 집에 없던 이유에 대해 '할머니 생신 선물 사러 갔어.'라고 대답하고 있으므로, '갔어'의 '-았-'은 ⓐ의 예이다.

③ 감기에 걸려 목이 잠긴 상태가 과거의 일이 아니라 현재까지 지속되고 있음을 나타내므로, '잠겼어'의 '-었-'은 ⓑ의 예이다.

⑤ 앞으로 잠을 자지 못할 것이라는 미래의 일을 확정적인 사실로 받아들이고 있으므로, '잤어'의 '-았-'은 ⓒ의 예이다.

25 ①

ⓐ에서 철수가 탁구를 치는 행위가 일어난 시점(사건시)과 이 행위에 대해 발화하고 있는 시점(발화시)은 '지금'으로 동일하다. 따라서 ⓐ는 '절대 시제로서의 현재'에 해당한다. 반면 ⓑ에서 '듣고 있으니'의 시제는 '즐거웠다'를 통해 절대 시제로 보면 과거가 분명하지만, 즐거웠던 과거의 시점에서 상대 시제로 바라보면 '듣고 있으니'는 현재 시제가 된다. 이와 마찬가지로 ⓒ의 경우도 '하시는'의 시제는 '보았다'를 통해 절대 시제로 보면 과거임을 알 수 있지만, 어머니를 본 과거의 시점에서 상대 시제로 바라보면 '하시는'은 현재 시제이다. 따라서 ㉠에 해당하는 예는 ⓐ이고, ㉡에 해당하는 예는 ⓑ와 ⓒ이다.

26 ④ [수능 기출]

④는 A의 말을 통해 '안경을 잃어버린 상황'이라는 문맥이 제시되어 있다. 그러나 이러한 문맥이 주어지지 않더라도 B의 '안경 벗고 있어도 괜찮아.'가 안경을 쓰지 않은 상태로 있어도 괜찮음을 의미한다는 것을 알 수 있다. 즉, 안경을 벗은 상태가 지속되고 있음을 나타내고 있으므로 ⓒ가 아니라 ⓑ의 예에 해당한다.

✖오답 풀이

① '양치질을 하고 있었어요.'의 '-고 있-'은 '양치질을 하는 중이었어요.'로 교체해도 그 의미가 유지되므로 ⓐ의 예에 해당한다.

② '오빠는 지금 날 오해하고 있는 것 같아.'는 오빠가 나를 오해하는 상태가 과거부터 지금까지 지속되고 있다는 의미이므로 ⓑ의 예에 해당한다.

③ '이미 알고 있어.'는 내일이 고모님 생신임을 이전부터 알고 있었음을 의미하므로 ⓑ의 예에 해당한다.

⑤ '넥타이를 매고 있네.'는 문맥상 신입 사원이 넥타이를 매는 동작을 진행하고 있음(ⓐ)을 의미하기도 하고, 신입 사원이 현재 넥타이를 맨 상태로 있음(ⓑ)을 의미하기도 한다. 즉, 두 가지 의미 모두로 해석될 수 있으므로 ⓒ의 예에 해당한다.

27 ① [모의평가 기출]

㉠의 '거기에는 눈이 왔겠다.'는 과거 시제이고, '지금 거기에는 눈이 오겠지.'는 현재 시제이다. 따라서 ㉠의 '-겠-'은 미래의 사건이 아니라 과거나 현재의 사건을 추측하는 데에 쓰이고 있음을 알 수 있다.

✖오답 풀이

② ㉡의 '막차를 놓쳤으니 나는 집에 다 갔다.'에서 선어말 어미 '-았-'은 과거 시제를 나타내는 것이 아니라 미래의 일을 확정적인 사실로 받아들임을 나타낸다.

③ ㉢의 '내가 떠날 때 비가 왔다.'는 과거 시제이다. 따라서 관형

사형 어미 '-ㄹ'이 항상 미래의 사건을 나타낸다고 보기 어렵다.
④ ㉣의 '그는 내년에 진학한다고 한다.'에서 현재 시제 선어말 어미 '-ㄴ-'이 사용되었지만 이것은 미래의 사건을 나타낸다.
⑤ ㉤의 '오늘 보니 그는 키가 작다.'에 쓰인 형용사 '작다'는 '오늘'과 함께 쓰여 현재 시제를 나타내는데, 이때 시제 선어말 어미는 나타나지 않는다.

28 ④ [고2 전국연합 기출]
〈보기〉의 엄마와 아들의 대화 내용 중, 형이 동생(아들)에게 전화를 해서 영화가 곧 시작되겠다고 말했다는 내용이 있다. 이는 미래 시제에 해당하므로 형이 동생에게 말한 시점(c)에는 영화가 시작되지 않았음을 알 수 있다. 또한 엄마가 '영화를 봤겠지?'라고 한 것은 과거 사실에 대한 추측이므로 엄마와 아들(동생)이 대화를 나누는 시점(d)은 영화가 시작된 이후이다. 따라서 영화가 시작된 시각은 (c)와 (d) 사이에 해당한다.

29 ① [모의평가 기출]
제시된 첫 문장에서 아들이 '어제' 자신에게 '내일' 사무실에 있으라고 말한 것이므로, 아들이 말한 어제 시점에서의 '내일'은 '오늘'이다. 그리고 아들이 사무실에 '계십시오'라고 했지만, 이를 간접 인용으로 말할 때에는 자신을 높이지 않으므로 어간 '있-'에 간접 인용절에 쓰여 명령의 뜻을 나타내는 종결 어미 '-으라'와 인용을 나타내는 격 조사 '고'가 결합한 '-으라고'를 붙여 '있으라고'로 바꿔 말해야 한다. 따라서 ⓐ에는 '오늘', ⓑ에는 '있으라고'가 들어가야 한다. 한편 두 번째 문장에서 언니가 말한 휴대 전화는 언니 자신의 휴대 전화이므로 간접 인용에서는 재귀 대명사를 사용해 '자기의'로 바꿔야 한다. 그리고 직접 인용의 명령형인 '남겨라'는 간접 인용으로 바꾸면 어간인 '남기-'에 간접 인용절에 쓰여 명령의 뜻을 나타내는 종결 어미 '-으라'와 인용을 나타내는 격 조사 '고'가 결합한 '-으라고'를 붙여서 '남기라고'가 된다. 따라서 ⓒ에는 '자기의', ⓓ에는 '남기라고'가 들어가야 한다.

04 국어의 변화

개념 확인 문제 p. 166~167

1 (1) ○ (2) ○ (3) × 2 ④ 3 (1) 말쓰미 (2) 모미 (3) 따르미니라 4 ③
5 (1) ㉠ (2) ㉡ (3) ㉡ (4) ㉠ (5) ㉢ 6 ⑤ 7 ② 8 ③

2 ①은 두음 법칙이 적용되지 않았음을, ②는 어두 자음군이 사용되었음을, ③은 구개음화가 일어나지 않았음을, ⑤는 원순 모음화가 일어나지 않았음을 보여 주는 예이다.

4 ':말'은 점이 두 개 있으므로 소리가 낮았다가 높아지는 상성이다. / ① '나'와 '쏘'는 점이 없으므로 낮은 소리인 평성이다. ② '·랏'은 점이 하나 있지만 받침이 'ㅅ'이므로 빨리 끝을 닫는 소리인 입성이다. ④ '·미'는 점이 하나 있으므로 높은 소리인 거성이다. ⑤ '·랏'은 입성이고, '·미'는 거성이므로 서로 다른 성조의 소리이다.

5 (1) '다리'는 사람이나 동물의 신체 부분에서 '안경다리'처럼 무생물에도 쓰이게 되었으므로 의미 확대에 해당한다.
(2) '계집'은 일반적인 여성을 가리키는 말에서 여자나 아내를 낮잡아 이르는 말이 되었으므로 의미 축소에 해당한다.
(3) '짐승'은 사람과 동물 모두를 가리키는 말에서 인간을 제외한 동물만을 가리키게 되었으므로 의미 축소에 해당한다.
(4) '세수'는 손을 씻는 것에서 손이나 얼굴을 씻는 것까지 의미하게 되었으므로 의미 확대에 해당한다.
(5) '감투'는 벼슬아치가 머리에 쓰는 모자에서 벼슬을 의미하게 되었으므로 의미 이동에 해당한다.

6 '슈룹'은 '우산'의 고유어이고, '수풀'은 한자어가 아니라 고유어이다.

7 중세 국어 시기에는 고유어와 한자어의 경쟁이 계속되었고, 이전 시기에 비해 한자어의 쓰임이 증가하였다.

8 현대어 '뿌리가'에 해당하는 '불휘'를 통해 주격 조사 '가'가 쓰이지 않았음을 알 수 있다.

p. 168~173

1 ② 2 ⑤ 3 ⑤ 4 ⑤ 5 ① 6 ⑤ 7 ⑤ 8 ② 9 ⑤
10 ③ 11 ⑤ 12 ④ 13 ② 14 ⑤ 15 ③ 16 ② 17 ①
18 ③ 19 ⑤ 20 ② 21 ②

1 ② [고2 전국연합 기출]
'아·니:뮐·쎄'에서 '아'는 점이 없으므로 낮은 소리, '·니'와 '·쎄'는 점이 한 개이므로 높은 소리, ':뮐'은 점이 두 개이므로 처음은 낮고 나중이 높은 소리이다. 따라서 이를 바탕으로 소리의 높낮이를 표시하면 ②와 같다.

2 ⑤ [예비 시행 기출]
단어의 의미 변화 유형에는 의미 축소, 의미 확대, 의미 이동이 있다. ㉤의 '어엿브다'는 '가엾다'에서 '예쁘다'로 그 의미가 변하였으므로 의미 이동에 해당한다.

✖오답 풀이
① ㉠의 '말씀'은 '말'에서 '남의 말을 높여 이르거나 자기 말을 낮추어 이르는 말'로 그 의미가 축소되었다.
② ㉡의 '어리다'는 '어리석다'에서 '나이가 적다'로 그 의미가 변하였으므로 의미 이동에 해당한다.

③ ㉢의 '놈'은 '사람(사람 전체)'에서 '남자를 낮잡아 이르는 말'로 그 의미가 축소되었다.
④ ㉣의 '하다'는 '많다'에서 '사람이나 동물, 물체 따위가 행동이나 작용을 이루다'로 그 의미가 변하였으므로 의미 이동에 해당한다.

3 ⑤ [고2 전국연합 기출]

ㄱ의 'ᄠᅳ들, 노미'와 ㄴ의 '기픈, ᄇᆞᄅᆞ매'를 소리 나는 대로 적지 않고 형태를 밝혀 적었다면, 'ᄠᅳᆮ을, 놈이', '깊은, ᄇᆞᄅᆞᆷ애'가 되어야 한다. 그러나 중세 국어에서는 형태를 밝히지 않고 받침을 뒷말의 첫소리로 옮겨 소리 나는 대로 적었다.

✖오답 풀이

① ㄱ의 '어린'과 '하니라'는 현대 국어의 '어리석은'과 '많다', ㄴ의 '여름'과 '하ᄂᆞ니'는 현대 국어의 '열매'와 '많으니'에 해당한다. 이를 통해 중세 국어에 사용된 어휘의 의미가 오늘날과 다르다는 것을 알 수 있다.
② ㄱ의 '젼ᄎᆞ'는 현대 국어의 '까닭', ㄴ의 '뮐ᄊᆡ'는 현대 국어의 '흔들리므로'에 해당한다. 이를 통해 중세 국어에는 오늘날 쓰이지 않는 어휘가 사용되었다는 것을 알 수 있다.
③ ㄱ의 'ㆆ'이나 ㄴ의 'ㆍ' 등을 통해 중세 국어에는 오늘날 소실된 음운들이 사용되었다는 것을 알 수 있다.
④ ㄱ의 '배'는 현대 국어의 '바가', ㄴ의 '불휘'는 현대 국어의 '뿌리가'에 해당한다. 이를 통해 중세 국어에는 오늘날과 달리 주격 조사 '가'가 사용되지 않았다는 것을 알 수 있다. '배(바+ㅣ)'에는 주격 조사 'ㅣ'가 사용되었고, '불휘'에는 주격 조사가 생략되었다.

4 ⑤ [고3 전국연합 기출]

㉤'이롤'은 자음으로 끝나는 체언이 아니라 모음으로 끝나는 체언 '이'에 목적격 조사 '롤'이 결합한 것이다.

✖오답 풀이

① ㉠'나랏'은 현대 국어의 '우리나라의'에 대응된다. 이때 'ㅅ'은 뒤에 오는 체언 '말쏨'을 꾸며 주는 관형격 조사이다.
② ㉡'니르고져'는 현대 국어의 '말하고자'에 대응된다. 이때 '-고져'와 '-고자'는 어떤 행동을 할 의도나 욕망을 가지고 있음을 나타내는 연결 어미이다.
③ ㉢'배'는 모음으로 끝나는 체언 '바'에 주격 조사 'ㅣ'가 결합한 것이다.
④ ㉣'펴디'는 현대 국어의 '펴지'에 대응된다. 현대 국어의 '펴지'에서는 'ㄷ'이 모음 'ㅣ' 앞에서 'ㅈ'으로 변하는 구개음화가 확인되지만, 중세 국어의 '펴디'에서는 구개음화가 확인되지 않는다.

5 ①

'니르고져'를 통해 15세기 중세 국어에서는 두음 법칙이 적용되지 않았음을 알 수 있다.

6 ⑤

'훈민정음'은 한자가 어려워 사용하지 못하는 백성들의 편리한 언어생활을 위해 창제되었다.

7 ⑤

거성은 글자의 왼쪽에 점을 하나 찍어 표시하며 높은 소리로 발음한다.

✖오답 풀이

①, ② 현대 국어에서 장음으로 발음되는 것은 상성이다 '나'와 'ᄊᆞ'는 왼쪽에 점이 없는 것으로 보아 평성이며, 낮은 소리로 발음한다.
③ 점의 개수와 상관없이 '·랏'은 ㅅ 받침으로 끝나고 있으므로 끝을 빨리 닫는 입성으로 발음해야 한다.
④ ':말'은 상성으로, 낮다가 높아지는 소리로 발음한다.

8 ② [고2 전국연합 기출]

㉡'하ᄂᆞᆯ을'은 양성 모음 'ㅏ', 'ㆍ'와 음성 모음 'ㅡ'가 어울리고 있으므로 모음 조화가 지켜지지 않은 경우이다.

9 ⑤ [모의평가 기출]

(가)는 순경음에 대한 설명으로, 순음 'ㅁ, ㅂ, ㅃ, ㅍ' 아래에 'ㅇ'을 이어 쓰면 순경음 'ㅱ, ㅸ, ㅹ, ㆄ'이 된다는 의미이다. 따라서 (가)의 사례로 적절한 것은 ㉢'수ᄫᅵ'이다. (나)는 초성 글자를 나란히 쓰는 초성 합용 병서에 대한 설명으로, 초성 글자를 합하여 'ㅺ, ㅼ, ㅽ / ㅳ, ㅄ, ㅶ / ㅴ, ㅵ' 등으로 이어 쓸 수 있다는 의미이다. 따라서 (나)의 사례로 적절한 것은 ㉣'ᄯᆞᄅᆞ미니라'이다.

10 ③ [수능 기출]

(가)의 ㉢에서는 종성에서 'ㄷ'과 'ㅅ'이 다르게 발음되었다고 하였다. 따라서 ':어엿·비'에서 둘째 음절의 종성 'ㅅ'이 'ㄷ'으로 발음되었다는 설명은 적절하지 않다.

✖오답 풀이

① (나)의 ':수·ᄫᅵ'에는 오늘날에는 사용하지 않는 자음 'ㅸ'이 들어 있다. 이것은 (가)의 ㉠을 통해서도 확인할 수 있는 내용이다.
② (가)의 ㉡을 통해, 15세기에는 '·ᄠᅳ·들'의 'ㅳ'에서 'ㅂ'과 'ㄷ' 두 자음이 모두 발음되었음을 알 수 있다.
④ (가)의 ㉣에서는 성조를 방점으로 구분하였다고 했는데, ':ᄒᆡ·ᅇᅧ'의 ':ᄒᆡ'에는 방점이 두 개, '·ᅇᅧ'에는 방점이 하나 사용된 것으로 보아 두 음절의 성조가 서로 달랐음을 추측할 수 있다.
⑤ '·ᄡᅮ·메'는 'ᄡᅳ-(어간)+-움-(명사형 어미)+에(부사격 조사)'가 결합한 말인 'ᄡᅮᆷ에'를 소리 나는 대로 이어 적은 것이다.

11 ⑤ [고3 전국연합 기출]

15세기 국어에서 용언 어간 'ᄀᆞ득ᄒᆞ-'의 끝음절 모음은 양성 모음이고, 양성 모음으로 시작하는 어미 '-야'가 결합하고 있으므로 모음 조화가 지켜진 것이다. 반면 현대 국어에서 용언 어간 '가득하-'의 끝음절 모음은 양성 모음인데 음성 모음으로 시작하는 어미 '-여'가 결합하고 있으므로 모음 조화가 지켜지지 않았다. 따라서 ⑤는 ㉠과 ㉡을 모두 확인할 수 있는 예로 적절하지 않다.

✖오답 풀이

① 15세기 국어와 현대 국어에서 용언 어간 '알-'의 모음은 양성

모음이고, 양성 모음으로 시작하는 어미 '-아'가 결합하고 있으므로 모두 모음 조화가 지켜졌다. 15세기 국어의 활용형 '아라'는 '알아'를 연철 표기한 것이다.

② 15세기 국어와 현대 국어에서 용언 어간 '먹-'의 모음은 음성 모음이고, 음성 모음으로 시작하는 어미 '-어'가 결합하고 있으므로 모두 모음 조화가 지켜졌다. 15세기 국어의 활용형 '머거'는 '먹어'를 연철 표기한 것이다.

③ 15세기 국어에서 용언 어간 'ᄭᆡ오-'의 끝음절 모음은 양성 모음이고, 양성 모음으로 시작하는 어미 '-아'가 결합하고 있으므로 모음 조화가 지켜졌다. 현대 국어에서도 용언 어간 '깨우-'의 끝음절 모음은 음성 모음이고, 음성 모음으로 시작하는 어미 '-어'가 결합하고 있으므로 모음 조화가 지켜졌다.

④ 15세기 국어에서 용언 어간 '쓰-'의 모음은 음성 모음이고, 음성 모음으로 시작하는 어미 '-어'가 결합하고 있으므로 모음 조화가 지켜졌다. 현대 국어에서도 용언 어간 '쓰-'의 모음은 음성 모음이고, 음성 모음으로 시작하는 어미 '-어'가 결합하고 있으므로 모음 조화가 지켜졌다.

12 ④ [고3 전국연합 기출]

첫 문단에서 15세기에 모음 조화가 비교적 잘 지켜지기는 했지만, 조사 '와/과'는 모음 조화가 적용되지 않았다고 하였다. 따라서 조사 '와/과'는 15세기부터 모음 조화가 적용되지 않았으므로, (나)의 '초와'와 '파과'를 통해 17세기 모음 조화의 혼란을 확인할 수 있다고 이해하는 것은 적절하지 않다.

✖오답 풀이

① (가)의 '겨슬'은 음성 모음 'ㅕ'와 'ㅡ'가 어울리고, 'ᄒᆞᄅᆞ'는 양성 모음 'ㆍ'끼리 어울리고 있다.

② (가)의 '오ᄉᆞᆯ(옷+ᄋᆞᆯ)'은 체언의 모음이 양성 모음이므로 양성 모음으로 시작하는 목적격 조사 'ᄋᆞᆯ'이 결합하였다. 그리고 '쥭을(쥭+을)'은 체언의 모음이 음성 모음이므로 음성 모음으로 시작하는 조사 '을'이 결합하였다.

③ (가)의 'ᄒᆞ더라'는 음성 모음을 가진 '-더-'가 양성 모음을 가진 용언 어간 'ᄒᆞ-' 뒤에 결합되었다. 이를 통해 용언 어간에 '-더-'가 결합할 때에는 모음 조화가 적용되지 않았음을 알 수 있다.

⑤ 15세기 자료인 (가)의 'ᄂᆞᄆᆞᆯ'은 둘째 음절에 'ㆍ'가 사용되었지만, 17세기 자료인 (나)의 'ᄂᆞ믈'은 둘째 음절의 'ㆍ'가 'ㅡ'로 변하였다.

13 ② [고3 전국연합 기출]

ㄱ의 'ᄆᆞᅀᆞᆯ'과 'ᄀᆞᅀᆞᆯ'은 모두 첫째 음절의 'ㆍ'는 'ㅏ'로, 둘째 음절의 'ㆍ'는 'ㅡ'로 바뀌었다. 따라서 'ㆍ'가 현대 국어에서 첫째 음절과 둘째 음절에서 변화된 음운의 모습이 같았다는 설명은 적절하지 않다.

✖오답 풀이

① ㄱ의 'ᄆᆞᅀᆞᆯ'과 'ᄀᆞᅀᆞᆯ'의 'ㅿ'은 모두 소멸되어 현대 국어에서는 사용되지 않는다.

③ ㄴ의 '덥다'의 어간이 모음으로 시작하는 어미 '-어'와 결합하여 '더버'로 바뀐 것으로 보아, '덥다'의 'ㅂ'이 모음으로 시작하는 어미와 결합하여 'ㅸ'으로 바뀌는 것을 알 수 있다.

④ 'ㅸ'에 양성 모음 'ㅏ'가 결합한 '고ᄫᅡ'는 현대 국어에서 '고와'로 변했고, 'ㅸ'에 음성 모음 'ㅓ'가 결합한 '구ᄫᅥ'는 현대 국어에서 '구워'로 변했다. 그러므로 'ㅸ'에 결합되는 어미의 모음에 따라 현대 국어에서의 표기가 달라짐을 알 수 있다.

⑤ 'ᄆᆞᅀᆞᆯ', 'ᄀᆞᅀᆞᆯ'은 현대 국어에서 각각 '마을', '가을'로 바뀌고 '고ᄫᅡ', '구ᄫᅥ'는 현대 국어에서 각각 '고와', '구워'로 바뀐 것을 볼 때, 'ㅿ'과 'ㅸ'은 현대 국어에서 더 이상 표기되지 않게 되었음을 알 수 있다.

14 ⑤ [고2 전국연합 기출]

'져비'는 현대 국어의 '제비'에 해당하는 단어로, 현대 국어와 형태는 다르지만 의미는 동일하다.

✖오답 풀이

① 현대 국어의 '맑은 강'을 'ᄆᆞᆯ·ᄀᆞᆫᄀᆞ·ᄅᆞᆷ'으로 표기한 것은 띄어쓰기를 하지 않은 것이다.

② 'ᄆᆞᅀᆞᆯ'은 현대 국어에서 사용하지 않는 자음 'ㅿ(반치음)'과 모음 'ㆍ(아래아)'를 사용하였다.

③ '아나'는 '안아'를 소리 나는 대로 적은 표기이다.

④ ':긴녀·름'은 글자 왼쪽에 방점을 찍어 성조를 표시하였다.

15 ③ [고2 전국연합 기출]

중세 국어에서 동사의 경우 과거 시제는 아무런 선어말 어미를 쓰지 않고 표현한다고 하였다. 따라서 ㄷ의 '주그니라'는 시제 관련 선어말 어미가 사용되지 않았으므로 현재 시제가 아니라 과거 시제이다.

✖오답 풀이

① 과거 시제 선어말 어미 '-더-'는 주어가 화자 자신일 때 사용되는 선어말 어미 '-오-'와 결합하여 '-다-'의 형태로 나타나기도 하였다고 했다. 따라서 '롱담ᄒᆞ다라'는 '-다-'의 형태가 나타나 있으므로 과거 시제이다.

16 ② [고2 전국연합 기출]

'거시라'는 현대어 '것이므로'에 대응되므로 이때의 '-라'는 종결 어미가 아니라 종속적 연결 어미로 사용된 것이다.

✖오답 풀이

① 'ᄃᆞ려'는 '에게'의 의미를 지닌 부사격 조사이며, 이는 현대 국어에는 사용하지 않는 형태의 조사이다.

③ '샹히오디'에는 '-게 하다'의 의미를 지니는 사동 표현이 나타나고 있다.

④ '몸을'은 양성 모음 'ㅗ'와 음성 모음 'ㅡ'가 어울리고 있으므로 모음 조화가 지켜지지 않고 있다.

⑤ '홈이'는 '호미'로 이어 적지 않고 현대 국어에서와 같이 끊어 적기 표기법이 사용되었다.

17 ① [고2 전국연합 기출]

중세 국어에서 '돕다'는 객체 높임 선어말 어미 '-ᅀᆞᆸ-'을 사용하여 객체 높임을 표현할 수 있지만, 현대 국어에서는 해당하는 특

수 어휘가 없어 객체 높임을 표현할 수 없다. 또한 '도우시니'는 주체 높임 선어말 어미 '-시-'를 사용하여 주체를 높이는 표현이지, 객체를 높이는 표현이 아니다.

18 ③ [수능 기출]

㉢'거르믈'은 현대 국어의 '걸음을'에 해당한다. 즉, 현대 국어에서는 어근의 원형을 밝혀 적었지만, 중세 국어에서는 어근의 원형을 밝히지 않고 소리 나는 대로 적은 것이다.

✖오답 풀이

① ㉠'부텻'은 현대 국어의 '부처의'에 해당한다. 따라서 현대 국어에서는 관형격 조사로 '의'가 쓰였지만, 중세 국어에서는 관형격 조사로 'ㅅ'이 쓰였음을 알 수 있다.

② ㉡'듣ᄌᆞᄫᅩᄃᆡ'는 현대 국어의 '듣되'에 해당한다. 이를 통해 중세 국어에서는 객체인 '부처'를 높이기 위해 현대 국어에는 쓰이지 않는 객체 높임 선어말 어미 '-ᄌᆞᇦ-'이 사용되었음을 알 수 있다.

④ ㉣'니ᄅᆞ샤ᄃᆡ'는 현대 국어의 '이르시되'에 해당한다. 따라서 현대 국어에서는 주체 높임 선어말 어미 '-시-'가, 중세 국어에서는 주체 높임 선어말 어미 '-샤-'가 쓰였음을 알 수 있다.

⑤ ㉤'배'는 현대 국어의 '바가'에 해당한다. 따라서 현대 국어에서는 모음으로 끝나는 체언에 주격 조사 '가'가 결합했지만, 중세 국어에서는 모음으로 끝나는 체언에 주격 조사 'ㅣ'가 결합했음을 알 수 있다.

19 ⑤ [고2 전국연합 기출]

㉤'묻ᄌᆞᆸ고'에는 객체 높임 선어말 어미 '-ᄌᆞᆸ-'이 사용되었을 뿐, 특수 어휘가 사용된 것은 아니다. 그리고 현대 국어의 '여쭙고'는 객체를 높이는 특수 어휘이지, 청자를 높이는 어휘가 아니다.

✖오답 풀이

① ㉠은 '효도ᄒᆞ-+-옴'으로 분석되는데, 이때 현대 국어의 명사형 어미 '-(으)ㅁ'과는 다른 형태의 '-옴'이 사용되었다.

② ㉡은 현대 국어에서는 사용되지 않는 어두 자음군 'ㅳ'이 사용되었다.

③ ㉢은 '聖孫(성손)+ᄋᆞᆯ'로 분석되는데, 이때 'ᄋᆞᆯ'은 현대 국어의 목적격 조사 '을'과는 다른 형태이다.

④ ㉣은 문장의 주체인 '하늘'을 높이기 위해 현대 국어와 마찬가지로 주체 높임 선어말 어미 '-시-'가 사용되었다.

20 ② [모의평가 기출]

'사ᄉᆞᆷ > 사슴'에서는 둘째 음절 이하에 놓인 'ᆞ'가 'ㅡ'로 변하였고, 'ᄀᆞ장 > 가장'에서는 첫째 음절에 놓인 모음 'ᆞ'가 'ㅏ'로 변하였다.

21 ② [수능 기출]

㉡'仙人(선인)이'와 ㉧'蓮花(연화)ㅣ'는 각각 현대어의 '선인이'와 '연꽃이'에 해당하므로, ㉡의 '이'와 ㉧의 'ㅣ'가 모두 주격 조사라는 것을 알 수 있다. 따라서 격 조사의 종류가 달라서 서로 다른 형태로 나타났다는 진술은 적절하지 않다. '선인'은 자음으로 끝나는 체언이므로 '이'가, '연화'는 'ㅣ' 모음 이외의 모음으로 끝나는 체언이므로 'ㅣ'가 결합한 것이다.

✖오답 풀이

① ㉠'ᄒᆞ샨'에는 주체인 '대사'를 높이기 위해 주체 높임 선어말 어미 '-샤-'가 쓰였다.

③ ㉢'南堀(남굴)ㅅ'은 현대어의 '남굴의'에 해당한다. 따라서 ㉢의 'ㅅ'은 현대 국어의 '의'에 해당하는 관형격 조사로 쓰였음을 알 수 있다.

④ ㉣'世間(세간)애'와 ㉥'時節(시절)에'는 각각 현대어의 '세상에'와 '시절에'에 해당하므로, ㉣의 '애'와 ㉥의 '에'가 모두 부사격 조사라는 것을 알 수 있다. 다만 모음 조화가 엄격히 지켜졌던 중세 국어에서는 앞말의 끝모음이 양성일 때는 '애'가, 앞말의 끝모음이 음성일 때는 '에'가 결합한 것이다.

⑤ ㉤'쉽디'는 현대어의 '쉽지'에 해당한다. 'ㄷ'이 'ㅣ' 모음 앞에서 구개음인 'ㅈ'으로 변하지 않은 것으로 보아, 중세 국어에서는 현대 국어와 달리 구개음화 현상이 일어나지 않았음을 알 수 있다.

III 읽기

개념 확인 문제 p. 176~177

1 ① 2 상호 작용 3 ② 4 ⑤ 5 ㉠: 발췌독, ㉡: 미독 6 ⑤ 7 ④ 8 ③

1 글의 목적이나 주요 내용을 예측하는 것은 '읽기 전 활동'에 해당한다.

2 읽기는 사회적 상호 작용의 과정이다.

3 읽기 과정에서 개인적 문제가 사회적 문제로 확산되는 것은 아니다. 다만 독자는 읽기를 통해 개인적 문제가 사회적 문제와 무관하지 않음을 깨닫는 것이다.

4 문제 해결을 위한 읽기와 독자의 흥미 유발 여부는 관련이 없다.

5 백과사전은 내용이 방대하므로 필요한 부분만 찾아 읽는 발췌독의 방법이 효율적이다. 문학 작품을 음미할 때는 미독의 방법이 적절하다.

6 문제 해결을 위한 읽기를 할 경우에는 필요한 내용을 찾아가며 읽되, 글쓴이의 생각이나 주장의 타당성과 공정성 등을 따져 보며 비판적으로 수용해야 한다.

7 매체 자료를 읽을 때 매체의 특성을 알고 있어야 한다. 그러나 매체의 구성 요소가 모두 갖추어졌는지를 확인할 필요는 없다.

8 책에서 얻은 중요 정보를 자신만의 비법으로 삼는 것은 적절하지 않다. 진로나 관심 분야가 비슷한 친구들과 책에서 얻은 정보를 공유해야 정보의 축적이 더 쉽게 이루어지고 그것에 대한 이해의 폭이 더 넓어질 수 있다.

01 로봇 시대, 인간의 일 p. 179

1 ① 2 ② 3 인류의 유연성과 창의성을 바탕으로 인류가 기계와 공존·공생한다. 4 ③ 5 ③

1 ①

인간의 감정과 의지를 인공 지능과 구분되는 인간만의 특징이라고 본 것은 세계적인 석학들의 주장이 아니라 글쓴이의 견해이다.

2 ②

글쓴이는 인공 지능 시대의 해결 과제로 기계의 통제와 인간의 가치 고양 두 가지를 제시하였다. 따라서 이 글을 통해 글쓴이가 말하고자 하는 바는 인공 지능 시대에 대비하기 위해 생각하는 기계가 모방할 수 없는 인간만의 특징을 찾아 인간의 가치를 높여야 한다는 것으로 볼 수 있다.

3 인류의 유연성과 창의성을 바탕으로 인류가 기계와 공존·공생한다.

마지막 문단에서 글쓴이는 인공 지능 시대에 인간에게 던져진 과제를 해결하는 궁극적인 방향은 기계와의 경쟁이 아닌 공존과 공생이라고 하였다. 그리고 인간의 생존은 인간의 고유한 속성인 유연성과 창의성을 통해 방법을 찾을 수 있을 것이라고 하였다. 따라서 인공 지능 시대 인류의 바람직한 생존 방향은 인류의 유연성과 창의성을 바탕으로 인류가 기계와 공존·공생하는 것이라고 할 수 있다.

4 ③

〈보기〉는 인공 지능 로봇을 독립성이 있는 존재로 보는 반면, [A]는 인간이 과학적 · 법률적 방안을 통해 인공 지능을 통제할 수 있다는 입장이다.

✖ 오답 풀이

① 〈보기〉에서는 로봇이 감정을 느끼는 존재로 보고 있지만, [A]에서는 감정은 로봇과 달리 인간만의 고유한 특징이라고 보았다.
② 〈보기〉에서 로봇은 스스로 교신을 끊으며 입력된 프로그램과 다른 행동을 하고 있다.
④ 〈보기〉에서만 로봇이 스스로 판단을 내리고 의지에서 비롯된 행동을 한다고 보았다.
⑤ 〈보기〉에서는 의식이 있는 인공 지능을 독립성이 있는 존재로 보고 있지만 인간보다 우수하다고 보았는지는 확인할 수 없다.

5 ③

강력한 법률 제정과 사회적 합의를 도출하는 것은 로봇을 통제하기 위한 과제일 뿐, 인간의 가치를 고양하는 과제에 해당하지 않는다. 인간의 가치 고양을 위해서는 기계가 모방할 수 없는 인간만의 특징을 찾아야 하는데, 이것은 각 개인에게 던져진 철학적 과제이다.

02 과학자의 서재 p. 181

1 ⑤ 2 ① 3 ④ 4 여왕개미를 구하여 종족의 DNA를 유지하기 위해서이다. 5 ① 6 ③ 7 ②

1 ⑤

이 글에는 글쓴이의 독서 경험은 나타나 있지만, 이를 통해 올바른 독서 방법을 알려 주고 있는 것은 아니다.

✖ 오답 풀이

① (가)에서 글쓴이가 읽은 〈모닥불과 개미〉의 전문을 인용하고 있다.
② '〈모닥불과 개미〉 → 『사회 생물학』 → 『이기적 유전자』'로 이어지는 독서 경험이 시간 순서에 따라 제시되고 있다.
③ 전체적으로 글쓴이가 독서를 통해 느꼈던 감동과 그로 인한 영향을 제시하고 있다.

④ (다)의 두 번째 문단에서 의문문을 활용하여 하루아침에 세계관이 바뀐 글쓴이가 자신의 독서 경험을 강조하고 있다.

2 ①

글쓴이가 〈모닥불과 개미〉라는 수필을 읽고 강렬한 인상을 받은 것은 사실이지만 개미를 과학적으로 연구하기 위해 동물학자가 된 것은 아니다. 글쓴이가 동물학자가 된 후 사회 생물학이라는 학문을 접했을 때 개미들을 이해하게 되었고 사회 생물학을 평생 공부하기로 결정한 것이다.

✖오답 풀이

②는 (마)에서, ③은 (나)에서, ④는 (라)에서, ⑤는 (나)에서 확인할 수 있다.

3 ④

이 글은 글쓴이가 독서를 통해 강한 인상을 받고 깊이 있는 학문 탐구의 욕구를 느끼며, 삶의 의문에 대한 해답도 얻은 경험을 드러내고 있다. ㄱ은 (나)에서, ㄴ은 (마)에서, ㄷ은 (나)와 (마)에서 이끌어 낼 수 있다. 그러나 이 글에서 공동체 의식 형성과 관련된 내용은 나타나지 않는다. 불타는 통나무 주위를 도는 개미들의 모습은 공동체 의식이라기보다는 본능에 따른 행동으로 보아야 한다.

4 여왕개미를 구하여 종족의 DNA를 유지하기 위해서이다.

(라)에서 모든 생명체는 DNA를 유지하기 위한 생존 기계라고 하였고, 〈보기〉에서 개미 집단은 여왕개미만이 번식을 할 수 있다고 하였다. 따라서 [A]에서 개미들이 불타는 통나무 주위로 모여들어 통나무를 붙잡는 것은 집단에서 유일하게 번식을 할 수 있는 여왕개미를 구하려는 목적에서 비롯된 행위임을 알 수 있다.

5 ①

(라)는 유전자가 모든 것을 결정한다는 내용이다. 이에 대한 비판적 사고는 유전자가 모든 것을 결정한다는 주장을 반박하는 내용이 되어야 한다. ①처럼 쌍둥이도 환경에 따라 다른 성격을 지닌다는 것은 유전적 요인이 모든 것을 결정한다는 것을 반박하는 내용에 해당할 수 있다.

✖오답 풀이

② 유전적 요인이 모든 것을 결정한다는 관점에 대해 반박하는 의문이 아니라, 그 관점을 비관적으로 받아들인 반응에 해당한다.

6 ③

개미들이 모닥불에 타 죽었다고 했으므로 모닥불은 개미들의 삶을 위협하는 요소이다. 따라서 〈보기〉를 참고할 때, 모닥불은 인권을 탄압하는 옛 소련 체제로 볼 수 있다.

7 ②

(마)를 통해 『이기적 유전자』는 글쓴이가 지녔던 여러 가지 삶의 의문을 풀어 주고, 세상을 분석하는 관점을 명쾌하게 제시한 책이라는 것을 알 수 있다.

03 지식의 미술관

p. 183

1 ② **2** ④ **3** ③ **4** ② **5** ⑤ **6** ⓐ: 이질적인 상황, ⓑ: 특정한 대상

1 ②

1문단에서 설명하고자 하는 대상인 '데페이즈망'의 개념을 밝혀 독자의 이해를 돕고 있다(ㄱ). 그리고 2, 3문단에서 마그리트의 작품 〈골콘다〉의 사례를 통해 '데페이즈망'의 효과를 설명하고 있다(ㄴ). 마지막 문단에서는 마그리트의 그림에 나타나는 '데페이즈망'의 형식을 6가지와 8가지로 분류하고 있다(ㄹ). 그러나 이 글은 데페이즈망의 형식에 대해 설명하고 있을 뿐, 글쓴이의 주장을 드러내고 있는 글은 아니다. 또한 시간의 흐름에 따른 통시적 관점에서 대상에 대한 평가의 변화를 제시하고 있지도 않다.

2 ④

책의 주요 내용을 수업 시간에 발표하기 위해서는 글의 내용을 파악하고 기억할 수 있는 독서를 해야 한다. 따라서 처음부터 끝까지 글의 내용을 정리하며 꼼꼼히 읽는 것이 필요하다.

✖오답 풀이

① 읽기 전에 예측한 내용을 확인하며 읽는 것은 일반적인 읽기 과정일 뿐, 수업 시간 발표를 위해 가장 필요한 읽기 방법이라고 할 수 없다.
② 시, 소설 같은 문학 작품에서 감동과 즐거움을 얻기 위한 목적의 읽기 방법이다.
③ 신문이나 잡지 등의 글에서 글쓴이의 의도를 파악하기 위한 읽기 방법이다.
⑤ 문제 해결에 필요한 구체적인 정보를 얻기 위한 읽기 방법이다.

3 ③

㉠'상식의 맥락', ㉡'통념', ㉤'현실의 법칙'은 모두 합리적 이성에 의해 지배되는 현실 상황을 가리키는 말이다. 반면 ㉢'합리 너머의 세계'는 데페이즈망의 표현법으로 실현되는 효과이며, ㉣'기계적인 배치'는 〈골콘다〉에서 보이는 데페이즈망 기법과 관련되어 있다. 따라서 ㉠, ㉡, ㉤은 현실 상황을, ㉢과 ㉣은 비현실적인 상황을 의미한다.

4 ②

㉮는 '재봉틀과 양산'은 흔히 볼 수 있는 물체이지만 '해부대'라는 낯선 공간에 배치함으로써 새로운 시적 · 예술적 상상을 낳을 수 있다는 의미이다. 따라서 흔히 볼 수 있는 물체도 낯선 공간에서 만나게 되면 새로운 상상을 자극할 수 있다는 의미이다.

✖오답 풀이

① 통념을 거부하는 기이함은 합리적 이성 너머의 세계에 대한 심층적 인식을 일깨운다.
③ 일상적 소재가 낯선 공간에서 만난 상황이다.
④, ⑤ '재봉틀과 양산'은 현실 세계에서 흔히 접할 수 있는 소재를 나타낼 뿐, 예술적 상상을 자극할 수 있는 소재나 특별히 상징

적 의미를 지니는 소재로 볼 수는 없다.

5 ⑤
〈보기〉에 제시된 마그리트의 〈레슬러의 무덤〉은 장미 한 송이가 방 안을 가득 채울 정도로 크게 그려진 그림이다. 이것은 꽃의 크기만 변화시켰을 뿐이지만 평범한 일상이 낯선 상황으로 탈바꿈되어, 새롭고 신비한 분위기를 불러오고 있다.

✖오답 풀이
① 장미꽃은 원래 생명이 있는 대상이다.
② 미지의 차원이 아닌 현실에 존재하는 꽃과 방 안 풍경을 묘사하고 있다.
③ 꽃을 사물화한 표현은 나타나지 않는다.
④ 장미꽃과 방 안을 상호 보완적인 사물의 조합으로 볼 수 없으며, 이를 통해 특별한 상징적 의미가 드러나는 것도 아니다.

6 ⓐ: 이질적인 상황, ⓑ: 특정한 대상
'해부대 위'에 '재봉틀과 양산'이 놓여 있다는 것은 통념에 맞지 않는 것으로 데페이즈망의 표현법을 나타내는 말이다. 이것은 1문단에서 이야기하는 '특정한 대상'을 '이질적인 상황'에 배치하는 것을 의미한다.

04 스마트폰 중독, 어떻게 해결할까?

p. 185

1 ⑤ 2 ⑤ 3 ③ 4 ②

1 ⑤
스마트폰 중독의 위험성을 주장하고 있는 글로, 글쓴이는 자신의 주장에 대해 다양한 방식으로 근거를 제시하고 있다. 그러나 자신의 주장에 대한 예상 반론을 드러내거나 그것에 반박하고 있지는 않다.

✖오답 풀이
① (라)에서 도파민이나 세로토닌과 같은 어려운 용어를 풀이하여 독자의 이해를 돕고 있다.
② (다)~(바)에서 스마트폰 중독의 위험성에 대한 글쓴이의 주장을 나열하고, 문단별로 각각의 위험성에 대해 구체적으로 제시하고 있다.
③ (가)에서 '한국 정보화 진흥원'의 조사 자료를 인용하는 등 주장에 대한 근거를 제시하고 있다.
④ (나)에서 구체적인 수치를 제시하는 등 스마트폰에 중독된 청소년들이 증가하는 추세임을 주장하고 있다.

2 ⑤
①, ②, ③, ④는 모두 스마트폰 중독을 예방하기 위한 개인적 차원에서의 노력에 해당한다. 그러나 ⑤는 법적인 제재 방안을 고민하고 있는 내용이므로 스마트폰 사용 습관을 고칠 수 있는 제도적인 측면에서의 방안에 해당한다.

3 ③
①은 (다)에서, ②는 (마)에서, ④는 (라)에서, ⑤는 (바)에서 확인할 수 있는 스마트폰의 위험성이다. 그러나 이 글에 스마트폰으로 인해 확인되지 않은 무분별한 정보에 노출될 수 있다는 내용은 없다.

4 ②
이 글의 (가)에서는 청소년들이 스마트폰 중독에 빠지기 쉬운 원인으로 자기 조절 능력이 부족한 청소년의 특징을 들었다. 그러나 〈보기〉에서는 지금 청소년은 오히려 20대에 비해 스마트폰 중독으로 병원에 찾아오는 수가 적은데 그 이유는 그들의 부모 세대가 이전 세대보다 스마트폰에 익숙하기 때문에 그들의 자식들을 잘 교육하고 있기 때문이라고 하였다. 이를 통해 볼 때, 〈보기〉는 부모들의 미숙함으로 스마트폰 중독 현상이 일어나는 것으로 본 것이다.

05 초신성의 후예

p. 187

1 ② 2 ②, ④ 3 ⑤ 4 ③

1 ②
이 글은 수필이지만 주로 과학적인 이론을 바탕으로 생명의 근원이 되는 원소들의 생성 과정을 설명하고 있다. 즉, 글쓴이의 체험보다는 과학 이론을 바탕으로 인간의 삶에 대한 견해를 밝히고 있는 것이다.

2 ②, ④
이 글은 빅뱅 이론과 같은 우주 과학 이론을 통해 인류의 탄생 기원을 밝히고, 이러한 자연의 섭리를 인간 사회에 적용해 나누는 삶의 필요성을 강조하고 있는 글이다. 따라서 이 글을 읽고 더 깊이 있는 지식을 얻기 위해 우주의 기원에 관한 다른 책을 찾아 읽거나 초신성과 같은 삶을 실천한 위인의 평전을 찾아 읽는 것은 읽기 과정에 따른 읽기 후 활동으로 적절하다.

3 ⑤
(라)에서 큰 별은 철까지 만든 후 초신성 폭발을 하며, 철보다 무거운 원소들은 초신성 폭발에서 만들어진다고 하였다. 따라서 큰 별이 초신성 폭발과 함께 철과 같은 무거운 원소들을 만드는 것은 아니다.

4 ③
이 글의 글쓴이는 초신성이 자기가 만든 원소들을 우주에 나누어 주지 않았다면 그 후에 태어난 별들은 초기 우주가 만든 수소와 헬륨 등 극히 단순한 원소 외에는 갖지 못한 채 태어날 것이므로 태양계에선 생명, 즉 인류가 탄생할 수 없었을 것이라고 말하고 있다.

Ⅳ 듣기 · 말하기, 쓰기

듣기·말하기

p. 192~195

1④ 2⑤ 3② 4③ 5④ 6④ 7② 8⑤

1 ④ [고1 전국연합 기출]

'반대 2'는 상대의 주장에 대해 반론을 제기할 때 대안을 제시하고 있을 뿐, 물음의 형식을 활용하여 상대방 발언의 의도를 확인하고 있지는 않다.

✖오답 풀이

① '찬성 1'은 학교 산책로 이용에 관한 교내 설문 조사의 결과를 학교 산책로에 쓰레기통을 설치해야 한다는 주장에 대한 근거로 제시하고 있다.
② '반대 1'은 인근 ○○고등학교의 실제 사례를 근거로 제시한 후 쓰레기통 설치에 반대한다는 자신의 주장을 밝히고 있다.
③ '사회자'는 토론자들의 반론 순서를 안내하며 토론을 진행하고 있다.
⑤ '찬성 2'는 '재활용 쓰레기통 설치'와 '학급별 순번제 관리 시스템 도입'을 대안으로 제시하며 그로 인한 긍정적인 효과를 언급하고 있다.

2 ⑤ [고1 전국연합 기출]

㉤을 고쳐 쓴 ⑤는 상대인 '가영'의 행동을 비난하는 표현이지 상대를 배려한 표현이 아니다.

3 ② [고1 전국연합 기출]

[A]에서 '철수'는 '가영'의 말을 가로채어 '가영'의 의사 표현을 막고 있다. 따라서 '철수'에게 상대방의 말을 끝까지 듣고 반응해야 한다고 조언하는 것이 가장 적절하다.

4 ③ [고1 전국연합 기출]

③의 '저도 나물 반찬이 몸에 좋다고 생각해요.'는 상대방인 어머니의 생각에 동의하는 표현이다. 그리고 '친구가 불고기 얘길 해서 그런지 불고기가 먹고 싶어서 그랬어요.'는 불고기를 먹고 싶다는 자신의 생각과 그렇게 생각하는 이유를 설명하는 것이다. 따라서 〈보기〉의 조건에 따라 [A]를 수정한 표현으로 적절하다.

✖오답 풀이

① 상대방의 생각에 동의를 표현했지만, 자신의 생각에 대한 이유를 밝히지 않았다.
② 책의 내용을 근거로 자신의 생각을 드러냈지만, 상대방의 생각에 동의를 표현하지 않았다.
④ 나물이 꼭 몸에 좋다고만 할 수 없는 이유를 밝히고 있지만, 상대방의 생각에 동의를 표현하지 않았다.
⑤ 고기를 좋아하는 이유를 밝히고 있지만, 상대방의 생각에 동의를 표현하지 않았다.

5 ④ [모의평가 기출]

축제 공동 개최에서 A가 가장 중요하게 생각하는 것은 마을의 인지도 향상이며, B는 경제적 이득 증대이다. 협상의 과정에서 축제 공식 명칭에 A 마을의 이름을 먼저 표기하기로 합의한 것은 마을을 전국에 알리고자 하는 A 마을의 목표를 실현할 수 있는 방안이고, B 마을의 특산품을 캐릭터로 만들고 수익성이 높은 행사를 B 마을이 먼저 선택할 수 있게 합의한 것은 경제적 이득을 얻고자 하는 B 마을의 목표를 실현할 수 있는 방안이다. 즉, 두 마을이 축제를 개최하면서 가장 중요하게 생각하는 바를 모두 실현할 수 있는 방안이 도출되었기 때문에 A와 B가 합의에 이를 수 있었다.

6 ④ [고1 전국연합 기출]

'학생 1'과 '학생 2'는 '응, 그거 참 좋다.'라고 하거나 '그거 좋은 생각이다.', '응, 좋아.' 등과 같이 상대방의 의견에 동의하는 말을 먼저 하였다. 그리고 눈이 좋지 않은 친구들을 위해 구역을 정하자거나 한 달에 한 번씩 제비뽑기를 하자는 의견을 추가로 제시하고 있다. 이를 통해 두 사람은 의견 일치에 도달하고 있다.

7 ② [고1 전국연합 기출]

㉮는 대화 상대인 '학생 1'이 말을 빠르게 했기 때문에 자신이 말을 이해하지 못했다는 내용이다. 〈보기〉를 참고할 때 이것은 문제를 자신의 탓으로 돌려 말해야 하므로 ②처럼 '방금 말한 거 내가 잘 이해하지 못해서 그러는데'로 수정하는 것이 적절하다. 그리고 '천천히 다시 한 번 말해 줄래?'는 상대방이 관용을 베풀 수 있도록 하는 표현이다.

8 ⑤ [고1 전국연합 기출]

지수는 합리적인 사고로 미술관에 가자는 민서의 의견과 축구를 하자는 현수의 의견을 종합하여 대안 도출에 기여하고 있다.

✖오답 풀이

① 반장은 다른 사람들의 의견을 물으며 의사소통 과정을 이끌어 가고 있으므로 일방적이라고 할 수 없다.
② 민서는 자신의 의견을 제시했으므로 소극적으로 참여한다고 볼 수 없다.
③ 현수는 민서의 의견을 무시하고 자신의 의견을 제시하고 있으므로 다른 의견에 수용적인 태도를 보인다고 할 수 없다.
④ 부반장은 안건에 대해 자신의 의견을 제시하지 않고 다른 사람의 의견을 들어야 한다고만 하였다.

쓰기

p. 198~200

1⑤ 2② 3① 4② 5④ 6④

1 ⑤ [고1 전국연합 기출]

초고를 쓴 학생은 노인 평생 교육의 활성화 방안으로 정부의 경제적 지원 확대와 노인 평생 교육 담당 기관의 캠페인 활동을 언급하고 있을 뿐, 노인 개인의 노력이 필요함을 촉구하고 있지는 않다.

✖오답 풀이

① 학생의 초고는 전체적으로 '노인 평생 교육의 활성화'와 관련된 내용이다.

② 마지막 문장에서 노인 평생 교육은 정부와 해당 기관의 노력이 필요하다고 하였다. 따라서 예상 독자에 정부와 노인 평생 교육 담당 기관을 포함한 것으로 볼 수 있다.

③ 노인 평생 교육이 활성화되어야 한다는 주장을 펼치며 정부와 노인 평생 교육 담당 기관이 할 일을 제시하고 있으므로 논설문의 형식임을 알 수 있다.

④ 글의 시작 부분에서 노인 평생 교육은 노인들의 삶의 질이 향상될 수 있도록 도와주는 교육 활동이라고 그 의의를 밝혔다.

2 ② [고1 전국연합 기출]

초고를 쓴 학생은 별관에 있어 접근성이 떨어지는 학교 도서관의 문제점을 발견하고 이를 개선하기 위해 학생들이 생활하는 교실 가까이에 생활 도서관이 있으면 좋겠다고 건의하는 글을 작성했다. 이를 통해 작문은 생활 속에서 문제를 해결하는 행위임을 알 수 있다.

3 ① [고2 전국연합 기출]

(가)에서 '나'는 평소 시를 멀리하는 친구들에게 시를 읽고 깨달은 바를 전하고자 글을 쓰기로 하였다고 했다. 그리고 (다)에서 글쓴이는 시를 읽은 경험을 바탕으로 좋은 시의 의미를 발견하고 있음을 알 수 있다. 이를 통해 작문은 예상 독자를 고려하여 표현하는 활동(ㄱ)이며, 일상의 경험과 관련지어 의미를 발견하는 활동(ㄴ)임을 알 수 있다.

✖오답 풀이

ㄷ. 이 글에는 문제 상황이나 사회적 갈등이 나타나 있지 않다.

ㄹ. 작문이 전달의 효과를 높이기 위해 다양한 매체를 사용하는 것은 사실이지만 (가)와 (다)를 통해서는 이를 알 수 없다.

4 ② [고2 전국연합 기출]

(다)에서 글쓴이는 시가 우리의 삶과 동떨어진 것이 아니라고 하였다. 따라서 글의 흐름을 고려할 때 [A]에는 '시'가 우리의 삶과 밀접한 관련이 있는 것이라는 내용이 들어가야 한다. ②의 '삶의 모습 속에 스며 있는 것이 아닐까'는 이러한 글의 흐름과 맞는 내용이며, 설의적 표현이 사용된 것이다. 또한 '꿈틀대고 버둥거리며'는 (나)의 시어나 시구를 활용한 것이다.

✖오답 풀이

①, ⑤ 글의 흐름을 고려하였고 (나)의 시구도 활용하였지만 설의적 표현이 사용되지 않았다.

③ (나)의 시구를 활용하고 설의적 표현이 사용되었지만 글의 흐름에서 벗어난 내용이다.

④ 글의 흐름을 고려하였고 설의적 표현이 사용되었지만 (나)의 시구를 활용하지 않았다.

5 ④ [고1 전국연합 기출]

(나)에는 김유정역에 도착하였을 때 느낀 설렘이 나타나 있지 않다. 또한 김유정 문학촌으로 가는 길에서 본 마을의 모습을 '산자락에 포근히 안긴 것처럼 보였다'고 하여 비유적 표현이 사용되었지만 김유정역에 도착했을 때에는 우리나라 최초로 작가의 이름을 붙인 기차역이라는 정보만 제시할 뿐 비유적 표현이 사용되지 않았다.

✖오답 풀이

① 김유정의 사진과 청동상의 사진이 제시되어 있으며, 이와 관련된 내용이 서술되어 있다.

② 2문단에서 여행을 통해 소설 속 동백꽃이 생강나무였음을 알게 된 사실을 언급하였고, 학생이 김유정 소설에 대해 알고 있던 배경지식을 활용한 내용이 제시되어 있다.

③ 김유정역에서 문학촌으로 가는 길, 김유정 생가, 전시관, 전시관에서 마을로 향하는 도로와 같이 공간의 이동에 따라 보고 들은 내용을 서술하고 있다.

⑤ '동백꽃 향기를 맡아보기를…….'이라며 김유정 문학촌을 방문할 것을 권유하면서 말 줄임을 사용해 여운을 남기고 있다.

6 ④ [고1 전국연합 기출]

'끝내'의 앞 문단은 김유정 문학촌이 있는 실레 마을을 소개하고 있고, '끝내'로 시작하는 문단에서는 김유정 문학촌에서 보고 느낀 내용이 제시되어 있다. 이러한 앞뒤 내용을 고려할 때 '끝내'와 '결국'은 모두 어색한 표현이다. 여기에서는 '얼마 있다가, 또는 얼마쯤 시간이 흐른 뒤에'라는 뜻을 가진 '이윽고'를 사용하는 것이 적절하다.

✖오답 풀이

① '부치다'는 '편지나 물건 따위를 일정한 수단이나 방법을 써서 상대에게로 보내다.'라는 뜻이다. 따라서 '겨루는 일 따위가 서로 어울려 시작되게 하다.'라는 뜻을 가진 '붙이다'로 바꿔 쓰는 것이 적절하다.

② '여간'은 주로 부정의 의미를 나타내는 말과 함께 쓰이므로 여기에서는 '마치'로 고쳐 쓰는 것이 적절하다.

③ '웃으면서'의 주체가 '나'인지 '주인아주머니'인지 분명하지 않으므로, 주체를 '주인아주머니'로 하여 '들어오는 나를 웃으면서 맞이하는'으로 수정하는 것이 적절하다.

⑤ '김유정의 성장 과정과 문학 세계'라는 제목은 글의 내용에 어울리지 않는다. 김유정의 성장 과정과 문학 세계는 나타나지 않았기 때문이다. 따라서 글의 전체 내용을 포괄할 수 있는 '실레 마을에서 김유정을 만나다!'로 고쳐 쓰는 것이 적절하다.

꿈틀 고등 국어 통합편

- 새 교육 과정의 성취 기준과 새 교과서의 모든 내용을 꼼꼼하게 분석
- 어떤 교과서를 쓰더라도 꼭 배워야 할 핵심 개념과 내용 제시
- 학습 목표와 학습 활동을 반영해 내신 출제 가능성이 높은 문제 수록
- 기출문제 분석과 활용을 통해 수능에도 대비할 수 있는 수능형 문제 수록

꿈틀 국어 교재 목록

고등 국어 기초 실력 완성

고고 시리즈

고등 국어 공부, 내신과 수능 대비에 필요한 모든 내용을 알차게 정리한 교재

기본
문학
독서
문법

일목요연한 필수 작품 정리

모든 것 시리즈

새 문학 교과서와 EBS 교재 수록 작품, 그 밖에 수능에 나올 만한 작품들을 총망라한 교재

현대시의 모든 것 | 고전시가의 모든 것
현대산문의 모든 것 | 고전산문의 모든 것
문법·어휘의 모든 것

수능 학습의 나침반

첫 기본완성 시리즈

수능의 기본 개념과 핵심 유형별 문제를 수록한 수능의 기본서

수능 국어 기본완성
수능 문학 기본완성
수능 비문학 기본완성

밥 먹듯이 매일매일 국어 공부

밥 시리즈

기출 공부를 통해 수능 필살기를 익힐 수 있도록 돕는 친절한 학습 시스템

처음 시작하는 문학 | 처음 시작하는 비문학 독서
문학 | 비문학 독서
언어와 매체 | 화법과 작문
어휘력

문학 영역 갈래별 명품 교재

명강 시리즈

수능에 출제될 만한 주요 작품과 실전 문제가 갈래별로 수록된 문학 영역 심화 학습 교재

고전시가
고전산문

국어 기본 실력 다지기

국어 개념 완성

국어 공부에 꼭 필요한 개념을 예시 작품을 통해 완성할 수 있는 교재

문이과 통합 수능 실전 대비

국어는 꿈틀 시리즈

문이과 통합 수능 경향을 반영하여 수능 실전에 대비할 수 있도록 구성한 교재

문학
비문학 독서
단기 언어와 매체

내신·수능 대비

고등 국어 통합편

고1 국어 교과서 핵심 내용을 한 권으로 완벽하게 총정리하는 교재

문학 비책

필수&빈출 문학 작품 194편을 한 권으로 완벽하게 총정리하는 교재

www.ggumtl.co.kr

청소년들 모두가 아름다운 꿈을 이룰 그날을 위해
꿈을담는틀은 오늘도 희망의 불을 밝힙니다.

꿈틀 고등 국어 통합편

- 새 교육 과정의 성취 기준과 새 교과서의 모든 내용을 꼼꼼하게 분석
- 어떤 교과서를 쓰더라도 꼭 배워야 할 핵심 개념과 내용 제시
- 학습 목표와 학습 활동을 반영해 내신 출제 가능성이 높은 문제 수록
- 기출문제 분석과 활용을 통해 수능에도 대비할 수 있는 수능형 문제 수록

지은이 문동열 외 **펴낸곳** (주)꿈을담는틀 **펴낸이** 백종민 **등록번호** 제302-2005-00049호 **대표전화** 1544-6533 **팩스** 02-749-4151
펴낸날 2023년 9월 26일 초판 11쇄 **주소** 서울시 영등포구 당산로 50길 3 꿈을담는빌딩
홈페이지 www.ggumtl.co.kr

ISBN 978-89-6391-777-1
53710
9 788963 917771
정가: 13,500원

KAIST 출신 수학 선생님들이 집필한

계산의 신 神

송명진·박종하 지음

자연수의 덧셈과 뺄셈 기본(2)

특징 1
교육과정에 맞춘 **단계별 계산 프로그램**

특징 2
학습 관리표로 계산의 정확성 속도 향상

특징 3
하루 2장 **반복학습**으로 계산법 습득

특징 4
실력 진단 평가로 학습 성취도 점검 (부록 20회)

계산의 신

지은이

송명진

소설가를 꿈꾸는 책벌레 소녀였던 송명진 선생님은 사춘기 시절 수학 선생님을 짝사랑하다가 수학의 재미에 눈을 떴습니다. 고려대학교 수학교육과를 졸업하고, KAIST에서 석사까지 수학을 공부한 뒤 삼성생명과학연구소 연구원으로 근무했습니다. 두 아이의 엄마가 되면서 아이들이 보다 쉽고 재미있게 수학을 배우고 즐기게 해 주고 싶은 마음에 수학 강사가 되었고, 수학 관련 책을 쓰고 있습니다. 아이들이 수학의 진정한 재미를 찾을 수 있도록 돕고 싶습니다.

지은 책으로는 《열려라! 수학의 요술 상자》가 있고 박종하 선생님과 함께 《수학의 재미》《생각이 아이를 바꾼다 1, 2》《창의력 두뇌 태교》《수학 두뇌 태교》《생각의 피자》 등을 썼습니다. 옮긴 책으로는 《초등 수학 핵심 사전》《빙글빙글 수학 놀이공원》《알쏭달쏭 수학 우주여행》 등이 있습니다.

박종하

박종하 선생님은 고려대학교 수학교육과를 졸업하고 KAIST에서 박사 학위를 받았습니다. 삼성전자 중앙연구소 연구원으로 일했고, PSI 컨설팅, 이언그룹 등을 거쳐 현재는 박종하 창의력연구소를 운영하고 있습니다. 수학에 기초한 남다른 시각으로 창의성에 관한 글을 쓰고, 교육프로그램을 만들고 강의하며 많은 사람들과 만나고 있습니다. 사람의 인생을 결정하는 것은 그 사람의 생각이라고 믿으며 인생을 행복하게 살기 위한 생각의 기술을 다른 사람들과 공유하고 싶습니다.

지은 책으로는 《틀을 깨라》《나는 옳다》《아이디어 충전소》《아프리카에서 온 암소 9마리》《생각이 나를 바꾼다》《그림으로 읽는 성공의 법칙》 등이 있고, 송명진 선생님과 함께 《수학의 재미》《생각이 아이를 바꾼다 1, 2》《창의력 두뇌 태교》《수학 두뇌 태교》《생각의 피자》 등을 지었습니다. 옮긴 책으로는 《생각을 바꾸는 생각》《유쾌한 발견력》《창조적 사고의 기술》《왜 나는 눈앞의 고릴라를 못 보았을까?》《헤라클레이토스의 망치》 등이 있습니다.

검토진

강정아 부산 | 고명한 울산 | 구정모 대구 | 권희정 김천 | 기미나 인천 | 김덕한 대전
김미라 서산 | 김봉조 울산 | 김현아 서울 | 김현호 인천 | 김희경 서울 | 렴영순 인천
문명호 대구 | 민병옥 수원 | 박근수 울산 | 박도솔 용인 | 박도희 대구 | 박미영 서울
박병무 대구 | 박선미 서울 | 배현심 대구 | 백광일 창원 | 서자현 부산 | 석경진 서울
심소현 창원 | 안려인 안산 | 양정환 안성 | 엄정은 서울 | 오현석 전주 | 원민희 대구
윤관수 화성 | 윤필상 충주 | 윤희정 청주 | 이상규 세종 | 이재욱 용인 | 이진국 부천
이진희 수원 | 이혜경 서울 | 정민정 평택 | 정지연 여수 | 정한울 포천 | 조용남 광주
조윤정 인천 | 지슬기 평택 | 진성빈 오산 | 최서영 전주 | 최우섭 전주 | 최 윤 전주
최홍민 평택 | 최효임 부산 | 탁경미 서울 | 홍성미 부천